A DIETA DA
MENTE

A DIETA DA
MENTE

DR. DAVID PERLMUTTER

DESCUBRA
OS ASSASSINOS
SILENCIOSOS
DO SEU CÉREBRO

Tradução
ANDRÉ FONTENELLE

2ª edição revista e ampliada
6ª reimpressão

paralela

Copyright © 2013, 2018 by David Perlmutter, MD

A Editora Paralela é uma divisão da Editora Schwarcz S.A.

*Grafia atualizada segundo o Acordo Ortográfico
da Língua Portuguesa de 1990, que entrou em vigor
no Brasil em 2009.*

TÍTULO ORIGINAL Grain Brain: The Surprising Truth About
Wheat, Carbs, and Sugar — Your Brain's Silent Killers.

CAPA Juliana Vidigal

PREPARAÇÃO Juliana Moreira

REVISÃO Angela das Neves e Adriana Bairrada

ÍNDICE REMISSIVO Luciano Marchiori

Dados Internacionais de Catalogação na Publicação (CIP)
(Câmara Brasileira do Livro, SP, Brasil)

Perlmutter, David
    A dieta da mente : descubra os assassinos silenciosos do
seu cérebro / David Perlmutter; tradução André Fontenelle.
— 2ª ed. rev. e ampl. — São Paulo : Paralela, 2020.

    Título original: Grain Brain : The Surprising Truth
About Wheat, Carbs, and Sugar — Your Brain's Silent
Killers.
    ISBN 978-85-8439-165-3

    1. Carboidratos – Metabolismo – Obras de divulgação
2. Cérebro — Doenças — Aspectos nutricionais — Obras
de divulgação 3. Dieta sem glúten – Obras populares
4. Receitas culinárias I. Título.

20-34355	CDD-641.5638

Índice para catálogo sistemático:
1. Dieta da mente : Promoção da saúde   641.5638
Cibele Maria Dias – Bibliotecária – CRB-8/9427

Todos os direitos desta edição reservados à
EDITORA SCHWARCZ S.A.
Rua Bandeira Paulista, 702, cj. 32
04532-002 — São Paulo — SP
Telefone: (11) 3707-3500
editoraparalela.com.br
atendimentoaoleitor@editoraparalela.com.br
facebook.com/editoraparalela
instagram.com/editoraparalela
twitter.com/editoraparalela

*Na dedicatória original da edição de 2013
de* A dieta da mente, *lia-se: "Ao meu pai,
que aos 96 anos inicia cada dia se arrumando
para examinar seus pacientes — apesar de
ter se aposentado há mais de 25 anos".
Cinco anos depois, dedico esta edição
de aniversário à memória dele.*

Seu cérebro:
pesa um quilo e meio e tem 150 mil quilômetros
de vasos sanguíneos;
possui mais neurônios do que existem estrelas na Via Láctea;
é o órgão mais pesado do seu corpo;
pode estar sofrendo neste exato momento,
sem que você faça a menor ideia.

Sumário

Introdução: *Contra os grãos* 11

Autoavaliação: *Quais são os seus fatores de risco?* 33

PARTE I. A VERDADE SOBRE O GRÃO INTEGRAL 39
1. A maior causa das doenças do cérebro
   O que você não sabe sobre as inflamações 43
2. A proteína adesiva
   O papel do glúten nos processos inflamatórios cerebrais
   (o problema não é só a sua barriga) 68
3. Cuidado, "carboólicos" e "gordurofóbicos"
   A surpreendente verdade sobre os amigos e inimigos do seu cérebro 99
4. Uma união infrutífera
   Seu cérebro viciado em açúcar (natural ou não) 144
5. O dom da neurogênese ou o controle dos comandos principais
   Como mudar seu destino genético 173
6. A fuga do seu cérebro
   Como o glúten acaba com a sua paz de espírito,
   e com a de seus filhos 200

PARTE II. COMO CURAR SEU CÉREBRO 233
7. O regime alimentar para o cérebro ideal
   Bom dia, jejum, gordura e suplementos essenciais 237

8. Medicina genética
   Exercite seus genes para conquistar um cérebro melhor 258
9. Boa noite, cérebro
   Alavanque sua leptina para controlar os hormônios 271

PARTE III. DIGA ADEUS AOS GRÃOS 283
10. Um novo modo de vida
    O plano de ação de quatro semanas 289
11. O caminho para um cérebro saudável pela alimentação
    Programas de refeições e receitas 320

Receitas 329

Epílogo: *A espantosa verdade* 375

Agradecimentos 379
Créditos de tabelas, gráficos e ilustrações 381
Notas 383
Índice remissivo 411

Introdução
Contra os grãos

Manter a ordem, em vez de corrigir a desordem, é o princípio básico da sabedoria. Curar a doença depois que ela aparece é como cavar um poço quando se tem sede, ou forjar armas com a guerra iniciada.

Nei Jing, século II a.C.

Quando este livro foi lançado nos Estados Unidos, em 2013, questionava os dogmas da época em relação a dietas. Seu foco estava centrado na redução dos carboidratos, na supressão do glúten e no aumento do consumo de gorduras de alta qualidade. Era um protocolo que se chocava frontalmente com o senso comum dominante em relação àquilo que constituiria uma dieta saudável. Derrubei tabus não apenas em relação ao corte radical de açúcares e carboidratos e ao incremento de gorduras, mas também ao incentivar a cetose e o uso do poder dos jejuns intermitentes. Isso levou para o centro do debate esses temas, e sua relação com opções sadias de dieta e hábitos de vida em geral. Agrada-me a ideia de ter iniciado uma revolução. E ela precisa continuar, sobretudo agora que perdi meu pai para o Alzheimer.

A verdade, porém, é que o iniciador dessa revolução não fui eu. Na época, eu não havia elaborado um plano global de marketing. Quem impulsionou esse movimento foram os leitores, que puseram essas mudanças em prática em seus hábitos alimentares e sentiram os resultados positivos. Esses resultados, por sua vez, motivaram-nos a fazer outras mudanças para melhor em suas vidas, para além da dieta. Todas essas mudanças diminutas foram se somando, gerando uma imensa transformação; o micro virou macro. Essas pessoas melhoraram sua qualidade de vida em geral e decidiram compartilhar suas histórias com outras. Nada tem mais poder que a disseminação de ideias por meio do bom e velho boca a boca. Com esta edição revisada, minha esperança é atingir tanto aqueles que leram a obra original quanto aqueles que estão me conhecendo, e a minhas ideias, pela primeira vez. Bem-vindos. Escrevi este livro para ambos os públicos e espero que ele fale a você de modo a empoderá-lo, passando a lhe dar o controle — e o domínio — sobre sua saúde como nunca antes.

Sofri algumas críticas por meus conselhos contra a corrente (meus conselhos não são do agrado da indústria do trigo e do açúcar), mas os resultados apresentados por quem seguiu as recomendações de *A dieta da mente* deixaram claro o bom senso básico de seus princípios. Incontáveis leitores que sofreram a vida inteira com uma série de condições de saúde crônicas — de ansiedade, Transtorno de Déficit de Atenção e Hiperatividade (TDAH) e confusão mental até doenças inflamatórias, transtornos de humor e depressão, declínio neurodegenerativo, diabetes e obesidade — puderam finalmente mudar, e para melhor, o destino de sua saúde. Saiba mais sobre essas histórias transformadoras on-line, em DrPerlmutter.com ou em meu canal do YouTube, David-PerlmutterMD. Também apresentarei outros testemunhos ao longo deste livro, em boxes (procure "História Real DM").

A dieta da mente transformou-se num fenômeno global, com mais de 1 milhão de exemplares impressos e traduzido em trinta idiomas. Isso ainda me causa espanto. A oportunidade de participar de forma positiva no destino de tantas pessoas, atingindo mais gente do que eu jamais conseguiria em minhas consultas particulares, é uma lição para mim. O sucesso deste livro também abriu portas para que eu viajasse por todo o mundo, encontrando profissionais da área da saúde, os maiores cientistas e pesquisadores, assim como o público leigo. Uma das minhas experiências mais gratificantes ocorreu em 2017, quando pude compartilhar minhas ideias sobre a saúde cerebral no Banco Mundial, numa apresentação transmitida para 150 pontos diferentes do planeta. Participei de incontáveis outros eventos públicos e privados, dei palestras em faculdades de medicina e entrevistas aos principais meios de comunicação, tanto impressos quanto televisivos, continuando a propagar e defender as orientações contidas no protocolo original de *A dieta da mente*.

Mas devo ir mais longe nesta nova edição.

O sistema operacional básico, por trás da prática da medicina nos Estados Unidos de hoje, concentra seu foco, de forma míope, no tratamento de nossos males com soluções altamente lucrativas, voltadas para o gerenciamento dos sintomas.[1] As causas são ignoradas. A prevenção de doenças é desprezada e relegada ao terreno das modalidades alternativas. Assistir a nossos detentores de cargos eletivos debatendo os méritos do financiamento da enésima versão de um sistema de assistência à saúde criado para tratar doenças não deixa de ser uma ironia cruel, considerando que nada tem a ver com saúde e tudo a ver com doença. Mas já ficou claro que os dois lados da questão concordam, ardorosamente, que os americanos precisam ter acesso aos comprimidos — e quanto mais, melhor.

Do meu ponto de vista, anunciar ao mundo que, com mudanças simples, pode-se prevenir uma doença como o Alzheimer, para a qual não existe tratamento eficaz, não só faz sentido, mas é necessário. A palavra "doutor" significa "professor". E hoje, quando tantos médicos parecem inteiramente dedicados a oferecer drogas como solução, é o momento ideal para fazer uma pausa, dar uma olhada nas pesquisas recentes e espalhar que os pacientes que estamos tratando podem tomar decisões, agora, que os manterão saudáveis.

Muita coisa aconteceu desde 2013 nos campos da nutrição e na neurologia. Publicações das mais respeitadas instituições acadêmicas, hoje, validam princípios que eu apresentei em *A dieta da mente* e vou abordar nesta edição atualizada. Até mesmo o governo americano modificou suas recomendações alimentares refletindo essas pesquisas, voltando atrás no incentivo a dietas baixas em calorias e colesterol e aproximando-se mais do meu jeito de comer. Eu vejo a vida melhor no futuro!

Em 2013, ainda corriam alguns mitos nos círculos médicos, sob a forma de boatos escabrosos. Ainda vivíamos em um mundo que considerava a gordura como algo associado a um maior risco de doenças (inclusive a obesidade); a sensibilidade ao glúten era um assunto reservado apenas ao contexto da doença celíaca, e nenhum cientista ousava pregar mudanças simples de estilo de vida, para estimular o crescimento e a proliferação de neurônios. Cinco anos mais tarde, dispomos de novas evidências, que mostram aquilo que contribui para o declínio do cérebro e doenças como o Alzheimer.

Na edição original de A *dieta da mente*, afirmei que a principal razão para evitar alimentos que contêm glúten era seu papel no agravamento de inflamações no corpo humano. Nesta edição revisada, não apenas vamos reencontrar as pesquisas originais que estabeleceram essas bases, como analisaremos novas pesquisas, que definem claramente o mecanismo que relaciona o glúten com inflamações. Na verdade, em 2015, um estudo publicado na revista *Nutrients* revelou que a gliadina, proteína encontrada no glúten, está associada a um aumento da permeabilidade do intestino em todos os seres humanos.[2] Essa pesquisa baseou-se nas descobertas revolucionárias do dr. Alessio Fasano, de Harvard, que desvendou o mecanismo pelo qual o glúten provoca essas alterações no revestimento intestinal. O aumento da permeabilidade do intestino intensifica a produção dos mediadores químicos das inflamações. E, não duvide, inflamações sistêmicas — ou seja, espalhadas pelo corpo, inclusive no intestino — são nocivas ao cérebro. A correlação entre o intestino e o cérebro é o pilar sobre o qual se baseia A *dieta da mente*.

Um tema importante, que vou repassar, é como enxergamos o equilíbrio entre neurogênese — a criação e o crescimento das células do cérebro e dos tecidos neuronais — e as inflamações:

NEUROGÊNESE – INFLAMAÇÃO

Meu objetivo é mostrar como certos hábitos reduzem as inflamações, ao mesmo tempo que estimulam a neurogênese, de modo que, em vez de destruir neurônios, você desencadeie o crescimento de novos.

Uma das ideias mais polêmicas apresentadas em *A dieta da mente* era que as pessoas podem reagir de forma significativamente negativa, até com sintomas neurológicos, como resultado da sensibilidade ao glúten. No entanto, até hoje continuamos a constatar comentários on-line agressivos, aparentando conhecimento de causa, afirmando que, quando não se tem doença celíaca ou alergia comprovada ao trigo, não há benefício em cortar o glúten. Esse tipo de afirmação perniciosa dá a entender que ninguém é sensível ao glúten, exceto um percentual muito diminuto de indivíduos que sofrem da condição autoimune que chamamos de doença celíaca, ou aqueles que têm algum tipo de alergia ao trigo. Não há concordância universal de que a chamada sensibilidade não celíaca ao glúten exista de fato. Fico pensando em quem acredita nesse tipo de nonsense anticientífico, que presta enorme desserviço a tanta gente. O fato é que, conforme publicado em 2017 no respeitadíssimo *Journal of the American Medical Association*, os pesquisadores de Harvard deixaram bem claro que a sensibilidade não celíaca ao glúten é um problema comum, que pode estar associado não apenas a problemas gastrointestinais, mas também extraintestinais, alguns deles relacionados ao cérebro, como se vê na tabela abaixo.[3]

MANIFESTAÇÕES GASTRO E EXTRAINTESTINAIS DA SENSIBILIDADE NÃO CELÍACA AO GLÚTEN	
Sintomas intestinais	Sintomas extraintestinais
Dor abdominal	Anemia
Inchaço	Ansiedade
Prisão de ventre	Artralgia (dor nas juntas)
Diarreia	Artrite
Flatulência	Ataxia (desequilíbrio ao caminhar)
Intolerância à lactose	Depressão
	Rash (por exemplo, eczema)
	Cansaço
	Dor de cabeça
	Irritabilidade
	Mialgias (dores musculares)
	Neuropatias periféricas

Embora venha aumentando o consenso em torno dos males do excesso de açúcar e carboidratos, ainda estamos diante de um gigantesco problema que não mudou: os índices de demência, incluindo Alzheimer, continuam a aumentar rapidamente em escala global e maciça. Como escreveram em 2016 os doutores Michal Schnaider-Beeri e Joshua Sonnen, em um artigo para a revista *Neurology*, "apesar do enorme esforço científico para encontrar tratamentos para o Alzheimer, há apenas cinco medicamentos no mercado, com limitados efeitos benéficos sobre os sintomas, numa proporção limitada de pacientes, sem modificação do progresso da doença."[4]

Minha missão de eliminar essa doença não terminará enquanto eu andar por este planeta. A saúde do cérebro é minha paixão, do ponto de vista profissional, há quarenta anos; e, do ponto de vista pessoal, desde que meu pai foi diagnosticado e morreu de Alzheimer — a forma mais comum de demência, sem tratamento, muito menos cura, apesar dos bilhões de dólares investidos na área de pesquisa. Hoje, ele afeta um em cada dez americanos acima dos 65 anos. E tem recebido pouca atenção o fato de que as mulheres são afetadas duas vezes mais que os homens. Fizemos enormes progressos em outras áreas, como doenças cardíacas, derrames, HIV/aids e certos tipos de câncer. Mas pense só: entre 2000 e 2014, houve uma queda drástica no número de pessoas que morrem desses males; enquanto isso, no mesmo período, as mortes relacionadas ao Alzheimer subiram impressionantes 89%.[5]

Dói em mim a simples menção ao custo dessa crise. É revoltante pensar que estamos gastando até US$ 215 bilhões por ano em tratamento de demência nos Estados Unidos — muito mais do que gastamos com qualquer outra doença, se pensarmos que a imensa maioria desses casos de demência poderia ser prevenida com simples alterações de estilo de vida cedo o bastante. Cumpre acrescentar que é inestimável o custo emocional para os entes amados e cuidadores. Só em 2018, o custo global do tratamento da demência passou de US$ 1 trilhão e, por incrível que pareça, prevê-se que esse valor duplique até 2030.[6] Isso significa que, hoje em dia, o gasto global com o tratamento da demência ultrapassa o valor de mercado de empresas como a Apple e o Google. E, se analisarmos o tratamento da demência no contexto econômi-

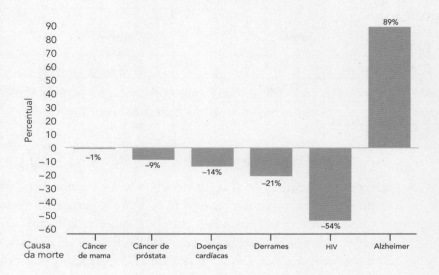

co global, ele representaria a 18ª maior economia do mundo. Repetindo, trata-se de uma doença em grande medida evitável, que atinge um paciente novo a cada três segundos.

Os números da demência estão crescendo em regiões onde a incidência era historicamente baixa, em comparação com os países ocidentais. Com base nas projeções atuais, o Leste Europeu terá um aumento de 26% dos casos de demência até 2050, e na África a prevalência vai disparar 291%. Na América Central, prevê-se um aumento de 348%. Isso é para demonstrar que não estamos falando de um problema genético. Embora de fato existam genes que elevam o risco de alguém ter Alzheimer, os casos de origem puramente genética são eclipsados pelos de influência ambiental e comportamental. No mundo como um todo, a maioria dos pacientes de demência vive em países de renda alta ou média para alta; em 2050, incríveis 73% dos 131 milhões de pacientes de demência serão representados por indivíduos da parte de cima da pirâmide de renda, como se pode ver no quadro a seguir.[7]

FAIXA DE RENDA (BANCO MUNDIAL)	NÚMERO DE PESSOAS COM DEMÊNCIA (MILHÕES)		
	2015	2030	2050
Baixa	1,2	2	4,4
Baixa para média	9,8	16,4	31,5
Média para alta	16,3	28,4	54
Alta	19,5	28	42,2
Mundo	46,8	74,7	131,5

A noção de que escolhas de vida influenciam profundamente o risco de uma pessoa desenvolver Alzheimer não é nova, e certamente não foi proposta pela primeira vez em A dieta da mente. As revistas científicas mais respeitadas, como o Journal of the American Medical Association, publicam há vários anos pesquisas mostrando que as decisões tomadas por nós têm influência sobre o destino de nosso cérebro. Um exemplo: em 2009, pesquisadores analisaram um grupo de quase 2 mil idosos sem demência, acompanhados de 1992 até 2006.[8] Fizeram uma pergunta simples: o que esse pessoal comia e quanto fazia de atividade física? Chegaram a conclusões convincentes. Demonstraram que aqueles que tinham sido mais ativos e com uma dieta majoritariamente "de tipo mediterrâneo" vivenciaram uma redução significativa do risco de se tornarem pacientes com Alzheimer. Depois desse estudo, vários outros chegaram à mesma conclusão, o que levou em 2018 a Clínica Mayo a postar um artigo em seu site, de autoria de um de seus principais neurologistas e docentes, afirmando que a dieta mediterrânea pode ajudar a proteger o cérebro e reduzir o risco de desenvolver demência.[9] Como fizemos na primeira edição, vamos explorar em profundidade como isso é possível, só que agora com uma compreensão e uma validação mais atualizadas de nossas propostas originais. Graças a esse e outros estudos, também sabemos hoje que diversas questões influenciam o risco de Alzheimer, como a atividade física, o sono restaurador e suplementos nutricionais.

Há muito a explorar. Vamos começar olhando para trás, muitos milênios atrás, numa época mais simples. É um quadro que já pintei antes, mas é tão forte que exige repetição.

UM CÉREBRO SAUDÁVEL COMEÇA POR VOCÊ

Se você perguntasse a seus avós ou bisavós do que as pessoas morriam quando eles eram crianças, provavelmente ouviria a palavra "velhice". Ou ficaria sabendo da história de alguém que pegou um germe insidioso e faleceu precocemente, de tuberculose, cólera ou disenteria. Não ouviria falar de coisas como diabetes, câncer, doenças cardíacas e demência. Também não teria conhecimento de muitos casos de pessoas sofrendo de condições como ansiedade e depressão, TDAH, dores crônicas, nem do sem-número de transtornos autoimunes, da fibromialgia à esclerose múltipla. Esses são males da vida moderna, *apesar* do acesso à medicina moderna.

Desde meados do século XX, passou-se a atribuir a causa imediata do falecimento das pessoas a uma doença ou condição única, no lugar do termo "velhice" na certidão de óbito. Hoje, essas doenças tendem a ser do tipo que progride de forma crônica, degenerativa, envolvendo complicações múltiplas e sintomas que se acumulam ao longo do tempo. É por isso que octogenários e nonagenários não costumam morrer de um mal específico. Como numa casa antiga que decai, os materiais envelhecem e enferrujam, o encanamento e a fiação dão defeito, e as paredes começam a sofrer minúsculas e imperceptíveis fissuras. Ao longo do declínio natural de uma casa, você realiza a manutenção sempre que se faz necessário. Mas ela nunca mais será como nova, a menos que se ponha abaixo toda a estrutura e se comece do zero. Toda tentativa de remendar e consertar faz com que você ganhe tempo, mas, no fim, há por toda parte pontos que necessitam de uma remodelação total ou de uma substituição completa. E, como tudo na vida, o corpo humano simplesmente se esgota. Uma doença degenerativa se instala e avança lentamente, num ritmo excruciante, até que o corpo se entrega.

Isso é particularmente verdadeiro quando se trata das desordens cerebrais, inclusive a mais temida de todas: o mal de Alzheimer, um bicho-papão moderno da medicina, que está sempre nas manchetes. Se existe um temor em relação à saúde que parece ofuscar todos os outros na velhice, é o de ser vítima do Alzheimer ou de alguma outra forma de demência que o deixe incapaz de pensar, raciocinar ou lembrar-se do passado. Estudos confirmam quão forte essa angústia é. Inúmeras pesquisas feitas mundo afora mostram que as pessoas têm mais medo da demência que do câncer e de outras importantes causas de morte. O próprio medo da morte fica para trás, diante do temor da demência. E é um medo que não afeta apenas os mais velhos. As gerações mais jovens começam a se preocupar com a própria saúde cerebral assim que alguém da família ou do círculo de amizades começa a demonstrar declínio. Nas palavras de meu colega e amigo Dale Bredesen, "todo mundo conhece um sobrevivente de câncer; ninguém conhece um sobrevivente de Alzheimer".

Existem vários mitos duradouros em relação ao leque de doenças degenerativas do cérebro (incluindo o Alzheimer): *é genético, é inevitável com a idade e é quase certo se você chegar ou passar dos oitenta.*

Calma lá.

Estou aqui para lhe dizer que o destino de seu cérebro não está nos seus genes. Não é algo inevitável. E se você sofre de algum outro tipo de desordem cerebral, como cefaleia crônica, depressão, epilepsia ou variações extremas de humor, a culpa pode não estar no código do seu DNA.

Está naquilo que você come.

Não, você não leu errado: as disfunções cerebrais têm início no seu pão cotidiano — e eu posso lhe provar. Vou repetir, porque sei que parece absurdo: os grãos modernos estão destruindo, silenciosamente, o seu cérebro. Quando escrevo "modernos", não me refiro apenas às farinhas, às massas e aos arrozes refinados que já foram demonizados pela turma antiobesidade; estou me referindo a todos os grãos que tantos de nós adotaram como saudáveis, como trigo integral, grãos integrais, multigrãos, sete grãos, grãos germinados, moído em pedra etc. Basicamente, estou dizendo que aquilo que é, provavelmente, a mais querida base de nossa dieta não passa de um grupo terrorista que ataca nosso órgão mais precioso, o cérebro. Irei mostrar como as frutas e outros carboidratos — principalmente aqueles repletos de açúcar, natural ou artificial — podem se tornar ameaças à saúde, com consequências graves, não apenas atacando fisicamente o seu cérebro, mas acelerando de dentro para fora o processo de envelhecimento do corpo. Não é ficção científica; são fatos comprovados.

Meu objetivo, ao atualizar *A dieta da mente*, é fornecer informações sólidas, baseadas em perspectivas evolutivas, cientificamente modernas e fisiológicas. Como na edição anterior, este livro sai da caixinha dos dogmas aceitos pelos leigos — e passa longe de interesses corporativos escusos. Não tenho muitos amigos nas indústrias que desafio. Esta obra propõe uma nova forma de compreender a causa por trás das doenças do cérebro e oferece uma promissora mensagem de esperança: os problemas mentais podem, em grande medida, ser prevenidos pelas decisões que você toma na vida. Por isso, caso você não tenha entendido até aqui, vou ser absolutamente claro: este não é apenas mais um livro de dieta ou um manual de instruções genérico sobre prevenção de doenças. Este é um livro transformador. No fim das contas, aquilo que todos desejamos para nós mesmos é igual: libertar-nos dos males crônicos que se devem ao jeito de viver que escolhemos. Citando mais uma vez o dr. Bredesen: "A força profunda dos elementos de estilo de vida na prevenção e reversão de doenças é uma dádiva que mal começamos a explorar". Anos atrás, se você me perguntasse se o declínio cognitivo e até mesmo os sintomas do Alzheimer eram reversíveis, eu seria categórico em dizer que não. Hoje, eu respondo com um sonoro sim — se você fizer sua parte e mudar seus hábitos.

Todos os dias ficamos sabendo de algo novo em nossas diferentes guerras contra as doenças crônicas, especialmente no que diz respeito àquelas que, na maior parte, podem ser evitadas com a adoção de certo estilo de vida. É preciso viver em Marte para não saber que a cada ano nos tornamos mais e mais obesos, apesar de tudo que nos é dito sobre como se manter magro e em forma. Também é difícil encontrar alguém que desconheça a explosão no número de casos de diabetes tipo 2. Ou o fato de que os problemas cardíacos são a causa número um de óbitos, seguidos de perto pelo câncer.

Coma alface. Escove os dentes. Malhe de vez em quando. Descanse bastante. Não fume. Seja mais bem-humorado. Participe de uma comunidade. Existem algumas regras de ouro de saúde que, no geral, fazem parte do senso comum e que todos nós sabemos. Mas, por algum motivo, quando se trata de manter a saúde de nosso cérebro e de nossas faculdades mentais, tendemos a pensar que isso não depende de nós — que, de alguma forma, nosso destino é desenvolver problemas cerebrais no auge da vida e nos tornarmos senis na velhice, ou escapar desse destino por ter a sorte de possuir os genes certos ou por alguma descoberta da medicina. É claro que devemos nos manter mentalmente ativos depois da aposentadoria, preenchendo palavras cruzadas, lendo, mantendo uma vida social, indo a museus. E não se pode dizer que haja uma correlação clara e direta entre as disfunções cerebrais e certos hábitos pessoais, da mesma forma que há entre, por exemplo, fumar dois maços de cigarro por dia e desenvolver um câncer de pulmão, ou enfiar o pé na jaca em batatas fritas e se tornar obeso. Como disse, temos o costume de separar os males do cérebro dos demais, que atribuímos a hábitos inadequados.

Pretendo transformar esse raciocínio enganoso, mostrando a você a relação entre seu estilo de vida e o risco de desenvolver uma série de problemas relacionados ao cérebro, alguns dos quais podem atingi-lo ainda no berço e outros que podem ser diagnosticados no final de sua existência. Acredito que a mudança em nossa dieta ocorrida nos últimos cem anos — de uma dieta rica em gordura e pobre em carboidratos para a atual, pobre em gordura e rica em carboidratos, basicamente constituída por grãos e outros carboidratos danosos — é a origem de boa parte das pragas modernas que assolam o cérebro, entre elas dores de cabeça crônicas, insônia, ansiedade, depressão, epilepsia, transtornos motores, esquizofrenia, transtorno de déficit de atenção e hiperatividade (TDAH) e tantos outros episódios maiores que costumam ser o prenúncio de um sério declínio cognitivo e de males cerebrais importantes, irreversíveis, intratáveis e incuráveis. Revelarei a você o papel direto e profundo que os grãos podem estar exercendo em seu cérebro *neste exato momento*, sem que você sequer perceba.

O fato de que nosso cérebro é sensível àquilo que comemos vem circulando silenciosamente em nossa literatura médica de mais prestígio. É uma informação que precisa chegar ao conhecimento do público, cada vez mais enganado por uma indústria que vende alimentos considerados "nutritivos". Isso também levou médicos e cientistas a questionar aquilo que acreditamos ser "saudável". Seriam os carboidratos e os óleos vegetais poli-insaturados processados — como os de algodão, amendoim, canola, girassol, milho, cártamo e soja — os culpados pela disparada nos índices de doenças cardiovasculares, obesidade e demência? Será que uma dieta rica em gorduras saturadas e colesterol pode, na verdade, fazer bem ao coração e ao cérebro? Será que podemos transformar nosso DNA com a alimentação, apesar dos genes que herdamos? É bem sabido, hoje, que um pequeno percentual da população tem sistemas digestórios sensíveis ao glúten, a proteína encontrada no trigo, na cevada e no centeio; mas será que *todo* cérebro teria uma reação negativa a esse ingrediente?

Perguntas assim começaram a me incomodar alguns anos atrás, antes de começar a escrever *A dieta da mente*, à medida que estudos perturbadores começaram a aparecer, e meus pacientes adoeciam cada vez mais. Na condição de neurologista, que cuida diariamente de pessoas em busca de respostas para problemas cerebrais degenerativos, assim como famílias que lutam para lidar com a perda das faculdades mentais de seus entes queridos, senti a obrigação de ir até o fim nessa questão. Talvez porque eu não seja apenas membro de uma sociedade de neurologia, mas também um integrante do Conselho Americano de Nutrição — o único médico dos Estados Unidos com as duas credenciais. Também sou membro fundador e integrante do Conselho Americano de Medicina Integral e Holística. Isso me permite ter uma perspectiva singular sobre a relação entre aquilo que comemos e o funcionamento de nosso cérebro. A maioria das pessoas não tem uma compreensão precisa disso, inclusive os médicos que se formaram anos antes da consolidação dessa nova ciência. Já era hora de atentarmos para o fato. Já era hora de alguém como eu sair de trás do microscópio e do consultório e falar ao público com franqueza. Afinal de contas, os números são alarmantes.

Para começo de conversa, o diabetes e as doenças do cérebro são os males mais dispendiosos e perniciosos nos Estados Unidos. São, porém, os mais fáceis de prevenir, e um está intimamente ligado ao outro: ter diabetes duplica o risco de ter o mal de Alzheimer. Na verdade, se existe uma coisa que este livro demonstra com clareza é que muitas das doenças que envolvem nosso cérebro possuem denominadores comuns. O diabetes e a demência podem não ter nenhuma relação aparente, como tampouco a sensibilidade ao glúten e a depressão, mas pretendo demonstrar como todas as disfunções cerebrais em potencial têm relação próxima com males que não consideramos cerebrais. Também pretendo estabelecer correlações surpreendentes entre desordens cerebrais inteiramente diferentes, como o Parkinson e a propensão a agir de forma violenta, que indicam causas profundas de uma série de males ligados ao cérebro. Em outras palavras, quanto mais alta a glicemia, mais rápido o declínio cognitivo — quer sejamos diabéticos ou não!

Embora já seja um fato estabelecido que os alimentos industrializados e os carboidratos refinados contribuíram para nossos problemas de obesidade e as chamadas alergias alimentares, ninguém até hoje soube explicar a relação entre os grãos e a saúde cerebral e, de uma forma mais geral, o DNA. É bastante simples: nossos genes determinam não apenas a forma como processamos os alimentos, mas também a forma como reagimos aos alimentos que ingerimos. Não resta dúvida de que um dos acontecimentos mais importantes e de maior impacto no declínio generalizado da saúde cerebral na sociedade moderna foi a introdução do grão de trigo na dieta humana. Embora seja verdade que nossos ancestrais do Neolítico consumiam muito pouco desse grão, aquilo que hoje chamamos de "trigo" tem pouca semelhança com a variedade selvagem que nossos antepassados consumiam em raras ocasiões. Com a hibridização moderna e as tecnologias de manipulação genética, os sessenta quilos de trigo que o americano consome em média a cada ano praticamente não guardam nenhuma semelhança genética, estrutural ou química com aquilo que os caçadores e coletores um dia consumiram.[10] Aí reside o problema: cada vez mais nós vamos contra a fisiologia, usando ingredientes para os quais não fomos geneticamente preparados.

Que fique registrado: este não é um livro sobre a doença celíaca (um transtorno autoimune relacionado ao glúten que afeta um número pequeno de pessoas). Se a essa altura você está pensando que este livro não é para você porque (1) nenhum médico o diagnosticou com qualquer mal ou transtorno, ou (2) você nunca soube ter qualquer sensibilidade ao glúten, eu lhe peço: continue a ler. Isso diz respeito a todos nós. Eu costumo chamar o glúten de "germe silencioso", que pode lhe infligir danos permanentes sem que você se dê conta.

Para além das calorias, da gordura, das proteínas e dos macronutrientes, hoje é sabido que a alimentação é um poderoso modulador epigenético — isto é, que pode transformar o comportamento do nosso DNA, para melhor ou pior. Na verdade, além de servir como simples fonte de calorias, proteínas e gordura, a alimentação regula a expressão de muitos de nossos genes. E estamos só começando a entender, a partir dessa perspectiva, as consequências danosas do consumo de trigo.

A maioria de nós acredita que pode levar a vida do jeito que for, e que quando surgir uma doença podemos recorrer ao médico, na esperança de um conserto rápido sob a forma de pílulas. Esse roteiro confortável estimula uma abordagem voltada para a doença, da parte dos médicos que desempenham o papel de fornecedores de drogas. Mas essa abordagem possui um defeito trágico, por dois motivos. Primeiro, ela foca na doença, e não na saúde. Segundo, os tratamentos propriamente ditos muitas vezes são corrompidos por consequências danosas. Por exemplo, um relatório de 2012 da prestigiosa revista da American Medical Association, *Archives of Internal Medicine* (hoje chamada *JAMA Internal Medicine*), revelou que mulheres na pós-menopausa que tomaram estatinas para reduzir o colesterol tiveram um aumento de quase 48% no risco de diabetes em comparação com aquelas que não tomaram a droga.[11] Esse exemplo se torna ainda mais relevante quando levamos em conta que se tornar diabético duplica o risco de sofrer de Alzheimer. Num estudo mais recente, publicado em 2015, pesquisadores finlandeses calcularam um aumento de 46% no risco de diabetes tipo 2 entre mais de 8500 homens dos 45 aos 73 anos de idade que tomam estatinas.[12] O aumento do risco foi atribuído à queda da sensibilidade e da liberação de insulina. Pense nisso por um instante: essas estatinas, amplamente comercializadas como auxílio na redução do risco de eventos cardiovasculares, podem elevar o risco de diabetes, fortemente relacionado ao risco de ataques cardíacos e problemas cardíacos em geral. Cumpre observar que o mecanismo exato pelo qual as estatinas afetam a sensibilidade e a liberação de insulina não está totalmente claro; provavelmente, as estatinas aceleram a progressão rumo ao diabetes por meio de rotas moleculares que impactam a sensibilidade e a liberação de insulina — qualquer que seja a alimentação.

Hoje em dia assistimos a uma conscientização cada vez maior do público em relação aos efeitos do estilo de vida na saúde, assim como no risco de contrair certas doenças. Ouvimos falar o tempo todo de dietas "boas para o coração" ou conselhos para aumentar a ingestão de fibras como estratégia para reduzir o risco de câncer do cólon. Diariamente ouvimos nos meios de comunicação mensagens "contra o câncer". Mas por que há tão pouca informação disponível sobre a melhor forma de manter nosso cérebro saudável? Será por que o cérebro está, de algum modo, vinculado à noção etérea de "mente", e isso nos induz a nos distanciar da capacidade de controlá-lo? Ou será que a indústria farmacêutica está empenhada em nos desestimular a perceber que escolhas de vida têm uma profunda influência em nossa saúde cerebral? O autor adverte: não serei gentil com a indústria farmacêutica. Conheço muito mais histórias de pessoas prejudicadas por ela do que beneficiadas. Nas páginas a seguir você conhecerá algumas dessas histórias.

Este livro trata das mudanças de estilo de vida que você pode realizar hoje para manter um cérebro saudável, vibrante e alerta, ao mesmo tempo reduzindo o risco de doenças cerebrais degenerativas no futuro. Dediquei mais de quatro décadas ao estudo das doenças do cérebro. Minha rotina diária se concentra na criação de programas integrais destinados a reforçar as funções cerebrais de pessoas atingidas por males devastadores. Tenho contato diário com parentes e outros entes queridos cujas vidas foram viradas pelo avesso por causa de doenças cerebrais. É pungente para mim também. Meu pai acabou por falecer em 2015, depois de uma longa batalha contra o Alzheimer. Por isso, é pouco dizer que minha cruzada é pessoal. Ele foi um neurocirurgião brilhante, formado na prestigiosa Clínica Lahey. Morreu no mesmo ano em que fechei meu consultório e saí disseminando minha mensagem em aulas, nos meios de comunicação e no circuito global de palestras.

As informações que vou lhe revelar não são apenas de tirar o fôlego: são inegavelmente conclusivas. Você deve mudar de imediato sua forma de comer. E deve olhar para si mesmo sob uma nova luz. Neste exato instante, você já deve estar se perguntando: *será que o estrago já está feito?* Seu cérebro já estaria condenado por todos esses anos fazendo o que bem entende? Não entre em pânico. Acima de tudo, minha intenção com este livro é empoderá-lo, fornecendo-lhe um controle remoto para seu novo cérebro. Tudo depende daquilo que você fizer de hoje em diante.

A partir de décadas de estudos clínicos e laboratoriais (inclusive meus), assim como dos extraordinários resultados que testemunhei em quarenta anos de prática, vou lhe contar tudo o que se sabe e como podemos tirar proveito desse conhecimento. Também apresentarei um plano de ação abrangente para transformar sua saúde cognitiva, acrescentando anos produtivos à sua vida. E os benefícios não se limitam à saúde cerebral. Estou em condições de prometer que esse programa ajudará em todos os pontos a seguir (observação: algumas das condições citadas foram adicionadas à minha lista original, pois devemos ouvir as novas descobertas científicas!):

- alergias e intolerâncias alimentares;

- ansiedade e estresse crônico;

- cefaleias e enxaquecas crônicas;

- condições e doenças inflamatórias, inclusive artrite;

- depressão;

- diabetes;

- diarreia ou prisão de ventre crônica;

- epilepsia;

- fadiga crônica;

- hipertensão e dislipidemia (gordura elevada no sangue);

- insônia;

- problemas autoimunes;

- problemas de foco e concentração;

- problemas de memória e comprometimento cognitivo leve, frequente precursor do Alzheimer;

- problemas intestinais, inclusive doença celíaca, sensibilidade ao glúten, síndrome do cólon irritável, colite ulcerativa e doença de Crohn;

- resfriados e infecções constantes;

- síndrome de Tourette;

- sobrepeso e obesidade;

- TDAH;

- transtornos de humor;

- e muito mais.

Mesmo que você não sofra de nenhuma das condições apresentadas, este livro pode ajudá-lo a preservar seu bem-estar e sua acuidade mental. Vale tanto para os idosos quanto para os jovens, inclusive mulheres que planejam ficar ou estão grávidas. Novos estudos mostram que os recém-nascidos de mulheres intolerantes ao glúten têm mais risco de desenvolver esquizofrenia e outros transtornos psiquiátricos.[13] É uma descoberta importante e assustadora da qual toda mulher grávida precisa tomar conhecimento.

Testemunhei reviravoltas espantosas na saúde das pessoas, como o caso de um homem de 23 anos sofrendo de tremores incapacitantes, que desapareceram depois de pequenas e fáceis alterações na dieta, além de incontáveis casos de pacientes com epilepsia cujas crises acabaram no dia em que trocaram os grãos por mais gordura e proteína. Ou a mulher na casa dos trinta anos que vivenciou uma transformação extraordinária em sua saúde depois de passar por uma série de problemas médicos. Antes de se consultar comigo, não apenas ela sofria de enxaquecas arrasadoras, depressão e uma entristecedora infertilidade, mas também possuía uma doença rara, chamada distonia, que levava seus músculos a se contorcerem em posições estranhas, deixando-a quase entrevada. Graças a alguns retoques simples na dieta, ela fez com que seu corpo e seu cérebro se recuperassem, desenvolvendo uma saúde... e uma gestação perfeitas. São histórias que falam por si mesmas e apenas exemplos de milhões de outras histórias, de gente que vive desnecessariamente com problemas de saúde que atrapalham suas vidas. Recebo vários pacientes que "tentaram de tudo" e passaram por todo tipo de exame ou tomografia existente na esperança de encontrar uma cura para sua condição. Com algumas receitas simples, que não exigem remédios, cirurgia nem psicoterapia, a maioria esmagadora de meus pacientes se curou e encontrou o caminho de volta para a saúde perfeita. Todas essas receitas estão nas próximas páginas.

Um comentário rápido sobre a organização do livro: dividi o material em três partes, começando com um questionário abrangente, criado para demonstrar como seus hábitos diários podem afetar o funcionamento e a vida de seu cérebro no longo prazo. A primeira parte, "A verdade sobre o grão integral", leva você para um passeio pelos amigos e inimigos do seu cérebro, dos quais estes últimos o tornam vulnerável a disfunções e doenças. Virando de cabeça para baixo a tradicional e agora ultrapassada pirâmide alimentar americana, vou explicar o que acontece quando o cérebro encontra ingredientes comuns como o trigo, a frutose (o açúcar natural encontrado nas frutas) e certas gorduras, provando que uma dieta extremamente pobre em carboidratos, mas rica em gordura, é ideal (estamos falando de não mais que vinte a 25 gramas de carboidratos *líquidos* por dia — o equivalente a uma porção de fruta fibrosa integral). Também vou prescrever uma rigorosa dieta cetogênica, para aqueles que desejam acelerar e maximizar os resultados. Isso pode parecer absurdo, mas vou recomendar que você comece a trocar seu pão de todas as manhãs por ovos na manteiga. Em breve você passará a consumir mais gorduras saturadas e colesterol, e repensar as seções que frequenta no supermercado. Aqueles que já receberam o diagnóstico de colesterol alto, e para quem já foram receitadas estatinas, vão tomar um susto: vou explicar o que realmente acontece em seu corpo e contar como remediar esse problema de uma forma fácil e deliciosa, sem remédios. Em detalhes convincentes, apoiados na ciência, vou apresentar uma nova visão a respeito dos processos inflamatórios — mostrando-lhe que, para controlar essa reação bioquímica potencialmente fatal, que é a causa central dos problemas cerebrais (sem falar em todas as doenças degenerativas, da cabeça aos pés), sua dieta vai ter de mudar. Vou mostrar como nossas escolhas alimentares podem controlar os processos inflamatórios ao mudar, na prática, a expressão de seus genes. E ingerir antioxidantes não ajuda tanto quanto você pensa. Em vez disso, temos de comer ingredientes que ativam os próprios e poderosos processos antioxidantes e desintoxicantes do corpo. A primeira seção do livro inclui ainda uma exploração das mais recentes pesquisas a respeito da forma como podemos mudar nosso destino genético e, de fato, controlar os "botões principais" do nosso DNA. São estudos tão fascinantes que vão inspirar até os sedentários mais fanáticos por fast-food; as pesquisas que saíram nos últimos anos são convincentes o bastante para transformar atletas de sofá em corredores de 5 km. A primeira parte termina com um olhar aprofundado sobre os transtornos psicológicos e comportamentais mais perniciosos, como o TDAH e a depressão, assim como as cefaleias. Explicarei como muitos desses casos podem ser tratados sem remédios.

Na segunda seção do livro, "Como curar seu cérebro", apresentarei os fundamentos científicos por trás dos hábitos que levam a um cérebro saudável. Isso implica três áreas principais: nutrição e suplementos, exercícios e sono. As lições aprendidas nessa parte o ajudarão a cumprir meu programa de um mês, descrito na terceira parte, "Diga adeus aos grãos". Ela inclui planejamento de cardápios, receitas e metas semanais. Atualizei muitas receitas, apresentando novos pratos. Se você necessitar de material de apoio e atualizações, acesse meu website, DrPerlmutter.com. Nele, você terá acesso aos estudos mais recentes, poderá ler meu blog, assistir a meu vlog *The Empowering Neurologist* [O Neurologista Empoderador] e a entrevistas com pensadores e cientistas de renome mundial nessa área, além de acessar material que o ajudará a adaptar as informações deste livro às suas preferências pessoais. Alguns dos recursos (por exemplo, listas de produtos que contêm glúten e quantidade de carboidratos de alimentos comuns) também estarão acessíveis on-line, de modo que você poderá baixá-los facilmente para pregar na cozinha ou na geladeira, como lembrete. Meu site tornou-se o destino para todos que querem conhecer ideias novas sobre os tópicos deste livro, assim como compartilhar histórias e aprender com a experiência alheia. Você pode assinar minha newsletter e seguir minhas contas em redes sociais como Facebook, Twitter e Instagram, assim como meu canal no YouTube.

O que é, exatamente, a "dieta da mente"? Acho que você já faz alguma ideia. Dá para entender melhor voltando no tempo, como se fosse um serviço de utilidade pública à moda antiga. Se você for americano e se acompanhava às propagandas em meados da década de 1980, há de se lembrar de uma campanha antidrogas de grande escala, em que aparecia um ovo numa frigideira, com o célebre slogan "Este é seu cérebro drogado". Essa imagem penetrante dava a entender que o efeito das drogas sobre o cérebro era como de uma frigideira quente sobre um ovo. *Fritando, fritando...*

Isso resume, basicamente, aquilo que afirmo em relação ao efeito do trigo, dos carboidratos e do açúcar refinado sobre o cérebro. Cabe a você, então, decidir se vai levar a sério tudo isso e dar as boas-vindas a um futuro mais brilhante e livre de doenças. Todos nós temos muito a perder se não dermos ouvidos a essa mensagem, e muito a ganhar se dermos.

Autoavaliação
Quais são os seus fatores de risco?

Tendemos a pensar nas doenças do cérebro como algo que pode nos atingir a qualquer momento, sem razão aparente a não ser falta de sorte ou predisposição genética. Ao contrário das doenças cardíacas, que progridem ao longo do tempo devido a uma combinação de certos fatores genéticos e de modo de vida, problemas cerebrais parecem sobrevir por acaso. Alguns de nós escapam, enquanto outros são "atingidos". Mas esse pensamento é errado. As disfunções cerebrais, na verdade, nada têm de diferente das disfunções cardíacas. Desenvolvem-se ao longo do tempo em decorrência de nosso comportamento e nossos hábitos. A boa notícia é que isso significa que podemos conscientemente prevenir os transtornos de nosso sistema nervoso, e até mesmo o declínio cognitivo, mais ou menos da mesma forma que podemos evitar problemas cardíacos: comendo do jeito certo e fazendo exercícios. A ciência atual afirma, na verdade, que muitas das doenças relacionadas ao cérebro, da depressão à demência, têm uma relação direta com nossas escolhas de alimentação e comportamento. Apesar disso, apenas uma em cada cem pessoas atravessará a vida sem qualquer diminuição das faculdades mentais, que dirá uma ou outra dor de cabeça.

Antes de mergulhar na ciência em que se baseia essa afirmação ousada, de que os transtornos cerebrais muitas vezes refletem uma nutrição inadequada, assim como outras conclusões contestadoras, vamos começar com um questionário simples que lhe dará uma ideia de quais hábitos podem estar lhe fazendo mal neste exato momento. O objetivo do questionário é medir seus fatores de risco atuais para problemas neurológicos, tanto os atuais — que podem se manifestar em enxaquecas, convulsões, transtornos motores e de humor, disfunções sexuais e TDAH — quanto um futuro declínio mental grave. Cada uma das perguntas se baseia nos estudos mais recentes e respeitados. Responda-as da forma mais franca possível. Não leve em conta a relação com as doenças do cérebro que minhas perguntas sugerem; apenas responda sinceramente "verdadeiro" ou "falso" a cada uma delas. Nos capítulos seguintes, você compreenderá por que eu fiz cada uma dessas perguntas e sua situação em relação aos fatores de risco. Caso você sinta que está no meio, entre o verdadeiro e o falso, e a resposta mais correta seria "às vezes", responda "verdadeiro".

1. Eu como pão (de qualquer tipo). VERDADEIRO/FALSO

2. Tomo suco de frutas (de qualquer tipo). VERDADEIRO/FALSO

3. Como mais de uma porção de fruta diariamente. VERDADEIRO/FALSO

4. Troco o açúcar por xarope de agave ou adoçante. VERDADEIRO/FALSO

5. Fico ofegante todos os dias ao caminhar. VERDADEIRO/FALSO

6. Meu colesterol é inferior a 150. VERDADEIRO/FALSO

7. Tenho resistência à insulina ou diabetes. VERDADEIRO/FALSO

8. Tenho sobrepeso. VERDADEIRO/FALSO

9. Como massas, biscoitos e doces. VERDADEIRO/FALSO

10. Tomo leite. VERDADEIRO/FALSO

11. Não me exercito regularmente. VERDADEIRO/FALSO

12. Tenho histórico familiar de problemas neurológicos. VERDADEIRO/FALSO

13. Não tomo suplemento de vitamina D. VERDADEIRO/FALSO

14. Evito ingerir gordura. VERDADEIRO/FALSO

15. Tomo estatinas. VERDADEIRO/FALSO

16. Evito alimentos ricos em colesterol. VERDADEIRO/FALSO

17. Tomo refrigerantes (diet ou normais). VERDADEIRO/FALSO

18. Não tomo vinho. VERDADEIRO/FALSO

19. Tomo cerveja. VERDADEIRO/FALSO

20. Como cereais (de qualquer tipo). VERDADEIRO/FALSO

Resultado: a nota perfeita neste teste seria um redondo zero de alternativas verdadeiras. Se você respondeu "verdadeiro" a uma única pergunta, seu cérebro — e todo o seu sistema nervoso — corre mais risco de desenvolver doenças e transtornos do que se você tivesse marcado "falso". E quanto mais "verdadeiros" você tiver somado, maior o seu risco. Se você marcou mais de dez, está na zona de risco para sérios problemas neurológicos, que podem ser prevenidos, mas, caso sejam diagnosticados, podem não ter cura.

TESTANDO, TESTANDO, UM, DOIS, TRÊS

"Que risco eu corro?" Muitas pessoas me fazem essa pergunta todos os dias. A boa notícia é que hoje eu tenho condições de estabelecer perfis médicos individualizados e determinar o risco de cada pessoa desenvolver certas doenças — do Alzheimer à obesidade (hoje um fator de risco bem documentado para problemas cerebrais) —, e acompanhá-los ao longo do tempo para avaliar a evolução de cada um. Os testes de laboratório relacionados a seguir já estão disponíveis, são econômicos e em geral cobertos pela maioria dos planos de saúde. Revisei integralmente esta seção de modo a refletir minhas recomendações de testes atualizadas. Deixei de prescrever testes de sensibilidade ao glúten — é melhor supor que se é sensível a ele e evitá-lo inteiramente. Esta é uma diferença importante entre a primeira edição e a nova. Em capítulos ulteriores, você saberá mais a respeito desses testes, bem como a respeito de ideias para melhorar seus resultados (seus "números"). O motivo para eu relacioná-los aqui, porém, é que muitos de vocês querem saber desde já que tipo de exame seu médico pode realizar para ajudá-lo a ter uma ideia realista de seus fatores de risco para doenças do cérebro. Não hesite em levar esta lista consigo, em sua próxima consulta, e pedir ao seu médico que solicite os seguintes exames laboratoriais:

- **Glicemia de jejum**: ferramenta comumente usada no diagnóstico do diabetes e do pré-diabetes, é o exame que mede a taxa de açúcar (glicose) em seu sangue depois de oito horas sem comer. Um nível entre 70 e 100 miligramas por decilitro (mg/dL) é considerado normal. Acima disso, seu corpo apresenta sinais de resistência à insulina e diabetes, e um risco mais elevado de problemas cerebrais. O ideal é ter uma glicemia de jejum inferior a 95 mg/dL.

- **Hemoglobina Glicada (A1c)**: ao contrário do exame de açúcar no sangue, este teste revela uma taxa "média" de açúcar ao longo de um período de noventa dias, o que fornece uma indicação muito mais precisa do controle geral do açúcar no sangue. Como indica o dano às proteínas do cérebro provocado pelo açúcar, é um dos melhores preditores de atrofia cerebral (encolhimento do cérebro). Um bom valor de hemoglobina glicada se situa entre 4,8% e 5,4%. Observe que pode demorar para que esse índice melhore. É por isso que em geral ele só é medido a cada três ou quatro meses. Mais adiante, veremos como glicemia alta crônica hoje é um dos principais fatores de risco para o declínio cognitivo *com ou sem diagnóstico de diabetes*. Também veremos que a redução desse índice (caso o seu seja alto) não é, de modo algum, missão para uma droga farmacêutica, por mais que os grandes meios de comunicação queiram fazê-lo acreditar nisso. Dá para controlar sua hemoglobina glicada com uma atitude simples: perder o excesso de peso. E dá para fazer isso (e muito mais) com o programa apresentado neste livro.

- **Insulina de jejum**: muito antes de o nível de açúcar no sangue começar a se elevar, à medida que a pessoa se torna diabética, o nível de insulina de jejum começa a aumentar, indicando que o pâncreas está fazendo hora extra para lidar com o excesso de carboidratos na dieta. É um alerta precoce muito eficiente para se antecipar à curva do diabetes e tem enorme relevância na prevenção de problemas cerebrais. Um valor desejável fica abaixo de 8 µIU/mL (o ideal é ficar abaixo de 3).

- **Homocisteína**: níveis elevados desse aminoácido, produzido pelo corpo, estão associados a várias condições, incluindo a aterosclerose (estreitamento e endurecimento das artérias), doenças cardíacas, derrames e demência; pode-se reduzi-la facilmente, em geral, com vitaminas B específicas. Ter um nível de homocisteína de apenas 14 µmol/l — valor que muitos pacientes meus excedem no primeiro exame — foi considerado pelo *New England Journal of Medicine* como estando associado a um risco duplicado de Alzheimer (um nível "elevado" de homocisteína é qualquer número acima de 10 µmol/l no sangue). Embora a relação entre altos níveis plasmáticos de homocisteína (Hcy) e risco maior de Alzheimer tenha sido motivo de controvérsia no passado, hoje meta-análises recentes de estudos bem elaborados, publicados em 2015 e 2016, demonstram a relação causal entre a homocisteína plasmática total e o risco de Alzheimer, exigindo investigação mais aprofundada.[1] Também mostram um padrão entre pacientes de Alzheimer, em que estes possuem Hcy elevado e níveis baixos de duas vitaminas B em particular: ácido fólico e B_{12}. O estudo de 2015 afirmou que "Níveis altos de Hcy e baixos de ácido fólico podem ser fatores de risco para o Alzheimer". Um estudo de 2017 feito na China chegou aos mesmos resultados entre idosos chineses: níveis baixos de folato e vitamina B_{12} e Hcy elevado no sangue estavam associados a comprometimento cognitivo leve e Alzheimer, sendo a correlação com Alzheimer mais forte.[2] (O folato é outra forma de vitamina B_9 encontrada naturalmente nos alimentos; o ácido fólico, por sua vez, é uma forma de B_9 usada em suplementos.) Quase sempre é fácil aumentar os níveis de homocisteína (veja o capítulo 7). O nível ideal para você deve ser 8 µmol/l ou menos. Note que também se observou que níveis altos de homocisteína triplicam o índice de encurtamento dos telômeros. Telômeros são "tampas" nas extremidades dos cromossomos que protegem seus genes; seu comprimento é um indicador biológico do ritmo do seu envelhecimento.

- **Proteína C-Reativa (CRP):** é um marcador de processos inflamatórios. O ideal é tê-la abaixo de 3 mg/l. A CRP pode demorar vários meses para melhorar, mas já dá para ver mudanças positivas com apenas um mês de programa.

- **Vitamina D (opcional):** É um *hormônio* crucial para o cérebro (e não uma vitamina). Em 2014, foram publicadas novas recomendações da Força-Tarefa de Serviços Preventivos dos Estados Unidos, desaconselhando exames de vitamina D, por considerar que saber o nível não ajuda, uma vez que os especialistas não chegam a um acordo em relação ao significado desse número. Embora não haja nada de errado em pular esse teste, recomendo mesmo assim tomar um suplemento de vitamina D para assegurar que se esteja ingerindo a quantidade adequada. É impossível ter uma overdose de vitamina D seguindo minhas orientações (veja o capítulo 7), e ela é um componente-chave de muitas funções do organismo que afetam a saúde do cérebro. Você não pode ficar sem!

Mesmo que você opte por não realizar esses exames agora, uma compreensão geral deles e de seu significado pode ajudá-lo a aderir aos princípios deste livro. Farei referência a esses exames e o que eles implicam ao longo do texto.

PARTE I

A VERDADE SOBRE O GRÃO INTEGRAL

Se lhe parece estapafúrdia a ideia de que seu cérebro sofre depois de um delicioso prato de massa ou de uma doce rabanada, prepare-se. Talvez você já saiba que o açúcar processado e os carboidratos não sejam propriamente excelentes para você, sobretudo em excesso, mas e os chamados carboidratos saudáveis, como os grãos integrais e os açúcares naturais? Bem-vindo à verdade sobre o grão integral. Nesta seção, vamos explorar — com as últimas descobertas — o que acontece com o cérebro quando ele é bombardeado por carboidratos, muitos dos quais abarrotados de ingredientes inflamatórios, como o glúten, que podem causar irritação em seu sistema nervoso. O estrago pode começar com incômodos diários, como dores de cabeça e ansiedade sem motivo, e evoluir para transtornos mais assustadores, como a depressão e a demência.

Também vamos examinar o papel que problemas metabólicos comuns, como a resistência à insulina e o diabetes, desempenham nas disfunções neurológicas e verificar como provavelmente as epidemias de obesidade e Alzheimer se devem ao nosso amor incondicional pelos carboidratos e nosso desdém absoluto pela gordura e pelo colesterol.

No fim desta seção você verá com novos olhos uma dieta gordurosa e ficará mais informado a respeito da maioria dos carboidratos. Você também aprenderá o que pode ser feito para promover o crescimento de novas células cerebrais, adquirir controle sobre seu destino genético e proteger suas faculdades mentais.

1. A maior causa das doenças do cérebro
O que você não sabe sobre as inflamações

A principal função do cérebro é carregar o cérebro por toda parte.
Thomas Alva Edison

Imagine-se transportado de volta ao período Paleolítico, quando os primeiros seres humanos viviam em cavernas e cruzavam as savanas, milhares de anos atrás. Faça de conta, por um instante, que o idioma não é uma barreira e que você pode se comunicar facilmente com eles. Você tem a oportunidade de lhes contar como é o futuro. Sentado de pernas cruzadas, no chão poeirento, na frente de uma fogueira aconchegante, você começa pela descrição das maravilhas do nosso mundo tecnológico, com seus aviões, trens, automóveis, arranha-céus, computadores, televisões, smartphones e a supervia de informação que é a internet. O ser humano já viajou à Lua e voltou, e agora volta sua atenção para Marte e o restante do espaço sideral. Em algum momento, a conversa muda para outros assuntos relativos ao estilo de vida, e como é, de verdade, a vida no século XXI. Você mergulha numa descrição da medicina moderna e sua estupenda variedade de remédios para tratar problemas e combater vírus e doenças. As ameaças graves à sobrevivência são poucas e raras. Poucos são os que têm de se preocupar com predadores, fome e pestes. Você explica como é fazer compras em feiras e supermercados, conceitos inteiramente estranhos àqueles indivíduos. A comida é abundante, e você menciona coisas como cheeseburgers, batatas fritas, refrigerantes, pizzas, rosquinhas, pães, panquecas, *waffles*, bolos, massas, salgadinhos, biscoitos, cereais, sorvetes e doces. Dá para comer frutas o ano inteiro, e praticamente todo tipo de comida está disponível ao toque de um botão ou a alguns quilômetros de carro. Refrigeração, congelamento rápido e transporte público revolucionaram a vida. Água mineral e sucos são transportados em garrafas. Embora você tente evitar falar em marcas, é difícil, uma vez que se tornaram parte fundamental do seu cotidiano — Starbucks, Skittles, Domino's, Subway, McDonald's, Lay's, Gatorade, Ben & Jerry's, Coca-Cola, Hershey's, Budweiser.

Abismados, seus antepassados mal conseguem imaginar esse futuro. A maior parte das características relatadas por você é inconcebível; eles não têm sequer como visualizar um restaurante de fast-food ou uma confeitaria. É impossível expressar em palavras compreensíveis o termo "junk food". Antes mesmo que você comece a citar algumas das façanhas realizadas pela humanidade ao longo dos milênios, como a agricultura e o pastoreio, e a posterior industrialização da alimentação, os homens do Paleolítico fazem perguntas sobre os desafios enfrentados pelo homem moderno. A primeira coisa que lhe vem à mente é a epidemia de obesidade, que tem recebido tanta atenção da mídia. Não é um tema de fácil compreensão para eles, com seus corpos esguios e torneados, nem tampouco seu relato sobre as doenças crônicas que são cada vez mais comuns na humanidade — problemas cardíacos, diabetes, depressão, doenças autoimunes, câncer, demência. O que é uma "doença autoimune"? O que causa "diabetes"? O que é "demência"? Neste momento você está falando outra língua. Na verdade, à medida que faz a lista do que mata no futuro, tentando descrever cada mal da melhor maneira possível, você se depara com olhares confusos e incrédulos. Você pintou um quadro belo e exótico do futuro na mente daquelas pessoas, mas em seguida o destruiu com causas de morte mais assustadoras do que morrer de uma infecção ou devorado por um predador mais acima na cadeia alimentar. A ideia de viver com uma condição crônica, que leva a uma morte lenta e dolorosa, soa terrível. E quando você tenta convencê-los de que as doenças degenerativas prolongadas podem ser o preço a se pagar para ter uma vida mais longa que a deles, seus ancestrais pré-históricos não concordam. E, logo depois, tampouco você. Algo parece errado nesse quadro.

Como espécie, somos genética e fisiologicamente idênticos a esses humanos que viveram antes da aurora da agricultura. E somos o produto de um design ideal — criado pela natureza ao longo de milhares de gerações. Não nos consideramos mais caçadores e coletores, mas nossos corpos, com certeza, ainda se comportam como tal, do ponto de vista biológico. Digamos agora que durante sua viagem de volta no tempo, até os dias de hoje, você comece a refletir sobre sua experiência com nossos antepassados. É fácil ficar impressionado com o quanto progredimos, do ponto de vista tecnológico. Mas também é inevitável pensar no sofrimento desnecessário de milhões de seus contemporâneos. Você pode se sentir esmagado pelo fato de que doenças não transmissíveis, que podem ser prevenidas, respondem por mais mortes no mundo inteiro, hoje, do que todas as demais doenças, somadas. É duro de engolir. O fato é que podemos estar vivendo mais tempo que nossos ancestrais, mas isso não compensa o fato de que podíamos estar vivendo muito melhor — desfrutando de nossas vidas livres de doenças, aumentando nosso tempo de existência saudável —, sobretudo na segunda metade da vida, quando o risco de moléstias aumenta. Embora seja verdade que vivemos mais tempo que as gerações anteriores, a maior parte desse ganho se deve à redução da mortalidade infantil e à melhora na saúde infantil. Em outras palavras, aprendemos a evitar os acidentes e as doenças da infância. Não aprendemos, infelizmente, a prevenir e combater as doenças que nos atingem quando envelhecemos. E, embora possamos argumentar que hoje existem tratamentos muito mais eficazes para vários males, isso não apaga a constatação de que milhões de pessoas sofrem desnecessariamente de condições que poderiam ter sido evitadas. Quando elogiamos a expectativa média de vida dos Estados Unidos hoje, não podemos nos esquecer da qualidade de vida.

Quando eu estava na faculdade de medicina, décadas atrás, minha formação girou em torno do diagnóstico e do tratamento das doenças, ou, conforme o caso, como curar cada mal com remédio ou terapia. Aprendi a reconhecer os sintomas e a chegar a uma solução que os atacasse. Desde então, muita coisa mudou, não só porque diminuiu a probabilidade de encontrarmos doenças de tratamento e cura fáceis, mas porque viemos a compreender muitas de nossas doenças crônicas contemporâneas pela lente de um denominador comum: o processo inflamatório. Portanto, em vez de identificar doenças infecciosas e atacar os sintomas cujos culpados principais já são conhecidos — como os germes, os vírus e as bactérias —, os médicos de hoje se veem diante de um número infindável de condições para as quais eles não têm respostas claras. Não tenho como escrever uma receita para erradicar o câncer de alguém, superar uma dor inexplicável, reverter instantaneamente o diabetes ou restaurar um cérebro que foi apagado pelo mal de Alzheimer. Posso, certamente, tentar mitigar os sintomas e cuidar da reação do corpo. Mas existe uma grande diferença entre tratar a raiz de uma doença e apenas manter afastados os seus sintomas. Agora que um dos meus próprios filhos é médico, vejo como os tempos mudaram no ensino e treinamento da medicina. Os jovens doutores de hoje já não aprendem apenas como diagnosticar e tratar; eles recebem formação para *pensar* de uma maneira que ajude a lidar com as epidemias contemporâneas, muitas delas enraizadas em processos inflamatórios fora de controle.

Antes de chegar à conexão entre esses processos inflamatórios e o cérebro, proponho uma reflexão sobre aquilo que considero uma das mais monumentais descobertas de nosso tempo: *a origem dos problemas cerebrais é, em muitos casos, predominantemente alimentar*. Embora diversos fatores contribuam para a gênese e a evolução dos problemas cerebrais, diversos males neurológicos refletem, em grande parte, o equívoco de ingerir carboidratos em excesso e gorduras saudáveis abaixo do necessário. A melhor forma de compreender essa verdade é levar em conta o mal mais temido de todos — o Alzheimer — e enxergá-lo dentro do contexto de uma forma de diabetes desencadeada exclusivamente pela alimentação. Todos nós sabemos que uma dieta ruim pode levar à obesidade e ao diabetes. À destruição do cérebro também?

O MAL DE ALZHEIMER — UM NOVO TIPO DE DIABETES?

Volte à sua viagem no tempo com os caçadores e coletores do Paleolítico. Os cérebros deles não são muito diferentes do seu. Ambos evoluíram para procurar alimentos ricos em gordura e açúcar. Afinal de contas, trata-se de um mecanismo de sobrevivência. O problema é que seu esforço caçador não dura muito; afinal, você vive na era da abundância, e é mais provável que encontre gorduras e açúcares processados. Seus colegas das cavernas, provavelmente, perderão muito tempo nessa procura, e o máximo que encontrarão será gordura de animais e açúcares naturais de plantas e frutas, se estiverem na estação correta (e essas plantas e frutas têm muito menos açúcar do que você imagina ao pensar em frutas). Portanto, embora seu cérebro funcione de maneira similar, suas fontes de nutrição são tudo, menos similares. Observe, a propósito, os gráficos abaixo, que apresentam as principais diferenças entre a nossa dieta e a de nossos ancestrais:

E o que, exatamente, essa diferença de hábitos alimentares tem a ver com envelhecimento saudável e com sofrer ou não de transtornos e doenças neurológicas?

Tudo.

As pesquisas que descrevem o Alzheimer como um terceiro tipo de diabetes começaram a surgir em 2005,[1] mas a correlação entre uma dieta inadequada — notadamente aquela rica em carboidratos — e o Alzheimer só recebeu mais atenção recente graças a novas pesquisas.[2] Esses estudos são convincentemente assustadores e empoderadores ao mesmo tempo. A ideia de poder prevenir o Alzheimer com uma simples mudança naquilo que comemos é, digamos, bastante esclarecedora. Ela tem muitas consequências na prevenção não apenas do Alzheimer, mas de todos os outros transtornos cerebrais, como você descobrirá nos capítulos a seguir. Mas, antes disso, acho fundamental entender o que o diabetes e o cérebro têm em comum. O termo "diabetes tipo 3" pode soar um pouco confuso no início, mas todos os tipos de diabetes compartilham uma característica: a relação negativa com a insulina, uma das substâncias mais importantes para o metabolismo celular do corpo.

Do ponto de vista evolutivo, nosso corpo criou uma maneira brilhante de transformar o combustível dos alimentos em energia para o uso de nossas células. Durante quase toda a existência de nossa espécie, a glicose — principal fonte de energia para a maioria das células do nosso corpo — foi uma substância escassa. Isso nos levou a criar maneiras de armazená-la e de transformar outras coisas em glicose. O corpo pode fabricar glicose a partir de gorduras ou proteínas, se necessário, por meio de um processo chamado "gluconeogênese". Mas isso exige mais energia que a conversão de amido e açúcar em glicose, uma reação química mais simples.

O processo pelo qual nossas células aceitam e utilizam a glicose é complexo. As células não sugam, simplesmente, a glicose que passa por elas na corrente sanguínea. É preciso que a insulina, um hormônio produzido no pâncreas, permita o acesso dessa molécula vital às células. Seu papel é levar a glicose da corrente sanguínea para as células musculares, adiposas e hepáticas. Uma vez nelas, a glicose pode ser usada como combustível. Em geral, células saudáveis têm uma alta sensibilidade à insulina. Mas quando as células são expostas constantemente a altos níveis de insulina, como resultado de uma ingestão constante de glicose (grande parte em razão de um consumo exagerado de alimentos hiperprocessados, recheados de açúcares refinados que levam os níveis de insulina a picos acima do limite saudável), nossas células se adaptam reduzindo, na própria superfície, o número de receptores que reagem à insulina. Em outras palavras, nossas células se dessensibilizam à insulina, como se estivessem se revoltando contra a inundação desse hormônio, gerando uma condição chamada "resistência à insulina", que lhes permite ignorá-la e não absorver a glicose do sangue. Então, o pâncreas reage bombeando *ainda mais insulina*. Assim, para que o açúcar chegue às células, são necessários níveis elevados do hormônio. Isso cria um círculo vicioso que, por fim, culmina no diabetes tipo 2. Por definição, quem sofre de diabetes tem açúcar alto porque o corpo não consegue transportar o açúcar para as células, onde ele pode ser armazenado com segurança para gerar energia. E esse açúcar no sangue acarreta muitos problemas — mais do que é possível mencionar. Como um veneno, o açúcar tóxico provoca um enorme estrago, levando à cegueira, a infecções, a danos aos nervos, a doenças cardíacas e, sim, também ao Alzheimer e até à morte. Ao longo dessa cadeia de eventos, o corpo sofre diversos processos inflamatórios.

Devo acrescentar que a insulina pode ser vista como cúmplice do que ocorre quando não é possível controlar de maneira adequada o açúcar no sangue. Infelizmente, a insulina não se limita a acompanhar a glicose até as células. Também é um hormônio anabólico, ou seja, estimula o crescimento, promove a formação e a retenção de gordura e é um hormônio que contribui para os processos inflamatórios. Quando o nível de insulina está elevado, outros hormônios podem ser negativamente afetados, aumentando ou diminuindo de quantidade devido à presença dominante da insulina. Isso, por sua vez, leva o corpo a padrões ainda mais insalubres, que reduzem sua capacidade de restabelecer o metabolismo normal.[3]

A genética certamente tem a ver com o desenvolvimento de diabetes, e também pode determinar em que momento as células deixam de tolerar o açúcar alto no sangue. Convém notar que o diabetes tipo 1 é uma doença à parte, um transtorno autoimune. Representa apenas 5% dos casos. Quem sofre de diabetes tipo 1 produz pouca ou nenhuma insulina porque o sistema imunológico ataca e destrói as células que a produzem. Por isso, injeções diárias do hormônio são necessárias para manter o nível de açúcar no sangue equilibrado. Ao contrário do tipo 2, que costuma ser diagnosticado nos adultos depois de anos e anos de consumo excessivo de glicose, o diabetes tipo 1 costuma ser detectado em crianças e adolescentes. E, ao contrário do tipo 2, que pode ser revertido por meio de dieta e mudança de hábitos pessoais, o tipo 1 ainda não tem cura, embora possa ser controlado relativamente bem com medicamentos e alimentação. Dito isso, é importante ter em mente que, embora os genes tenham forte influência sobre o risco de se desenvolver o diabetes tipo 1, fatores ambientais também têm seu papel. Sabe-se há muitos anos que o tipo 1 resulta de influências genéticas e ambientais, mas o aumento de sua incidência nas últimas décadas levou alguns pesquisadores a concluir que os fatores ambientais são mais responsáveis pelo desenvolvimento do tipo 1 do que se acreditava.

UMA TRISTE REALIDADE

Mais de 193 mil pessoas abaixo dos vinte anos têm diabetes (seja do tipo 1 ou 2) nos Estados Unidos.[4] O diabetes tipo 2 era conhecido como um diabetes da idade adulta, mas o termo foi abandonado diante do alto número de diagnósticos entre jovens. E novos estudos mostram que a evolução da doença ocorre mais rapidamente nas crianças que nos adultos. Ela também é de tratamento mais difícil quando constatada precocemente. O diabetes é a sétima maior causa de mortes nos Estados Unidos. O Alzheimer é a sexta.[5]

O que estamos começando a entender, e que está na raiz do "diabetes tipo 3", é o fenômeno em que os neurônios do cérebro começam a perder a capacidade de reagir à insulina, essencial para tarefas básicas, que incluem o aprendizado e a memorização. Também acreditamos que a resistência à insulina, no que diz respeito ao Alzheimer, pode desencadear a formação das famigeradas "placas" presentes nos cérebros doentes. Essas placas representam o acúmulo de proteínas isoladas que, essencialmente, tomam conta do cérebro e assumem o lugar de células cerebrais saudáveis. Alguns pesquisadores acreditam que a deficiência de insulina é crucial no declínio cognitivo do Alzheimer — as células do cérebro não conseguem obter insulina porque adquiriram resistência a ela! E o fato de que é possível associar baixos níveis de insulina com problemas cerebrais está levando o termo "diabetes tipo 3" a se consolidar entre os pesquisadores. Diz muito sobre isso o fato de que os obesos sofrem um risco muito maior de perda de funções cerebrais, e o fato de que os diabéticos têm no mínimo o dobro de chance de desenvolver Alzheimer. E entre aqueles com pré-diabetes ou síndrome metabólica — um aglomerado de anomalias bioquímicas associadas ao desenvolvimento do diabetes tipo 2, assim como de doenças cardiovasculares —, aumenta o risco de pré-demência ou comprometimento cognitivo leve, que muitas vezes progride até o Alzheimer pleno.

Essa afirmação não significa que o diabetes seja a causa direta e única do Alzheimer, mas apenas que ambas as doenças compartilham a mesma origem. Ambas advêm muitas vezes de alimentos que forçam o corpo a desenvolver funções biológicas que levam à disfunção e, mais adiante, à moléstia. É fato que um diabético e uma pessoa com demência parecem e agem de formas diferentes, mas têm muito mais em comum do que se acreditava. E o que eu acho mais curioso (e alarmante) é que novos estudos têm mostrado que pessoas com glicemia alta — tenham ou não diabetes — possuem um nível de declínio cognitivo mais elevado que aquelas com glicemia normal. Isso foi demonstrado em um estudo longitudinal particularmente incômodo, de 2018, que acompanhou mais de 5 mil pessoas durante dez anos.[6] A taxa de declínio cognitivo — fossem elas diabéticas ou não — dependia do nível de glicemia no sangue. Quanto mais alta a glicemia, mais rápido o declínio — até mesmo entre os não diabéticos.

Nos últimos vinte anos, testemunhamos um crescimento concomitante no número de casos de diabetes tipo 2 e de obesidade. Só agora, porém, estamos começando a identificar um padrão entre os que sofrem de demência, à medida que o índice de casos de Alzheimer aumenta em sincronia com os de diabetes tipo 2. Não acredito que essa constatação seja arbitrária. É uma realidade que precisamos encarar, já que temos de arcar com o peso de custos cada vez maiores de assistência médica e uma população que envelhece. Estimativas recentes indicam que a prevalência do Alzheimer vai mais que triplicar, provavelmente atingindo 16 milhões de americanos em 2050, um número insuportável para nosso sistema de saúde e que fará a atual epidemia de obesidade empalidecer.[7] Estima-se que havia 50 milhões de pessoas no mundo inteiro vivendo com demência em 2017, e esse número vai praticamente dobrar de vinte em vinte anos, chegando a 75 milhões em 2030 e 131,5 milhões em 2050. Hoje, uma pessoa desenvolve Alzheimer a cada 66 segundos nos Estados Unidos. Na metade do século, um americano desenvolverá a doença a cada 33 segundos (lembre-se, uma pessoa desenvolve demência no planeta a cada três segundos).[8] A prevalência do diabetes tipo 2, que representa 90% a 95% de todos os casos de diabetes nos Estados Unidos, triplicou nos últimos quarenta anos, e milhões de pessoas passam muito tempo sem diagnóstico e tratamento. Qualquer que seja a definição, é uma inegável epidemia. Não admira que o governo americano esteja numa busca frenética por pesquisadores que melhorem o prognóstico e evitem essa catástrofe. Segundo o Centro para o Controle e a Prevenção de Doenças (CDC), mais de 30 milhões de pessoas têm diabetes, o que representa quase 10% da população americana; outros dados apontam que o percentual entre adultos gira em torno de 12% a 14%, dependendo do critério utilizado.[9] E estima-se que 7,2 milhões de adultos, maiores de dezoito anos, não foram diagnosticados (23,8% da população diabética).

UM INCÊNDIO SILENCIOSO NO CÉREBRO

Uma das perguntas que mais ouço em meu consultório, feita pelos parentes de pacientes com Alzheimer, é: "Como isso foi acontecer? O que minha mãe [ou meu pai, meu irmão, minha irmã, meu marido, minha esposa] fez de errado?". Procuro ter cuidado ao dar a resposta num momento tão delicado na vida de uma família. Ver meu próprio pai decair lentamente, um dia após o outro, ainda me faz lembrar com frequência a quantidade de sentimentos por que passam meus pacientes. A frustração se mistura com impotência, a angústia se confunde com lamento. Mas se pudesse contar às pessoas (e aí me incluo) a verdade absoluta, considerando tudo o que sabemos hoje, eu diria que o ente querido pode ter feito uma ou mais das seguintes coisas:

- viveu com níveis elevados de açúcar no sangue, mesmo sem ser diabético;

- comeu carboidratos em excesso ao longo da vida, sobretudo aqueles com açúcares, farinhas e grãos refinados;

- optou por uma dieta pobre em gorduras, minimizando o colesterol;

- viveu com hipertensão crônica (pressão sanguínea elevada), principalmente na meia-idade;

- saturou o corpo com níveis elevados de processos inflamatórios disseminados e "silenciosos".

Quando digo às pessoas que a sensibilidade ao glúten representa uma das maiores e mais subestimadas ameaças à saúde humana, a resposta que ouço é mais ou menos a mesma: "Você está brincando. Nem todo mundo é intolerante ao glúten. Tirando, claro, quem sofre de doença celíaca". E quando lembro que todos os estudos recentes apontam que o veneno do glúten está provocando não apenas demência, mas epilepsia, dores de cabeça, depressão, esquizofrenia, TDAH e até redução na libido, costuma prevalecer o mesmo discurso: "Não entendo o que você quer dizer". Dizem isso porque tudo o que grande parte das pessoas sabe sobre o glúten diz respeito à saúde intestinal, e não ao bem-estar neurológico.

No próximo capítulo, vamos falar sobre o glúten mais detidamente. O glúten não é um problema apenas para quem sofre de doença celíaca, um transtorno autoimune que atinge uma minoria diminuta. Pelo menos 40% de nós não conseguimos processá-lo corretamente, e os 60% restantes podem estar correndo riscos sem saber. A pergunta que deveríamos estar fazendo é: *E se do ponto de vista do cérebro formos todos sensíveis ao glúten?* Infelizmente, o glúten pode ser encontrado não apenas em derivados de trigo, mas nos produtos mais insuspeitos — de sorvete a cremes para as mãos. Um número cada vez maior de estudos confirma o elo entre sensibilidade ao glúten e disfunções neurológicas. Isso ocorre inclusive com pessoas que não têm problema para digerir o glúten e que recebem um resultado negativo no teste de sensibilidade ao glúten. É o que também observo diariamente em meu consultório. Muitos dos indivíduos que me procuram só o fazem depois que "tentaram de tudo" e visitaram vários outros médicos em busca de auxílio. Sejam dores de cabeça e enxaquecas, síndrome de Tourette, convulsões, insônia, ansiedade, TDAH, depressão ou um conjunto variado de sintomas neurológicos sem rótulo definido, uma das primeiras coisas que faço é prescrever a eliminação total do glúten em suas dietas. E os resultados continuam me surpreendendo.

HISTÓRIA REAL DM

No início de 2016 eu pesava 110 quilos. Comecei cortando o açúcar, mas o que eu precisava mesmo era de ajuda com uma dieta saudável. Meu genro me falou de *A dieta da mente*, e encomendei o livro na mesma hora! Comecei de imediato a alterar minha dieta. Foi como se o peso saísse voando de mim, me senti muito melhor. Com o tempo comecei a notar também mudanças na minha memória! Eu sofro de osteoartrite grave na coluna e em praticamente todos os ossos. Precisava de verdade perder peso e aprender a comer o que é certo. Nunca mais vou mudar meus novos hábitos alimentares! — Linda P.

Já faz algum tempo que os pesquisadores sabem que o marco de todas as condições neurológicas, inclusive os transtornos cerebrais, são os processos inflamatórios. Mas o que não havia sido documentado até agora eram os desencadeadores desses processos inflamatórios — os equívocos iniciais que geram essa reação fatal. E o que os estudos vêm mostrando é que o glúten e, por consequência, uma dieta rica em carboidratos estão entre os principais estimulantes de processos inflamatórios que atingem o cérebro. O que é mais perturbador nessa descoberta, porém, é que frequentemente nem ficamos sabendo que nosso cérebro está sendo afetado de forma negativa. Transtornos digestivos e alergias alimentares são muito mais fáceis de identificar, porque sintomas como gases, inchaço, dor, constipação e diarreia surgem de forma relativamente rápida. Mas o cérebro é um órgão muito mais esquivo. Pode estar sofrendo ataques, em nível molecular, sem que você se dê conta. A menos que você esteja tratando de uma dor de cabeça ou cuidando de um problema neurológico evidente, pode ser difícil ficar sabendo o que está ocorrendo no cérebro até que seja tarde demais. Quando se trata de problemas cerebrais, uma vez feito o diagnóstico de algo como a demência, fica difícil fazer o relógio andar para trás.

A boa notícia é que vou lhe mostrar como seu destino genético pode ser controlado, mesmo que você tenha nascido com uma tendência natural a desenvolver um problema neurológico. Isso exige se libertar de alguns mitos aos quais as pessoas continuam a se agarrar. Os dois maiores:

1. uma dieta pobre em gordura e rica em carboidratos é saudável; e

2. o colesterol na alimentação é ruim.

A história não acaba com a eliminação do glúten. O glúten é apenas uma peça do quebra-cabeça. Nos capítulos a seguir, você compreenderá por que o colesterol desempenha um papel dos mais importantes na manutenção da saúde e das funções do cérebro. Estudos mostram que o colesterol alto reduz o risco de doenças cerebrais e aumenta a longevidade.[10] Da mesma forma, níveis elevados de gordura (do tipo certo) na dieta se mostraram decisivos para a saúde do cérebro e para seu funcionamento ideal.

Como assim? Sei que você pode estar duvidando dessas afirmações, porque elas vão totalmente contra aquilo que lhe fizeram crer. Um dos estudos mais reconhecidos e respeitados já realizados nos Estados Unidos, o famoso Estudo do Coração de Framingham, continua em andamento e adicionou um enorme volume de dados à nossa compreensão de determinados fatores de risco para a saúde, incluindo mais recentemente a demência. O estudo começou em 1948 com o recrutamento de 5209 homens e mulheres, entre trinta e 62 anos, da cidade de Framingham, no estado de Massachusetts. Nenhuma delas tinha sofrido ataque cardíaco ou derrame, nem sequer desenvolvido sintomas de doenças cardiovasculares.[11] Desde então, o estudo adicionou várias gerações, descendentes do grupo original, o que permitiu aos cientistas monitorar cuidadosamente essa população e reunir pistas de condições psicológicas no contexto de inúmeros fatores — idade, sexo, perfil psicossocial, características físicas e padrões genéticos. Em meados da década de 2000, pesquisadores da Universidade de Boston decidiram examinar a relação entre o nível total de colesterol e o desempenho cognitivo, e observaram 789 homens e 1105 mulheres que faziam parte do grupo original. Nenhum dos indivíduos sofria de demência ou tivera derrame no começo do estudo, e todos foram acompanhados durante dezesseis a dezoito anos. Testes cognitivos foram realizados a cada quatro ou seis anos, avaliando itens como memória, aprendizagem, formação de conceitos, concentração, atenção, raciocínio abstrato e habilidade organizacional — todas elas características que ficam comprometidas nos pacientes com Alzheimer.

Segundo o relatório do estudo, publicado em 2005, "houve uma associação linear positiva significativa entre o colesterol total e as medidas de fluência verbal, atenção/ concentração, raciocínio abstrato e um placar geral medindo múltiplas áreas cognitivas".[12] Além disso, "os participantes com o colesterol total 'desejável' (inferior a 200) se saíram pior que os participantes com níveis de colesterol total limítrofe (200 a 239) e os participantes com níveis de colesterol total elevado (superior a 240)". A conclusão do estudo era: "níveis totais de colesterol que ocorrem naturalmente estão associados a desempenho ruim nas medições cognitivas, que exigem alto raciocínio abstrato, atenção/ concentração, fluência verbal e capacidade funcional de execução". Em bom português, aqueles que tinham níveis de colesterol *mais altos* tiveram resultado superior nos testes cognitivos em relação àqueles com níveis mais baixos. Fica evidente que há um fator protetor quando estamos falando de cérebro e colesterol. No capítulo 3, vamos explorar como isso pode ser possível.

Estudos continuam a surgir, em diferentes laboratórios mundo afora, virando de cabeça para baixo o senso comum. Em 2012, pesquisadores da Universidade Nacional da Austrália, em Camberra, publicaram um dos primeiros estudos na revista *Neurology* (da Academia Americana de Neurologia) mostrando que pessoas com açúcar no sangue no extremo mais alto da faixa considerada "normal" têm um risco muito maior de atrofia cerebral, ou diminuição do volume do órgão; um estudo de follow-up publicado em 2016 e o artigo de revisão que eu mencionei algumas páginas atrás confirmaram essas conclusões.[13] Isso tem a ver diretamente com a discussão sobre o "diabetes tipo 3". Há tempos se sabe que os problemas cerebrais e a demência estão associados à diminuição das funções cerebrais. Mas a descoberta de que essa diminuição pode ocorrer em razão de picos do açúcar no sangue na faixa "normal" tem importantes consequências para todos que comem alimentos que elevam esse açúcar (isto é, os carboidratos). É comum eu ouvir das pessoas que elas estão bem, porque o açúcar no sangue está normal. Mas o que é "normal"? Um exame de laboratório pode indicar que um indivíduo está "normal", pelo padrão estabelecido, mas novos estudos estão levando a reconsiderar os parâmetros normais. Sua taxa de açúcar no sangue pode estar "normal", mas se você examinasse seu pâncreas, levaria um susto ao descobrir o esforço que ele está fazendo para bombear insulina o bastante para manter esse equilíbrio. É por isso que é crucial um exame de insulina de jejum, feito bem cedo de manhã antes da primeira refeição. Um nível de insulina elevado nesse horário é um sinal vermelho, um sinal de que algo está errado do ponto de vista metabólico. Você pode estar à beira de um diabetes e já estar privando seu cérebro de parte de sua funcionalidade futura.

O estudo australiano envolveu 249 pessoas entre sessenta e 64 anos que tinham açúcar no sangue na faixa considerada normal. Elas foram submetidas a tomografias do cérebro no início do estudo e, em média, quatro anos depois. Aqueles com níveis de açúcar no sangue dentro da faixa normal mostraram maior probabilidade de perda de volume cerebral nas regiões relacionadas à memória e às habilidades cognitivas. Os pesquisadores tiraram da conta o peso de outros fatores, como idade, pressão arterial elevada, fumo e álcool. Mesmo assim, concluíram que o açúcar elevado no sangue, no topo daquilo que é normal, é responsável por 6% a 10% do encolhimento do cérebro. O follow-up de 2016 envolveu um número ligeiramente maior de participantes (287), com os mesmos resultados: glicemia mais alta foi igual a atrofia cerebral. Esses estudos sugerem que os níveis de açúcar no sangue podem ter um impacto na saúde do cérebro mesmo entre aqueles que não são portadores de diabetes.[14]

O açúcar alto e, de maneira similar, o desequilíbrio na insulina são epidêmicos. Um em cada dois americanos sofre de "diabesidade" — termo que passou a ser usado para descrever uma série de desequilíbrios metabólicos, que vão de uma leve resistência à insulina ao diabetes, passando pelo pré-diabetes. O fato mais duro de aceitar é que muitas dessas pessoas sequer sabem que possuem essa condição perigosa, que geralmente começa com sobrepeso ou obesidade. Tocarão a vida e só ficarão sabendo do problema quando for tarde demais. Minha missão é impedir esse destino infeliz. A ideia não é pôr uma tranca depois que a porta foi arrombada, mas evitar o mal antes que ele seja feito. Isso vai exigir mudanças nos hábitos alimentares.

Se a ideia de entrar numa dieta pobre em carboidratos o assusta (você já deve estar roendo as unhas ao pensar em todas aquelas comidas deliciosas que aprendeu a amar), não desista ainda. Prometo tornar isso o mais fácil possível. Posso tirar o cesto de pães, mas vou substituí--lo por outras coisas que talvez você venha evitando, por acreditar na ideia errada de que elas poderiam ser nocivas a você, como manteiga, carne, queijo, ovos e uma enorme quantidade de vegetais maravilhosamente saudáveis. A melhor de todas as notícias é que assim que você alterar o metabolismo de seu corpo, deixando de se basear nos carboidratos para se basear em gorduras e proteínas, você vai ver como será mais fácil atingir uma série de metas desejáveis, como perder peso sem esforço e de forma permanente, sentir-se com mais energia durante o dia, dormir melhor, ser mais criativo e produtivo, ter uma memória mais aguçada, um cérebro mais rápido e desfrutar de uma vida sexual melhor. Tudo isso, é claro, além de proteger seu cérebro.

QUANDO A INFLAMAÇÃO ATINGE O CÉREBRO

Vamos voltar à questão dos processos inflamatórios, que mencionei algumas vezes neste capítulo sem entrar em maiores detalhes. Todo mundo tem uma ideia razoável do significado do termo "inflamação", em sentido amplo. Seja a vermelhidão que aparece rapidamente depois que você queima a mão enquanto cozinha ou a dor crônica de uma articulação com artrite, a maioria de nós compreende que, quando ocorre algum tipo de estresse no corpo, a reação fisiológica natural é o surgimento de inchaço e dor, marcas de um processo inflamatório. Mas uma inflamação nem sempre é uma reação negativa. Também pode funcionar como indicador de que o corpo está se defendendo de algo que considera potencialmente nocivo. Seja para acelerar a recuperação de uma lesão, seja para reduzir os movimentos num tornozelo torcido, as inflamações são vitais para a nossa sobrevivência.

Problemas surgem, porém, quando uma inflamação fica fora de controle. Da mesma forma que uma taça de vinho pode ser saudável, mas várias taças podem gerar problemas de saúde, a regra também vale para as inflamações. Em geral, seu objetivo é ser um tratamento tópico. Não pode durar períodos prolongados, tampouco para sempre. Mas é isso que tem ocorrido com milhões de pessoas. Quando o corpo sofre o ataque constante da exposição a agentes irritantes, a reação inflamatória permanece. E se espalha pelo corpo todo através da corrente sanguínea. É por isso que conseguimos detectar esse tipo de inflamação generalizada por meio de exames de sangue que localizam marcadores de processos inflamatórios, como a proteína C-reativa.

Quando um processo inflamatório sai de controle, são produzidas diversas substâncias químicas, que são diretamente tóxicas para nossas células. Isso leva a uma redução das funções celulares, seguida da destruição de células. Processos inflamatórios descontrolados se generalizaram nas sociedades ocidentais, e importantes estudos científicos mostram que eles são uma causa fundamental de morbidade e mortalidade, associada a doenças coronarianas, câncer, diabetes, Alzheimer e virtualmente todas as doenças crônicas que você puder imaginar. Adoro a descrição vívida de meu grande amigo e colega David Ludwig, pesquisador em nutrição, médico e professor da Faculdade de Medicina de Harvard: "Imagine esfregar a parte de baixo do braço com uma folha de lixa. Em pouco tempo, a região fica vermelha, inchada e frágil — indicadores de inflamação aguda. Agora imagine esse processo inflamatório ocorrendo anos a fio dentro do seu corpo, afetando os órgãos vitais, resultante de uma dieta ruim, estresse, privação de sono e outros fatores. Inflamações crônicas podem não causar dor imediata, mas silenciosamente estão por trás dos maiores assassinos de nossa época, entre eles doenças cardíacas, diabetes, Alzheimer e até câncer".

Não é exagero examinar de que forma um processo inflamatório que não foi dominado pode estar na origem de um problema como a artrite, por exemplo. Afinal de contas, medicamentos comuns usados para aliviar os sintomas, como o ibuprofeno e a aspirina, são vendidos como "anti-inflamatórios". Para a asma, anti-histamínicos são usados para combater a reação inflamatória que ocorre quando alguém é exposto a um agente irritante, desencadeador de uma reação alérgica. Hoje em dia, cada vez mais médicos começam a compreender que as doenças coronarianas, causa decisiva de ataques cardíacos, podem ter a ver muito mais com processos inflamatórios do que com colesterol elevado. Isso explica por que a aspirina, para além de suas propriedades anticoagulantes, é útil na redução do risco não apenas de ataques cardíacos, mas também de derrames.

Mas a correlação entre os processos inflamatórios e os problemas cerebrais, apesar de bastante descrita na literatura científica, por algum motivo parece difícil de aceitar — e continua praticamente desconhecida. Um dos motivos para as pessoas não conseguirem visualizar as "inflamações cerebrais" como algo envolvido com todo tipo de problema — do Parkinson à esclerose múltipla, da epilepsia ao autismo, do Alzheimer à depressão — é o fato de o cérebro não ter receptores para a dor, ao contrário do resto do corpo. Não conseguimos sentir uma inflamação no cérebro.

Concentrar-se na redução dos processos inflamatórios pode parecer deslocado numa discussão a respeito da melhoria e da preservação da saúde e das funções do cérebro. Mas embora todos nós conheçamos as inflamações quando elas estão relacionadas a males como a artrite e a asma, os últimos dez anos produziram um extenso volume de pesquisas que apontam o dedo claramente para a relação causal delas com uma série de condições neurodegenerativas. Na verdade, desde a década de 1990 estudos mostram que quem toma medicamentos anti-inflamatórios não esteroides, como o ibuprofeno e o naproxeno, durante dois anos ou mais, tem um risco 40% menor de desenvolver Alzheimer e Parkinson.[15] Ao mesmo tempo, outros estudos mostraram claramente um aumento acentuado nas citocinas, mediadores celulares dos processos inflamatórios, no cérebro de indivíduos que têm estes e outros transtornos cerebrais degenerativos.[16] Hoje, novas tecnologias de imagem finalmente nos permitem observar as células envolvidas na produção das citocinas inflamatórias no cérebro de pacientes com mal de Alzheimer. Dá até para constatar correlações entre sinais de inflamação sistêmica e atrofia cerebral a longo prazo.

Em 2017, um grupo de cientistas de instituições de grande renome (a faculdade de medicina da Universidade Johns Hopkins, a faculdade de medicina Baylor e a Clínica Mayo, entre outras) relatou na revista *Neurology* que níveis elevados de marcadores inflamatórios no sangue, na meia-idade, estavam associados a volumes cerebrais menores no fim da vida.[17] Os pesquisadores documentaram os níveis basais de inflamação em mais de 1600 homens e mulheres na faixa dos cinquenta anos. Então, 24 anos depois, os cientistas mediram não apenas quão bem os cérebros dos participantes estavam funcionando, mas, com a ajuda de tecnologia de imagem por ressonância magnética, mediram os volumes de certas áreas do cérebro associadas à memória e ao Alzheimer. E o que descobriram é que níveis inflamatórios mais altos na meia-idade estavam relacionados a significativa atrofia do cérebro como um todo, com um encolhimento pronunciado nas áreas do cérebro relacionadas ao Alzheimer e no hipocampo — encolhimento que chegava a 5%. Além disso, o número de palavras que um indivíduo conseguia memorizar caía drasticamente quando esse indivíduo possuía níveis altos de marcadores inflamatórios 24 anos mais tarde (o teste de memória verbal funcionava assim: lia-se para a pessoa uma lista de dez palavras e, minutos depois, pedia-se que ela lembrasse o maior número possível de palavras. Era, basicamente, uma medição da memória de curto prazo). As implicações desse estudo são importantes porque significam que o estilo de vida que adotamos na juventude tem um enorme papel na definição do destino de nosso cérebro na velhice. É importante observar que os pesquisados com piores resultados foram os *mais jovens* no início do estudo.

Portanto, somos obrigados a ver sob uma luz inteiramente nova os processos inflamatórios. Muito mais do que a simples causa das dores em seu joelho, eles estão na própria origem do processo de degeneração do cérebro. Também acabamos por aprender que eles podem muito bem estar no cerne de outra condição epidêmica hoje em dia: a depressão.[18] Isso mesmo: a depressão, hoje a causa número um de incapacitação no mundo todo, talvez não se deva necessariamente a um desequilíbrio químico no cérebro. É uma doença inflamatória cuja raiz se encontra em outros desequilíbrios organismo afora (quando vejo pessoas melhorarem da depressão ao adotar uma dieta sem glúten, pode ter a ver com o fato de que reduziram os processos inflamatórios no próprio corpo). Na primeira edição, não dediquei muito espaço ao tema da depressão. As evidências recentes, porém, me compelem a falar mais sobre isso agora. A ideia de poder tratar, e às vezes curar, a depressão, só com a dieta, é espantosa e empoderadora.

No fim das contas, o efeito principal das inflamações no cérebro, responsável pelo estrago, é a ativação de processos químicos que aumentam a produção de radicais livres. No âmago do processo inflamatório crônico situa-se a noção de "estresse oxidativo" — uma espécie de "ferrugem". Essa corrosão natural ocorre em todos os tecidos. É uma parte normal da vida; acontece com tudo na natureza, incluindo a maneira como o corpo transforma calorias (energia) a partir da alimentação e do oxigênio no ar em energia utilizável. Mas quando a oxidação sai de controle, ou o corpo não consegue mantê-la em níveis sadios, ela pode se tornar fatal. A palavra "oxidação", obviamente, vem de oxigênio, mas não aquele que respiramos. O tipo de oxigênio que culpamos aqui é o "O" simples, que não vem combinado com outra molécula de oxigênio (o O_2).

Permita-me conduzi-lo um passo além na descrição do processo de oxidação. Hoje em dia quase todos nós já ouvimos falar em radicais livres. São moléculas que perderam um elétron. Normalmente, os elétrons giram em pares, mas forças como o estresse, a poluição, produtos químicos, uma dieta tóxica, raios ultravioleta e a atividade normal do corpo podem "libertar" um elétron. Quando isso acontece, a molécula abandona seu comportamento apropriado e começa a tentar roubar elétrons de outras moléculas. Esse movimento é o processo de oxidação propriamente dito, uma cadeia de eventos que cria radicais livres e provoca a inflamação. Como os tecidos e as células oxidados não funcionam de modo normal, todo esse processo destrutivo o predispõe a um emaranhado de problemas de saúde. Isso explica por que pessoas com altos níveis de oxidação, com frequência relacionados a altos níveis de inflamação, padecem de uma extensa lista de sintomas e problemas de saúde, que vão de baixa resistência a infecções a dores nas articulações, transtornos digestivos, ansiedade, dores de cabeça, depressão e alergias.

E, como você pode supor, tudo que reduz a oxidação reduz os processos inflamatórios, o que por sua vez reduz a oxidação. É exatamente por isso que os antioxidantes são tão importantes. Esses nutrientes, como as vitaminas A, C e E, doam elétrons aos radicais livres, o que interrompe a reação em cadeia e ajuda a prevenir danos. Ao longo da história, o ser humano ingeriu alimentos ricos em antioxidantes, como plantas, frutos silvestres e castanhas, mas o processamento da indústria alimentícia atual tira de nossas dietas muitos desses nutrientes, extremamente necessários para um metabolismo saudável.

Mais adiante explicarei como desencadear um processo próprio em seu corpo, não apenas para reduzir diretamente os radicais livres, de forma natural, mas também para proteger o cérebro, reduzindo o excesso de radicais livres produzido pelos processos inflamatórios. Intervenções realizadas para reduzir as inflamações, usando substâncias naturais como a cúrcuma, foram descritas na literatura médica mais de 2 mil anos atrás, mas apenas nos últimos dez anos é que começamos a entender essa bioquímica poderosa e complexa.

Outro lado bom desse processo biológico é a ativação de genes específicos que contêm o código da produção de enzimas e outras substâncias químicas que servem para destruir e eliminar diversas toxinas às quais somos expostos. Pode-se indagar por que o DNA humano conteria códigos para a produção de substâncias químicas desintoxicantes, se a exposição real a essas substâncias só começou na Era Industrial. Na verdade, o ser humano (e todo ser vivo) está exposto a diversas toxinas desde que começou a viver no planeta. Fora as toxinas que existem naturalmente no ambiente externo, como o chumbo, o arsênico e o alumínio, e também as poderosas toxinas criadas como forma de proteção por plantas e animais que consumimos, nosso corpo produz toxinas internamente durante o processo natural do metabolismo. Por isso, felizmente, os genes desintoxicantes — mais necessários hoje do que nunca — nos prestam serviço há muito tempo. Estamos apenas começando a compreender como substâncias naturais, que você pode comprar no mercado da esquina, como a cúrcuma e o ácido docosae-xaenoico ômega-3 (DHA), podem atuar de forma poderosa como agentes desintoxicantes, melhorando a expressão genética.

Aquilo que comemos não é a única escolha de vida que pode mudar a expressão de nossos genes, ajudando, portanto, a controlar processos inflamatórios. Você também vai conhecer estudos recentes que demonstram como atuam o exercício e o sono, poderosos reguladores (leia-se: "controles remotos") do nosso DNA. Mais do que isso: você verá como criar novas células cerebrais; vou mostrar como e por que a neurogênese — o nascimento de novas células cerebrais — só depende de você.

ESTATINAS: IRONIA CRUEL

A dieta e os exercícios podem aprimorar os métodos naturais do nosso corpo para controlar os processos inflamatórios, mas haveria algum argumento em favor de medicamentos? Ironicamente, as estatinas, redutoras do colesterol, remédios dos mais receitados (por exemplo, Lipitor, Crestor e Zocor), agora são prescritas com o objetivo de reduzir o nível geral de inflamação. Mas as estatinas *podem reduzir as funções cerebrais e aumentar o risco de problemas cardíacos* em algumas pessoas. O motivo é simples: o cérebro precisa do colesterol para progredir, argumento que já expus, mas que devo reiterar. O colesterol é um nutriente crítico para o cérebro, essencial para o bom funcionamento dos neurônios, e desempenha um papel fundamental como tijolo construtor das membranas celulares. Tem ação antioxidante e é precursor de importantes elementos de auxílio ao cérebro, como a vitamina D, assim como hormônios relacionados aos esteroides (isto é, hormônios sexuais, como a testosterona e o estrogênio). Ainda mais importante é o fato de o colesterol ser considerado um combustível importante para os neurônios. Estes últimos não são capazes de produzir colesterol em quantidade significativa; em vez disso, dependem do fornecimento de colesterol pela corrente sanguínea, através de uma proteína transportadora específica. É interessante notar que essa proteína transportadora, o LDL, recebeu o rótulo pejorativo de "colesterol ruim". Na verdade, o LDL não é uma molécula de colesterol, nem bom nem ruim. É uma lipoproteína de baixa densidade (daí a abreviatura em inglês, de *low-density lipoprotein*), e não há absolutamente nada de mau nela. O papel fundamental do LDL no cérebro, repita-se, é capturar o colesterol vital e transportá-lo ao neurônio, onde ele desempenha funções de importância crucial.

Atualmente possuímos evidências na literatura científica que provam que quando o nível de colesterol está baixo, o cérebro simplesmente não funciona direito; indivíduos com colesterol baixo têm um risco muito maior de demência e outros problemas neurológicos. Precisamos mudar nossa atitude em relação ao colesterol e ao LDL. Eles são amigos, e não inimigos.

Mas e a relação entre o colesterol e os problemas coronarianos? Vou abordar esse dilema no capítulo 3. Por enquanto, quero incutir no seu cérebro a ideia de que o colesterol é bom. Logo você se dará conta de que estamos enfrentando o inimigo errado — culpando o colesterol, em particular o LDL, quando os problemas coronarianos têm mais a ver com o LDL *oxidado*. E como o LDL é danificado, de maneira que não é mais capaz de transportar colesterol para o cérebro? Uma das formas mais comuns é a modificação física provocada pela glicose. As moléculas de açúcar aderem ao LDL e alteram o formato da molécula, tornando-a menos eficaz e ao mesmo tempo aumentando a produção de radicais livres.

Se essa explicação lhe pareceu rápida demais para entender, não entre em pânico. Nos próximos capítulos vou conduzi-lo passo a passo por todos esses acontecimentos biológicos. Neste capítulo, pretendi fornecer um quadro geral de uma série de questões, como um prelúdio para o restante do livro, que o levará a aprofundar-se na história de *A dieta da mente*. As questões principais, sobre as quais quero que você reflita, são: ao adotar uma dieta pobre em gordura e rica em carboidratos, também com frutose, nós estamos acelerando o declínio do cérebro? É realmente possível controlar o destino do nosso cérebro com nossos hábitos pessoais, apesar do DNA que herdamos? A indústria farmacêutica tem interesses escusos para omitir o fato de que é possível prevenir, tratar e às vezes curar naturalmente — sem drogas — uma série de males relacionados ao cérebro, como TDAH, depressão, ansiedade, insônia, autismo, síndrome de Tourette, dores de cabeça e mal de Alzheimer? A resposta a essas três perguntas é um retumbante "sim". Irei ainda mais longe e sugerirei que também é possível prevenir problemas cardíacos e diabetes. O atual modelo de "tratamento" para essas doenças dá atenção demais à fumaça dos sintomas e ignora o incêndio. Essa abordagem é ineficaz e insustentável. Se quisermos avançar nas fronteiras da longevidade humana, viver bem mais de cem anos com o cérebro afiado como sempre e ter algo realmente fantástico para contar a nossos ancestrais pré-históricos, vamos ter de mudar completamente nosso modus operandi.

O objetivo deste capítulo foi explicar a história dos processos inflamatórios e provocar uma nova forma de pensar — e ver — seu cérebro (e seu corpo). Todos nós sabemos que o Sol nasce no Oriente e se põe no Ocidente. No dia seguinte, ele repete seu trajeto. Mas e se lhe contassem que o Sol não está se movendo? Somos *nós* que estamos girando e nos movendo em torno do Sol! Claro que eu sei que você sabe disso, mas a intenção da analogia é mostrar nossa tendência a nos aferrarmos mentalmente a ideias que já não são válidas. Depois das palestras, é comum que as pessoas me abordem para agradecer por pensar fora da caixa. Com todo o respeito, esse não é o ponto. Não é um bom sinal que eu seja visto como alguém cujas ideias estão "fora da caixa". Minha missão é aumentar a caixa, para que esses conceitos sejam incorporados à nossa cultura e ao nosso modo de viver. Só então seremos capazes de fazer progresso sério e significativo em relação a nossos males modernos.

DA SAÚDE CEREBRAL À SAÚDE TOTAL

O fato inescapável é que o ser humano evoluiu de maneira tal que necessita de gordura para viver e ter saúde. A quantidade maciça de carboidratos que ingerimos hoje em dia alimenta um incêndio silencioso em nossos corpos e cérebros. E não estou falando apenas de substâncias refinadas e manufaturadas que, já sabemos, não vão nos valer elogios no consultório médico (muito menos na balança). Adoro a forma como o dr. William Davis coloca a questão, em seu livro fundamental, *Barriga de trigo*:[19]

> Seja um pãozinho multigrão orgânico rico em fibras ou um bolinho Ana Maria, o que você está comendo, exatamente? Todos sabemos que o bolinho não passa de um capricho processado, mas o senso comum nos diz que o primeiro é uma escolha mais saudável, fonte de fibras e vitamina B, e rico em carboidratos "complexos".
>
> Ah, mas sempre tem algo por trás da história. Vamos vê-la por trás. Vamos estudar o conteúdo desse grão e tentar entender por que — qualquer que seja a forma, a cor, o conteúdo em fibras, orgânico ou não — ele é potencialmente nocivo ao ser humano.

E é exatamente o que vamos fazer agora. Mas vamos avançar um passo em relação ao brilhante relato de Davis sobre os grãos de hoje e a batalha contra a barriguinha, e ver como o trigo pode gerar danos onde nunca tínhamos pensado: no cérebro.

2. A proteína adesiva
O *papel do glúten nos processos inflamatórios cerebrais (o problema não é só a sua barriga)*

Diz-me o que comes, dir-te-ei quem és.
Anthelme Brillat-Savarin (1755-1826)

A maioria das pessoas já sentiu uma dor de cabeça pulsante e o sofrimento de uma congestão grave. Muitas vezes conseguimos reconhecer a causa dos sintomas que nos atingem, como um dia longo na frente do computador provoca uma dor de cabeça, ou um vírus de resfriado quando temos dificuldade de engolir e o nariz se entope. Para aliviar os sintomas, costumamos recorrer a remédios de balcão de farmácia, até que o corpo retorne a seu estado normal, saudável. Mas o que fazer quando os sintomas não desaparecem e é muito mais difícil reconhecer o culpado? E se, como ocorre com muitos de meus pacientes, você se vê numa guerra interminável com dor e sofrimento persistentes, anos a fio?

Desde que se entende por gente, Fran lutou para se livrar de uma sensação de palpitação na cabeça. No dia quente de janeiro em que a examinei pela primeira vez, Fran era a pessoa mais bem-humorada possível, para uma senhora de 63 anos que sofreu a vida toda com enxaquecas diárias. Evidentemente, ela experimentou todos os medicamentos comuns para a dor de cabeça e estava tomando várias vezes por semana sumatriptano, um poderoso remédio para enxaqueca. Ao analisar seu histórico médico, notei que com vinte e poucos anos ela fora submetida a uma "cirurgia exploratória intestinal", por sofrer de "grave desconforto". Como parte de sua avaliação, testei-a para sensibilidade ao glúten. Não me surpreendeu constatar que seu resultado era fortemente positivo para oito marcadores. Receitei uma dieta sem glúten.

Quatro meses depois, recebi uma carta de Fran:

Meus sintomas quase diários de enxaqueca diminuíram desde que tirei o glúten da minha dieta. As duas maiores mudanças foram o fim do peso na cabeça, com a consequente enxaqueca, e um enorme aumento na sensação de energia. Estou conseguindo fazer o dia render muito mais em comparação com minha vida antes de me consultar com o senhor.

Mais adiante, ela concluiu: "Obrigada, mais uma vez, por ter encontrado o que parece ser a solução para muitos anos de sofrimento". Eu bem que gostaria que ela tivesse recuperado os anos perdidos, mas pelo menos eu pude lhe oferecer um futuro sem dor.

Outra mulher que veio se consultar comigo com um conjunto de sintomas completamente diferente, mas uma história de sofrimento longa e parecida, foi Lauren. Com apenas trinta anos de idade, ela me disse sem rodeios, na primeira consulta, que estava "com problemas mentais". Lauren descreveu em detalhes os doze anos anteriores, que ela definiu como uma constante descida ladeira abaixo em termos de saúde. Ela me contou como sua juventude foi estressante, desde que perdeu a mãe e a avó, ainda muito nova. Quando entrou na faculdade, foi várias vezes internada como "maníaca". Durante esse período, vivia episódios em que se tornava altamente verborrágica e megalomaníaca. Então comia em excesso, ganhava muito peso, mergulhava em depressão grave e pensamentos suicidas. Pouco tempo antes ela começara a tomar lítio, medicamento usado para tratar transtornos bipolares. Na família havia histórico de doenças mentais; uma irmã era esquizofrênica, e o pai era bipolar. Além desse relato dramático de seus problemas mentais, o restante do histórico médico de Lauren não era digno de nota. Ela não tinha problemas intestinais, alergias alimentares nem qualquer das queixas comuns associadas à sensibilidade ao glúten.

Fui em frente e solicitei um exame de sensibilidade ao glúten (como no caso de Fran, isso foi na época em que eu ainda fazia esses testes; lembre-se, hoje não é mais necessário testar — assunto para mais adiante). Encontramos níveis muito elevados em seis marcadores importantes. Na verdade, vários dos marcadores estavam acima do dobro do normal. Dois meses depois de indicar a Lauren uma dieta sem glúten, ela me escreveu uma carta que refletia o que eu vinha escutando de tantos pacientes que cortaram o glúten e tiveram resultados impressionantes. Ela afirmava:

> Desde que cortei o glúten, minha vida deu uma guinada de 180 graus. A primeira mudança que me vem à mente, e a mais importante, é o humor. Quando eu ingeria glúten, lutava contra a depressão. Eu me deparava o tempo todo com uma "nuvem negra sobre minha cabeça". Agora que não como glúten, não me sinto mais deprimida. A única vez que comi um pouco, por engano, me senti mal no dia seguinte. Outras mudanças que notei incluem sentir mais energia e conseguir me concentrar por períodos mais longos. Meus pensamentos estão mais aguçados do que nunca. Consigo tomar decisões e chegar a conclusões lógicas e seguras como nunca antes. Também me livrei do comportamento obsessivo-compulsivo.

Um último exemplo de caso emblemático de outro conjunto de sintomas ligado ao mesmo culpado. Kurt e sua mãe marcaram consulta comigo quando ele era um jovem de 23 anos sofrendo de transtornos motores. Segundo a mãe, seis meses antes da consulta ele começou a "ter uma espécie de arrepio". No começo, os tremores eram sutis, mas foram aumentando com o passar do tempo. Ele foi a dois neurologistas e recebeu diagnósticos diferentes: um para uma desordem chamada de "tremor essencial", outro de "distonia". Os médicos lhe receitaram um remédio para pressão arterial, o propranolol, usado para tratar alguns tipos de tremores. A outra recomendação foi injetar botox em diversos músculos dos braços e do pescoço. Isso porque a toxina botulínica paralisa temporariamente os músculos espasmódicos. Mas tanto ele quanto a mãe preferiram não usar nem as pílulas nem as injeções.

Havia duas coisas interessantes no caso de Kurt. Primeiro, quando ele estava na quarta série foi diagnosticado com um distúrbio de aprendizado; a mãe disse que "ele não conseguia lidar com o excesso de estímulos". Segundo, durante vários anos ele se queixou de dores estomacais, com diarreia, a ponto de ter ido a um gastroenterologista, que submeteu seu pequeno intestino a uma biópsia, para testar doença celíaca. O exame deu negativo.

Quando examinei Kurt, o problema dos tremores era evidente. Ele não conseguia controlar os espasmos nos braços e no pescoço, o que parecia lhe causar enorme sofrimento. Repassei seus exames laboratoriais, que, na maior parte, nada revelavam. Ele foi testado para a doença de Huntington, uma desordem hereditária conhecida por provocar um transtorno motor semelhante em jovens, e para a doença de Wilson, um defeito no metabolismo do cobre também associado a um transtorno motor. Todos deram negativo. Exames de sangue para a sensibilidade ao glúten, porém, mostraram níveis elevados de alguns anticorpos indicadores de vulnerabilidade. Expliquei a Kurt e à mãe que era importante certificar-se de que a sensibilidade ao glúten não era a causa de seu transtorno motor e dei-lhes informações sobre como adotar uma dieta sem glúten.

Várias semanas depois, recebi um telefonema da mãe de Kurt, dizendo que seus espasmos tinham indubitavelmente se acalmado. Devido à melhora, ele decidiu manter a dieta sem glúten, e depois de seis meses os movimentos anormais tinham desaparecido quase completamente. As mudanças vivenciadas por aquele jovem são espantosas, principalmente se considerarmos que uma mudança alimentar tão simples pode ter tido um impacto tão transformador em sua vida.

Artigos médicos que documentam uma correlação entre transtornos motores e a sensibilidade ao glúten estão começando a surgir, e médicos como eu vêm identificando e tratando um punhado de indivíduos cujos transtornos motores desapareceram completamente com um programa sem glúten e para os quais nenhuma outra causa foi identificada. Mas, infelizmente, muitos médicos consagrados não têm buscado explicações alimentares para esses transtornos motores, nem têm conhecimento dos relatos mais recentes. Aposto que a maioria desconhece que em 2015 a literatura médica começou a encher-se de casos em que a sensibilidade ao glúten mimetiza a esclerose lateral amiotrófica (ELA).[1] Imagine receber um diagnóstico (errado) de ELA e só depois descobrir que o que você realmente tinha era sensibilidade ao glúten. Devo, porém, ressaltar que isso é incomum (e cortar o glúten não é cura para a ELA, uma doença muito grave para a qual não há tratamento).

Esses casos não são isolados. Eles refletem padrões que testemunhei em inúmeros pacientes. São pessoas que chegam a mim com queixas médicas inteiramente diferentes, mas têm algo em comum: sensibilidade ao glúten. Acredito que o glúten seja um veneno moderno, e que as pesquisas estão levando médicos a prestar atenção e reavaliar a situação geral, no que diz respeito a transtornos e doenças do cérebro. A boa notícia é que saber desse denominador comum significa que agora é possível tratar e, em alguns casos, curar um amplo espectro de males com uma prescrição simples: a retirada do glúten da dieta.

Entre em qualquer loja de alimentos orgânicos, ou até mesmo num supermercado comum, e é garantido que você se espantará com as opções de produtos "sem glúten". Nos últimos anos, o volume de vendas de produtos sem glúten disparou; estima-se que o mercado global de alimentos sem glúten atinja o valor de US$ 7,5 bilhões até 2020.[2] Todo tipo de produto, de cereais para o café da manhã aos molhos para salada, foi lançado para tirar proveito do número cada vez maior de indivíduos que optam por alimentos que não contenham glúten. Por que toda essa febre?

A atenção da mídia, certamente, contribui. Inúmeros indivíduos de renome, atletas profissionais e celebridades aderiram aos efeitos transformadores de uma dieta sem glúten. Mas também surgiu um lado questionável desse estilo de vida. Em maio de 2017, as manchetes na imprensa americana indicavam que cortar o glúten sem ter doença celíaca seria perigoso: "DIETA POBRE EM GLÚTEN RELACIONADA A RISCO DE ATAQUE CARDÍACO" foi uma manchete em vários veículos. O jornal *The Independent* chegou a afirmar: "As dietas sem glúten da moda, do gosto de Gwyneth Paltrow e Russell Crowe, podem aumentar o risco de doenças cardíacas".[3] Seria verdade? E quanto às manchetes afirmando que cortar alimentos contendo glúten aumentaria o risco de toxicidade para arsênio e mercúrio?[4] Vamos examinar essas duas alegações separadamente.

Primeiro, o debate sobre glúten e coração. Deixando de lado as manchetes amedrontadoras e examinando os estudos citados para chegar a uma afirmação tão absurda, você descobre que (e estou citando um respeitável estudo publicado no *The BMJ*, nome atual do *The British Medical Journal*, e de autoria de vários departamentos de medicina das universidades Columbia e Harvard) "a ingestão de longo prazo de glúten na dieta não estava associada ao risco de doenças cardíacas coronárias. Porém, a suspensão do glúten pode resultar em uma redução do consumo de grãos integrais benéficos, o que pode afetar o risco cardiovascular".[5] Na maioria dos casos, os indivíduos que adotam um programa zero glúten consomem menos fibras alimentares. Muitas vezes, recorrem a produtos com rótulo "sem glúten" que, de fato, podem não conter esse ingrediente, mas são processados com substâncias nutricionalmente nocivas de outras formas (estamos falando de gorduras trans, açúcares e aditivos artificiais). Sabemos que as fibras alimentares são importantes para ajudar a reduzir processos inflamatórios e no cuidado com as bactérias do intestino, que também desempenham um papel na redução desses processos. A mensagem a ser guardada é que o glúten continua sendo um problema, como descreverei a seguir em maiores detalhes, e que ao cortar o glúten é de importância crucial se assegurar de que você esteja consumindo uma quantidade farta de fibras alimentares sem glúten. Essa é a conclusão correta a tirar dessa pesquisa, como indicam os autores.

Quanto ao glúten causar envenenamento por arsênio e mercúrio, também cabe o mesmo raciocínio explicativo. Pense nessa manchete apelativa: DIETA SEM GLÚTEN PODE AUMENTAR RISCO DE EXPOSIÇÃO AO ARSÊNIO E AO MERCÚRIO.[6] Reflita por um instante a respeito. A palavra mais importante é "exposição". Afinal de contas, como *evitar* um produto pode aumentar sua exposição a substâncias químicas tóxicas? O estudo de fato encontrou níveis mais altos dessas toxinas em indivíduos que não consumiam glúten, mas isso se devia ao fato de eles ingerirem quantidades maiores de outros alimentos potencialmente contaminados, no lugar dos grãos que contêm glúten. O arroz, por exemplo, é uma opção popular entre aqueles que abdicam do glúten, e os dados mostram um forte risco de exposição ao arsênio entre pessoas que comem muito arroz (sendo bem claro, o arroz, sob todas as suas formas naturais — branco, integral, selvagem, basmati — é, tecnicamente, uma semente, e não um grão). Além disso, sabe-se que fibras ajudam o corpo a se livrar de toxinas. E cortar o glúten pode levar a uma redução no consumo de fibras, como já foi dito.

Pois bem, é isso: eu me senti obrigado a tocar nesses assuntos primeiro. Agora vamos falar mais daquilo que a comunidade científica tem a dizer a respeito da sensibilidade ao glúten. O que significa ser "sensível ao glúten"? Em que a sensibilidade difere da doença celíaca? O que há de tão ruim no glúten? Ele não existe desde sempre? E a que me refiro, exatamente, quando falo em "grãos modernos"? Vamos lá.

A COLA DO GLÚTEN

Glúten — ou "cola", em latim — é uma proteína composta que atua como material adesivo, aglutinando a farinha para a panificação, incluindo bolachas, biscoitos e massa de pizza. Quando você morde um *muffin* macio ou abre uma massa de pizza não cozida, agradeça ao glúten. Na verdade, a maior parte dos derivados de pão macios e mastigáveis hoje disponíveis no mercado deve sua consistência ao glúten. Ele desempenha um papel fundamental no processo de fermentação, fazendo o pão "crescer" quando o trigo é misturado ao fermento. Para ter nas mãos uma bola basicamente feita de glúten, basta misturar água e farinha de trigo, criar uma massa e por fim enxaguá-la sob água corrente para eliminar o amido e as fibras. O que sobra é uma mistura aglutinada de proteína.

A maioria dos americanos consome glúten no trigo e em seus produtos derivados, mas ele pode ser encontrado em diversos tipos de grão, como o centeio, a cevada, a espelta, o kamut e o bulgur. É um dos aditivos alimentares mais comuns do mundo, usado não apenas em alimentos industrializados, mas também em produtos de higiene pessoal. Como agente estabilizador confiável, ajuda a manter a textura suave em queijos cremosos e margarinas, e impede molhos e temperos de talhar. Condicionadores que espessam o cabelo e máscara de cílios para dar volume também dependem do glúten. Algumas pessoas são alérgicas a ele, como podem sê-lo a qualquer proteína. Mas vamos examinar mais de perto a extensão do problema.

O glúten não é uma molécula simples: é formada, na verdade, por dois grupos principais de proteínas, as *gluteninas* e as *gliadinas*. Além de uma pessoa poder ter sensibilidade a cada um desses grupos de proteínas, a gliadina consiste, por sua vez, em doze diferentes subtipos, e cada um deles pode provocar uma reação de intolerância que leva a um processo inflamatório.

Quando converso com pacientes a respeito da sensibilidade ao glúten, uma das primeiras coisas que eles dizem é algo como: "Bem, eu não tenho doença celíaca, eu fiz o exame!". Tento explicar, da melhor maneira possível, que há uma grande diferença entre doença celíaca e sensibilidade ao glúten. Meu objetivo é fazê-los entender que a doença celíaca, também conhecida como espru celíaco, é uma manifestação extrema da sensibilidade ao glúten. A doença celíaca é o que ocorre quando uma reação alérgica ao glúten causa danos ao intestino delgado, especificamente. É uma das reações mais graves que se pode ter ao glúten. Embora muitos especialistas estimem que uma em cada cem pessoas no mundo seja celíaca, essa estimativa está provavelmente mais próxima de uma em trinta, haja vista que muitos indivíduos não são diagnosticados (estima-se que 2,5 milhões de pessoas, só nos Estados Unidos, não tenham diagnóstico).[7] O número de pessoas vulneráveis à doença, considerando apenas a genética, chega a uma em cada quatro. Pessoas com ascendência do norte da Europa são particularmente suscetíveis. Além disso, pode-se portar genes com o código de versões mais leves da intolerância ao glúten, o que gera um espectro amplo de sensibilidade. A doença celíaca não ataca apenas o intestino. Uma vez desencadeado o processo que provoca a doença, a sensibilidade ao glúten é uma condição que dura a vida toda, podendo afetar a pele e as membranas mucosas, assim como provocar úlceras na boca.

Tirando as reações extremas que desencadeiam uma condição autoimune, como a doença celíaca, a chave para a compreensão da sensibilidade ao glúten é que ela pode atingir *qualquer* órgão do corpo, mesmo que o intestino delgado seja totalmente poupado. Por isso, mesmo que não se tenha a doença celíaca tal como ela é definida, o resto do corpo — inclusive o cérebro — corre um risco maior quando o indivíduo é sensível ao glúten.

Contribui para a compreensão do problema saber que a sensibilidade a alimentos, em geral, costuma ser uma reação do sistema imunológico. Ela também pode ocorrer quando faltam ao corpo as enzimas corretas para digerir certos ingredientes dos alimentos. No caso do glúten, sua característica "colante" interfere na quebra e na absorção dos nutrientes. Como você pode imaginar, a comida mal digerida deixa um resíduo pastoso em seu intestino, que incita o sistema imunológico a entrar em ação, e que no final resulta num ataque ao revestimento do intestino delgado. Quem sofre seus sintomas se queixa de dores abdominais, náusea, diarreia, prisão de ventre e incômodo intestinal. Algumas pessoas, porém, não sofrem de sinais evidentes de problemas gastrointestinais, mas podem mesmo assim estar enfrentando um ataque silencioso em outra parte do corpo, como no sistema nervoso. Tenha em mente que quando o corpo reage negativamente a um alimento, ele tenta controlar os danos enviando moléculas inflamatórias mensageiras, que rotulam as partículas de alimento como inimigas. Isso, por sua vez, leva o sistema imunológico a enviar continuamente substâncias químicas inflamatórias, entre elas algumas que matam células, num esforço para exterminar os inimigos. Esse processo muitas vezes danifica os tecidos, comprometendo as paredes do intestino, um problema conhecido como "intestino permeável". Quando você sofre de intestino permeável, torna-se altamente suscetível a sensibilidades alimentares no futuro. E o surgimento de um processo inflamatório também pode aumentar o risco de sofrer de várias doenças autoimunes.[8]

Os processos inflamatórios, que a esta altura você já sabe que são a base de muitos problemas cerebrais, podem ser iniciados quando o sistema imunológico reage a uma substância no corpo do indivíduo. Quando os anticorpos do sistema imunológico entram em contato com uma proteína ou um antígeno ao qual o indivíduo é alérgico, causam um efeito cascata inflamatório, que libera uma série de substâncias químicas nocivas chamadas citocinas. A sensibilidade ao glúten, especificamente, é causada por níveis elevados de anticorpos contra a gliadina que compõe o glúten. Quando um anticorpo se combina com essa proteína (criando um anticorpo antigliadina), genes específicos são ativados em um tipo especial de célula imunológica do corpo. Uma vez ativados esses genes, citocinas inflamatórias aumentam, podendo atacar o cérebro. As citocinas são fortes antagonistas do cérebro: danificam tecidos e tornam o cérebro vulnerável a disfunções e doenças — sobretudo se o ataque é contínuo. Outro problema dos anticorpos antigliadina — que vem sendo descrito há décadas — é que eles podem se combinar diretamente com proteínas específicas encontradas no cérebro, que se parecem com a proteína gliadina presente em alimentos com glúten. Mas os anticorpos antigliadina não sabem distinguir uma da outra. Uma vez mais, isso leva à formação de novas citocinas inflamatórias.[9]

Considerando tudo isso, não é de surpreender que níveis elevados de citocina sejam encontrados no Alzheimer, no Parkinson, na depressão, na esclerose múltipla e até no autismo.[10] Uma vez mais, pesquisas mostraram que algumas pessoas erroneamente diagnosticadas com ELA, a esclerose lateral amiotrófica, simplesmente são sensíveis ao glúten; retirá-lo da dieta elimina os sintomas.[11] Como relatou em 1996 num artigo da revista *Lancet* o dr. Marios Hadjivassiliou, do Royal Hallamshire Hospital, de Sheffield, na Inglaterra, um dos mais respeitados pesquisadores na área de cérebro e sensibilidade ao glúten: "Nossos dados sugerem que a sensibilidade ao glúten é comum em pacientes com doenças neurológicas de causa desconhecida; isso pode ter significância etiológica".[12]

A formulação do dr. Hadjivassiliou é especialmente conservadora para alguém como eu, que lida diariamente com complexos transtornos cerebrais de "causa desconhecida", ainda mais considerando que cerca de 99% das pessoas cujos sistemas imunológicos que reagem negativamente ao glúten nem sequer sabem disso. O dr. Hadjivassiliou afirma ainda que "a sensibilidade ao glúten pode ser primordialmente, e às vezes exclusivamente, uma doença neurológica". Em outras palavras, *quem tem sensibilidade ao glúten pode ter problemas nas funções cerebrais sem ter qualquer tipo de problema gastrointestinal*. Gosto da maneira como o dr. Hadjivassiliou e seus colegas colocaram os fatos em um texto de 2002 para o *Journal of Neurology, Neurosurgery, and Psychiatry*, intitulado: "Gluten Sensitivity as a Neurological Illness" [A sensibilidade ao glúten como doença neurológica]:

> Levou-se quase 2 mil anos para se reconhecer que uma proteína alimentar comum, introduzida na dieta humana de forma relativamente tardia em termos evolutivos (cerca de 10 mil anos atrás), pode produzir doenças no ser humano não apenas no intestino, mas também na pele e no sistema nervoso. Inúmeras manifestações neurológicas de sensibilidade ao glúten podem ocorrer sem envolvimento do intestino, e por isso os neurologistas precisam se acostumar com as manifestações neurológicas mais comuns e as formas de diagnosticar a doença.[13]

Além disso, a conclusão do artigo resume de forma brilhante essas descobertas, reiterando afirmações feitas em artigos anteriores: "A sensibilidade ao glúten pode ser mais bem definida como um estado de reatividade imunológica aumentada em pessoas geneticamente suscetíveis. Essa definição não pressupõe relação com o intestino. É um conceito historicamente errado que a sensibilidade ao glúten seja vista sobretudo como uma doença do intestino delgado".

Como você já sabe, eu deixei de recomendar testes de sensibilidade ao glúten, porque é melhor supor que se é sensível ao glúten e evitá-lo totalmente — mesmo que você não tenha doença celíaca e seus testes passados de sensibilidade ao glúten já tenham dado negativo. Em 2015, o dr. Fasano, de Harvard, publicou um artigo marcante, com um grupo de colegas de outras instituições, entre elas o Naval Medical Center, a Universidade de Maryland e a faculdade de medicina da Johns Hopkins.[14] No estudo, liderado pelo dr. Justin Hollon, da Marinha, demonstraram como a gliadina pode provocar enorme caos, podendo até ser culpada por transtornos autoimunes e câncer. Resumindo, a gliadina desencadeia a produção de outra proteína, chamada zonulina, que destrói o revestimento do intestino, aumentando a permeabilidade. Estando este comprometido, substâncias que deveriam permanecer no intestino vazam para a corrente sanguínea, estimulando processos inflamatórios. A descoberta dos efeitos da zonulina no corpo inspirou os pesquisadores a procurar males caracterizados pela permeabilidade intestinal. E, que surpresa, isso levou à descoberta de que a maioria das doenças autoimunes, entre elas a doença celíaca, o diabetes tipo 1, a artrite reumatoide, a esclerose múltipla e a doença inflamatória intestinal (DII) se distinguem por níveis anormalmente elevados de zonulina e intestino permeável. A zonulina é tão poderosa que, quando os cientistas expõem animais a essa toxina, eles desenvolvem quase imediatamente diabetes tipo 1; a toxina induz um intestino permeável, e os animais começam a produzir anticorpos para ilhotas de Langerhans, células responsáveis pela produção de insulina. O estudo de Fasano concluía: "A exposição à gliadina induz um aumento da permeabilidade intestinal em todos os indivíduos, independentemente de terem ou não doença celíaca". Isso significa que todos nós — sendo ou não celíacos — possuímos algum nível de sensibilidade ao glúten. A proteína gliadina contida no glúten provoca um efeito cascata no intestino, que pode resultar em intestinos permeáveis, com relevantes implicações adversas para a saúde futura.

Desde a primeira edição deste livro, diversos estudos surgiram, demonstrando ainda mais a correlação entre o glúten, e especificamente a proteína gliadina, e uma maior permeabilidade do intestino, que, sabemos, é um mecanismo fundamental para o aumento dos processos inflamatórios. Esses estudos confirmam repetidamente que a sensibilidade não celíaca ao glúten é real e muito mais disseminada do que jamais imaginamos. A tal ponto que, em 2016, a Fundação para a Doença Celíaca declarou a sensibilidade não celíaca ao glúten (trigo) uma condição em si mesma, diante das evidências físicas crescentes de ativação do sistema imunológico e danos intestinais em pessoas que consomem trigo sem doença celíaca ou alergia ao trigo.[15] E essa condição afeta seis vezes mais pessoas que a doença celíaca.[16] É uma afirmação que se junta a outro estudo demonstrando que pessoas sem doença celíaca podem, de fato, exibir marcadores de danos às células intestinais, relacionados a uma forte ativação imunológica sistêmica.[17] O estudo foi comandado por ninguém menos que pesquisadores do renomado Centro Médico da Universidade Columbia.

A MEDIÇÃO DA PERMEABILIDADE DO INTESTINO

Uma das maneiras de testar um intestino permeável é procurar lipo-polissacarídeo (LPS) no sangue. O LPS é uma combinação de gordura e açúcares encontrada na membrana exterior de certas bactérias do intestino. Serve para proteger essas bactérias, de modo que não sejam digeridas pelos sais biliares na vesícula biliar. Esse tipo de bactéria é abundante no intestino, chegando a representar 50% a 70% da flora intestinal. Mas o LPS induz uma violenta reação inflamatória no ser humano — tão violenta que também é considerada uma endotoxina, ou seja, uma toxina que vem de dentro. Experiências feitas com animais em ambiente de laboratório para fins de pesquisa de condições tão diversas quanto Alzheimer, esclerose múltipla, transtornos inflamatórios do intestino, diabetes, Parkinson, artrite reumatoide, lúpus, depressão e até autismo usam o LPS por causa de sua capacidade de apertar rapidamente o botão da inflamação no organismo. Normalmente, bloqueia-se a entrada do LPS na corrente sanguínea por meio de junções estreitas que existem entre as células que revestem o intestino. Mas, como você pode imaginar, quando as células intestinais ficam permeáveis e essas junções são comprometidas, o LPS consegue ingressar na circulação sistêmica, onde pode causar danos e estimular processos inflamatórios. Os níveis de LPS no sangue não apenas indicam inflamações em geral, mas também permeabilidade do intestino. Em pacientes com Alzheimer, ELA, depressão e até autismo, muitas vezes os níveis de LPS são elevados.

Antes de entrar em maiores detalhes sobre a sensibilidade ao glúten, vamos compreender com mais clareza como viemos a entender a doença celíaca, a versão mais extrema da sensibilidade ao glúten.

A DOENÇA CELÍACA AO LONGO DOS SÉCULOS

Embora a relação entre a sensibilidade ao glúten e as doenças neurológicas tenha merecido pouquíssima atenção da literatura médica, podemos traçar um fio condutor de conhecimento acumulado que remonta a milhares de anos, num tempo em que a palavra glúten nem sequer fazia parte do nosso vocabulário. Percebe-se que as evidências já vinham se acumulando, mas só neste século fomos capazes de documentá-las. O fato de podermos finalmente identificar um elo entre a doença celíaca, que é a reação mais forte ao glúten, e os problemas neurológicos têm consequências para todos nós, inclusive aqueles que não sofrem da doença celíaca. O estudo de pacientes celíacos nos permitiu observar de perto os perigos reais do glúten, que permaneceram recônditos e silenciosos por tanto tempo.

A doença celíaca pode parecer "nova", mas as primeiras descrições dessa desordem datam do século I d.C., quando um dos mais notórios médicos da Grécia Antiga, Areteu da Capadócia, escreveu a respeito em um manual de medicina que abordava diversas condições, inclusive anomalias neurológicas como a epilepsia, dores de cabeça, vertigens e paralisia. Areteu também foi o primeiro a usar a palavra "celíaco", que quer dizer "abdominal" em grego. Ao descrever a doença, ele disse: "[...] o estômago, sendo o órgão digestivo, labuta na digestão, quando a diarreia domina o paciente [...] e se, além disso, o sistema geral do paciente for debilitado pela atrofia do corpo, a doença celíaca de natureza crônica é formada".[18]

No século XIX, o termo *sprue* foi introduzido na língua inglesa, vindo do holandês *sprouw*, que significa diarreia crônica — um dos sintomas clássicos da doença celíaca. O dr. Samuel J. Gee, pediatra inglês, foi um dos primeiros a reconhecer a importância da dieta no tratamento dos pacientes celíacos. Ele fez a primeira descrição moderna do problema numa palestra num hospital de Londres, em 1887, observando: "Se há uma forma de curar o paciente, deve ser por meio da dieta".

Na época, porém, ninguém era capaz de apontar qual era o ingrediente culpado. Por isso, as mudanças de dieta recomendadas na busca por uma cura passavam longe do ideal. O dr. Gee, por exemplo, vetava frutas e vegetais, que não representariam problema, mas autorizava fatias finas de pão torrado. Ele ficou particularmente tocado pela cura de uma criança "alimentada com uma medida diária dos melhores mexilhões holandeses", mas que teve uma recaída quando acabou a temporada de mexilhões (talvez a criança tenha voltado a comer torradas). Nos Estados Unidos, a primeira discussão a respeito do problema foi publicada em 1908, quando o dr. Christian Herter escreveu um livro sobre crianças com doença celíaca, que ele batizou de "infantilismo intestinal". Como outros já haviam notado, ele escreveu que aquelas crianças não se desenvolviam, e acrescentou que elas toleravam gorduras muito melhor que carboidratos. Então, em 1924, Sidney V. Haas, um pediatra americano, relatou efeitos positivos de uma dieta à base de banana (obviamente, a causa da melhora não eram as bananas, e sim o fato de a dieta de bananas não conter glúten).

Embora seja difícil imaginar que tal dieta pudesse resistir ao teste do tempo, ela continuou popular até a causa real da doença celíaca ter sido determinada e confirmada. E isso levaria duas décadas, até os anos 1940, quando o dr. Willem Karel Dicke, um pediatra holandês, encontrou a ligação com a farinha de trigo. Àquela altura já se suspeitava havia tempo dos carboidratos em geral, mas só quando uma observação de causa e efeito pôde ser feita com o trigo, especificamente, é que se viu a relação direta. E como essa descoberta foi feita? Durante a fome que grassou na Holanda em 1944, o pão e o trigo escassearam, e o dr. Dicke notou uma redução drástica da mortalidade entre crianças afetadas pela doença celíaca — de mais de 35% para praticamente zero. O dr. Dicke também relatou que, assim que o trigo voltou a ser vendido, a taxa de mortalidade ascendeu aos níveis anteriores. Por fim, em 1952, uma equipe de médicos de Birmingham, na Inglaterra, da qual o dr. Dicke fazia parte, fez o elo entre a ingestão de proteínas do trigo e a doença celíaca ao examinar amostras da mucosa intestinal de pacientes operados. A introdução da biópsia do intestino delgado, nos anos 1950 e 1960, confirmou que este era o órgão alvo da doença (a rigor, devo registrar que especialistas em história questionam se as observações empíricas anteriores de Dicke na Holanda são inteiramente precisas, uma vez que teria sido difícil para ele, senão impossível, registrar tamanha recaída quando a farinha voltou ao mercado. Mas a polêmica não minimiza a importância da identificação do trigo como culpado — a intenção é apenas ressaltar que o trigo não é o *único* culpado).

Quando, então, começou-se a notar uma correlação entre problemas celíacos e neurológicos? Uma vez mais, as pistas levam muito mais atrás do que as pessoas se dão conta. Há mais de um século, os primeiros relatos empíricos começaram a aparecer, e ao longo do século xx diversos médicos documentaram condições neurológicas em pacientes com doença celíaca. No entanto, assim que se descobriu que esses problemas neurológicos estavam relacionados à doença celíaca, considerou-se que eles representavam uma manifestação de carências nutricionais provocadas pelo problema intestinal. Em outras palavras, os médicos não pensaram que determinado ingrediente pudesse necessariamente estar perturbando o sistema nervoso; apenas imaginaram que a condição celíaca propriamente dita, que impede a absorção de nutrientes e vitaminas no intestino, levasse a deficiências que desencadeavam problemas neurológicos, como danos aos nervos e até perdas cognitivas. E estavam longe de compreender o papel dos processos inflamatórios, o que ainda não fazia parte da biblioteca do conhecimento médico. Em 1937, a revista *Archives of Internal Medicine* publicou a primeira revisão da Clínica Mayo de artigos sobre a questão neurológica nos pacientes com doença celíaca, mas nem mesmo essa pesquisa conseguiu descrever de forma precisa a sequência real de acontecimentos.[19] Atribuiu-se o problema cerebral à "perda de eletrólitos" provocada, principalmente, pela incapacidade do intestino de digerir e absorver apropriadamente os nutrientes.[20]

Para chegar a um ponto em que pudéssemos compreender e explicar completamente o elo entre o cérebro e a sensibilidade ao glúten, ainda seriam necessários muitos avanços tecnológicos, sem contar uma compreensão maior do papel dos processos inflamatórios. Mas a guinada recente foi, de fato, espetacular. Em 2006, a Clínica Mayo, mais uma vez, publicou um relatório na revista *Archives of Neurology* sobre doença celíaca e perdas cognitivas, mas dessa vez a conclusão foi revolucionária: "Existe uma possível associação entre perda cognitiva progressiva e doença celíaca, devido à relação temporal e à frequência relativamente alta de ataxia e neuropatia periférica, com mais frequência associadas à doença celíaca".[21] A ataxia é a incapacidade de controlar o movimento voluntário dos músculos e manter o equilíbrio, na maior parte das vezes como resultado de transtornos cerebrais; "neuropatia periférica" é uma forma pomposa de dizer "dano aos nervos". Engloba um leque variado de desordens em que os nervos atingidos fora do cérebro e da medula espinhal — nervos periféricos — causam dormência, fraqueza ou dor.

Nesse estudo específico, os pesquisadores avaliaram treze pacientes que mostravam sinais de declínio cognitivo progressivo nos dois anos que se seguiram aos sintomas iniciais da doença celíaca ou a uma piora da doença (as razões mais frequentes para que esses pacientes buscassem auxílio médico para suas deficiências cerebrais eram amnésia, confusão mental e alterações de personalidade. Os médicos confirmaram todos os casos de doença celíaca por meio de biópsias do intestino delgado; aqueles cujo declínio cognitivo pudesse ser atribuído a alguma outra causa foram descartados do estudo). Na análise, uma coisa ficou evidente, que anulava instantaneamente o que se imaginava saber antes: o declínio cognitivo não podia ser atribuído a deficiências nutricionais. Além disso, os pesquisadores perceberam que os pacientes eram relativamente jovens para sofrer de demência (a idade mediana de início da perda cognitiva era 64 anos, numa faixa que ia dos 45 aos 79). Como foi relatado nos meios de comunicação, segundo o dr. Joseph Murray, gastroenterologista da Clínica Mayo e um dos investigadores do estudo, "escreveu-se bastante sobre doença celíaca e questões neurológicas como a neuropatia periférica [...] ou problemas de equilíbrio, mas esse grau de problemas cerebrais — o declínio cognitivo que encontramos aqui — jamais fora reconhecido antes. Eu não esperava que pudesse haver tantos pacientes de doença celíaca com declínio cognitivo".

Murray acrescentou ser improvável que os problemas dos pacientes refletissem uma "conexão casual". Dada a associação entre o início ou a piora dos sintomas de doença celíaca e a perda cognitiva, num espaço de apenas dois anos, a probabilidade de que fosse uma ocorrência aleatória era muito pequena. Talvez a descoberta mais surpreendente de todo o estudo tenha sido que vários dos pacientes a quem se impôs uma dieta sem glúten tenham verificado uma "melhora significativa" na cognição. Quando três pacientes abandonaram completamente a ingestão de glúten, a saúde mental deles melhorou ou estabilizou-se, levando os pesquisadores a ressaltar que poderiam ter descoberto uma forma reversível de perda cognitiva. Essa é uma descoberta extremamente significativa. Por quê? Ainda não se conhecem muitas formas de demência realmente sujeitas a tratamento imediato. Por isso, se for possível parar e, em alguns casos, *reverter* o processo de demência, identificar a doença celíaca na presença de declínio cognitivo pode se tornar rotina. Além disso, tal descoberta é mais um argumento contra o acaso como explicação do elo entre a doença celíaca e o declínio cognitivo. Quando lhe perguntaram sobre o embasamento científico dessa relação, o dr. Murray mencionou o possível impacto das citocinas inflamatórias — os mensageiros químicos dos processos inflamatórios que contribuem para os problemas cerebrais.

Há mais um detalhe desse estudo para o qual eu gostaria de chamar a atenção. Quando os pesquisadores realizaram tomografias nos cérebros desses pacientes, encontraram alterações perceptíveis na "substância branca", que poderiam ser facilmente confundidas com esclerose múltipla ou até pequenos derrames. Essa é a razão pela qual sempre receitei uma dieta sem glúten para os pacientes que me consultavam com um diagnóstico de esclerose múltipla; em diversos casos encontrei pacientes cujas alterações cerebrais não tinham, na verdade, qualquer relação com a esclerose múltipla, e se deviam mais provavelmente à sensibilidade ao glúten. Para sorte deles, uma dieta sem glúten reverteu os problemas. Desde o relatório de 2006 da Clínica Mayo, diversos outros estudos documentaram uma relação entre a ingestão de glúten e transtornos neurológicos (o termo "ataxia por glúten" inclusive entrou para o vocabulário médico).

A QUESTÃO MAIS AMPLA

Vamos nos lembrar do jovem que mencionei no início deste capítulo, que recebeu inicialmente um diagnóstico de um transtorno motor chamado "distonia". Ele não tinha controle do tônus muscular, o que resultava em espasmos repentinos e intensos no corpo todo, impedindo-o de levar uma vida normal. Embora casos assim costumem ser atribuídos a distúrbios neurológicos ou efeitos colaterais de medicamentos, acredito que muitos casos de distonia e de transtornos motores podem estar relacionados à sensibilidade ao glúten. No caso do meu paciente, assim que retiramos o glúten de sua dieta os tremores e as contrações convulsivas pararam de uma hora para outra. Outros transtornos motores, como a ataxia, que eu descrevi acima, a mioclonia e certas formas de epilepsia costumam ser objeto de diagnósticos errados: são atribuídas a um problema neurológico sem explicação, em vez de algo simples como a sensibilidade ao glúten. Vários de meus antigos pacientes epiléticos, que chegaram a cogitar cirurgias arriscadas e precisavam de regimes de medicação diária para controlar suas convulsões, tornaram-se completamente livres destas por meio de simples mudanças na dieta.

O dr. Hadjivassiliou, da mesma forma, examinou tomografias cerebrais de pacientes com cefaleia e registrou anomalias terríveis causadas pela sensibilidade ao glúten. Até o leitor leigo, cujo olhar não é treinado, é capaz de perceber facilmente o impacto. Veja este exemplo:

Sensível ao glúten   Normal

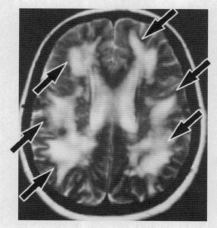 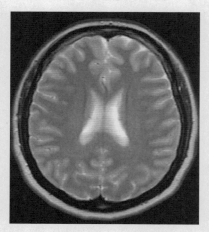

Imagens de ressonâncias magnéticas do cérebro mostrando severas alterações na substância branca (setas) relacionadas à sensibilidade ao glúten e dores de cabeça (esquerda) comparadas com um cérebro normal (direita).

O dr. Hadjivassiliou mostrou várias vezes que uma dieta sem glúten pode resultar na cura total das dores de cabeça de pacientes com sensibilidade ao glúten. Numa revisão de artigos de 2010 para a revista *The Lancet Neurology*, ele soou o toque de alerta pela mudança na forma como encaramos essa sensibilidade.[22] Para ele e seus colegas, não há nada mais crucial que espalhar a notícia da correlação entre a sensibilidade ao glúten, aparentemente invisível, e as disfunções cerebrais. Eu concordo. É impossível ignorar os relatos do dr. Hadjivassiliou, de pacientes com sinais evidentes de déficits cognitivos e sensibilidade ao glúten documentada. Em 2013, ele foi um dos cofundadores do Instituto Sheffield de Transtornos Relacionados ao Glúten, no Reino Unido; é a primeira clínica do mundo especializada nas manifestações neurológicas de transtornos relacionados ao glúten.

Como discutimos, uma das conclusões mais importantes a tirar das novas informações sobre a doença celíaca é que ela não está confinada ao intestino. Arrisco-me a ir mais longe e afirmar que a sensibilidade ao glúten *sempre* afeta o cérebro. O dr. Aristo Vojdani, um colega neurobiologista que publicou inúmeros artigos sobre sensibilidade ao glúten, diz que a incidência de sensibilidade ao glúten nos povos do Ocidente pode chegar a 30%.[23] E como a maior parte dos casos de doença celíaca passa despercebida em exames clínicos, hoje se reconhece que a prevalência da doença propriamente dita é vinte vezes maior do que se acreditava duas décadas atrás. Compartilho o que propôs o dr. Rodney Ford, da Clínica de Alergia e Gastroenterologia Infantil, da Nova Zelândia, num artigo de 2009, apropriadamente intitulado "The Gluten Syndrome: A Neurological Disease" [A síndrome do glúten: uma enfermidade neurológica]: "O problema fundamental com o glúten é sua interferência com as redes neurais do corpo [...]. O glúten está ligado a danos neurológicos nos pacientes, tanto na presença quanto na ausência de doença celíaca".[24] Ele acrescentou: "As evidências apontam para o sistema nervoso como o sítio primordial dos danos do glúten", e concluiu de maneira assertiva que "o glúten causar danos à rede neurológica tem enormes consequências. Estimando-se que pelo menos uma pessoa em cada dez seja afetada pelo glúten, o impacto sanitário é enorme. Compreender a síndrome do glúten é importante para a saúde da comunidade global".

Embora você possa não ser sensível ao glúten da mesma maneira que um indivíduo com doença celíaca, há uma boa razão para eu tê-lo impressionado com os números: do ponto de vista neurológico, todos nós podemos ser sensíveis ao glúten. Só não sabemos disso porque não há sinais ou pistas exteriores de um problema que ocorre nas profundezas silenciosas dos confins de nosso sistema nervoso e do nosso cérebro. Lembre-se: no cerne de virtualmente todos os transtornos e doenças estão os processos inflamatórios. Quando introduzimos no corpo qualquer coisa que desencadeie uma reação inflamatória, nós nos submetemos a um risco muito maior de uma série de problemas de saúde, de incômodos crônicos cotidianos como dores de cabeça e confusão mental, até males graves, como a depressão e o Alzheimer. Podemos até apresentar argumentos que relacionam a sensibilidade ao glúten a alguns dos transtornos cerebrais mais misteriosos, cuja explicação escapa há milênios aos médicos, como a esquizofrenia, a epilepsia, a depressão, o transtorno bipolar e, mais recentemente, o autismo e o TDAH. Em 2015, pesquisadores italianos acrescentaram "psicose do glúten" ao vocabulário médico, ao relatarem o perturbador caso de uma criança com psicose que podia ser atribuída a uma sensibilidade não celíaca ao glúten.[25] A simples ideia de que o glúten pode induzir psicose em uma criança é chocante.

Abordarei essas relações mais adiante. Por ora, minha intenção foi lhe dar um panorama da questão, com uma compreensão firme de que o glúten pode exercer efeito não apenas nos cérebros vulneráveis, mas também nos cérebros normais. Também é importante ter em mente que cada um de nós é único, em termos de genótipo (DNA) e fenótipo (como os genes se expressam no meio ambiente). Processos inflamatórios não tratados podem resultar em obesidade e doenças cardíacas em mim, enquanto a mesma condição pode se traduzir numa desordem autoimune em você.

Uma vez mais, recorrer à literatura sobre a doença celíaca pode nos ajudar; a ciência nos permite identificar padrões, ao longo da desordem, que podem ter consequências para qualquer pessoa que ingere glúten, mesmo sem manifestar a doença celíaca. Diversos estudos, por exemplo, mostraram que quem sofre dessa doença tem um aumento significativo na produção de radicais livres, e os danos que isso provoca afetam a gordura, as proteínas e até o DNA do corpo.[26] Como se não bastasse, também se perde a capacidade de produzir substâncias antioxidantes no corpo, devido à reação do sistema imunológico ao glúten. Caem, em especial, os níveis de glutationa, um importante antioxidante do cérebro, assim como os de vitamina E, retinol e vitamina C no sangue. Todos são fundamentais no controle dos radicais livres do corpo. É como se a presença do glúten desativasse o sistema imunológico, a ponto de ele não conseguir auxiliar as defesas naturais do corpo. Então eu pergunto: se a sensibilidade ao glúten pode comprometer o sistema imunológico, a que outras coisas ele também pode abrir as portas?

Pesquisas recentes mostraram que a reação do sistema imunológico ao glúten leva à ativação de moléculas sinalizadoras, que basicamente desencadeiam os processos inflamatórios e, mais do que isso, estimulam uma chamada enzima COX-2, que leva a uma produção maior de substâncias químicas inflamatórias.[27] Se já ouviu falar em remédios como Celebra, ibuprofeno ou até aspirina, você sabe o que é a enzima COX-2, responsável pela dor e pelos processos inflamatórios no corpo. Na prática, essas drogas bloqueiam a ação da enzima, reduzindo, assim, a inflamação. Níveis elevados de outra molécula inflamatória, chamada TNF alfa, também foram observados em pacientes de doença celíaca. Elevações dessa citocina são um sinal característico do Alzheimer e de praticamente todas as demais condições neurodegenerativas. Conclusão: *a sensibilidade ao glúten — com ou sem a presença de doença celíaca — aumenta a produção de citocinas inflamatórias, e estas são decisivas nas condições neurodegenerativas.* Além disso, nenhum órgão é mais suscetível aos efeitos deletérios dos processos inflamatórios que o cérebro. Embora a barreira hematoencefálica sirva como uma espécie de guardiã para que certas moléculas não passem ao cérebro pela corrente sanguínea, esse sistema não é infalível. Diversas substâncias se esgueiram por esse portal, provocando efeitos indesejáveis (mais adiante entrarei em maiores detalhes a respeito dessas moléculas inflamatórias e a forma como podemos usar os alimentos para combatê-las).

Já é hora de criarmos um novo padrão para aquilo que conside-ramos "sensível ao glúten". O problema com o glúten é muito mais sério do que se imagina, e seu impacto na sociedade, muito maior do que jamais se estimou.

O GLÚTEN GLUTÃO NA ALIMENTAÇÃO CONTEMPORÂNEA

Se o glúten é tão ruim assim, como pudemos sobreviver tanto tempo nos alimentando dele? A resposta simples é: não comemos hoje o mesmo tipo de glúten consumido quando nossos ancestrais des-cobriram a forma de plantar e moer o trigo. Os grãos que comemos hoje guardam pouca semelhança com aqueles que entraram para nos-sa dieta cerca de 10 mil anos atrás. Desde o século XIX, quando Gregor Mendel publicou seus famosos estudos cruzando plantas diferentes para chegar a novas variedades, nós nos aprimoramos na mistura e cruzamento de cepas para criar progênies incomuns no que diz respei-to aos grãos. E embora nossa configuração genética e nossa fisiologia não tenham mudado muito desde o tempo de nossos ancestrais, nossa cadeia alimentar passou por uma transformação rápida nos últimos cinquenta anos. A indústria alimentícia moderna, inclusive a bioen-genharia genética, nos permitiu produzir grãos que contêm um tipo de glúten menos tolerável que aquele presente nos grãos cultivados algumas décadas atrás.[28] Se isso foi intencional, para aumentar a pro-dutividade, atrair o paladar do consumidor ou as duas coisas, não vou discutir. Mas uma coisa é certa: os grãos contemporâneos, repletos de glúten, são mais problemáticos do que nunca. Continua a haver de-bate sobre até que ponto os grãos modernos, principalmente o trigo moderno, são "diferentes" de seus similares da Antiguidade, por causa da manipulação genética e do agronegócio. Uma vez mais, porém, o inegável é a ascensão da sensibilidade ao glúten e a multiplicação por quatro dos casos de doença celíaca nos últimos sessenta anos.

Se você já sentiu o prazer invadi-lo ao ingerir uma rosquinha, um pãozinho ou um croissant, não está louco nem sozinho. Desde o final da década de 1970 é sabido que o glúten é decomposto no estômago e torna-se uma mistura de polipeptídios que podem atravessar a barreira hematoencefálica. Uma vez lá dentro, podem aderir ao receptor de morfina do cérebro, produzindo uma sensação de bem-estar. Esse é o mesmo receptor ao qual aderem as drogas opiáceas, gerando seu efeito prazeroso e viciante. A primeira cientista a descobrir essa atividade, a dra. Christine Zioudrou (e seus colegas do Instituto Nacional de Saúde), batizou esses polipeptídios invasores do cérebro de "exorfinas", abreviatura para compostos exógenos similares à morfina, distintos dos analgésicos naturalmente produzidos pelo corpo, as endorfinas.[29] O que é mais interessante a respeito dessas exorfinas, e que reforça o fato de terem impacto no cérebro, é que sabemos que elas podem ser barradas por drogas bloqueadoras de opiáceos, como a naloxona e a naltrexona — as mesmas usadas para reverter a ação de drogas opiáceas como a heroína, a morfina e a oxicodona. O dr. William Davis descreve esse fenômeno no livro *Barriga de trigo*:

> Este é seu cérebro viciado em trigo: a digestão gera componentes similares à morfina, que aderem aos receptores opiáceos do cérebro. Isso induz uma forma de recompensa, uma euforia moderada. Quando esse efeito é bloqueado e não se consomem alimentos liberadores de exorfina, algumas pessoas sofrem de uma abstinência perceptível e desagradável.[30]

Nem toda exorfina, porém, tem efeitos colaterais agradáveis.

Atualmente, os cientistas estão investigando como o ato de digerir alimentos como pão e massas produz certas exorfinas que não apenas se infiltram através do revestimento intestinal e atingem a corrente sanguínea, onde podem circular pelo corpo, inclusive pela barreira hematoencefálica, mas também podem estimular processos inflamatórios.[31] As exorfinas podem ser uma explicação a mais do motivo pelo qual o glúten é tão problemático. As exorfinas produzidas durante a digestão do glúten também foram encontradas no líquido cefalorraquidiano de pessoas com esquizofrenia e autismo.[32]

Considerando as sensações agradáveis que podem acompanhar certos alimentos liberadores de exorfinas, causa alguma surpresa que a indústria alimentícia tente enfiar a maior quantidade possível de glúten em seus produtos? E provoca algum choque encontrar tanta gente viciada nos alimentos repletos de glúten de hoje em dia — insuflando as chamas não apenas dos processos inflamatórios, mas da epidemia de obesidade? Acredito que não. A maioria de nós conhece e aceita o fato de que o açúcar e o álcool possam ter propriedades que causam boas sensações, que nos induzem a voltar a consumi-los. Mas alimentos que contêm glúten? Seu pão de forma integral e seus cereais instantâneos? É surpreendente a ideia de que o glúten possa mudar nossa bioquímica, chegando até o centro de prazer e vício do nosso cérebro. Surpreendente e assustadora. Significa que temos de repensar a forma como classificamos esses alimentos, caso sejam realmente agentes modificadores de nossas mentes, como prova a ciência.

Quando vejo as pessoas devorando carboidratos repletos de glúten, é como assisti-los acendendo um cigarro. O glúten é o fumo da nossa geração. Não apenas a sensibilidade ao glúten é muito maior do que percebemos — causando danos em potencial, em algum grau, sem que saibamos —, mas o glúten se esconde onde menos se suspeita. Está em nossos molhos, condimentos e bebidas; e até nos cosméticos, sorvetes e cremes para as mãos. Está escondido em sabonetes, adoçantes e produtos com soja. Está presente em nossos suplementos alimentares e produtos farmacêuticos mais conhecidos. A expressão "NÃO CONTÉM GLÚTEN" está se tornando tão vaga e desprovida de sentido quanto "orgânico" e "100% natural".

HISTÓRIA REAL DM

Padeci durante trinta anos de diversos males, inclusive convulsões e tremores, juntamente com ansiedade extrema. Fui diagnosticada com síndrome de fadiga crônica e transtorno bipolar. Foi incrivelmente difícil para mim, pois eu era violinista profissional e fui obrigada a parar, devido a esses sintomas e à incapacidade de usar as mãos. De cara, descobri que minha glicemia era péssima e me dei conta de que tinha um problema com carboidratos. Fui, então, diagnosticada como intolerante ao glúten, como a maior parte da minha família. Agora, faço uma dieta pobre em carboidratos e muito rica em gorduras (só que gorduras boas), e continuo a fazer outras mudanças importantes, como ingerir mais probióticos. Recuperei-me totalmente e hoje minha saúde é melhor do que quando era criança. Voltei a tocar em concertos e estou completamente livre de convulsões, ansiedade e falta de confiança! Além disso, sofri a vida inteira com problemas de peso. Durante certo tempo, fui bastante obesa. Perdi 35 quilos e continuo assim há anos! Tenho 47 anos, mas pareço (pelo menos é o que me dizem) e me sinto como se tivesse trinta e poucos! — Priscilla D.

Durante a maior parte dos últimos 2,6 milhões de anos, a dieta de nossos ancestrais consistiu em carne de caça, vegetais da estação e frutos selvagens ocasionais. Como vimos no capítulo anterior, hoje a dieta da maior parte das pessoas é baseada em grãos e carboidratos, a maioria deles contendo glúten. Mas mesmo deixando de lado o fator glúten, devo observar que uma das razões principais pelas quais ingerir tantos grãos e carboidratos pode ser tão danoso é que eles elevam o açúcar no sangue a níveis que outros alimentos, como carnes, peixes, aves e vegetais, não fazem.

Níveis elevados de açúcar no sangue, lembre-se, produzem insulina elevada, que é liberada pelo pâncreas para que as células possam absorver o açúcar. Quanto maior o nível de açúcar no sangue, mais insulina é preciso. E quanto mais sobe a insulina, menos sensíveis a seu sinal se tornam as células. Basicamente, as células deixam de escutar a mensagem da insulina. O que o pâncreas faz, como uma pessoa que não consegue ser escutada, é falar mais alto — isto é, aumentar a produção de insulina, criando um processo que põe a vida em risco. Níveis mais altos de insulina tornam as células progressivamente menos reativas ao sinal da insulina e, para reduzir o açúcar no sangue, o pâncreas trabalha dobrado, aumentando a produção de insulina ainda mais, de novo para manter uma taxa de açúcar normal no sangue. Mesmo quando esse nível atinge o normal, o nível de insulina continua a aumentar.

Como as células se tornaram resistentes ao sinal da insulina, usamos o termo "resistência à insulina" para caracterizar esse problema de saúde. À medida que a situação evolui, o pâncreas chega à produção máxima de insulina, mas isso ainda não é suficiente. Neste momento, as células perdem a capacidade de reagir ao sinal da insulina e, por fim, o nível de açúcar no sangue começa a subir, resultando no diabetes tipo 2. Basicamente, o sistema desmoronou e passa a exigir uma fonte exterior (os remédios para diabetes) para manter equilibrado esse nível. Lembre-se, porém, de que não é preciso ser diabético para sofrer de um nível crônico elevado de açúcar no sangue.

Nas palestras que ministro aos integrantes da comunidade médica, um dos meus slides favoritos é uma foto de quatro alimentos comuns: uma fatia de pão de forma integral, uma barra de chocolate, uma colher de sopa de açúcar branco comum e uma banana. Peço ao público que tente adivinhar qual deles produz a maior elevação no nível de açúcar no sangue — ou qual deles tem o maior índice glicêmico (IG), um valor numérico que reflete a medida da rapidez com que o nível de açúcar no sangue sobe depois de comer um determinado tipo de alimento. O índice glicêmico vai de zero a cem, sendo que os valores mais altos representam os alimentos que causam uma elevação mais rápida no nível de açúcar no sangue. O ponto de referência é a glicose pura, que tem um IG de 100.

Nove em cada dez vezes, o público escolhe o alimento errado. Não, não é o açúcar (IG = 68), não é a barra de chocolate (IG = 55), tampouco a banana (IG = 54). É a fatia de pão de forma integral, com um incrível IG de 71, o que a coloca lado a lado com o pão branco (e as pessoas ainda pensam que o pão integral é melhor que o branco). Faz mais de trinta anos que se sabe que o trigo eleva a taxa de açúcar no sangue mais que o açúcar de mesa, mas por algum motivo ainda achamos que não pode ser verdade. Vai contra o senso comum. Mas é um fato: poucos alimentos produzem uma alta na glicemia maior que aqueles que levam trigo.

É importante notar que a elevação na sensibilidade ao glúten não é apenas resultado de uma superexposição ao glúten nos alimentos processados de hoje. Também é resultado de açúcar demais e alimentos inflamatórios demais. Podemos discutir igualmente o impacto das toxinas no meio ambiente, que podem alterar a forma como nossos genes se expressam e se sinais autoimunes começam a se manifestar.

Esses ingredientes — glúten, açúcar, alimentos inflamatórios e toxinas ambientais — se juntam para criar uma tempestade perfeita no corpo, e sobretudo no cérebro.

Se qualquer alimento que fomenta uma tragédia biológica — apesar da presença de glúten — é arriscado para a saúde, devemos levantar outra questão crucial em termos de saúde do cérebro: *os carboidratos — mesmo os "bons" — estão nos matando?* Afinal de contas, eles são a fonte principal desses ingredientes antagonistas. Qualquer discussão sobre equilíbrio da glicemia, sensibilidade ao glúten e processos inflamatórios tem que girar em torno do impacto que os carboidratos possam ter no corpo e no cérebro. No próximo capítulo, vamos levar a discussão um passo adiante e observar como os carboidratos elevam os fatores de risco para problemas neurológicos, muitas vezes às custas da gordura, o único alimento que gosta de verdade do nosso cérebro. Quando ingerimos carboidratos em excesso, consumimos menos gordura, o verdadeiro ingrediente que nosso cérebro reclama para ser saudável.

SINAIS DE SENSIBILIDADE AO GLÚTEN

Como foi dito, não recomendo mais testes de sensibilidade ao glúten, sejam eles exames de sangue ou mesmo biópsias do intestino delgado. Considere que o glúten é tóxico para você. Ponto. A seguir, veja uma lista de sintomas e doenças associados à sensibilidade ao glúten. Mas mesmo que você não sofra de nenhuma dessas condições, seu corpo — e seu cérebro — pode estar sofrendo sem que você saiba ou sinta.

aborto espontâneo

alcoolismo

ansiedade

ataxia (perda de equilíbrio)

autismo

câncer

confusão mental

convulsões/epilepsia

depressão

desejo incontrolável por açúcar

distúrbios digestivos (gases, inchaço, diarreia, prisão de ventre, cólicas etc.)

doenças cardíacas

dores no peito

dores nos ossos/osteopenia/
osteoporose

ELA (esclerose lateral
amiotrófica)

enxaquecas

infertilidade

intolerância à lactose

má absorção de alimentos

mal-estar constante

náuseas/vômito

Parkinson

pruridos/*rashes*

retardo no crescimento

síndrome do cólon irritável

TDAH

transtornos autoimunes
(diabetes, tireoidite
de Hashimoto, artrite
reumatoide etc.)

transtornos neurológicos
(demência, Alzheimer,
esquizofrenia etc.)

A POLÍCIA DO GLÚTEN

Os seguintes grãos e amidos contêm glúten:

bulgur (triguilho)
centeio
cevada
creme de semente de trigo
cuscuz
espelta (ou trigo vermelho)
farinha de graham

gérmen de trigo
kamut
matzá
semolina
trigo
triticale

Os seguintes alimentos não contêm glúten:

amaranto
araruta
arroz
batata
milhete
milho

quinoa
soja
sorgo
tapioca
teff
trigo sarraceno

Os seguintes alimentos costumam conter glúten (exceto os que possuem certificado "sem glúten"):

achocolatados comerciais
almôndegas

aveia (exceto as que possuem
certificado "sem glúten")

barrinhas energéticas

batata frita congelada (costuma ser coberta de farinha)

bebidas quentes instantâneas

cachorros-quentes

cafés e chás com sabores

caldos e sopas comerciais

castanhas torradas

cereais

cerveja

coolers (bebida)

embutidos

empanados

farinha de aveia (exceto as que possuem certificado "sem glúten")

feijão enlatado

frios

gorgonzola

hambúrguer vegetal

hóstias

kani, bacon etc. artificiais

ketchup

maionese

malte/sabor de malte

marinados

mix de frutas secas e castanhas

molhos em geral (para salada, para carnes etc.)

queijos processados

recheios e pudins de frutas

salsicha

seitan

shoyu e molho teriyaki

sopas

sorvetes

substitutos do creme de leite

substitutos do ovo

tabule

vegetais fritos/tempurá

vinagre de malte

vodca

wheatgrass (grama de trigo)

xaropes

Abaixo, fontes variadas de glúten (exceto os que possuem certificado "sem glúten"):

batons/protetores labiais

cosméticos

massinha de modelar para crianças

remédios

selos e envelopes de lamber

vitaminas e suplementos (checar o rótulo)

xampus/condicionadores

Os seguintes ingredientes costumam ser glúten com outro nome:

amido modificado

Avena sativa (um tipo de aveia)

ciclodextrina

complexo peptídico

corante de caramelo (em geral feito a partir da cevada)

ciclodextrina

dextrina

extrato de fitoesfingosina	proteína de soja
extrato de levedura	proteína vegetal (hidrolisada ou não)
extrato de malte hidrolisado	
extratos fermentados de grãos hidrolisados	sabores naturais
Hordeum distichon	*Secale cereal*
Hordeum vulgare	*Triticum aestivum*
maltodextrina	*Triticum vulgare*
	xarope de arroz integral

3. Cuidado, "carboólicos" e "gordurofóbicos"
A *surpreendente verdade sobre os amigos e inimigos do seu cérebro*

Nenhuma dieta removerá toda a gordura do seu corpo porque o cérebro é gordura pura. Sem um cérebro, você poderá ter uma boa aparência, mas tudo o que poderá fazer é se candidatar a um cargo público.
George Bernard Shaw

Alguns dos casos mais impressionantes que conheço envolvem pessoas que transformaram suas vidas e sua saúde pela total eliminação do glúten de suas dietas e pela prioridade renovada à gordura, em detrimento dos carboidratos. Vi essa simples mudança alimentar acabar com depressões, aliviar a fadiga crônica, reverter o diabetes tipo 2, acabar com o transtorno obsessivo-compulsivo e curar muitos problemas neurológicos, da confusão mental à desordem bipolar.

Mas, para além do glúten, a questão dos carboidratos em geral e de seu impacto na saúde do cérebro é mais complexa. O glúten não é o único vilão. Para alterar a bioquímica de seu corpo, passando a queimar gordura (inclusive o tipo mais difícil, aquela que "nunca vai embora"), conter os processos inflamatórios e prevenir doenças e transtornos mentais, você precisa enfrentar outro fator importante na equação: carboidratos × gorduras. Neste capítulo, pretendo mostrar por que uma dieta extremamente pobre em carboidratos e rica em gorduras é aquilo que seu corpo pede e do que necessita fundamentalmente. Também explicarei por que a ingestão excessiva de carboidratos — inclusive aqueles que não contêm glúten — pode ser tão prejudicial.

Ironicamente, desde que tornamos a nossa nutrição "científica", nosso estado de saúde piorou. Decisões em relação àquilo que comemos e bebemos deixaram de ser hábitos culturais, herdados, e se tornaram escolhas calculadas, baseadas em teorias nutricionais de visão estreita, que não levam em conta como, antes de tudo, o ser humano chegou onde está. E não podemos esquecer todos os interesses comerciais. Você acha que os fabricantes de cereais de café da manhã, ricos em carboidratos (leia-se: um corredor inteiro de supermercado), estão mesmo preocupados com a sua saúde? Na minha opinião, precisamos dar nome aos bois: isso é apoio corporativo a publicações científicas (falhas) do final dos anos 1960 que resultaram em mais mortes que as duas guerras mundiais juntas, ao nos afastar das gorduras saudáveis e nos direcionar a uma dieta rica em carboidratos.

> Um dos negócios mais lucrativos para a indústria alimentícia são os cereais. É um dos poucos setores que podem transformar um ingrediente barato (os grãos processados) em uma matéria-prima cara. O departamento de pesquisa e desenvolvimento da General Mills, por exemplo, chamado ironicamente de Instituto Bell de Saúde e Nutrição e localizado em Minneapolis, tem um setor dedicado exclusivamente à "tecnologia do cereal". É o quartel-general de centenas de cientistas cujo único propósito é projetar cereais novos e saborosos, que durem muito tempo nas prateleiras e pelos quais se possa cobrar um preço alto. Michael Pollan descreve sua visita às instalações no livro *O dilema do onívoro*, em que escreve a respeito do sigilo e da lucratividade inacreditáveis em torno dos cereais. Nem mesmo ele pôde fazer os cientistas de alimentos falarem a respeito de seus projetos. Em 2017, quase 290 milhões de americanos consumiam cereais no café da manhã, sendo que cada um ingere um total de aproximadamente 4,5 quilos por ano.[1]

Pense no que vivenciou nas últimas décadas. Você testemunhou um número incontável de ideias sobre o que deve ingerir como combustível para o seu metabolismo, e logo depois lhe disseram que o contrário era verdade. Vamos pegar, por exemplo, os ovos. Antes, acreditava-se que faziam bem à saúde; depois, foram considerados ruins, por causa das gorduras saturadas; e por fim a surpresa final: "São necessárias maiores evidências para determinar o efeito dos ovos sobre a saúde". Eu sei, é injusto. Com toda essa barulheira, não admira que as pessoas se sintam permanentemente frustradas e confusas. Até mesmo as recomendações alimentares do governo americano, atualizadas e publicadas em 2015, deixaram de ressaltar as novas descobertas científicas em diversas frentes, embora eu tenha ficado contente ao ver que retiraram a recomendação de limitar a ingestão de alimentos ricos em colesterol e acrescentaram uma referência ao café como sendo potencialmente parte de uma dieta saudável.[2]

Este capítulo é para você se regozijar. Vou salvá-lo de uma vida inteira tentando fugir da gordura e do colesterol e mostrar como esses ingredientes deliciosos preservam o funcionamento ideal do seu cérebro. Há uma boa razão para termos desenvolvido o gosto pela gordura: é a paixão secreta do nosso cérebro. Mas nas últimas décadas ela foi demonizada, como uma fonte nutritiva ruim para a saúde. Lamentavelmente, nós nos tornamos uma sociedade "gordurofóbica" e "carbofílica" — e, para piorar as coisas, ao ingerir muito carboidrato nós automaticamente reduzimos nossa ingestão de gordura saudável. A propaganda, a indústria da perda de peso, os supermercados e os best-sellers estão promovendo a ideia de que precisamos de uma dieta o mais pobre possível em gordura (se possível sem gordura) e em colesterol. É fato que certos tipos de gordura estão associados a problemas de saúde, e ninguém pode negar a ameaça diretamente relacionada às gorduras e aos óleos modificados de modo comercial. Há evidências científicas convincentes de que as gorduras trans são tóxicas e têm ligação clara com diversas doenças crônicas. Mas o que falta nessa mensagem é simples: nossos corpos prosperam quando lhes damos "gorduras boas", e o colesterol é uma delas. E não nos saímos tão bem com grandes quantidades de carboidratos, mesmo que esses carboidratos não tenham glúten, sejam grãos integrais ou ricos em fibras.

É interessante notar que a dieta humana exige praticamente zero carboidrato; podemos sobreviver com uma quantidade mínima de carboidratos, que pode ser fornecida pelo fígado na medida do necessário.

Mas não podemos ir muito longe sem gordura. Infelizmente. Muitos de nós achamos que ingerir gordura é o mesmo que *ficar* gordo, quando na verdade a obesidade — e suas consequências metabólicas — não tem quase nada a ver com a ingestão de gordura e tudo a ver com o vício em carboidratos. O mesmo se aplica ao colesterol: ingerir alimentos ricos em colesterol não tem impacto nos nossos níveis reais de colesterol, e a suposta relação entre colesterol elevado e risco cardíaco elevado é uma completa falácia.

NOVAS EVIDÊNCIAS CONFIRMAM A PRAGA DA GLICEMIA ALTA E DA PRESSÃO ALTA — COM QUALQUER PESO

Quando escrevi a primeira edição deste livro, estudos preliminares mostravam uma correlação entre glicemia alta e risco de declínio cognitivo, como já expusemos. Desde então, novos estudos chegaram à mesma conclusão, e ao mesmo tempo demonstraram um elo entre a pressão alta de longo prazo (hipertensão) e o declínio cerebral. Isso significa que o risco de declínio cognitivo não está mais vinculado apenas à obesidade e a transtornos metabólicos, como o diabetes. O simples consumo de carboidratos que elevam a glicemia é suficiente para aumentar o risco. Você pode ter um peso "saudável", sem qualquer sinal de disfunção metabólica, e mesmo assim sofrer de picos silenciosos de glicemia alta que o colocam na zona de perigo. É uma mensagem que precisa ser ouvida em alto e bom som.

Anteriormente, fiz referência a estudos que concluíram que pessoas com glicemia alta tinham um ritmo mais veloz de declínio cognitivo em relação àquelas com glicemia normal — quer o nível de glicemia, tecnicamente, fizesse delas diabéticas ou não. Há várias razões pelas quais a glicemia alta pode levar à demência. Para começo de conversa, é uma condição que pode enfraquecer os vasos sanguíneos, aumentando a probabilidade de miniderrames no cérebro, que por sua vez desencadeiam demência sob diversas formas. Em segundo lugar, uma ingestão elevada de açúcares simples pode tornar as células, inclusive as do cérebro, resistentes à insulina. Com o tempo, as células cerebrais morrem.

A glicemia alta pode estar escondida em pessoas de peso normal, mas naquelas que são obesas é quase um dado garantido. E essa gordura em excesso pode ser particularmente nociva. Está longe de ser silenciosa, já que libera hormônios e citocinas, proteínas inflamatórias que também podem contribuir para a deterioração cognitiva, já que os níveis de inflamação aumentam, criando uma espécie de incêndio lento no corpo e no cérebro. Rebecca Gottesman, professora de neurologia na Universidade Johns Hopkins, descobriu em suas pesquisas que a obesidade duplica o risco de a pessoa ter níveis elevados de proteínas amiloides no cérebro, no fim da vida. Essas placas amiloides são a marca do Alzheimer. Em um estudo de 2014, iniciado nos anos 1980 e que acompanhou milhares de americanos, alguns com pressão alta e outros não, Gottesman revelou que ter hipertensão na meia-idade é um fator de risco relevante para o declínio cognitivo — independentemente de outro fatores de risco, como a obesidade.[3] Gottesman publicou um estudo de follow-up em 2017, ainda mais conclusivo. Americanos de meia-idade que têm fatores de risco de saúde vascular, entre eles diabetes, pressão alta e fumo, têm uma probabilidade maior de sofrer de demência no final da vida.[4]

OS GENES DA GORDURA E OS MODISMOS CIENTÍFICOS

Se este livro tem uma lição que eu quero que você guarde, é a seguinte: respeite seu genoma. A gordura — e não o carboidrato — é o combustível favorito do metabolismo humano, e isso ao longo de toda a evolução. Nos últimos 2 milhões de anos, consumimos uma dieta rica em gordura, e foi apenas depois do advento da agricultura, cerca de 10 mil anos atrás, que os carboidratos se tornaram abundantes em nossa alimentação. Ainda temos um genoma de caçadores-coletores; ele é frugal, no sentido de ser programado para nos fazer engordar em períodos de abundância. A "hipótese do gene frugal" foi apresentada pela primeira vez pelo geneticista James Neel em 1962, para tentar explicar por que o diabetes tipo 2 tem uma base genética tão forte e resulta em efeitos tão negativos favorecidos pela seleção natural. Segundo essa teoria, os genes que predispõem uma pessoa ao diabetes — os "genes frugais" — eram historicamente vantajosos. Eles ajudavam as pessoas a engordar rapidamente quando havia comida disponível, uma vez que longos períodos de escassez de comida eram inevitáveis. Mas assim que a sociedade moderna mudou nossa forma de acesso à comida, embora os genes frugais permaneçam ativos, eles já não são necessários — pois nos preparam, essencialmente, para uma fome que nunca acontece. Acredita-se que nossos genes frugais também sejam responsáveis pela epidemia de obesidade, intimamente ligada ao diabetes.

Infelizmente, leva-se de 40 mil a 70 mil anos para que ocorram mudanças no genoma significativas o bastante para nos adaptarmos a uma mudança tão drástica em nossa dieta, e para que nossos genes frugais comecem a pensar em ignorar a instrução para "armazenar gordura". Embora alguns de nós gostemos de pensar que os genes que levam ao aumento e à retenção da gordura são um mal, que dificulta a perda de peso e a manutenção da forma, a realidade é que todos nós carregamos o "gene da gordura". É parte da nossa constituição e, durante a maior parte de nossa existência no planeta, ele nos manteve vivos.

Nossos antepassados não tiveram qualquer exposição importante aos carboidratos, exceto, talvez, no final dos verões, quando as frutas amadureciam. É interessante notar que esse tipo de carboidrato tenderia a elevar a criação e o acúmulo de gordura para sobreviver ao inverno, quando a disponibilidade de comida e calorias era menor. Agora, no entanto, estamos dando a nossos corpos a ordem de armazenar gordura 365 dias por ano. E através da ciência estamos descobrindo as consequências disso.

O Estudo do Coração de Framingham que mencionei no primeiro capítulo, que identificou uma associação linear entre colesterol total e desempenho cognitivo, é apenas a ponta do iceberg. No outono de 2012, o *Journal of Alzheimer's Disease* publicou uma pesquisa da Clínica Mayo revelando que pessoas mais velhas que enchem o prato de carboidratos têm um risco quase *quatro vezes maior* de desenvolver dano cognitivo brando (em inglês, MCI), considerado um precursor do mal de Alzheimer. Sinais de MCI incluem dificuldades de memória, linguagem, raciocínio e julgamento. Esse estudo específico concluiu que aqueles com dietas mais ricas em gorduras saudáveis tinham um risco 42% menor de sofrer danos cognitivos; e aqueles que faziam a maior ingestão de proteínas de fontes saudáveis como frango, carnes e peixes tinham uma redução de 21% no risco.[5]

Estudos anteriores, avaliando padrões de dieta e o risco de demência, chegaram a conclusões semelhantes. Um dos primeiros estudos a efetivamente comparar a diferença em quantidade de gordura entre um cérebro com Alzheimer e um cérebro saudável foi publicado em 1998.[6] Nesse estudo post-mortem, pesquisadores holandeses concluíram que os pacientes de Alzheimer tinham uma redução significativa na quantidade de gordura no fluido cérebro-espinhal, sobretudo colesterol e ácidos graxos livres, se comparados ao grupo de controle. Isso ocorria independentemente da presença do gene defeituoso nos pacientes de Alzheimer, conhecido como APoE ε4, que predispõe à doença.

Em 2007, o jornal *Neurology* publicou um estudo que examinou mais de 8 mil participantes de 65 anos ou mais, com funções cerebrais totalmente normais, e acompanhou-os por quatro anos. Durante esse período, aproximadamente 280 deles desenvolveram alguma forma de demência (a maioria foi diagnosticada como Alzheimer).[7] Os pesquisadores queriam identificar padrões nos hábitos alimentares, observando especialmente o nível de consumo de peixe, que contém grandes quantidades de gorduras ômega 3 saudáveis para o cérebro e o coração. Em quem nunca consumiu peixe, o risco de demência e Alzheimer no período de acompanhamento de quatro anos foi 37% maior. Em quem consumia peixe diariamente, o risco dessas doenças caiu 44%. O uso regular de manteiga não causou alteração significativa no risco de demência ou Alzheimer, mas aqueles que consumiam regularmente óleos ricos em ômega 3, como os óleos de oliva, de linhaça e de noz, tinham 60% menos probabilidade de desenvolver demência, se comparados àqueles que não consumiam regularmente esses óleos. Os pesquisadores também concluíram que aqueles que ingeriam regularmente óleos ricos em ômega 6 — típicos na dieta americana —, mas não peixes nem óleos ricos em ômega 3, tinham duas vezes mais risco de desenvolver demência do que aqueles que não consumiam óleos ricos em ômega 6 (veja o quadro a seguir para uma explicação mais detalhada a respeito dessas gorduras). Em 2016, um estudo ainda mais amplo confirmou todas essas descobertas, ao rever 21 estudos longitudinais de coorte, envolvendo mais de 181 mil pessoas.[8] Foi publicado no *American Journal of Clinical Nutrition*, e recomendava "produtos de pesca" para um "risco menor de dano cognitivo".

É interessante notar que muitos desses estudos sugerem que o consumo de óleos ômega 3 pode contrabalançar o efeito negativo dos óleos ômega 6, e que os especialistas alertam para o risco de consumir óleos ômega 6 na ausência de ômega 3. Considero os resultados bastante espantosos e informativos.

SÃO TANTOS ÔMEGAS: QUAIS SÃO SAUDÁVEIS?

Hoje em dia ouvimos falar muito em gorduras ômega 3 e ômega 6. No conjunto, as gorduras ômega 6 pertencem à categoria das "gorduras ruins"; em algum grau, elas favorecem inflamações, e há evidências de que um consumo elevado dessas gorduras esteja relacionado a transtornos cerebrais. Infelizmente, a dieta americana é extremamente rica em gorduras ômega 6, que são encontradas em diversos óleos vegetais, como os óleos de cártamo, de milho, de canola, de girassol e de soja; os óleos vegetais representam a fonte número um de gordura na dieta do americano. Segundo estudos antropológicos, nossos antepassados caçadores-coletores consumiam gorduras ômega 6 e ômega 3 numa proporção de aproximadamente 1: 1.[9] Hoje, consumimos dez a 25 vezes mais gorduras ômega 6 que o padrão evolutivo, e reduzimos drasticamente nossa ingestão de gorduras ômega 3, saudáveis e estimulantes para o cérebro (alguns especialistas acreditam que nosso consumo de ácidos graxos saudáveis foi responsável pela triplicação do tamanho do cérebro humano). A tabela a seguir lista a quantidade de ômega 6 e ômega 3 de diversos óleos vegetais e alimentos:

Óleo	Ômega 6	Ômega 3
algodão	50%	0%
amendoim	32%	0%
canola	20%	9%
cártamo	75%	0%
gergelim	42%	0%
girassol	65%	0%
linhaça	14%	57%
milho	54%	0%
noz	52%	10%
peixe	0%	100%
soja	51%	7%

Nota: O azeite de oliva não é um óleo vegetal (vem da azeitona, que é uma fruta). Contém 10% de ômega 3 e menos de 1% de ômega 6. O óleo de coco não contém ômega algum; tem o que é chamado de ácido graxo de cadeia média — veremos mais sobre isso adiante.

Os frutos do mar são uma excelente fonte de ácidos graxos ômega 3, e até mesmo as carnes de boi, cordeiro, veado e búfalo contêm essa fabulosa gordura. Mas há um porém a levar em conta: animais alimentados com grãos (geralmente milho e soja) não terão ômega 3 suficiente em suas dietas, e sua carne será deficiente nesses nutrientes vitais. Daí o clamor em favor do consumo de animais alimentados com grama e contra a piscicultura.

Além da demência, outras questões neurológicas têm sido associadas especificamente à baixa ingestão de gordura e aos níveis de colesterol. Em um relatório publicado pelo Instituto Nacional de Saúde dos Estados Unidos, pesquisadores compararam a memória de indivíduos de idade avançada e seus níveis de colesterol. Descobriram que as pessoas que não sofriam de demência tinham uma memória muito melhor quando possuíam níveis elevados de colesterol. A conclusão do relatório afirmava de maneira direta: "O colesterol alto está associado a uma memória melhor". No texto subsequente, os pesquisadores observaram: "É possível que indivíduos que sobreviveram além dos 85 anos, especialmente aqueles com colesterol alto, sejam mais robustos".[10]

O Parkinson também tem uma forte relação com níveis baixos de colesterol. Pesquisadores holandeses, em artigo no *American Journal of Epidemiology*, publicaram em 2006 que "níveis séricos elevados de colesterol total estão associados com um decréscimo significativo no risco do mal de Parkinson, com evidências de uma relação dose-efeito".[11] Na verdade, outro estudo, publicado em 2008 na revista *Movement Disorders*, mostrou que aqueles com níveis mais baixos do colesterol LDL (o chamado "colesterol ruim") tinham cerca de 350% mais chance de ter Parkinson![12]

Para entender como isso pode acontecer, é bom lembrar aquilo que insinuei no primeiro capítulo: o LDL é uma proteína transportadora que não é necessariamente ruim. O papel fundamental do LDL no cérebro é capturar o colesterol vital e transportá-lo aos neurônios, onde ele desempenha funções de importância crucial. Como já vimos, quando os níveis de colesterol são reduzidos, o cérebro simplesmente não funciona bem, e em consequência disso o risco de problemas neurológicos aumenta significativamente. Mas há um porém: quando os radicais livres causam danos à molécula do LDL, ela se torna muito menos capaz de transportar colesterol ao cérebro. Além dessa oxidação, que destrói a função do LDL, o açúcar também pode torná-lo disfuncional, aderindo a ele e acelerando a oxidação. E quando isso acontece o LDL não é mais capaz de entrar no astrócito, célula encarregada de alimentar os neurônios. Nos últimos dez anos, novas pesquisas mostraram que o LDL oxidado é um fator-chave no desenvolvimento da aterosclerose. Por isso, devemos fazer tudo o que pudermos para reduzir o risco de oxidação do LDL — e não necessariamente o nível de LDL propriamente dito. E não há dúvida de que altos níveis de glicose desempenham um papel preponderante nesse risco; a probabilidade de oxidação do LDL é muito maior na presença de moléculas de açúcar, que aderem a ele e mudam sua forma. Proteínas glicosiladas, produto dessa reação entre proteínas e moléculas de açúcar, estão associadas a um aumento de cinquenta vezes na formação de radicais livres, em comparação com as proteínas não glicosiladas. O inimigo não é o LDL. Os problemas ocorrem quando uma dieta rica em carboidratos gera LDL oxidado e um risco maior de aterosclerose. Além disso, se e quando o LDL se torna uma molécula glicosilada, ela não consegue levar o colesterol às células cerebrais, e as funções do cérebro sofrem.

De algum jeito nos fizeram crer que uma dieta rica em gorduras elevará nosso colesterol, o que, por sua vez, aumentará o risco de ataques cardíacos e derrames. Essa ideia continua em pauta, apesar de uma pesquisa de mais de duas décadas atrás que prova o contrário. Em 1994, o *Journal of the American Medical Association* publicou um teste comparando adultos mais velhos com colesterol alto (nível acima de 240 mg/dL) àqueles com níveis normais (abaixo de 200 mg/dL).[13] Durante quatro anos, pesquisadores da Universidade Yale mediram o colesterol total e a lipoproteína de alta densidade (o HDL) em quase mil participantes; eles também monitoraram hospitalizações por ataque cardíaco e angina instável e os índices de fatalidades por ataque cardíaco e fatalidades por outras causas. Não foram encontradas diferenças entre os dois grupos. Quem tinha colesterol total baixo teve o mesmo número de ataques cardíacos e morreu com a mesma frequência daqueles com colesterol total elevado. E diversas revisões de estudos amplos e múltiplos foram incapazes de encontrar uma correlação entre os níveis de colesterol e as doenças cardíacas.[14] O surgimento de pesquisas como essa levou o dr. George Mann, pesquisador do Estudo do Coração de Framingham, falecido em 2013 com 95 anos, a afirmar publicamente, nos anos 1970:

> A hipótese da dieta cardíaca, que sugere que uma ingestão elevada de gordura ou colesterol causa problemas cardíacos, mostrou-se diversas vezes falsa. Mesmo assim, por razões complexas de orgulho, ganância e preconceitos, essa hipótese continua a ser explorada por cientistas, empresas em busca de financiamento, a indústria alimentícia e até agências governamentais. O público está sendo enganado pela maior fraude sanitária do século.[15]

Além de publicar mais de duzentos artigos em publicações de medicina, o dr. Mann expressou suas ideias em vários livros, entre eles *Coronary Heart Disease: The Dietary Sense and Nonsense* [Doenças cardíacas coronarianas: o bom senso e o nonsense alimentar].[16] Nada poderia estar mais distante da verdade do que o mito de que, se baixarmos nossos níveis de colesterol, teremos uma chance maior de viver vidas mais longas e mais saudáveis. Em 1997, quatro anos depois do lançamento do livro do dr. Mann, apareceu na prestigiosa revista de medicina *Lancet* um artigo sobre pesquisadores holandeses que estudaram 724 idosos, cuja idade média era 89 anos, e os acompanharam durante dez anos.[17] O que eles descobriram foi verdadeiramente extraordinário. Durante o estudo, 642 participantes morreram. Cada aumento de 39 pontos no colesterol total correspondia a uma redução de 15% no risco de mortalidade. No estudo, não havia absolutamente nenhuma diferença no risco de morrer de doenças coronárias entre o grupo de colesterol alto e o de colesterol baixo, o que é, em si, extraordinário, considerando o número de pessoas idosas que tomam drogas redutoras de colesterol. Outras causas de morte dos idosos mostraram-se fortemente associadas ao colesterol baixo. Os autores escreveram:

> A mortalidade de câncer e infecções foi significativamente menor entre os participantes na categoria de colesterol total mais alto que nas outras categorias, o que explica em grande parte a menor mortalidade nesta categoria.

Em outras palavras, aqueles com colesterol total mais alto tinham menor probabilidade de morrer de câncer e infecções — males comumente fatais entre os idosos — do que aqueles com níveis de colesterol mais baixos. Na verdade, quando você compara os grupos de colesterol mais baixo e mais alto, o risco de morrer durante o estudo sofreu uma queda de espantosos 48% entre aqueles com colesterol mais alto. O colesterol alto pode aumentar a longevidade.

Talvez um dos estudos mais extraordinários sobre o impacto positivo do colesterol no sistema neurológico como um todo tenha sido um artigo publicado em 2008 na revista *Neurology*, que apresenta o colesterol alto como um fator protetor contra a ELA.[18] Não há tratamento eficaz contra a ELA, uma doença devastadora com a qual lidei diariamente em meu consultório. A ELA é uma desordem degenerativa crônica que afeta os neurônios motores do corpo e leva à morte dois a cinco anos depois do aparecimento (a Food and Drug Administration, FDA, agência reguladora do governo americano responsável pelo controle dos alimentos e medicamentos comercializados em território americano, aprovou um remédio, o Rilutek, que pode prolongar a sobrevivência por aproximadamente três meses, no máximo. Em 2017, a FDA aprovou o Radicava, para reduzir o declínio nas atividades cotidianas associadas à doença. O Rilutek é muito caro e ataca o fígado; a maioria dos pacientes se recusa a tomá-lo. O Radicava tem efeitos colaterais, sobretudo reações alérgicas severas ao sulfito nele contido). Em um estudo de 2008 feito por pesquisadores franceses, porém, demonstrou-se que aqueles que têm taxas de colesterol consideravelmente mais altas sobreviveram, em média, um ano a mais que os pacientes com níveis baixos, mesmo na comparação com um grupo de controle normal. Como afirmaram os autores:

> A hiperlipidemia (nível alto de colesterol) é um fator de prognóstico de sobrevivência significativo nos pacientes com esclerose lateral amiotrófica. Esta descoberta ressalta a importância de estratégias de intervenção nutricional sobre a evolução da doença e exige nossa atenção ao tratar estes pacientes com drogas redutoras de lipídios.

E mais, não podemos limitar nossa discussão sobre gordura apenas à saúde cerebral. Também foram escritos livros e mais livros, na literatura científica, sobre gordura e saúde cardíaca — mas não no contexto que, eu sei, você está imaginando. Vamos lá: em 2010, o *American Journal of Clinical Nutrition* publicou um surpreendente estudo que expôs a verdade por trás de lendas urbanas sobre gorduras, principalmente as saturadas, e doenças cardíacas.[19] O estudo era uma avaliação retrospectiva de 21 artigos médicos anteriores, envolvendo mais de 340 mil pacientes, acompanhados por cinco a 23 anos. Ele concluía que a "ingestão de gorduras saturadas não estava associada a um risco maior de doenças cardíacas coronarianas, derrames ou doenças cardio-vasculares". Na verdade, ao comparar o nível de consumo de gorduras saturadas ao mais elevado, o risco real de doenças coronarianas foi 19% menor no grupo que consumia a maior quantidade de gordura satu-rada. Os autores também afirmaram: "Nossos resultados sugerem um viés de publicação, de tal modo que os estudos com associações signi-ficativas tendem a ser recebidos para publicação de forma mais favo-rável". O que os autores estão sugerindo é que, quando outros estudos apresentam conclusões mais parecidas com o pensamento reinante (isto é, que a gordura causa problemas cardíacos), sem mencionar mais atraentes para a indústria farmacêutica, esses estudos tendem a ser mais publicados. A realidade é que gorduras saturadas nos fazem bem. Nas palavras do dr. Michael Gurr, autor do livro *Lipid Biochemistry: An Introduction* [Bioquímica do lipídio: uma introdução]: "Qualquer que seja a causa das doenças cardíacas, elas não se devem primordialmente a um consumo elevado de ácidos graxos saturados".[20]

Em um relatório posterior do *American Journal of Clinical Nutrition*, um painel de pesquisadores de vários países, respeitados na área de nutrição, afirmou de forma clara: "Atualmente não há relação evidente entre a ingestão de ácidos graxos e esses eventos [obesidade, doenças cardiovasculares, incidência de câncer e osteoporose]". Os pesquisa-dores prosseguiram afirmando que as pesquisas devem ser voltadas para "as interações biológicas entre a resistência à insulina, refletida pela obesidade e pela inatividade física, e a qualidade e a quantidade de carboidratos".[21]

Antes de observarmos outros estudos que mostram os benefícios da gordura, principalmente os alimentos cheios de colesterol, vamos pensar até que ponto rejeitamos exatamente aquelas comidas que po-dem manter nossos cérebros saudáveis e abastecidos para uma vida longa e vibrante. Isso exigirá um pequeno desvio pela relação entre a gordura alimentar e a saúde cardíaca, mas a história tem relação direta com a saúde do cérebro.

UMA PEQUENA HISTÓRIA

Se você for como a maioria, em algum momento da vida já comeu mais margarina que manteiga, teve a sensação de estar abusando quando limpou um prato de bife, ovos e queijo, e girou em torno de produtos com os dizeres "baixa gordura", "sem gordura" ou "sem colesterol". Não é culpa sua ter feito essas escolhas. Todos nós integramos uma sociedade que confia em "especialistas" para nos dizer o que é bom e o que é ruim. Nas últimas gerações, passamos por eventos históricos em nossa compreensão da saúde humana, assim como descobertas espetaculares a respeito daquilo que nos deixa doentes e sujeitos a doenças. Na verdade, a virada do século xx marcou o início de uma enorme transformação na vida americana devido aos avanços na tecnologia e na medicina. No espaço de poucas décadas, generalizou-se o acesso a antibióticos, vacinas e serviços públicos de saúde. Desapareceram, ou pelo menos passaram a ser controladas, doenças comuns da infância, que antes reduziam fortemente a expectativa média de vida. Cada vez mais pessoas se mudaram para as cidades, deixando para trás o estilo de vida rural. Tornamo-nos mais educados, mais bem informados e cada vez mais sofisticados. Mas, em vários aspectos, também nos tornamos cada vez mais impressionáveis e enganáveis por informações que ainda não foram totalmente decifradas e comprovadas. Talvez você não se lembre da época em que os médicos recomendavam, por exemplo, fumar cigarros, mas no campo da nutrição esse tipo de ignorância aconteceu, numa escala muito mais sutil. E, infelizmente, parte dele continua até hoje.

Em 1900, o homem urbano típico ingeria cerca de 2900 calorias por dia, sendo que 40% dessas calorias vinham de gorduras saturadas e insaturadas, em partes iguais (famílias rurais, que viviam e trabalhavam em fazendas, provavelmente consumiam mais calorias). Era uma dieta repleta de manteiga, ovos, carne, grãos, vegetais e frutas da estação. Poucos americanos sofriam de sobrepeso, e as causas de morte mais comuns eram pneumonia, tuberculose, diarreia e enterite.

Também foi perto da virada do século xx que o Departamento de Agricultura dos Estados Unidos começou a monitorar tendências alimentares, observando uma alteração no tipo de gorduras que os americanos estavam ingerindo. Começou-se a utilizar óleos vegetais, em vez de manteiga, o que levou a indústria alimentícia a criar óleos hidrogenados, que se parecem com a manteiga. Em 1950 tínhamos passado de um consumo de oito quilos de manteiga e pouco menos de um quilo e meio de óleo vegetal por ano para um pouco mais de quatro quilos de manteiga e mais de quatro quilos de óleo vegetal. A margarina também ganhou terreno rapidamente em nossas dietas: na virada do século, representava apenas um quilo por pessoa, mas na metade do século aumentou para cerca de quatro quilos.

Embora a chamada hipótese lipídica exista desde meados do século XIX, foi só em meados do século XX que os cientistas tentaram relacionar uma dieta gordurosa com artérias gordurosas, à medida que começou a aumentar o número de mortes por doenças arteriais coronarianas (DAC). Segundo essa hipótese, a gordura animal saturada eleva o nível de colesterol no sangue, levando ao depósito de colesterol e outras gorduras nas artérias, sob a forma de placas. Para reforçar essa teoria, um especialista em saúde pública da Universidade de Minnesota, chamado Ancel Keys, mostrou uma correlação quase linear entre as calorias da gordura na alimentação e as mortes por doenças cardíacas na população de sete países (ele ignorou países que não se encaixavam nesse padrão, inclusive muitos onde as pessoas ingeriam muita gordura mas não contraíam doenças cardíacas, e outros onde as dietas são pobres em gorduras mas as populações têm uma alta incidência de ataques cardíacos fatais). Os japoneses, cuja dieta tem apenas 10% de calorias advindas da gordura, apresentaram a menor taxa de mortalidade por DAC — menos de uma pessoa em cada mil. Os Estados Unidos, por outro lado, tiveram a maior mortalidade por DAC — sete em mil —, com 40% das calorias vindo da gordura.[22] À primeira vista, pode parecer que esses padrões apontam diretamente para a ideia de que a gordura é ruim, e que a gordura causa doenças cardíacas. Os cientistas mal poderiam supor que esses números não contavam a história completa.

Esse raciocínio errado, porém, infiltrou-se por várias décadas, com cientistas em busca de provas adicionais, que incluíam o Estudo do Coração de Framingham, concluindo que aqueles que têm colesterol mais elevado têm maior probabilidade de ter DAC e morrer em função delas. Em 1956, a American Heart Association começou a promover a chamada "dieta prudente", que conclamava a substituir manteiga, bacon, ovos e carne de boi por margarina, óleo de milho, frango e cereais. Na década de 1970 a hipótese lipídica se tornara firmemente estabelecida. No cerne dessa hipótese estava a afirmação inarredável de que o colesterol causava doenças arteriais coronarianas.

Isso naturalmente incentivou o governo a agir, o que levou ao lançamento das "Metas Dietárias para os Estados Unidos" pelo Comitê de Nutrição e Necessidades Humanas do Senado, em 1977. Como você pode imaginar, essas metas tinham o objetivo de reduzir a ingestão de gordura e evitar alimentos ricos em colesterol. Gorduras saturadas "entupidoras de artérias" foram consideradas particularmente más. Assim, foram condenadas a carne de boi, o leite, os ovos, a manteiga, o queijo e os óleos tropicais, como o de coco e o de palma. Esse pensamento também abriu caminho para o foco bilionário da indústria farmacêutica em remédios redutores de lipídios. Ao mesmo tempo, as autoridades de saúde começaram a aconselhar as pessoas a substituir as gorduras, agora do mal, por carboidratos e óleos vegetais processados poli-insaturados, incluindo os óleos de soja, milho, algodão, canola, amendoim, cártamo e girassol. Lanchonetes de fast-food aderiram em meados dos anos 1980, passando de gordura animal e óleo de palma para óleo vegetal parcialmente hidrogenado (gordura trans) na fritura de seus alimentos. Embora de lá para cá o Departamento de Agricultura dos Estados Unidos tenha alterado seu guia alimentar, ainda divulga a ideia de que "gordura é ruim" e "carboidrato é bom". Na verdade, no novo guia nenhuma gordura aparece, o que confunde os consumidores em relação a quais gorduras, e de que tipo, cabem numa dieta saudável.[23]

O dr. Donald W. Miller, cirurgião cardíaco aposentado e professor de cirurgia emérito na Universidade de Washington, colocou a questão em termos exatos em seu ensaio de 2010 intitulado "Health Benefits of a Low-Carboydrate, High-Saturated-Fat Diet" [Benefícios de uma dieta pobre em carboidratos e rica em gorduras saturadas]:

O reinado de sessenta anos da dieta pobre em gordura e rica em carboidratos vai acabar. Isso acontecerá quando os efeitos destrutivos à saúde do excesso de carboidratos na dieta se tornarem mais amplamente reconhecidos, e os benefícios à saúde das gorduras saturadas, mais bem conhecidos.[24]

A hipótese lipídica dominou os círculos cardiovasculares durante décadas, apesar do fato de o número de estudos contraditórios exceder o de que lhes dão apoio. Nos últimos trinta anos, não foi publicado nenhum estudo que demonstrasse inequivocamente que a redução do colesterol sérico, por meio da ingestão de uma dieta pobre em gordura, pobre em colesterol, previne ou reduz ataques cardíacos ou taxas de mortalidade. E, como aponta o dr. Miller, estudos populacionais do mundo inteiro não sustentam a hipótese lipídica. Podemos percorrer estudos até o distante ano de 1968 que desmentem cabalmente a ideia de que uma dieta pobre em gordura seja ideal. Naquele ano, o Projeto Internacional de Aterosclerose examinou 22 mil cadáveres de catorze países e concluiu que não importava se as pessoas ingeriam grandes quantidades de produtos animais gordurosos ou se seguiam uma dieta majoritariamente vegetariana: a prevalência de placa arterial foi a mesma em todas as partes do mundo, tanto naquelas com altos índices de doenças cardíacas quanto em populações com pouca ou nenhuma doença cardíaca.[25] Isso significa que o espessamento da parede arterial poderia ser simplesmente um processo inevitável de envelhecimento que não tem necessariamente correlação com doenças cardíacas clínicas.

Se a ingestão de gorduras saturadas não causa doenças cardíacas, o que as causa, então? Vamos observar agora essas circunstâncias do ponto de vista do cérebro, e então completaremos o giro voltando às questões do coração. Logo você irá compreender a raiz tanto da obesidade quanto das doenças do cérebro.

CARBOIDRATOS, DIABETES E DOENÇAS DO CÉREBRO

Como já detalhei, uma das formas pelas quais os grãos e os carboidratos põem fogo no cérebro é através de picos de açúcar no sangue. Isso tem efeitos negativos diretos no cérebro, que, por sua vez, dão início a um efeito cascata inflamatório. A explicação científica aponta para os neurotransmissores do seu corpo. Os neurotransmissores são seus principais reguladores do cérebro e do humor. Quando o açúcar no seu sangue aumenta, há uma redução imediata dos neurotransmissores serotonina, epinefrina, norepinefrina, ácido gama-aminobutírico (GABA) e dopamina. Ao mesmo tempo, vitaminas do complexo B que são necessárias para fabricar esses neurotransmissores (e algumas centenas de outras coisas) são gastas. Os níveis de magnésio também caem, e isso enfraquece tanto o seu sistema nervoso quanto o seu fígado. Além disso, o açúcar alto no sangue desencadeia uma reação chamada "glicação", que vamos explorar em maiores detalhes no próximo capítulo. Em termos bem simples, a glicação é o processo biológico pelo qual a glicose, as proteínas e certas gorduras se enredam, fazendo com que os tecidos e as células, inclusive do cérebro, se tornem endurecidos e inflexíveis. Mais especificamente, as moléculas de açúcar e as proteínas do cérebro se combinam para criar novas estruturas, letais, que contribuem mais que qualquer outro fator para a degeneração do cérebro e de seu funcionamento. O cérebro é tremendamente vulnerável aos estragos glicantes da glicose, e isso piora quando antígenos poderosos, como o glúten, aceleram o dano. Em termos neurológicos, a glicação pode contribuir para o encolhimento de tecidos cerebrais cruciais.

Fora as bebidas adoçadas, os alimentos à base de grãos são responsáveis pelo grosso das calorias de carboidratos na dieta do americano. Seja através de massas, biscoitos, bolos, roscas ou do aparentemente saudável "pão integral", a carga de carboidratos trazida por nossas opções alimentares não nos faz bem. Se acrescentarmos a essa lista o pot-pourri de outros alimentos ricos em carboidratos, como a batata, o milho, as frutas e o arroz, não admira que os americanos sejam chamados, hoje, de pleno direito, "carboólicos". Não admira tampouco que haja uma epidemia de disfunções metabólicas e diabetes na nossa cultura.

Os dados que confirmam a relação entre o diabetes e um consumo alto de carboidratos são claros e profundos. Em 1992, o governo americano deu apoio a uma dieta rica em carboidratos e pobre em gordura. A American Heart Association e a American Diabetes Association seguiram o exemplo em 1994, sendo que esta última recomendou que os americanos consumissem 60% a 70% de suas calorias em carboidratos. Entre 1994 e 2015, o número de casos de diabetes *triplicou*.[26] Dê uma olhada no seguinte quadro e na curva em rápida ascensão de 1958 a 2015, período durante o qual o número de americanos diagnosticados com diabetes passou de mero 1,58 milhão para colossais 23,35 milhões de indivíduos:

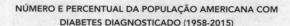

NÚMERO E PERCENTUAL DA POPULAÇÃO AMERICANA COM
DIABETES DIAGNOSTICADO (1958-2015)

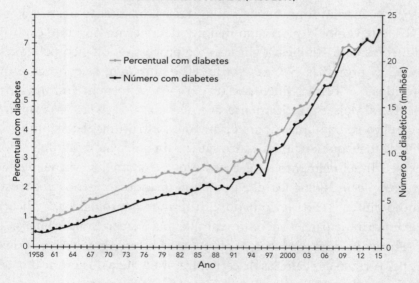

Isso é significativo, uma vez que, como você já sabe, ser diabético dobra o risco de desenvolver Alzheimer. Até mesmo o pré-diabetes, quando os problemas de açúcar no sangue estão apenas começando, está associado ao declínio das funções cerebrais e ao encolhimento do centro de memória do cérebro; também é um fator de risco independente para o desenvolvimento completo do Alzheimer.

É difícil acreditar que não se pudesse saber antes dessa correlação entre o diabetes e a demência, mas levou muito tempo para ligarmos os pontos e realizar o tipo de estudo longitudinal que uma conclusão dessas exige. Também levou tempo para nos darmos conta da pergunta óbvia que decorre dessa relação: como o diabetes contribui para a demência? Já mencionei algumas dessas relações, mas deixe-me refrescar sua memória. Em primeiro lugar, quando se é resistente à insulina, não apenas os neurônios passarão fome e sua morte será induzida, como o corpo pode não ser capaz de decompor a proteína amiloide que forma placas cerebrais associadas às doenças do cérebro. Em segundo lugar, o açúcar alto no sangue provoca reações biológicas ameaçadoras que fazem mal ao corpo, pela produção de certas moléculas que contêm oxigênio, danificam as células e causam processos inflamatórios. Estes, por sua vez, podem resultar no endurecimento e no estreitamento das artérias no cérebro (sem falar do resto do corpo). Essa condição, conhecida como aterosclerose, pode levar à demência vascular, que ocorre quando entupimentos e derrames matam tecidos cerebrais. Tendemos a pensar na aterosclerose em termos cardíacos, mas o cérebro pode ser afetado da mesma forma por alterações nas paredes de suas artérias. Já em 2004, pesquisadores australianos afirmaram corajosamente em uma revisão de estudos que "já há um consenso pelo qual a aterosclerose representa um estado de estresse oxidativo elevado, caracterizado pela oxidação de lipídios e proteínas na parede vascular".[27] Eles também observaram que essa oxidação é uma reação a um processo inflamatório.

Uma descoberta mais perturbadora foi feita por pesquisadores japoneses em 2011, quando eles examinaram mil homens e mulheres acima dos sessenta anos e concluíram que "pessoas com diabetes tinham duas vezes mais probabilidade que os demais participantes do estudo de desenvolver Alzheimer num período de quinze anos. Eles também eram 1,75 vez mais suscetíveis de desenvolver demência de qualquer tipo".[28] Essa relação manteve-se válida mesmo depois de levar em conta diversos fatores associados tanto ao risco de diabetes quanto ao de demência, como idade, sexo, pressão arterial e índice de massa corporal. Como tenho destacado ao longo do livro, pesquisas mais recentes estão documentando como o controle do açúcar no sangue e a redução de fatores de risco para o diabetes tipo 2 podem reduzir significativamente o risco de demência.

Tive a satisfação de entrevistar Melissa Schilling, professora de administração na Universidade de Nova York (você pode assistir à entrevista, na íntegra, em DrPerlmutter.com). Embora ela não seja uma pesquisadora na área de medicina, seu trabalho e suas ideias lhe valeram respeitabilidade entre neurologistas renomados (inclusive eu); seu interesse em relacionar o diabetes ao Alzheimer revelou uma interpretação instigante dos números. Em 2016, ela realizou por conta própria uma revisão de estudos, tentando resolver um paradoxo: a insulina elevada, ou hiperinsulinemia, aumenta significativamente o risco de ter Alzheimer, mas as pessoas com diabetes tipo 1 (que não produzem nenhuma insulina) também teriam um risco maior de males cerebrais.[29] Como as duas coisas podem ser verdade? A hipótese de Schilling, provavelmente correta, tem obtido apoio de autoridades no assunto. A teoria dela é que a culpada é a enzima degradadora de insulina, um subproduto da insulina que quebra tanto o hormônio em si quanto as proteínas amiloides do cérebro. Pessoas que não possuem insulina o bastante, como aquelas cuja capacidade de produzir insulina foi destruída pelo diabetes, não conseguirão produzir essa enzima em quantidade suficiente para destruir acúmulos no cérebro. Enquanto isso, em pessoas que utilizam insulina no tratamento do diabetes e acabam tendo excesso de insulina, a maior parte dessa enzima é desperdiçada quebrando o hormônio, o que não deixa enzima o bastante para atacar os aglomerados de amiloide no cérebro. Segundo Schilling, isto pode ocorrer mesmo em pessoas que têm pré-diabetes e ainda não sabem disso.

Gostaria, aqui, de fazer uma breve pausa para abordar um assunto frustrante para mim, do ponto de vista do serviço à população. Todos sabemos que o controle do diabetes é importante. Mas todos os dias nos empurram drogas para regular melhor a glicemia e baixar o índice de A1C, que, lembrando, é uma espécie de média do nível de glicemia dos noventa dias anteriores. Isso dá a entender que fazer o nível de A1C ficar abaixo de um determinado número mágico seria a única meta importante no controle do diabetes. *Absolutamente nada* poderia estar mais distante da verdade. Sim, costumamos ver sobrepeso e obesidade associados ao diabetes tipo 2, e a coexistência dessas duas questões é incrivelmente destrutiva para o cérebro. Não basta administrar a glicemia por meio de drogas e continuar obeso ou com sobrepeso. Você pode baixar o A1C, equilibrar a glicemia e erradicar o diabetes *totalmente por meio da mudança alimentar* — e o bônus é que você também atingirá o peso ideal. A dra. Sarah Hallberg, diretora médica do Virta Health e diretora médica e fundadora do Programa de Perda de Peso da Universidade de Indiana e da Arnett Health Medical, compartilha esse sentimento. Quando a entrevistei para meu programa on-line, *The Empowering Neurologist*, ela ressaltou vigorosamente o poder da mudança alimentar na reversão do diabetes e na libertação dos remédios de controle. Nas palavras dela:

> Dizem às pessoas que elas estão "presas" ao diabetes tipo 2 e precisam controlá-lo com medicamentos, na esperança de desacelerar a doença e evitar seus terríveis efeitos colaterais (como amputação de membros e cegueira). Rechaço categoricamente esse raciocínio. Precisamos começar a falar em reversão da doença por meio da gestão de fatores de estilo de vida.

Concordo em gênero, número e grau.

O fato de que podemos perder a sanidade mental por causa da "diabesidade" deveria ser um motivador suficiente para mudar o jeito de nos alimentarmos. Mas às vezes é preciso visualizar um pouco até que ponto a combinação de excesso de peso e diabetes pode ser danosa para o cérebro. Um estudo de 2017, que reuniu pesquisadores da Coreia do Sul, da Universidade de Utah e do Departamento de Medicina Interna do Brigham and Women's Hospital de Boston mostrou alterações cerebrais tanto nas pessoas obesas ou com sobrepeso com diabetes tipo 2 em estágio inicial quanto naquelas com peso normal e diabetes tipo 2 em estágio inicial.[30] Foram notadas alterações em diversos parâmetros, tais como espessura cerebral, desempenho cognitivo e níveis de proteína C-reativa. Os pesquisadores constataram anormalidades progressivas e muito mais graves na estrutura cerebral e na cognição naqueles com obesidade ou sobrepeso e diabetes tipo 2, se comparados a seus similares de peso normal, como mostram os gráficos a seguir.

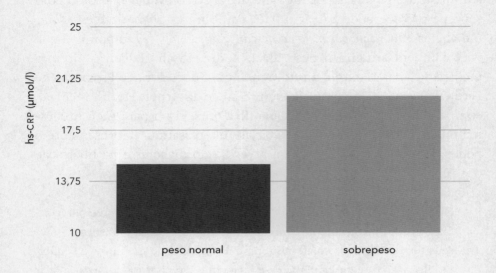
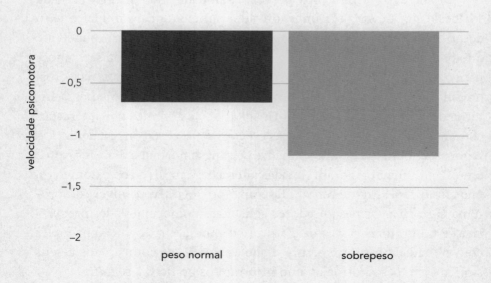

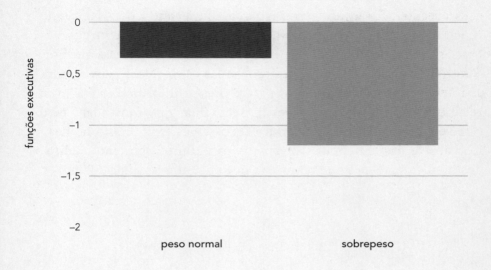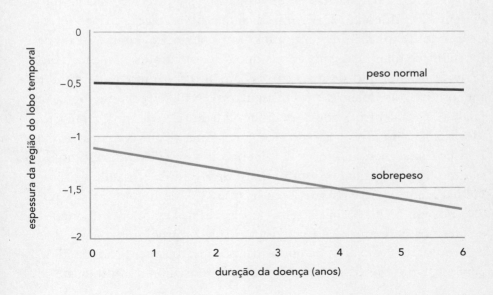

Apenas para lembrar, a proteína C-reativa de alta sensibilidade (hs-CRP) é um marcador de processos inflamatórios, que, já sabemos, são um fator de risco para danos ao cérebro e declínio cognitivo. "Funções executivas" são um termo guarda-chuva usado para fazer referência às habilidades mentais necessárias para desempenhar tarefas básicas, cuidar de si mesmo e atingir certas metas. É com elas que utilizamos informações e resolvemos problemas. "Velocidade psicomotora" se refere ao tempo que levamos para processar informações e agir em relação a elas: são as habilidades motoras finas que comandam tanto o raciocínio quanto o movimento. E seus lobos temporais, que ficam logo abaixo das têmporas, são cruciais para o processamento auditivo de alto nível: são eles que permitem que você compreenda a fala.

OS FATOS SOBRE A GORDURA: A MELHOR AMIGA DE SEU CÉREBRO

Os fabricantes de alimentos processados continuam a colocar o termo "reduzido em gorduras" em seus rótulos para aumentar as vendas, porque muitos ainda compram a ideia de que uma dieta pobre em gordura é boa. Mas isso é uma contradição direta com o conhecimento científico atual. Algumas páginas atrás, tracei um panorama de estudos feitos mais de vinte anos atrás que documentaram taxas de mortalidade mais altas com o consumo de carboidratos e, inversamente, taxas de mortalidade mais baixas com alto consumo de gordura (e menos risco de doenças cardiovasculares). Não sei por que ainda se fala da relação entre gordura e colesterol e do risco de um evento cardiovascular. Em um estudo de 2017, mais uma vez na renomadíssima revista *Lancet*, pesquisadores de diversas instituições de prestígio do mundo inteiro estudaram um número incrivelmente grande de indivíduos entre os 35 e os setenta anos (135335), de dezoito países, por 7,4 anos em média.[31] Foram feitas avaliações das escolhas alimentares em termos de composição macronutricional (carboidratos, proteínas e gordura), e o consumo de gorduras foi especificamente subdividido para avaliar as gorduras saturadas, as gorduras monoinsaturadas e as gorduras poli-insaturadas. Além disso, foram comparadas as dietas em relação ao risco de diversos desfechos, entre eles a morte, um evento cardiovascular maior, derrames e paradas cardíacas.

O que os pesquisadores descobriram nesse amplo estudo foi bastante convincente. Eles constataram que um maior consumo de carboidratos, ao comparar os maiores e os menores consumidores, estava associado a um aumento de 28% no risco de morte. A quantidade total de gorduras, assim como de cada tipo de gordura, também se mostrou dramaticamente associada com o risco de morte. Aqueles que consumiram os níveis mais altos de gordura tiveram uma redução de 23% do risco de morte no período do estudo. O risco de morte caiu 14% entre aqueles que consumiram os níveis mais altos de gordura saturada, caiu 19% entre aqueles que consumiram altos níveis de gordura monoinsaturada, e incríveis 20% entre aqueles que consumiram os níveis mais elevados de gordura poli-insaturada. O consumo mais alto das temidas gorduras saturadas também estava associado a uma redução de 20% do risco de derrames, em comparação com aqueles que as consumiram menos. Os autores concluíram:

> A ingestão elevada de carboidratos estava associada a um risco total mais alto de mortalidade, enquanto a gordura total e os tipos individuais de gordura estavam relacionados a uma mortalidade total menor. A gordura total e os tipos de gordura não estavam associados a doença cardiovascular, infecção miocardiana ou mortalidade por doença cardiovascular, enquanto a gordura saturada teve uma associação inversa com derrames. As recomendações alimentares globais devem ser reconsideradas à luz desses achados.

Um pequeno estudo-piloto de 2017 mostrou que pacientes de Alzheimer que seguiram durante três meses o programa alimentar da Universidade do Kansas tiveram uma melhora média de quatro pontos em uma das avaliações cognitivas mais importantes no tratamento da demência, a subescala cognitiva da Escala de Avaliação para a Doença de Alzheimer (ADAS-cog).[32] A dieta era 70% composta de gordura. Nas palavras do dr. Russell Swerdlow, que liderou o estudo e o apresentou na Conferência Internacional da Associação de Alzheimer: "Esse é o avanço mais robusto na escala ADAS-cog de que já tive conhecimento para estudos de intervenção do Alzheimer". Pois bem, eis a lição a recordar: a dieta melhorou a cognição nos pacientes de Alzheimer mais que qualquer droga antiamiloide jamais testada. Claramente, isso nos diz algo importante em relação ao poder da dieta, e especificamente em relação a carboidratos versus gordura. Em um estudo bem maior, publicado em 2015, um teste clínico randomizado em uma população idosa ao longo de cinco anos mostrou que uma dieta mediterrânea, suplementada com azeite de oliva ou castanhas, está associado a uma melhora na função cognitiva.[33] Mais à frente, vou propor que uma das maneiras mais fáceis de adicionar boas gorduras à sua dieta é usar muito azeite de oliva extravirgem. Estudos mostram que o azeite não apenas pode reduzir o risco de declínio cognitivo, mas também ajudar a proteger contra derrames e diabetes.[34] Não conheço nenhum medicamento no mercado capaz de prometer tais benefícios.

Para entender totalmente o mal que os carboidratos causam e o bem que as gorduras fazem, compreender um pouco de biologia básica pode nos ajudar. No corpo, os carboidratos alimentares, inclusive açúcares e amidos, são convertidos em glicose, que, a essa altura você já sabe, manda o pâncreas liberar insulina para o sangue. A insulina envia glicose para as células e a armazena como glicogênio no fígado e nos músculos. Também é o principal catalisador do acúmulo de gordura, convertendo a glicose em gordura corporal quando o fígado e os músculos não têm mais espaço para o glicogênio. São os carboidratos — e não as gorduras alimentares — a causa principal do ganho de peso (pense nisso: muitos fazendeiros engordam animais destinados ao matadouro com carboidratos como o milho e grãos, e não gordura e proteínas. Para constatar a diferença, basta você comparar, por exemplo, um bife de tira, engordado com grãos, e outro engordado com capim: o corte engordado com grãos conterá muito mais gordura). Isso explica, em parte, por que a perda de peso é um dos principais efeitos de uma dieta pobre em carboidratos. Além disso, tal dieta reduz o açúcar no sangue, nos diabéticos, e melhora a sensibilidade à insulina. Na verdade, substituir os carboidratos pela gordura tem sido, cada vez mais, o método preferido de tratamento para o diabetes tipo 2.

Quando a sua dieta é continuamente rica em carboidratos, que na prática mantém em funcionamento sua bomba de insulina, você limita (para não dizer "interrompe totalmente") a decomposição da sua gordura corporal como combustível. Seu corpo se vicia nessa glicose. Você pode até gastar sua glicose, mas mesmo assim a gordura continua indisponível como combustível devido aos altos volumes de insulina. Em essência, o corpo se torna fisicamente faminto devido à sua dieta baseada em carboidratos. É por isso que muitos indivíduos obesos não conseguem perder peso enquanto continuam a ingerir carboidratos. Seus níveis de insulina mantêm os depósitos de gordura "reféns". (O jornalista Gary Taubes explica essa ciência lindamente em seus artigos, e você pode ver minha entrevista com ele em *The Empowering Neurologist*.)

Agora vamos nos debruçar sobre a gordura. Ela é, e sempre foi, um pilar fundamental da nutrição humana. Além do fato de que o cérebro humano consiste em mais de 70% de gordura, ela desempenha um papel essencial na regulagem do sistema imunológico. Em poucas palavras, gorduras boas como o ômega 3 e as monoinsaturadas reduzem processos inflamatórios, enquanto as gorduras hidrogenadas modificadas, tão comuns nos alimentos industrializados, elevam drasticamente essas inflamações. Certas vitaminas, sobretudo as vitaminas A, D, E e K, exigem gordura para serem absorvidas adequadamente pelo corpo. É por isso que a gordura alimentar é necessária para transportar essas vitaminas "solúveis em gordura". Como essas vitaminas não se dissolvem na água, elas só podem ser absorvidas por seu intestino delgado em combinação com a gordura. São sempre graves as deficiências provocadas por uma absorção incompleta dessas vitaminas de importância vital, e qualquer uma dessas deficiências pode ter relação com males do cérebro, entre outras condições. Sem as reservas de vitamina K necessárias, por exemplo, é impossível formar coágulos sanguíneos no caso de um ferimento, e sangramentos espontâneos podem ocorrer (imagine esse problema no cérebro). A vitamina K também contribui tanto para a saúde cerebral quanto ocular, ajudando a reduzir o risco de demência e de degeneração macular relacionada à idade (e a gordura alimentar vinda de fontes saudáveis, como aquelas ricas em ácidos graxos ômega 3, é boa contra a degeneração macular). Sem vitamina A o bastante, o cérebro não se desenvolve adequadamente; você pode ficar cego e se tornar excessivamente vulnerável a infecções. A falta de vitamina D é sabidamente associada a uma suscetibilidade maior a vários males crônicos, inclusive esquizofrenia, Alzheimer, Parkinson, desordens afetivas periódicas e diferentes doenças autoimunes, como o diabetes tipo 1.

Se você acompanha o senso comum atual, já foi informado de que se espera que você limite sua ingestão total de gorduras a não mais de 20% de suas calorias (e isso cai para menos de 10% quando se trata das gorduras saturadas). Você também sabe que isso é difícil de conseguir, mas dê um suspiro de alívio: é um conselho mal dado, e no meu programa alimentar você não terá que se preocupar em contar gramas de gordura e percentuais gerais. Embora as gorduras trans sintéticas encontradas na margarina e nos alimentos industrializados sejam um veneno, agora sabemos que as gorduras monoinsaturadas — como aquelas encontradas em abacates, azeitonas e nozes — são saudáveis. Também sabemos que os ácidos graxos poli-insaturados ômega 3 dos peixes de águas frias (por exemplo, o salmão) e algumas plantas (por exemplo, o óleo de linhaça) são "bons". Mas e as gorduras saturadas naturais, como as encontradas na carne, na gema do ovo, no queijo e na manteiga? Como venho dizendo, a gordura saturada foi vítima de uma campanha ruim. A maioria de nós nem questiona mais por que essas gorduras específicas são consideradas ruins para a saúde; simplesmente pressupomos que a pretensa ciência é verdadeira. Ou situamos essas gorduras, erroneamente, na mesma categoria das gorduras trans. Mas nós temos necessidade de gordura saturada, e nosso corpo foi projetado muito tempo atrás para lidar com o consumo de fontes naturais dessa gordura — mesmo em grandes quantidades.

Poucos entendem que a gordura saturada desempenha um papel crucial em várias equações bioquímicas que nos mantêm saudáveis. Se você foi amamentado no seio quando era bebê, gorduras saturadas eram a base de sua alimentação, já que representam 54% da gordura no leite materno. Todas as células do seu corpo têm necessidade de gorduras saturadas; elas compõem 50% da membrana celular. Elas também contribuem para a estrutura e o funcionamento de seus pulmões, seu coração, seus ossos, seu fígado e seu sistema imunológico. Nos pulmões, um tipo específico de gordura saturada — o ácido palmítico C16 — cria surfactante pulmonar e reduz a tensão pulmonar, de modo que seus alvéolos — os pequenos sacos de ar que capturam o oxigênio de suas inalações e permitem que ele seja absorvido pela sua corrente sanguínea — se expandam. Sem surfactante, você não conseguiria respirar, pois a superfície úmida dos seus alvéolos pulmonares aderiria a si mesma, impedindo seus pulmões de se expandir. Uma quantidade saudável de surfactante pulmonar previne a asma e outras desordens respiratórias.

As células do músculo cardíaco preferem um tipo de gordura saturada para se alimentar, e os ossos precisam de gorduras saturadas para assimilar o cálcio de forma eficiente. Com o auxílio das gorduras saturadas, seu fígado elimina a gordura e o protege dos efeitos adversos das toxinas, inclusive o álcool e certos componentes dos remédios. Em parte, os glóbulos brancos do seu sistema imunológico devem sua capacidade de reconhecer e destruir germes invasores, assim como a de combater tumores, às gorduras encontradas na manteiga e no óleo de coco. Até seu sistema endócrino depende dos ácidos graxos saturados para comunicar a necessidade de fabricar certos hormônios, inclusive a insulina. E eles ajudam a informar ao cérebro quando você está satisfeito e pode se levantar da mesa. Minha expectativa não é que você decore toda essa biologia. Eu a menciono como forma de enfatizar sua necessidade biológica de gordura saturada. Para uma lista completa de onde encontrar essas gorduras boas (e onde se escondem as gorduras ruins), veja as páginas 106-7.

EM FAVOR DO COLESTEROL

Se já testaram seus níveis de colesterol, você provavelmente separou o HDL (lipoproteína de alta densidade) e o LDL (lipoproteína de baixa densidade) em duas categorias diferentes — uma "boa" e outra "ruim". Já mencionei, de passagem, esses dois rótulos para o colesterol. Mas, ao contrário do que você pode pensar, não são duas categorias diferentes de colesterol. HDL e LDL refletem dois receptáculos diferentes para o colesterol e a gordura. Cada um deles desempenha um papel bem diferente no corpo. Também existem várias outras lipoproteínas, como o VLDL (muito baixa) e o IDL (intermediária). O colesterol — pouco importa o "tipo" — não é tão terrível quanto lhe fizeram acreditar. Alguns dos mais notáveis estudos recentes sobre o valor biológico do colesterol — e especificamente nossa saúde cerebral — nos dão uma pista de como as peças desse quebra-cabeças se encaixam e nos contam uma história coerente. Como vimos, a ciência está apenas começando a descobrir que há uma grave deficiência tanto de gordura quanto de colesterol em cérebros doentes, e que níveis totais de colesterol elevados na idade avançada estão associados a uma longevidade maior.[35] O cérebro representa apenas 2% da massa do corpo, mas contém 25% do colesterol total, onde este ajuda o funcionamento e o desenvolvimento cerebrais. Um quinto do cérebro, considerando o peso, é colesterol!

O colesterol forma as membranas que envolvem as células, além de as manter permeáveis e "à prova d'água", de modo que diferentes reações químicas possam ocorrer tanto dentro quanto fora da célula. Na verdade, já se determinou que a capacidade de criar novas sinapses no cérebro depende da disponibilidade de colesterol, que mantém unidas as membranas celulares, de maneira que os sinais possam passar facilmente na sinapse. Também é um componente crucial da camada de mielina que envolve o neurônio, permitindo uma transmissão rápida de informações. Um neurônio incapaz de transmitir mensagens é um neurônio inútil, e a única coisa que faz sentido é jogá-lo fora, como lixo. Esses restos são o marco da doença cerebral. Essencialmente, o colesterol age como um facilitador para que o cérebro se comunique e funcione de forma adequada.

Além disso, o colesterol serve como um poderoso antioxidante no cérebro. Ele protege o cérebro contra os efeitos danosos dos radicais livres. O colesterol é um precursor de importantes hormônios esteroides, como o estrogênio e os androgênios, assim como a vitamina D, um antioxidante solúvel em gordura e de importância crucial. A vitamina D também serve como um poderoso anti-inflamatório e ajuda a livrar o corpo de agentes infecciosos que podem levar a doenças que põem a vida em risco. Na verdade, a vitamina D não é realmente uma vitamina, mas age no corpo mais como um esteroide ou um hormônio. Considerando que a vitamina D é formada diretamente a partir do colesterol, não surpreende saber que os níveis de vitamina D são baixos em quem sofre de doenças neurodegenerativas variadas como Parkinson, Alzheimer e esclerose múltipla. Em geral, à medida que envelhecemos, os níveis de colesterol aumentam no corpo. Isso é bom, pois, no envelhecimento, a produção de radicais livres também aumenta. O colesterol pode oferecer certo grau de proteção contra esses radicais livres.

E para além do cérebro o colesterol desempenha outros papéis vitais na saúde e na fisiologia humanas. Os sais biliares liberados pela vesícula biliar, fundamentalmente importantes para a digestão de gordura e, portanto, para a absorção de vitaminas solúveis em gordura como A, D e K, são feitos de colesterol. Assim, estar com um nível baixo de colesterol no corpo compromete a capacidade de digerir gordura. Também solapa o delicado equilíbrio dos eletrólitos no corpo, que o colesterol ajuda a gerir. Na verdade, o corpo tanto enxerga o colesterol como um importante colaborador que todas as células têm um jeito de obter seu próprio estoque.

O que isso significa, então, no que diz respeito às recomendações alimentares? Durante anos disseram que devíamos nos concentrar em alimentos de "baixo colesterol", mas na verdade alimentos ricos em colesterol, como os ovos, também são de grande ajuda e devem ser considerados "alimentos para o cérebro". Durante mais de 2 milhões de anos ingerimos alimentos ricos em colesterol. Como a esta altura você já sabe, o verdadeiro culpado, no que diz respeito à saúde e às funções cerebrais, são os alimentos de alto índice glicêmico — basicamente, ricos em carboidratos.

Um dos mitos mais persistentes que eu não me canso de desmentir é a ideia de que o cérebro prefere a glicose como combustível. Nada poderia estar mais longe da verdade. O cérebro usa gordura excepcionalmente bem; ela é considerada o "supercombustível" do cérebro. É por isso que usamos uma dieta baseada em gordura como terapia contra todo tipo de doença neurodegenerativa (no capítulo 7 será descrito em detalhes como o cérebro busca a gordura como combustível, e o que isso representa para a saúde e para a montagem da dieta perfeita).

Parte da razão pela qual eu me concentro em gordura, e no colesterol mais especificamente, não é apenas por esses ingredientes terem tudo a ver com a saúde do cérebro, mas porque vivemos numa sociedade que continua a demonizá-los como se se tratasse de cianureto, e a poderosa indústria farmacêutica se aproveita da desinformação do público e perpetua inverdades, muitas das quais podem nos destruir fisicamente. Para entender de fato aonde quero chegar, vamos analisar uma questão problemática: a epidemia de estatinas.

A EPIDEMIA DE ESTATINAS E O ELO COM AS DISFUNÇÕES CEREBRAIS

A compreensão de como o colesterol é crucial para a saúde do cérebro levou-me, e a muitos outros na minha área, a crer que as estatinas — as drogas best-sellers receitadas para reduzir o colesterol — podem causar ou exacerbar transtornos cerebrais e doenças.

Disfunções de memória são um conhecido efeito colateral das estatinas. O falecido dr. Duane Graveline, que realizou pesquisas pioneiras em medicina espacial com a Nasa (o que lhe valeu o apelido de "Spacedoc"), sempre foi um feroz opositor das estatinas. Ele morreu em 2016, depois de anos sofrendo com uma condição neuromuscular degenerativa. Desde que teve uma perda total de memória que atribuía às estatinas que estava tomando na época, ele passou a recolher evidências de seus efeitos colaterais em pacientes do mundo inteiro. Isso o levou a escrever três livros sobre o assunto, o mais famoso deles intitulado *Lipitor, Thief of Memory* [Lípitor: Ladrão de memória].[36]

Em fevereiro de 2012, a Food and Drug Administration divulgou uma declaração segundo a qual as estatinas podem causar efeitos colaterais cognitivos, como confusão e lapsos de memória. Um estudo recente realizado por ninguém menos que a Associação Médica Americana, publicado em janeiro de 2012 na revista *Archives of Internal Medicine*, demonstrou um impressionante aumento de 48% no risco de diabetes entre as mulheres que tomam remédios com estatina.[37]

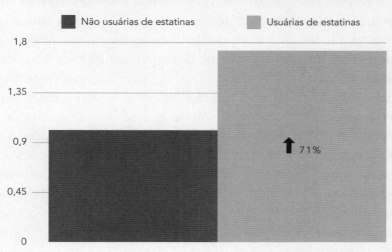

Era um estudo grande — mais de 160 mil mulheres pós-menopausa. Por isso, não dá para ignorar sua importância e gravidade. Se reconhecermos que o diabetes tipo 2 é um poderoso fator de risco para o Alzheimer, é fácil entender a relação entre as estatinas e o declínio das funções cognitivas. Desde então, outros estudos surgiram confirmando uma conexão, embora os percentuais de risco variem e possam depender da suscetibilidade de cada pessoa a desenvolver diabetes.[38] Essa é uma área de estudo em plena atividade, com opiniões divergentes na comunidade médica. Sobre esse assunto, participei de muitos debates, que de fato às vezes ficam acalorados, diante de dados conflitantes. Convido você a entrar no meu site e fazer uma busca por "estatinas": ali, você pode acessar uma mesa-redonda de debate com colegas, de que participei em 2013, sobre o tema "O uso clínico apropriado das estatinas", para ficar atualizado. Embora eu continue a desaconselhar firmemente o uso de estatinas, reconheço que pode haver casos individuais em que os benefícios superam os riscos, e por razões que vão além do "colesterol alto". Mas esses casos são poucos e esparsos. É preciso analisar caso a caso.

Em 2009, Stephanie Seneff, pesquisadora sênior do Laboratório de Informática e Inteligência Artificial do Instituto de Tecnologia de Massachusetts (MIT, na sigla em inglês) que tem se interessado pelos efeitos dos remédios e da alimentação na saúde, publicou um convincente ensaio explicando por que as estatinas e uma dieta pobre em gordura podem contribuir para o desenvolvimento do Alzheimer.[39] No ensaio, ela descreve aquilo que já sabemos a respeito dos efeitos colaterais das estatinas e pinta um quadro impressionante de como o cérebro sofre na presença delas. Ela também resume as descobertas científicas mais recentes e as contribuições de outros especialistas nessa área. Como explica a dra. Seneff, uma das principais razões pelas quais as estatinas provocam transtornos cerebrais é o fato de prejudicarem a capacidade do fígado de produzir colesterol. Em consequência, o nível de LDL no sangue cai significativamente. Como acabei de explicar, o colesterol desempenha um papel vital no cérebro, possibilitando a comunicação entre os neurônios e incentivando o crescimento de novas células cerebrais. Ironicamente, a indústria das estatinas propagandeia seus produtos dizendo que eles interferem na produção de colesterol, tanto no cérebro quanto no fígado.

O dr. Yeon-Kyun Shin, professor de biofísica na Universidade Estadual de Iowa, é uma autoridade reconhecida na área do funcionamento do colesterol como transmissor de mensagens em redes neurais. Ele colocou a questão em termos sucintos numa entrevista para um repórter do site Science Daily:[40]

> Quando você priva o cérebro de colesterol, está afetando diretamente a engrenagem que desencadeia a liberação de neurotransmissores. Estes afetam as funções de processamento de dados e memória. Em outras palavras: sua inteligência e sua capacidade de lembrar-se direito das coisas. Quando você tenta reduzir o colesterol tomando remédios que atacam a engrenagem de síntese de colesterol no fígado, esses remédios também vão para o cérebro. Então, eles reduzem a síntese de colesterol.

Nosso estudo mostra que há uma relação direta entre o colesterol e a liberação de neurotransmissores, e conhecemos com precisão a mecânica molecular do que ocorre nas células. O colesterol altera a forma das proteínas para estimular a memória e o raciocínio.

Em 2009, uma revisão atualizada de dois grandes estudos terminados em 2001, sobre estatinas tomadas por mais de 26 mil indivíduos em grupo de risco para demência e Alzheimer, mostrou que as estatinas não protegem contra o Alzheimer, o que contradiz aquilo que se imaginava antes. A principal autora do estudo, Bernadette McGuinness, disse ao site Science Daily: "A partir desses testes, que envolveram um grande número de pessoas e são considerados padrão, tudo indica que as estatinas ministradas a indivíduos de idade avançada com risco de doenças vasculares não previnem contra a demência".[41] Quando pediram à pesquisadora Beatrice Golomb, da Universidade da Califórnia em Los Angeles (UCLA), para comentar o assunto, ela disse: "Em relação às estatinas como medicamentos preventivos, há diversas notificações de casos e séries de casos, reprodutíveis, em que a cognição é claramente afetada de modo adverso pelas estatinas".[42] Golomb, que participou comigo daquela mesa-redonda sobre a questão das estatinas, acrescentou que diversos estudos demonstraram que ou as estatinas afetam negativamente a cognição ou são neutras, e que nenhum teste jamais apresentou um desfecho positivo.

Além do impacto direto das estatinas no colesterol, elas têm um efeito indireto no fornecimento de ácidos graxos e antioxidantes. Não apenas elas reduzem a quantidade de colesterol contida nas partículas de LDL, mas reduzem o número total de partículas LDL propriamente ditas. Portanto, além de diminuir o colesterol, limitam o estoque disponível para o cérebro tanto de ácidos graxos quanto de antioxidantes, que também são carregados pelas partículas LDL. O funcionamento correto do cérebro depende de todas essas três substâncias[43] (mais adiante, você lerá sobre a importância de turbinar a produção natural de antioxidantes pelo próprio corpo).

Outra maneira pela qual as estatinas podem contribuir para o Alzheimer, descrita de forma maravilhosa pela dra. Seneff,[44] é paralisando a capacidade das células de produzir a coenzima Q10, uma substância similar às vitaminas encontrada em todo o corpo. A coenzima desempenha um papel importante como antioxidante e na produção de energia para as células. Como ela possui o mesmo processo metabólico do colesterol, sua síntese é prejudicada pelas estatinas, e o corpo e o cérebro ficam privados dela. Alguns dos efeitos colaterais observados depois do uso de estatinas, como cansaço, fôlego curto, problemas motores e de equilíbrio, dores musculares, fraqueza e atrofia, estão relacionados à perda da CoQ10 nos músculos e a uma redução da capacidade de produzir energia. No limite, quem tem reações fortes à estatina sofre danos sérios nos músculos esqueléticos. Uma deficiência de CoQ10 também tem sido relacionada à insuficiência cardíaca, à hipertensão e ao Parkinson. Considerando todos esses efeitos, fica fácil compreender por que a CoQ10 foi proposta como tratamento para o Alzheimer.

Por fim, as estatinas podem ter um efeito indireto sobre a vitamina D. O corpo produz vitamina D a partir do colesterol na pele, com a exposição aos raios ultravioleta do sol. Na verdade, se você observar a fórmula química da vitamina D, terá dificuldade em distingui-la da fórmula do colesterol; elas parecem idênticas. "Quando os níveis de LDL são mantidos baixos artificialmente", escreve a dra. Seneff, "o corpo não consegue repor uma quantidade adequada de colesterol para repor o estoque na pele, depois que ele foi gasto. Isso leva a uma deficiência de vitamina D, problema generalizado nos Estados Unidos."[45] A deficiência de vitamina D não acarreta apenas um risco maior de ossos fracos e moles e, no limite, de raquitismo; está associada a muitas condições que elevam o risco de demência, entre elas o diabetes, a depressão e doenças cardiovasculares.

Os prós e contras das estatinas continuam a ser debatidos, e estudos de envergadura não conseguiram mostrar de que maneira elas protegem o corpo das doenças. Embora diversos estudos de fato mostrem os efeitos positivos que as estatinas têm na redução das taxas de mortalidade de pessoas com doenças arteriais coronarianas, novas pesquisas revelam que esses resultados têm pouco a ver com a redução do colesterol que essas drogas ensejam, e mais provavelmente com o fato de reduzirem os processos inflamatórios, um gatilho da doença. Mas isso não significa que as compensações de tomar uma estatina valham o selo de aprovação. Para alguns, o risco de efeitos colaterais negativos é simplesmente grande demais. Quem tem um risco baixo de doenças cardíacas, mas um risco elevado de outras doenças, se coloca em situação de risco caso opte por tomar estatinas. Se você toma uma estatina por ter risco alto de um evento cardiovascular, converse com seu médico a respeito de seu perfil individual de risco-benefício. Provavelmente existem outros métodos de gerir a prevenção sem correr o risco dos efeitos negativos do tratamento com estatinas. Quando se trata de proteger o coração — e o cérebro —, tudo é uma questão de reduzir os carboidratos e, por mais que pareça ir contra a lógica, aumentar a gordura alimentar. E, por favor, pare de se preocupar tanto com o colesterol.

COMO OS CARBOIDRATOS — E NÃO O COLESTEROL — CAUSAM O COLESTEROL ALTO

Se você conseguir limitar a ingestão de carboidratos a uma faixa absolutamente necessária (mais detalhes no capítulo 10) e compensar a diferença com gorduras e proteínas deliciosas, você pode literalmente reprogramar seus genes, voltando à configuração de fábrica que você tinha ao nascer. É essa configuração que lhe confere a capacidade de ser uma máquina queimadora de gordura, com uma mente aguçada.

É importante entender que, quando seu exame de colesterol dá um resultado alto, o número apresentado deriva, na verdade, em 75% a 80% daquilo que seu corpo fabrica, e não necessariamente daquilo que você come. O fato é que os alimentos ricos em colesterol, na verdade, reduzem a produção de colesterol do corpo. Todos nós fabricamos até 2 mil gramas diários de colesterol, porque necessitamos desesperadamente dele em quantidades várias vezes maiores que aquilo que encontramos em nossas dietas. Nossos corpos preferem que forneçamos na boca o colesterol de que precisamos, vindo daquilo que comemos, em vez de fabricá-lo internamente, que é um processo biológico de várias etapas, exigindo muito do fígado. O colesterol alimentar é tão importante que seu corpo absorve o máximo que pode para seu uso.

Então o que acontece quando você restringe sua ingestão de colesterol, como tanta gente faz hoje? O corpo envia um sinal de alarme indicador de crise ("fome"). Seu fígado capta esse sinal e começa a produzir uma enzima chamada reductase HMG-CoA, que ajuda a compensar o déficit ao usar os carboidratos da dieta para produzir um suprimento excedente de colesterol (é exatamente essa enzima que é o alvo das estatinas). Como você provavelmente já adivinhou, é um coquetel Molotov em potencial: quando se comem carboidratos em excesso ao mesmo tempo em que se reduz a ingestão de colesterol, fomenta-se uma superprodução constante e pesada de colesterol no corpo. A única forma de impedir que esse processo interno fuja do controle é consumir todos os dias uma quantidade adequada de colesterol alimentar e reduzir drasticamente os carboidratos. Isso explica por que meus pacientes com "colesterol alto" que adotam minha dieta conseguem fazer seus níveis voltarem ao normal sem tomar remédios, ao mesmo tempo em que desfrutam de alimentos repletos de colesterol.

O "PERIGO DO COLESTEROL ALTO" DE FATO EXISTE?

O colesterol desempenha um papel menor, se tanto, nas doenças cardíacas coronarianas e seu nível é um mau previsor do risco de ataques cardíacos. Mais da metade dos pacientes hospitalizados com ataques cardíacos tem níveis de colesterol na faixa "normal". A ideia de que reduzir por completo os níveis de colesterol de alguma forma reduzirá mágica e drasticamente o risco de ataques cardíacos já está completa e categoricamente refutada. De longe, os fatores de risco alteráveis mais importantes relacionados ao risco de ataques cardíacos incluem o fumo, o consumo excessivo de álcool, a falta de exercícios aeróbicos, o sobrepeso e uma dieta rica em carboidratos.

Quando vejo meus pacientes com níveis de colesterol de, digamos, 240 mg/dL ou mais, quase sempre é porque seus clínicos gerais lhes receitaram medicamentos redutores de colesterol. Trata-se

> de um raciocínio e de uma atitude errados. Como foi discutido, o colesterol é uma das substâncias químicas mais críticas na fisiologia humana. O melhor teste de laboratório de referência para determinar a situação da saúde de um paciente é o de hemoglobina A1C, e não o nível de colesterol. Quase nunca, ou nunca, é apropriado levar em conta o colesterol alto, por si só, como uma ameaça significativa à saúde.

Uma boa pergunta: quem se acredita que sofra de colesterol alto? Trinta anos atrás, a resposta era: qualquer pessoa cujo nível de colesterol total fosse superior a 240 mg/dL e tivesse outros fatores de risco, como sobrepeso e fumo. Essa definição mudou depois da Conferência de Consenso do Colesterol, em 1984; desde então, passou a ser qualquer pessoa cujo nível de colesterol total estivesse acima de duzentos, independentemente de outros fatores de risco. Hoje muitos guias reduziram esse nível para 180. E se você teve um ataque cardíaco, está em uma categoria muito diferente, não importa quão baixo seja o nível do seu colesterol. Provavelmente lhe será receitado um medicamento redutor de colesterol e lhe será recomendada uma dieta pobre em gorduras. É, na maioria dos casos, um conselho errado.

EDUCAÇÃO SEXUAL: ESTÁ TUDO NA SUA CABEÇA

O.k. Então o colesterol é bom. Mas não é apenas por causa de sua saúde física e cerebral e de sua longevidade futura. Também tem a ver com uma parte importante de seu estilo de vida, que costuma ser varrida para debaixo do tapete nos livros médicos sérios. Estou falando de sua vida sexual. Até que ponto ela anda apimentada?

Embora eu seja neurologista, encontro um número razoável de pessoas que sofrem de disfunções sexuais e estão impotentes ou evitando completamente o sexo, ou ingerem cartelas inteiras de pílulas em busca de ajuda. Você já conhece essas pílulas — aquelas que são anunciadas como doces e prometem transformar sua vida sexual. Antigos pacientes com problemas de saúde sexual não se consultavam comigo, obviamente, por causa dessa questão específica, mas citavam esse problema quando eu lhes perguntava que aspectos de suas vidas, além do neurológico, não corriam bem.

Uma história curta: uma vez, um engenheiro aposentado de 75 anos veio a meu consultório com uma série de queixas, inclusive insônia e depressão. Fazia quarenta anos que ele tomava comprimidos para dormir, e nos dois ou três meses que antecederam a consulta sua situação piorou. Da primeira vez que o vi, ele estava tomando um antidepressivo, um medicamento contra a ansiedade e Viagra contra disfunção erétil. Primeiro, pedi um exame para sensibilidade ao glúten e, para surpresa dele, não para a minha, o resultado geral foi positivo (isso foi quando eu ainda solicitava esses testes). Ele aceitou adotar uma dieta sem glúten e rica em gorduras, e cerca de um mês depois voltamos a nos falar por telefone. Foi quando ele me deu uma notícia sensacional: sua depressão tinha melhorado e ele não estava mais precisando de Viagra para fazer sexo com a esposa. Ele estava imensamente grato.

A maioria das pessoas concorda que o sexo tem tudo a ver com o que está acontecendo com o cérebro. É um ato profundamente ligado a emoções, impulsos e pensamentos. Mas também está inexoravelmente conectado aos hormônios e à química do sangue. Sem dúvida, se você sofre de depressão e não está dormindo bem, como meu paciente engenheiro, o sexo é a última das suas preocupações. Mas uma das causas mais comuns da impotência, na verdade, não é nenhum desses dois problemas. É aquilo sobre o que venho falando na maior parte deste capítulo: níveis de colesterol abissalmente reduzidos. E muitos estudos provam essa ideia: a menos que tenha níveis saudáveis de testosterona (isso vale tanto para homens quanto para mulheres), você não terá uma vida sexual agitada, se é que terá alguma. O que produz a testosterona? O colesterol. E o que milhões de americanos estão fazendo hoje? Reduzindo seus níveis de colesterol, por meio de dieta ou de estatinas. Ao mesmo tempo, estão reduzindo a própria libido e o próprio desempenho. Alguém fica surpreso com a atual epidemia de disfunção erétil e a demanda por drogas contra ela, sem falar (talvez ironicamente) na terapia de reposição de testosterona?

Diversos estudos confirmaram essas ligações.[46] A queda na libido é uma das queixas mais comuns de quem toma estatinas. Testes de laboratório constataram repetidas vezes testosterona baixa em consumidores de estatinas.[47] Aqueles que as tomam têm duas vezes mais chance de possuir níveis baixos de colesterol. Por sorte, essa condição é reversível, parando com as estatinas e aumentando a ingestão de colesterol. Existem, na verdade, duas formas pelas quais as estatinas reduzem a testosterona. A primeira é pela redução direta dos níveis de colesterol. A segunda é pela interferência com as enzimas que criam testosterona ativa.

Um estudo publicado no Reino Unido em 2010 observou 930 homens com doenças cardíacas coronárias e mediu seus níveis de testosterona.[48] Achou-se testosterona baixa em 24% dos pacientes, e o risco de morrer era de 12% naqueles com testosterona normal, mas de 21% naqueles com testosterona baixa. A conclusão estava bem na cara deles: se você tem uma doença coronária e baixa testosterona, seu risco de morrer é muito maior. Uma vez mais, estamos tomando estatina para reduzir o colesterol, o que por sua vez reduz a testosterona... e menos testosterona aumenta o risco de morrer. Não é uma loucura?

Paro por aqui.

A LIGAÇÃO UMBILICAL

Depois que *A dieta da mente* foi lançado, passei a me dedicar ao papel do microbioma humano na saúde do cérebro — especificamente como o cérebro está conectado de forma complexa aos habitantes microbianos do intestino, em sua maioria bactérias. Hoje, sabemos que nossas escolhas de vida ajudam a moldar e sustentar nosso microbioma. Também sabemos que a saúde do microbioma impacta o funcionamento do sistema imunológico, os níveis inflamatórios e o risco de diversos males, como depressão, obesidade, transtornos intestinais, diabetes, esclerose múltipla, asma, autismo, Alzheimer, Parkinson e até câncer. Também ajuda a controlar a permeabilidade do intestino, ideia importante que exploramos anteriormente, que influencia o "ponto básico" das inflamações no

> corpo. Um rompimento da parede intestinal pode levar toxinas alimentares, como o glúten e patógenos, a se infiltrarem e gerarem uma resposta imunológica. Esse rompimento afeta não apenas o intestino, mas também outros órgãos e tecidos, como o sistema esquelético, a pele, os rins, o pâncreas, o fígado e o cérebro.

Nossos amiguinhos microbianos trabalham muito em favor de nossa fisiologia: fabricam neurotransmissores e vitaminas que não seríamos capazes de produzir por conta própria; estimulam o funcionamento gastrointestinal normal; propiciam defesa contra infecções; regulam o metabolismo e a absorção de alimentos; e ajudam a equilibrar a glicemia. Afetam até o fato de estarmos esbeltos ou com sobrepeso, famintos ou saciados. *Amigos da mente* abordou em profundidade a ciência do microbioma. Eu o incentivo a saber mais nessa obra.[49] O programa atualizado desta edição, porém, vai ajudá-lo a nutrir e cultivar o melhor microbioma possível, o que vai ajudá-lo a possuir um cérebro com funcionamento ideal. A grande maioria dos fatores de risco para um microbioma intestinal adoentado é modificável. Entre eles estão itens como dietas ricas em carboidratos refinados, açúcar e alimentos processados e toxinas alimentares como o glúten e óleos vegetais processados.

A DOCE VERDADE

Tratei de muitas coisas neste capítulo, e o papel da gordura no cérebro foi o cerne do assunto. Mas precisamos ir um passo além e fazer a nós mesmos a seguinte pergunta: o que acontece quando, em vez de gordura, o cérebro se inunda de açúcar? Iniciei este capítulo abordando os males que os carboidratos causam ao nosso corpo, mas reservei para um capítulo à parte a discussão sobre esse carboidrato particularmente devastador. Felizmente, estão começando a discutir o papel do açúcar na saúde do cérebro. Quando escrevi a primeira versão deste livro, era um tema que recebia uma atenção incrivelmente reduzida da imprensa. Todos sabíamos da relação entre o açúcar e a "diabesidade", o açúcar e as doenças cardíacas, o açúcar e o fígado gorduroso, o açúcar e as síndromes metabólicas, o açúcar e o risco de câncer etc., mas sobre açúcar e disfunção cerebral quase não se falava até pouco tempo atrás. E, se você não está inteiramente convencido dessa relação, o próximo capítulo é para você. É hora de encarar a questão de perto.

4. Uma união infrutífera
Seu cérebro viciado em açúcar (natural ou não)

Do ponto de vista evolutivo, nossos ancestrais só dispunham do açúcar que encontravam nas frutas, durante poucos meses do ano (na época da colheita), ou no mel, que era vigiado pelas abelhas. Mas, nos últimos anos, o açúcar foi adicionado a quase todos os alimentos processados, limitando as escolhas dos consumidores. A natureza fez do açúcar algo difícil de encontrar; o homem o tornou fácil.
Dr. Robert Lustig et al.[1]

Açúcar. Venha ele de um pirulito, de um cereal ou de um pedaço de pão, sabemos que esse carboidrato não é o mais saudável dos ingredientes, principalmente quando é consumido em excesso ou sob formas refinadas ou processadas, como o xarope de milho rico em frutose. Também sabemos que o açúcar é parcialmente culpado pelos nossos problemas com a cintura, o apetite, o controle de açúcar no sangue, o diabetes tipo 2 e a resistência à insulina. Mas e quanto ao açúcar e o cérebro?

Em 2011, Gary Taubes, autor do livro *Good Calories, Bad Calories*,[2] escreveu um excelente artigo para o jornal *The New York Times*, intitulado "Is Sugar Toxic?" [O açúcar é tóxico?].[3] No artigo, ele repassa não apenas a história do açúcar em nossas vidas e nos produtos alimentares, mas também o conhecimento científico em evolução por trás da compreensão sobre como o açúcar afeta nossos corpos. Em seguida, ele lançou um livro, *The Case Against Sugar*, no final de 2016, expondo um raciocínio convincente segundo o qual o açúcar (tanto a sacarose quanto o xarope de milho, rico em frutose) é a principal causa das doenças crônicas com maior probabilidade de nos matar.[4] Quando eu o entrevistei, perguntei-lhe de que maneira ele se tornou um pioneiro nessa área da nutrição, como jornalista científico investigativo. Ele me disse que simplesmente foi atrás dos números e que alguns de seus amigos na comunidade da física sugeriram que, se ele estivesse interessado em ciência equivocada (*Bad Science* [Ciência equivocada] era o título de uma obra sua anterior, sobre fusão a frio), deveria dar uma olhada no que estava acontecendo com a saúde pública. Isso o levou a encontrar ainda mais ciência equivocada, o que não surpreende.

Em seu livro de 2011, Taubes ressalta, em particular, o trabalho de Robert Lustig, um especialista em transtornos hormonais pediátricos e grande especialista em obesidade infantil da Faculdade de Medicina da Universidade da Califórnia, em San Francisco. Ele argumenta que o açúcar é uma "toxina" ou um "veneno". É o vilão principal de seu best-seller de 2012, *Fat Chance* [Desafiando a gordura: Vencendo o açúcar, a comida processada, a obesidade e as doenças] e um tema que discuti longamente com ele numa entrevista recente.[5] Lustig não insiste tanto no consumo dessas "calorias vazias"; o problema que ele vê no açúcar são suas características singulares, especificamente a forma como o corpo humano metaboliza seus diversos tipos. Lustig foi um dos pioneiros da conscientização do problema do vício em torno do açúcar, assim como de seus efeitos profundamente nocivos à saúde humana.

Lustig gosta de usar o termo "isocalórico, mas não isometabólico", para descrever a diferença entre a glicose pura, a forma mais simples de açúcar, e o açúcar de mesa, que é uma combinação de glicose e frutose (a frutose, que abordarei mais adiante, é um tipo de açúcar que existe naturalmente, encontrado apenas nas frutas e no mel). Quando ingerimos cem calorias de glicose de uma batata, por exemplo, nosso corpo a metaboliza de forma diferente — e sofre efeitos diferentes — em relação à ingestão de cem calorias de açúcar que sejam metade glicose e metade frutose. Eis o motivo.

Seu fígado cuida do componente frutose do açúcar. A glicose de outros amidos e carboidratos, por outro lado, é processada por cada célula do corpo. Por isso, consumir os dois tipos de açúcar (frutose e glicose) ao mesmo tempo significa que seu fígado tem que trabalhar mais do que se você consumisse o mesmo número de calorias apenas da glicose. E seu fígado também sofrerá se for atingido por formas líquidas desses açúcares, do tipo encontrado em refrigerantes ou sucos de frutas. Beber açúcar líquido não é a mesma coisa que comer, por exemplo, uma dose equivalente de açúcar numa maçã. A frutose, a propósito, é o mais doce de todos os carboidratos que existem na natureza, o que provavelmente explica por que gostamos tanto dela. Mas, ao contrário do que se poderia imaginar, tem o índice glicêmico mais baixo de todos os açúcares naturais. A razão é simples: como o fígado metaboliza a maior parte da frutose, ela não tem, em si, efeito imediato sobre o açúcar no sangue ou os níveis de insulina, ao contrário do açúcar ou do xarope de milho rico em frutose, cuja glicose vai parar na circulação geral. Não deixe, porém, esse fato enganá-lo. Embora a frutose não tenha efeito imediato, tem efeitos de mais longo prazo do que você provavelmente sabe, quando é consumida em quantidades suficientes de fontes não naturais. E os conhecimentos científicos estão bem documentados: o consumo de frutose está associado a uma redução da tolerância à glicose, resistência à insulina, níveis altos de gordura no sangue e hipertensão. E como ela não desencadeia a produção de insulina e leptina, dois hormônios-chave na regulagem de nosso metabolismo, dietas ricas em frutose levam à obesidade e a complicações metabólicas. (Vou esclarecer mais adiante o que isso significa para quem adora comer muita fruta. Felizmente, a maior parte das pessoas pode comer frutas sem se preocupar. A quantidade de frutose na maior parte das frutas in natura é ínfima se comparada aos níveis de frutose nos alimentos processados.)

Em geral ouvimos falar do açúcar e de seus efeitos em praticamente todas as partes do corpo, *exceto o cérebro*. É, uma vez mais, um tema que mereceu incrivelmente pouca atenção da imprensa. As perguntas a serem feitas, e que serão respondidas neste capítulo, são:

- que reação o consumo excessivo de açúcar provoca no cérebro?

- o cérebro pode distinguir entre os diferentes tipos de açúcar? Ele "metaboliza" o açúcar de forma diferente, conforme a origem?

Se eu fosse você, deixaria de lado os biscoitos ou torradas que está comendo com o café e apertaria o cinto. Depois de ler este capítulo, você nunca mais vai olhar da mesma forma para um suco de caixinha ou um doce açucarado.

AÇÚCAR E CARBOIDRATOS, CURSO BÁSICO

Em primeiro lugar, acho importante definir alguns termos. Qual é, exatamente, a diferença entre o açúcar de mesa, o açúcar de frutas, o xarope de milho rico em frutose e similares? Boa pergunta. Como eu disse, a frutose é um tipo de açúcar encontrado naturalmente nas frutas e no mel. É um monossacarídeo, exatamente como a glicose, enquanto o açúcar de mesa (a sacarose) — o pó branco que jogamos no café ou numa tigela de massa de bolo — é uma combinação de glicose e frutose, o que faz dele um dissacarídeo (duas moléculas reunidas). A maior parte da frutose que consumimos não está em sua forma natural (ou seja, como parte da sacarose) ou em sua fonte primária (fruta). O americano médio consome 163 gramas de açúcar refinado (652 calorias) por dia, e, disso, cerca de 76 gramas (302 calorias) vêm da forma altamente processada da frutose, derivada do xarope de milho rico em frutose.[6] Esse xarope, que é o que encontramos em refrigerantes, sucos e muitos alimentos processados, é mais uma combinação de moléculas dominada pela frutose — tem cerca de 55% de frutose, 42% de glicose e 3% de outros carboidratos. Usei a expressão "cerca de" porque alguns estudos mostraram que o xarope de milho rico em frutose pode conter muito mais frutose livre do que consta do rótulo. O dr. Michael Goran, diretor do Centro de Pesquisa de Obesidade Infantil e professor de medicina preventiva na Universidade do Sul da Califórnia, identificou níveis de frutose livre de até 65% em refrigerantes comercializados na região de Los Angeles.[7]

O xarope de milho rico em frutose foi lançado em 1978 nos Estados Unidos, como um substituto barato para o açúcar de mesa em bebidas e produtos alimentares. Certamente você ouviu falar dele na mídia, que atacou esse ingrediente manufaturado artificialmente como a raiz de nossa epidemia de obesidade. Mas a questão é outra. Embora seja verdade que se possa culpar o consumo de xarope de milho pela expansão de nossas cinturas e por diagnósticos de condições relacionadas a ela, como a obesidade e o diabetes, também podemos apontar o dedo para todos os outros açúcares, já que são todos carboidratos, uma categoria de biomoléculas que têm características em comum. Os carboidratos são simplesmente longas cadeias de moléculas de açúcar, diferentes da gordura (cadeias de ácidos graxos), das proteínas (cadeias de aminoácidos) e do DNA. Mas você já sabe que há carboidratos e carboidratos. E nem todo carboidrato é tratado da mesma forma pelo corpo. A característica diferenciadora é quanto determinado carboidrato elevará o açúcar do sangue e, na prática, a insulina. Refeições ricas em carboidratos, e particularmente aquelas ricas em glicose simples, fazem o pâncreas aumentar a produção de insulina para armazenar o açúcar do sangue nas células. Durante a digestão, os carboidratos são decompostos e o açúcar é liberado na corrente sanguínea, fazendo o pâncreas elevar a produção de insulina, de modo que a glicose possa penetrar as células. Com o tempo, níveis elevados de açúcar no sangue levam a uma produção cada vez maior de insulina no pâncreas.

Os carboidratos que desencadeiam o maior pico de açúcar no sangue costumam ser os que mais engordam, exatamente por esse motivo. A lista inclui tudo que é feito com farinha refinada (pães, cereais, massas); amidos como o arroz, a batata e o milho; e carboidratos líquidos como os refrigerantes, a cerveja e os sucos de frutas. Todos eles são rapidamente digeridos, porque inundam a corrente sanguínea com glicose e estimulam um pico de insulina, que armazena as calorias em excesso sob a forma de gordura. E os carboidratos nos vegetais? Esses carboidratos, principalmente aqueles nos vegetais verdes folhosos, como o brócolis e o espinafre, são unidos por fibras indigeríveis. Por isso, digeri-los leva mais tempo. Basicamente, as fibras freiam o processo, provocando um encaminhamento mais lento da glicose para a corrente sanguínea. Além disso, os vegetais contêm mais água que os amidos em relação a seu peso, e isso enfraquece ainda mais a reação do açúcar no sangue. Quando ingerimos frutas in natura, que obviamente contêm açúcar de frutas, a água e as fibras também vão "diluir" o efeito sobre o açúcar no sangue. Se você ingere, por exemplo, um pêssego e uma batata assada do mesmo peso, a batata terá um efeito no nível de açúcar no sangue muito maior que o pêssego, aquoso e fibroso. Entretanto, isso não quer dizer que o pêssego, ou qualquer outra fruta, não causará problemas.[8]

Nossos ancestrais das cavernas, é bem verdade, comiam frutas, mas não todos os dias do ano. Não evoluímos para lidar com as enormes quantidades de frutose que consumimos hoje — principalmente quando essa frutose vem de fontes manufaturadas. As frutas in natura têm relativamente pouco açúcar, se comparadas, digamos, com uma lata de refrigerante normal, cuja quantidade é maciça. Uma maçã de tamanho médio contém cerca de 44 calorias de açúcar, numa mistura rica em fibras, graças à fibra de pectina solúvel na maçã e à fibra insolúvel em sua casca, as quais ocorrem de forma natural; em compensação, uma latinha de 355 mL de Coca-Cola ou Pepsi contém quase o dobro — oitenta calorias de açúcar. Se você fizer o suco de várias maçãs e concentrar o líquido numa bebida de 355 mL (perdendo, assim, as fibras), veja bem, você vai obter uma pancada de 85 calorias de açúcar, que podia muito bem ter vindo de um refrigerante. Quando a frutose chega ao fígado, a maior parte se converte em gordura e é enviada às nossas células adiposas. Não admira que há mais de quarenta anos a frutose tenha sido considerada pelos bioquímicos o carboidrato que mais engorda. E quando nossos corpos se acostumam a realizar essa operação simples em cada refeição, podemos cair numa armadilha em que até nosso tecido muscular se torna resistente à insulina. Gary Taubes descreve esse efeito dominó de forma brilhante no livro *Why We Get Fat* [Por que engordamos]:

> Assim, embora a frutose não tenha efeito imediato sobre o açúcar no sangue e a insulina, com o passar do tempo — talvez alguns anos — ela é uma provável causa de resistência à insulina e, portanto, do armazenamento maior das calorias sob a forma de gordura. O ponteiro no nosso medidor de divisão dos combustíveis vai apontar na direção do armazenamento de gordura, mesmo que não tenha começado desse jeito.[9]

O fato mais perturbador em relação ao nosso vício em açúcar é que, quando combinamos frutose e glicose (o que fazemos constantemente ao ingerir alimentos feitos com açúcar de mesa), a frutose pode não fazer muita coisa de imediato com nosso nível de açúcar no sangue, mas a glicose que vem junto cuida disso — estimulando a liberação de insulina e alertando as células adiposas para que se preparem para mais armazenamento. Quanto mais açúcar ingerimos, mais estamos dizendo ao nosso corpo para transformá-lo em gordura. Isso acontece não apenas no fígado, levando a uma condição conhecida como doença do fígado gorduroso, mas no resto do corpo também. Bom dia, pneuzinhos, dobrinhas, barriguinha de cerveja — e o pior de todos os tipos de gordura: a gordura visceral invisível que envolve nossos órgãos vitais.

Adoro a forma como Taubes traça um paralelo entre a relação de causa e efeito que une os carboidratos e a obesidade, e o elo entre o fumo e o câncer. Se os cigarros não tivessem sido inventados, o câncer pulmonar seria uma doença rara. Da mesma forma, se nossas dietas não fossem tão ricas em carboidratos, a obesidade seria uma condição rara.[10] Eu iria um passo além e diria que outras condições também seriam incomuns, inclusive o diabetes, as doenças cardíacas, a demência e o câncer. E se eu tivesse que escolher uma doença a evitar, dentre todas, eu diria "o diabetes". Isso quer dizer: não se torne diabético.

A SENTENÇA DE MORTE DO DIABETES

Não há como exagerar a importância de evitar o caminho do diabetes, e se você já tem que lidar com ele, a chave é manter equilibrado o nível de açúcar no sangue. Nos Estados Unidos, somos quase 11 milhões de adultos de 65 anos ou mais com diabetes tipo 2, o que diz muito sobre a magnitude da catástrofe em potencial nas nossas mãos se todos esses indivíduos — além dos 23,1 milhões de adultos (48,3%) de 65 anos ou mais que têm pré-diabetes — desenvolverem Alzheimer.[11] Os dados que sustentam a relação entre o diabetes e o Alzheimer são profundos, mas é importante compreender que o diabetes é um poderoso fator de risco para o declínio cognitivo simples. Isso é particularmente verdade entre indivíduos que controlam mal o diabetes. Um exemplo claro: em junho de 2012, a revista *Archives of Neurology* publicou uma análise de 3069 idosos para determinar se o diabetes aumenta o risco de declínio cognitivo e se um controle ruim do nível de açúcar no sangue está relacionado a uma piora no desempenho cognitivo.[12] Numa avaliação inicial, cerca de 23% dos participantes tinham diabetes, enquanto os 77% restantes não tinham (propositalmente, os pesquisadores escolheram um "grupo variado de adultos de idade avançada com boas funções"). Um pequeno percentual, porém, daqueles 77% viria a desenvolver diabetes durante os nove anos do estudo. No início da pesquisa, uma série de testes cognitivos foi realizada. Os testes foram repetidos ao longo dos nove anos seguintes.

A conclusão afirmava o seguinte: "Entre adultos de idade avançada com boas funções, o DM [diabetes mellitus] e o mau controle da glicose entre aqueles com DM estavam associados a funções cognitivas piores e declínio mais acentuado. Isso indica que a severidade do DM pode contribuir para a aceleração do envelhecimento cognitivo". Os pesquisadores demonstraram uma diferença bastante forte na taxa de declínio mental entre aqueles com diabetes, se comparados aos não diabéticos. É ainda mais interessante notar que, como os autores observaram, já no início do estudo as notas cognitivas de base dos diabéticos eram inferiores às do grupo de controle. O estudo também descobriu uma relação direta entre a taxa de declínio cognitivo e níveis mais altos de hemoglobina A1C, um marcador do controle do nível de glicose no sangue. Os autores afirmaram: "A hiperglicemia (nível elevado de açúcar no sangue) foi proposta como mecanismo que pode contribuir para a associação entre o diabetes e reduzir as funções cognitivas". Mais adiante, eles afirmam que "a hiperglicemia pode contribuir para uma perda cognitiva através de mecanismos como a formação de produtos finais de glicação avançada, inflamações e doenças microvasculares".

Antes que eu explique o que são os produtos finais de glicação avançada e como eles são formados, vamos nos debruçar sobre outro estudo, anterior, feito em 2008. Esse estudo, da Clínica Mayo, publicado na revista *Archives of Neurology*, investigou a duração dos efeitos do diabetes numa pessoa. Em outras palavras, a quantidade de tempo com diabetes interfere na severidade do declínio cognitivo? Pode apostar que sim. Os números são de arregalar os olhos: segundo as conclusões da Clínica Mayo, se o diabetes começa antes de a pessoa completar 65 anos, o risco de comprometimento cognitivo leve aumenta em espantosos 220%. E o risco de comprometimento cognitivo leve em indivíduos que têm diabetes há dez anos ou mais aumentou 176%. Naqueles que estavam tomando insulina, o risco aumentou 200%. Os autores propuseram um mecanismo para explicar a conexão entre níveis altos persistentes de açúcar no sangue e o Alzheimer: "[...] aumenta a geração de produtos finais de glicação avançada".[13] O que são, então, esses produtos finais de glicação pipocando na literatura médica em referência ao declínio cognitivo e à aceleração do envelhecimento? Mencionei-os brevemente no capítulo anterior, e vou explicar sua relevância na próxima seção.

UMA VACA LOUCA E MUITAS PISTAS PARA OS TRANSTORNOS NEUROLÓGICOS

Eu me lembro da histeria que varreu o planeta na metade dos anos 1990, quando o receio da doença da vaca louca espalhou-se rapidamente. Os britânicos começaram a reunir evidências da transmissão da doença do gado para os seres humanos. No verão de 1996, Peter Hall, um vegetariano de vinte anos, morreu de uma forma humana da vaca louca, chamada Variante da Doença de Creutzfeldt-Jakob, contraída por ter ingerido hambúrgueres na infância. Pouco tempo depois, outros casos foram confirmados e vários países começaram a proibir a importação de carne do Reino Unido. Até mesmo o McDonald's parou de servir hambúrgueres temporariamente, em algumas regiões, até que os cientistas pudessem localizar a origem do surto e decidir que medidas adotar para erradicar o problema. O mal da vaca louca, também conhecido como encefalopatia espongiforme bovina, é uma desordem bovina rara que infecta o gado. O apelido vem do comportamento estranho que as vacas doentes adotam quando infectadas. Ambas são formas de doenças priônicas, causadas por proteínas desviantes, que provocam danos à medida que se espalham agressivamente de célula em célula.

Embora a doença da vaca louca não seja, em geral, classificada junto às doenças neurodegenerativas clássicas, como o Alzheimer, o Parkinson e a ELA, todas essas condições têm uma deformação similar na estrutura de proteínas necessária para funções cerebrais normais. É bem verdade que Alzheimer, Parkinson e ELA não são transmissíveis, porém essas doenças resultam em características similares ao mal da vaca louca. E todas elas têm a ver com proteínas deformadas.

Da mesma forma que agora é certo que diversas doenças degenerativas estão ligadas a processos inflamatórios, hoje sabemos que várias dessas mesmas doenças — inclusive diabetes tipo 2, catarata, aterosclerose, enfisema e demência — estão relacionadas a proteínas deformadas. O que torna as doenças priônicas tão singulares é a capacidade dessas proteínas anormais de "roubar" a saúde de outras células, transformando células normais em aberrantes, que levam a danos cerebrais e demência. Se isso se parece um pouco com o câncer é pelo fato de uma célula "sequestrar" o funcionamento normal de outra célula e criar uma nova tribo de células que não se comportam como células saudáveis. Em pesquisas de laboratório com camundongos, só agora os cientistas estão reunindo evidências que mostram que as principais condições neurodegenerativas seguem padrões paralelos.[14]

As proteínas estão entre as estruturas mais importantes do corpo. Elas praticamente dão forma ao corpo inteiro, realizando diversas funções e atuando como uma espécie de controle central do nosso manual de instruções. Nosso material genético, ou DNA, é o código para nossas proteínas, que são produzidas como uma sequência de aminoácidos. Elas precisam chegar a uma forma tridimensional para realizar suas tarefas, tais como regular os processos do corpo e protegê-lo de infecções. As proteínas obtêm sua forma por meio de uma técnica de "dobramento" especial; no fim, cada proteína adquire uma forma dobrada específica que ajuda a determinar qual será sua função particular.

Obviamente, proteínas deformadas não conseguem desempenhar suas funções de forma correta. Se elas não funcionam adequadamente, na melhor das hipóteses elas se tornam inativas; na pior, tóxicas. Em geral, as células têm uma "tecnologia interna" para exterminar as proteínas deformadas, mas o envelhecimento e outros fatores podem interferir nesse processo. Quando uma proteína tóxica consegue induzir outras células a criar mais proteínas deformadas, o resultado pode ser desastroso. É por isso que hoje muitos cientistas lutam para encontrar uma forma de interromper a disseminação de proteínas deformadas de uma célula para outra, literalmente parando o desenvolvimento dessas doenças.

Stanley Prusiner, diretor do Instituto para Doenças Neurodegenerativas da Universidade da Califórnia em San Francisco, descobriu os príons, o que lhe valeu o prêmio Nobel, em 1997. Em 2012, ele fazia parte de uma equipe de pesquisadores que escreveu um artigo seminal, apresentado na revista *Proceedings of the National Academy of Sciences*, mostrando que a proteína beta-amiloide, associada ao Alzheimer, tem características semelhantes aos príons.[15] Na experiência, os autores conseguiram acompanhar a evolução da doença injetando proteína beta-amiloide em um dos lados do cérebro de camundongos. Usando uma molécula geradora de luz, eles assistiram enquanto as proteínas do mal se acumulavam — uma cadeia tóxica de acontecimentos, semelhante ao que acontece no cérebro com Alzheimer.

Na verdade, essa descoberta traz pistas para algo mais que as doenças do cérebro. Os cientistas que se concentram em outras partes do corpo também têm pesquisado o impacto de proteínas deformadas. O fato é que proteínas "loucas" podem ser responsáveis por uma série de males. Até o diabetes tipo 2, por exemplo, pode ser enxergado desse ponto de vista, se levarmos em conta que os diabéticos têm proteínas "dementes" no pâncreas, que podem afetar negativamente a produção de insulina (o que levanta a questão: níveis cronicamente altos de açúcar no sangue são a causa dessa deformação?). Na aterosclerose, o aumento do colesterol típico da doença pode ser causado pela deformação das proteínas. Quem sofre de catarata tem proteínas "más" que se acumulam no cristalino dos olhos. A fibrose cística, um transtorno hereditário provocado por um defeito no DNA, se caracteriza pelo dobramento incorreto da proteína CFTR. E até mesmo um tipo de enfisema de origem genética deve a devastação que causa a certas proteínas produzidas no fígado e que deveriam chegar aos pulmões para protegê-los. Em vez disso, essas proteínas se acumulam no fígado e deixam os pulmões vulneráveis a doenças mesmo na ausência da exposição à fumaça do cigarro.

O.k. Uma vez entendido que proteínas desviantes têm um papel crucial nas doenças, sobretudo na degeneração neurológica, a questão seguinte é: *o que causa a formação de proteínas desviantes?* Em um caso como a fibrose cística, a resposta é mais simples, porque identificamos um defeito genético específico. Mas e quanto a outros males que têm origem misteriosa, ou que não se manifestam na idade avançada? Vamos nos debruçar sobre aqueles produtos finais de glicação.

"Glicação" é o termo bioquímico para a união de moléculas de açúcar a proteínas, gorduras e aminoácidos; a reação espontânea, propriamente dita, pela qual a molécula de açúcar adere costuma ser chamada de Reação de Maillard. Louis-Camille Maillard foi o primeiro a descrever esse processo, no início dos anos 1900.[16] Embora ele tenha previsto que essa reação teria um impacto importante na medicina, foi preciso esperar até 1980 para que os cientistas se voltassem a ela, na tentativa de compreender o envelhecimento e as complicações do diabetes.

Esse processo forma produtos finais de glicação avançada (AGES). Para ter uma noção dos AGES em ação, basta observar alguém que sofre de envelhecimento precoce — alguém com muitas rugas, flacidez, pele descolorida e sem brilho. O que você está vendo é o efeito físico das proteínas ligadas a açúcares marginais, o que explica por que os AGES são considerados atores preponderantes no envelhecimento da pele.[17] Ou dê uma olhada em um fumante inveterado: a pele amarelada é outra marca da glicação. Os fumantes têm menos antioxidantes na pele, e o fumo propriamente dito aumenta a oxidação no corpo e na pele. Por isso, eles não conseguem combater os subprodutos de processos normais, como a glicação: o potencial antioxidante de seus corpos fica muito enfraquecido e francamente esmagado pelo volume da oxidação. Para a maioria de nós, os sinais externos da glicação começam a aparecer por volta dos trinta anos, quando acumulamos uma quantidade suficiente de alterações hormonais e estresse ambiental oxidativo, inclusive os danos dos raios de sol.

A glicação é um fato inevitável da vida, tanto quanto os processos inflamatórios e, até certo ponto, a produção de radicais livres. É um produto do nosso metabolismo natural e fundamental no processo de envelhecimento. Hoje, é até possível medir a glicação usando tecnologias que iluminam os elos formados entre os açúcares e as proteínas. Na verdade, os dermatologistas já conhecem bem esse processo. Com câmeras de alta tecnologia, eles conseguem capturar a diferença entre juventude e velhice com uma imagem fluorescente de uma criança comparada aos rostos de adultos. O rosto da criança aparece muito escuro, o que indica ausência de AGES, enquanto o do adulto brilha, iluminado por vários elos de glicação.

O objetivo claro é limitar ou retardar o processo de glicação. Muitos métodos antienvelhecimento atuais se concentram na redução da glicação, e até na quebra desses elos maléficos. Mas isso não pode ocorrer se consumimos uma dieta rica em carboidratos, que acelera o processo de glicação. Os açúcares, em particular, são estimulantes rápidos da glicação, por ligarem-se facilmente às proteínas do corpo (e aqui vai uma curiosidade: a fonte número um de calorias alimentares nos Estados Unidos vem do xarope de milho rico em frutose, que multiplica por dez a taxa de glicação).

Quando as proteínas se tornam glicadas, ocorrem pelo menos duas coisas importantes. Primeiro, elas se tornam bem menos funcionais. Segundo, quando se unem aos açúcares, tendem a se ligar a outras proteínas igualmente danificadas, formando elos mais extensos, que pioram ainda mais seu funcionamento. Mas talvez mais importante seja o fato de que, uma vez glicadas, proteínas se tornam fonte de um forte aumento na produção de radicais livres. Isso leva à destruição de tecidos, causando danos às gorduras, a outras proteínas e até ao DNA. Repito, a glicação de proteínas é uma parte normal de nosso metabolismo, mas quando ocorre em excesso surgem vários problemas. Níveis altos de glicação foram associados não apenas a um declínio cognitivo, mas a problemas renais, diabetes, doenças vasculares e, como mencionado, ao próprio processo de envelhecimento.[18] Lembre-se de que qualquer proteína do corpo está sujeita aos danos da glicação, podendo tornar-se um AGE. Devido à importância desse processo, pesquisadores do mundo todo têm se esforçado para desenvolver soluções farmacêuticas a fim de impedir a formação de AGES. Mas, claramente, a melhor forma de evitar essa formação é, antes de tudo, reduzir a disponibilidade de açúcar.

Além de apenas causar inflamações e danos mediados pelos radicais livres, os AGES estão associados a danos aos vasos sanguíneos, e acredita-se que expliquem a correlação entre o diabetes e os problemas vasculares. Conforme observei no capítulo anterior, o risco de doenças arteriais coronarianas aumenta dramaticamente nos diabéticos, assim como o risco de derrames. Muitos diabéticos sofrem de danos importantes aos vasos sanguíneos que irrigam o cérebro. Mesmo que não tenham Alzheimer, podem sofrer de demência causada por esse problema de irrigação sanguínea.

Anteriormente expliquei que o LDL — o chamado "colesterol ruim" — é uma importante proteína transportadora, que leva o colesterol vital para as células cerebrais. Só quando ele se oxida é que cria problemas nos vasos sanguíneos. E atualmente compreendemos que quando o LDL se torna *glicado* (afinal de contas, é uma proteína), isso aumenta drasticamente sua oxidação.

Tudo que dissermos sobre a relação entre o estresse oxidativo e o açúcar será pouco. Quando as proteínas são glicadas, a quantidade de radicais livres que se forma é multiplicada por cinquenta; isso leva à perda de funções celulares e, por fim, à morte da célula.

Isso chama nossa atenção para a relação poderosa entre a produção de radicais livres, o estresse oxidativo e o declínio cognitivo. Sabemos que o estresse oxidativo está diretamente relacionado à degeneração cerebral.[19] Pesquisas mostram que os danos aos lipídios, às proteínas, ao DNA e ao RNA pelos radicais livres ocorrem no início do processo de perda cognitiva, e muito antes de os sinais de doenças neurológicas sérias como o Alzheimer, o Parkinson e a ELA aparecerem. Infelizmente, quando o diagnóstico ocorre, o mal já está feito. A lição é que se você quiser reduzir o estresse oxidativo e a ação dos radicais livres que prejudicam seu cérebro, você tem que reduzir a glicação de proteínas, o que quer dizer limitar a disponibilidade de açúcar. Simples assim.

A maioria dos médicos, em sua prática cotidiana, emprega rotineiramente a medição de uma proteína glicada. Eu já a mencionei: a hemoglobina A1C. É a mesma medida laboratorial padrão usada para o controle do nível de açúcar no sangue dos diabéticos. Por isso, embora seu médico possa estar medindo sua hemoglobina A1C de tempos em tempos para controlar seu nível de açúcar no sangue, o fato de ser uma proteína glicada tem amplas e extremamente importantes consequências para a saúde do seu cérebro. Mas a hemoglobina A1C representa mais que uma medida fácil do nível médio de açúcar no sangue ao longo de um período de noventa a 120 dias.

A hemoglobina A1C é a proteína encontrada no glóbulo vermelho, que carrega oxigênio, e se une ao açúcar do sangue. Essa união aumenta quando o nível de açúcar no sangue está alto. Embora a hemoglobina A1C não forneça uma indicação "em tempo real" do nível de açúcar no sangue, é extremamente útil por mostrar qual foi o nível "médio" de açúcar no sangue nos noventa dias anteriores. É por isso que a hemoglobina A1C é frequentemente usada em estudos que tentam relacionar o controle do açúcar no sangue à evolução de várias doenças, como o Alzheimer, o comprometimento cognitivo leve e as doenças arteriais coronarianas. Não vamos esquecer o estudo mais recente para o qual chamei a atenção no capítulo anterior, publicado em 2017, em que um amplo grupo de pesquisadores se propôs a "descasar os efeitos do sobrepeso/obesidade daqueles do diabetes tipo 2 sobre as estruturas cerebrais e a cognição".[20] Eles queriam documentar os efeitos do sobrepeso e da obesidade sobre o cérebro de pessoas com diabetes tipo 2 em estágio inicial. Além de concluir que "participantes com sobrepeso/obesos com diabetes tipo 2 apresentavam anomalias mais graves e progressivas nas estruturas do cérebro e na cognição durante o diabetes tipo 2 em estágio inicial, em comparação com os participantes de peso normal", também mediram os níveis de A1C nos pesquisados. O grupo com sobrepeso/obesidade apresentou níveis muito mais altos, o que não foi surpresa.

Já está bem documentado que a hemoglobina glicada é um fator de risco para o diabetes, mas também tem uma forte correlação com o risco de derrames, doenças cardíacas coronarianas e morte por outras doenças. Essas correlações se mostraram mais fortes quando a medida da hemoglobina A1C ficou acima de 6%.

Hoje em dia temos evidências que mostram que a hemoglobina A1C elevada está associada a alterações no tamanho do cérebro. Num estudo particularmente profundo, publicado na revista *Neurology*, pesquisadores avaliaram ressonâncias magnéticas para determinar qual exame de laboratório tinha a correlação mais forte com a atrofia cerebral. Eles concluíram que a hemoglobina A1C apresentava a correlação mais poderosa.[21] Na verdade, ao comparar o grau de perda de tecido cerebral nos indivíduos com a hemoglobina A1C mais baixa (4,4 a 5,2) com aquela nos indivíduos de hemoglobina A1C mais alta (5,9 a 9), a perda cerebral nos primeiros quase duplicou em um período de seis anos. Portanto, a hemoglobina A1C é bem mais que um simples marcador do equilíbrio do açúcar no sangue — e está totalmente sob seu controle!

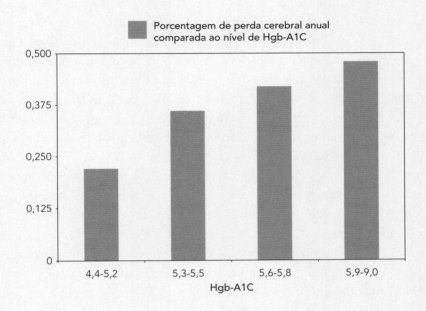

Uma hemoglobina A1C ideal fica na faixa entre 4,8 e 5,4. Tenha em mente que uma redução da ingestão de carboidratos, a perda de peso e exercícios físicos melhoram a sensibilidade à insulina e levam a uma redução da hemoglobina A1C.

Saiba ainda que já existem evidências documentadas que provam uma relação direta entre a hemoglobina A1C e o risco futuro de depressão. Um estudo que analisou mais de 4 mil homens e mulheres com idade média de 63 anos mostrou uma correlação direta entre a hemoglobina A1C e "sintomas depressivos".[22] Um metabolismo ruim da glicose foi apontado como fator de risco para o desenvolvimento de depressão nesses adultos. A lição: a glicação de proteínas é uma má notícia para o cérebro.

UMA ATITUDE PRECOCE

Como já descrevi, possuir níveis normais de açúcar no sangue pode significar que seu pâncreas está trabalhando demais para manter esse nível normal. Com base nisso, dá para entender que níveis altos de insulina surgirão muito antes que o nível de açúcar no sangue aumente e a pessoa se torne diabética. Por isso é tão importante checar não apenas sua glicemia de jejum, mas seu nível de insulina de jejum. Um nível de insulina de jejum elevado é um indicador do esforço que seu pâncreas está fazendo para normalizar o açúcar em seu sangue. Também é um sinal claro de que você está consumindo carboidratos demais. E não se engane: até mesmo ser resistente à insulina é um forte fator de risco para a degeneração cerebral e o comprometimento cognitivo propriamente ditos. Não basta olhar os números do diabetes, em razão de sua relação com as doenças cerebrais, e confiar que seu risco é menor porque você não é diabético. E se o seu nível de açúcar no sangue parecer normal, a única forma de saber se é resistente à insulina é medir seu nível de insulina de jejum. Ponto final.

Você precisa de mais evidências? Veja este estudo italiano, feito em 2005, que avaliou 523 pessoas, dos setenta aos noventa anos, que não tinham diabetes, nem sequer um nível elevado de açúcar no sangue.[23] Muitas dessas pessoas eram resistentes à insulina, porém, como indicavam seus níveis de insulina de jejum. O estudo trouxe revelações profundas: mostrou que os resistentes à insulina tiveram um forte aumento no risco de comprometimento cognitivo, se comparados àqueles na faixa normal de insulina. No geral, quanto mais baixo o nível de insulina, melhor. O nível médio de insulina nos Estados Unidos é de 8,8 microunidades internacionais por mililitro ($\mu IU/mL$) em homens adultos, e 8,4 em mulheres. Mas considerando o grau de obesidade e abuso de carboidratos nos Estados Unidos, é seguro afirmar que esses valores "médios" são provavelmente muito mais altos do que aquilo que deveria ser considerado ideal. O nível de insulina nos exames de laboratório de pacientes muito cuidadosos em relação à ingestão de carboidratos pode ser menor que 2. Essa é uma situação ideal — um sinal de que o pâncreas não está sendo sobrecarregado, de que o nível de açúcar no sangue está sob controle, de que o risco de diabetes é muito baixo e de que não há sinais de resistência à insulina. A questão importante é que se a sua insulina de jejum está elevada — qualquer valor acima de 5 deve ser considerado elevado — é possível melhorá-la. Você verá como no capítulo 10.

Antes de seguir adiante, permita-me atualizá-lo em relação às mais recentes descobertas científicas mostrando quão ruim a glicemia alta é para o cérebro. Sei que já venho ressaltando esse ponto, mas quero reiterar, para que você não esqueça: o impacto da glicemia do sangue sobre o cérebro não se limita ao diabetes tipo 2. Os níveis de glicemia, *mesmo na faixa normal*, podem ter um impacto significativo na atrofia da substância cinzenta e do cérebro como um todo. Tradução: açúcar no sangue significa encolhimento do cérebro. Essa conclusão veio de um estudo revisional de 2018, que já mencionei, feito por um grupo de pesquisadores australianos que realizaram follow-ups de estudos anteriores.[24] Abrangia diversos outros trabalhos, realizados no mundo inteiro, mostrando a forte correlação entre os níveis de glicose no sangue, o que, repetindo, é um resultado do consumo de carboidratos, e o declínio e atrofia do cérebro — com ou sem a presença do diabetes. Isso significa que a associação entre a glicose no sangue e a atrofia cerebral e o risco de demência é importante mesmo em indivíduos saudáveis. Na verdade, já se demonstrou que até mesmo elevações moderadas da glicemia reduzem a funcionalidade de diversas regiões do cérebro tipicamente relacionadas ao Alzheimer. Como se vê, a definição de "normal" é inadequada, e mesmo que seu médico lhe diga que você está na faixa "normal", você poderia estar no extremo dessa faixa, à beira de ficar diabético. Portanto, não surpreende que a adoção de uma dieta pobre em carboidratos o ajude a controlar a glicemia e reduzir o risco de demência, fato que agora conta com embasamento científico. Para aqueles que já têm diabetes tipo 2, a ciência mostra que "a eficácia da dieta [pobre em carboidratos] pode ser comparável à terapia com insulina".[25] Tenha em mente, ainda, que depois dos sessenta anos o cérebro adulto médio sofre 0,5% de atrofia por ano. Embora possa parecer pouco, isso vai se acumulando. E veremos agora que o volume cerebral também pode ser influenciado pela gordura corporal.

QUANTO MAIS VOCÊ ENGORDA, MENOR FICA O SEU CÉREBRO

A maioria das pessoas tem uma ideia razoável de que carregar peso extra é ruim para elas. Mas se você precisa de apenas uma razão a mais para perder os quilos em excesso, talvez o medo de perder a cabeça — física e literalmente — vai motivá-lo a tirar o traseiro da cadeira.

Quando eu estava na faculdade de medicina, o pensamento corrente era que as células adiposas eram, basicamente, armazenadoras onde o excesso indesejável podia ser mantido de maneira benigna à parte. Mas essa perspectiva estava completamente errada. Hoje sabemos que as células adiposas desempenham na fisiologia humana um papel muito maior do que simplesmente armazenar calorias. As massas de gordura corporal formam órgãos hormonais complexos e sofisticados, que são tudo, menos passivos. Sim, você leu isso mesmo: a gordura é um *órgão*.[26] E um órgão que pode ser um dos mais industriosos do corpo, desempenhando várias funções além de nos manter aquecidos e protegidos. Isso é particularmente verdadeiro em relação à gordura visceral — aquela que envolve nossos órgãos internos, "viscerais", como o fígado, os rins, o pâncreas, o coração e os intestinos. A gordura visceral foi muito abordada pela mídia, nos últimos anos, por um bom motivo: hoje sabemos que é o tipo de gordura mais devastador para nossa saúde. Podemos lamentar coxas que se encostam, o músculo do tchauzinho, os pneuzinhos, as celulites e os popozões, mas o pior de todos os tipos de gordura é aquele que não podemos ver, sentir ou tocar. Em casos extremos, podemos vê-la em barrigas salientes e dobrinhas, que são sinais exteriores de órgãos internos envolvidos por gordura (exatamente por isso, a medida da cintura costuma ser uma medida de "saúde"; quanto maior a circunferência da cintura, maior o risco de doenças e morte).[27]

Já está evidenciado que a gordura visceral tem uma capacidade singular de desencadear processos inflamatórios no corpo, assim como de sinalizar moléculas que perturbam as ações hormonais normais do corpo.[28] Isso, por sua vez, mantém em movimento o efeito cascata negativo da gordura visceral. Além disso, a gordura visceral faz mais do que apenas gerar inflamações futuras através de uma cadeia de eventos biológicos; a própria gordura se inflama. Esse tipo de gordura é abrigo para inúmeros glóbulos brancos inflamatórios. Na verdade, as moléculas hormonais e inflamatórias produzidas pela gordura visceral são jogadas diretamente no fígado, que, como você pode imaginar, reage com outra carga de munição (isto é, reações inflamatórias e substâncias que perturbam os hormônios). Resumindo: mais que um simples predador à espreita atrás de uma árvore, a gordura visceral é uma inimiga armada e perigosa. O número de problemas de saúde hoje relacionados a ela é enorme, desde os mais óbvios, como a obesidade e a síndrome metabólica, até os não tão óbvios — câncer, transtornos autoimunes e doenças cerebrais.

Os pontinhos que ligam o excesso de gordura corporal, principalmente a do tipo ruim, a obesidade e as disfunções cerebrais não são tão difíceis de entender, considerando as informações que você já aprendeu neste livro. O excesso de gordura corporal não apenas aumenta a resistência à insulina como eleva diretamente a produção de substâncias químicas inflamatórias que têm uma influência direta na degeneração cerebral.

Em um estudo publicado em 2005, a proporção entre a cintura e o quadril de mais de cem indivíduos foi comparada a mudanças estruturais em seus cérebros.[29] O estudo também examinou as alterações cerebrais em relação aos níveis de glicemia e de insulina de jejum. O que os autores queriam determinar era se existia ou não uma relação entre a estrutura do cérebro e o tamanho da barriga de uma pessoa. E os resultados foram espantosos. Essencialmente, quanto maior a razão entre a cintura e o quadril (isto é, quanto maior a barriga), menor o centro de memória do cérebro, o hipocampo. Este desempenha um papel crucial na memória, e seu funcionamento é absolutamente dependente do tamanho. À medida que o hipocampo encolhe, a memória declina. Ainda mais espantoso: os pesquisadores concluíram que, quanto maior a razão cintura-quadril, maior o risco de pequenos derrames no cérebro, que, sabe-se, também estão associados ao declínio das funções cerebrais. Os autores afirmaram: "Estes resultados são consistentes com um número cada vez maior de evidências ligando a obesidade, as doenças vasculares e os processos inflamatórios a doenças cognitivas e demência [...]". Outros estudos, desde então, confirmaram esse achado: para cada quilo a mais no corpo, especialmente obesidade central, que se define por uma alta razão entre a cintura e o quadril, o cérebro fica um pouco menor. É irônico que, à medida que o corpo cresce, o cérebro diminui.

Em um projeto de pesquisa conjunto da UCLA e da Universidade de Pittsburgh, por exemplo, neurocientistas examinaram imagens dos cérebros de 94 pessoas na casa dos setenta anos que haviam participado de um estudo anterior de saúde cardiovascular e cognição.[30] Nenhum dos participantes tinha demência ou outro comprometimento cognitivo, e todos foram acompanhados durante cinco anos. O que os pesquisadores descobriram foi que os cérebros das pessoas obesas — definidas como aquelas com índice de massa corporal superior a trinta — tinham uma aparência dezesseis anos mais velha que as pessoas saudáveis de peso normal. E aquelas que tinham sobrepeso — definido como um índice de massa corporal entre 25 e trinta — pareciam oito anos mais velhas que seus homólogos mais magros. Mais especificamente, as pessoas clinicamente obesas tinham 8% menos tecido cerebral, enquanto aquelas com sobrepeso tinham 4% menos tecido cerebral, se comparadas aos indivíduos de peso normal. Muito desse tecido foi perdido nas regiões dos lobos frontal e temporal do cérebro, a área na qual tomamos decisões e armazenamos lembranças, entre outras coisas. Os autores do estudo apontaram, com razão, que seus achados poderiam ter sérias consequências em indivíduos em processo de envelhecimento, obesos ou com sobrepeso, inclusive um risco maior de Alzheimer.

Não há dúvida de que círculos viciosos estão em jogo aqui. Cada um deles contribui para outro. A genética pode afetar a propensão a comer demais e ganhar peso, o que, por sua vez, pesa nos níveis de atividade, na resistência à insulina e no risco de diabetes. O diabetes afeta, então, o controle de peso e o equilíbrio do açúcar no sangue. Quando uma pessoa se torna diabética e sedentária, é inevitável a ocorrência de rupturas nos tecidos e nos órgãos, não apenas no cérebro. Além disso, quando o cérebro começa a degenerar e a encolher, começa a perder a capacidade de funcionar adequadamente. Quer dizer, o centro do apetite e o centro de controle de peso do cérebro não operarão na capacidade máxima, o que uma vez mais alimenta o círculo vicioso.

É importante compreender que a perda de peso tem que acontecer de imediato, já que as mudanças ocorrem assim que o indivíduo começa a carregar gordura corporal em excesso. Em um estudo de 2008, cientistas da Califórnia fizeram um pente fino nos registros de mais de 6500 pessoas examinadas desde meados da década de 1960 até os anos 1970.[31] O que eles queriam saber era: quem desenvolveu demência? Quando essas pessoas foram avaliadas pela primeira vez, 36 anos antes, várias medidas de seus corpos foram tomadas para determinar, essencialmente, quanto elas possuíam de gordura. Isso incluía coisas como o tamanho da barriga, a circunferência da coxa, altura e peso. Quase três décadas depois, aqueles que tinham maior gordura corporal apresentaram um risco muito mais elevado de demência. Do grupo original, 1049 tiveram o diagnóstico de demência. Quando os cientistas compararam o grupo com menos gordura corporal com o grupo com mais gordura corporal, descobriram que estes tiveram o risco de demência duplicado. Como escreveram os autores, "assim como é o caso do diabetes e das doenças cardiovasculares, a obesidade central [gordura na barriga] também é um fator de risco para a demência". Devo também observar que ter sobrepeso na meia-idade e só então perder peso também pode acarretar consequências, o que reforça o argumento em favor de evitar o excesso de peso, antes de tudo. Em 2018, um estudo vindo do Reino Unido chegou a conclusões preocupantes, depois de acompanhar mais de 10 mil pessoas durante 28 anos.[32] A obesidade aos cinquenta anos, mas não aos sessenta ou aos setenta, ainda estava associada ao risco de demência. Embora as conclusões sejam de mau agouro ("A atual epidemia de obesidade pode afetar os futuros índices de demência"), minha esperança é que possamos usar esses dados para inspirar mudanças desde já.

> ### HISTÓRIA REAL DM
>
> *A dieta da mente* foi um dos primeiros livros que li ao receber o diagnóstico de câncer fatal no cérebro, e acredito piamente que isso salvou minha vida. Fui diagnostica com câncer no cérebro "terminal", de alta malignidade, em 2013. Adotei uma dieta cetogênica, altamente terapêutica, para asfixiar o câncer e turbinar as mitocôndrias de minhas células sadias, com ajuda especial da minha "farmácia" orgânica. Hoje, três anos depois, não apenas estou viva, mas cada vez melhor, pois as tomografias não mostram qualquer processo canceroso. Um benefício extra foi a reversão e eliminação total da síndrome do ovário policístico, da tireoidite de Hashimoto, de fibroides nos seios, de dores nas juntas e artrite, e de alergias sazonais, além de uma perda de peso bem razoável para a saúde. Meus exames de sangue mostram reduções maciças nos marcadores de inflamação, assim como na glicemia! — Alison G.

O PODER DA PERDA DE PESO (ALÉM DAQUILO QUE VOCÊ JÁ SABE)

Como ficou provado num estudo atrás do outro, a perda de peso através da dieta pode ter um fortíssimo efeito na sinalização da insulina e na sensibilidade a ela.[33]

A lição a levar para casa é a seguinte: você pode melhorar a sensibilidade à insulina e reduzir seu risco de diabetes (sem falar em todos os tipos de doenças cerebrais) apenas pela adoção de mudanças na vida pessoal que derretam a gordura. E se você acrescentar exercícios à dieta, é candidato a benefícios ainda maiores. A essa altura, você deve ter notado que eu vou prescrever uma dieta pobre em carboidratos e rica em gorduras saudáveis, inclusive o colesterol. Mas você não precisa acreditar na minha palavra. Basta dar uma olhada nos estudos mais recentes, que provam o poder desse tipo de dieta. Em 2012, um deles virou manchete quando o *Journal of the American Medical Association* publicou os efeitos de três dietas populares em um grupo de jovens adultos obesos ou com sobrepeso.[34] Cada um dos participantes experimentou um tipo de dieta por mês. Uma delas era pobre em gorduras (60% das calorias vindas de carboidratos, 20% de gorduras e 20% de proteínas), uma era de baixa glicemia (40% das calorias vinham de carboidratos, 40% de gorduras e 20% de proteínas) e a terceira era muito pobre em carboidratos (10% das calorias de carboidratos, 60% de gorduras e 30% de proteínas). Todas as dietas forneciam o mesmo número de calorias, mas os que fizeram a dieta pobre em carboidratos e rica em gorduras queimaram a maior quantidade delas. O estudo também observou a sensibilidade à insulina durante o período de quatro semanas de cada dieta e concluiu que a dieta pobre em carboidratos provocava a maior melhoria nessa sensibilidade — quase o dobro da dieta pobre em gorduras. Os triglicérides, um poderoso marcador de risco cardiovascular, ficaram numa média de 66 no grupo pobre em carboidratos e 107 no grupo pobre em gorduras. (A propósito, níveis elevados de triglicérides também são um indicador de excesso de carboidratos na dieta.) Os autores também observaram que os resultados de laboratório encontrados na dieta pobre em gorduras apresentaram alterações químicas no sangue dos participantes, tornando-os vulneráveis ao ganho de peso. Claramente, a melhor dieta para manter a perda de peso é aquela pobre em carboidratos e rica em gorduras.

Muitos outros estudos feitos desde então chegaram à mesma conclusão: uma dieta pobre em carboidratos e rica em gorduras obterá resultados melhores que uma dieta pobre em gorduras e rica em carboidratos, em quaisquer circunstâncias, e qualquer que seja a medida do corpo, da química interior à silhueta exterior. E quando levamos em conta todos os parâmetros que afetam a saúde, e sobretudo a saúde cerebral, como a perda de peso, a sensibilidade à insulina, o controle glicêmico e até a proteína C-reativa, uma dieta pobre em carboidratos é substancialmente mais eficiente que qualquer outra. Na verdade, as demais dietas resultarão num risco aumentado para uma série de disfunções cerebrais, que vão de incômodos cotidianos como dores de cabeça a enxaquecas crônicas, transtornos de ansiedade, TDAH e depressão. E se a ideia de se manter com a mente aguçada até seu último suspiro na Terra não é motivação o bastante para você, pense em todos os benefícios que seu coração (e virtualmente todos os órgãos do seu corpo) terão ao abandonar uma dieta pobre em gorduras. Em março de 2013, o *New England Journal of Medicine* publicou um estudo grande e fundamental, mostrando que pessoas dos 55 aos oitenta anos que seguem a dieta mediterrânea têm um risco menor de doenças cardíacas e derrames — da ordem de 30% — que aquelas que seguem uma dieta tipicamente pobre em gorduras.[35] Os resultados foram tão profundos que os cientistas interromperam mais cedo o estudo, porque a dieta pobre em gorduras se mostrou excessivamente danosa a quem comia grandes quantidades de produtos assados artificialmente, em vez de fontes de gordura saudável. A dieta mediterrânea é famosa por ser rica em azeite de oliva, castanhas, feijões, peixe, frutas e vegetais, e permite até vinho nas refeições. Embora tenha espaço para grãos, é muito semelhante a meu protocolo dietético. Na verdade, se você alterar a dieta mediterrânea, removendo todos os alimentos que contêm glúten e limitando frutas açucaradas e carboidratos sem glúten, você tem a perfeita dieta cerebral sem grãos. (Observação: em 2018, os autores do estudo original de 2013 publicado no *New England Journal of Medicine* retiraram o artigo original e republicaram uma reanálise dos dados na mesma revista, depois de críticas a respeito da metodologia.[36] Embora houvesse falhas no estudo original, sobretudo em razão das limitações na realização de estudos sobre resultados de dietas e no controle de fatores que os pesquisadores não têm como controlar, a conclusão permaneceu a mesma.)

A ideia de que "o que é bom para o coração é bom para o cérebro", hoje, é ciência fundamentada em fatos. Em 2017, a dieta de estilo mediterrâneo foi uma vez mais aprovada para a saúde do cérebro, com a publicação de um estudo na *Neurology*, mostrando que pessoas idosas que seguiam estritamente essa dieta dispunham de um volume cerebral maior.[37] Os pesquisadores, do Reino Unido, mediram o volume do cérebro usando imagens por ressonância magnética em 401 pessoas, primeiro quando elas tinham 73 anos e depois quando tinham 76. Mesmo corrigindo fatores que podiam explicar a diferença de volume cerebral, como diabetes, hipertensão e até o grau de instrução, as conclusões dos pesquisadores foram claras: uma adesão menor a um estilo de dieta mediterrâneo é preditiva de atrofia cerebral no espaço de três anos. É interessante notar que os participantes que seguiam mais estritamente a dieta tinham um volume cerebral total, em média, 10 mililitros maior que aqueles que a seguiam menos à risca.

NÃO SE DEIXE ENGANAR PELOS SUBSTITUTOS DO AÇÚCAR

Quando este livro foi lançado, eu não dei o sinal de alarme em relação aos substitutos do açúcar porque ainda era preciso que surgissem estudos. Embora estejamos habituados a achar que os substitutos do açúcar, como sacarina, sucralose e aspartame, não têm impacto metabólico porque não elevam a insulina, constata-se que eles podem, na verdade, causar tremendo caos metabólico e os mesmos transtornos metabólicos que o açúcar de verdade. Como isso pode acontecer? É porque eles alteram o microbioma de uma maneira que favorece desequilíbrios bacterianos (disbiose), desequilíbrios glicêmicos e um metabolismo pouco sadio em geral. E a indústria alimentícia e de bebidas vem tendo, sim, uma senhora dor de cabeça com um estudo recente, publicado em 2014 na revista *Nature* e desde então replicado por outros estudos, entre eles alguns mostrando quão nocivos podem ser os adoçantes artificiais: o consumo de bebidas "diet" adoçadas artificialmente pode aumentar o risco de diabetes, havendo até estudos que mostram a duplicação do risco entre aqueles que tomam duas bebidas diet por dia.[38] E você sabe o que isso significa, em termos de risco de Alzheimer. Em 2017, a revista *Stroke* também lançou um artigo bombástico sobre o risco de derrame, Alzheimer e demência entre aqueles que tomam bebidas adoçadas artificialmente. O que eles descobriram foi notável: aqueles que tomam uma ou mais bebidas artificialmente adoçadas por dia triplicaram o risco de derrame, triplicaram o risco de Alzheimer e multiplicaram por 2,5 o risco de desenvolver demência.[39]

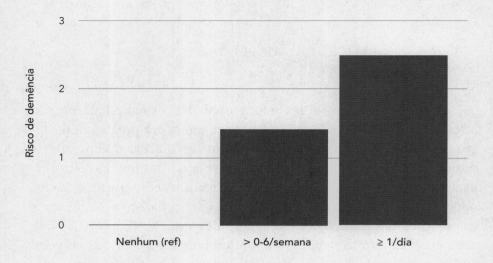

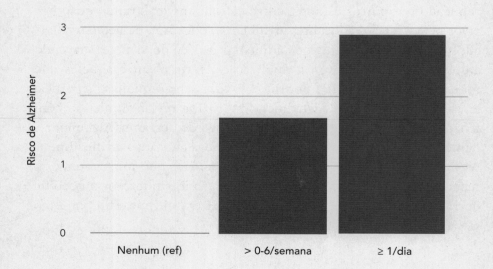

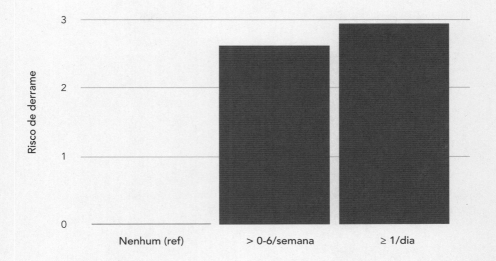

UMA MAÇÃ POR DIA?

Não, uma maçã por dia não vai deixá-lo longe do médico.* Agora que eu me coloquei contra tantos de seus alimentos favoritos, posso até ouvir a dúvida: "Como o corpo pode viver de gordura e nunca engordar?". Ah, é uma excelente pergunta. Vou abordar esse paradoxo em breve e esclarecer qualquer dúvida sobre como viver — e sentir-se bem — com gorduras. Soa absurdo pensar que podemos viver sem praticamente nenhum carboidrato em nossa dieta, mas fartas quantidades de gordura e colesterol. Mas podemos, e devemos, se quisermos proteger nosso genoma. Embora a indústria alimentícia queira fazê-lo acreditar em outra coisa, uma dieta baseada em gordura moldou nosso genoma nos últimos 2,6 milhões de anos. Por que mudar isso? Como você já leu, quando mudamos, ficamos *gordos*.

* Referência ao famoso ditado: "*An apple a day keeps the doctor away*" [Uma maçã por dia mantém o médico longe]. (N. T.)

A história da reversão da tendência alimentícia atual, no sentido de recobrar os corpos esbeltos, tonificados e flexíveis que fomos projetados para ter, além dos cérebros aguçados, começa com um olhar para as propriedades fundamentais do cérebro.

5. O dom da neurogênese ou o controle dos comandos principais
Como mudar seu destino genético

*O cérebro é um sistema muito mais aberto do que se imaginava,
e a natureza fez muito para nos ajudar a perceber e abordar o mundo
à nossa volta. Ela nos deu um cérebro que sobrevive a um mundo em
transformação transformando a si mesmo.*
Dr. Norman Doidge, *O cérebro que se transforma*

Fomos projetados para ser pessoas espertas a vida inteira. O cérebro foi feito para funcionar bem até nosso último suspiro. Mas a maioria de nós supõe, erroneamente, que com a idade vem o declínio cognitivo. Achamos que se trata de uma parte inevitável do envelhecimento, tanto quanto a perda da audição ou o surgimento das rugas. Essa impressão é uma falácia perniciosa. A verdade é que estamos levando uma vida que não é adequada àquilo que geneticamente fomos criados para fazer. Ponto. As doenças que observamos hoje são provocadas, em grande parte, por nosso estilo de vida, que não está em harmonia com nossa predisposição genética. Mas podemos transformar isso e trazer nosso DNA de volta à programação original. Melhor que isso: podemos reprogramar parte do nosso DNA para operar de forma ainda mais vantajosa. E isso não é ficção científica.

É comum ouvirmos as pessoas dizerem coisas como: "Provavelmente eu vou ter [complete com a doença]. Todo mundo na minha família tem". Não há dúvida de que a herança genética desempenha um papel importante em termos de determinação do risco de várias condições de saúde. Mas o que as pesquisas médicas de ponta têm mostrado é o fato simples de que temos o poder de alterar nosso destino genético.

Uma das áreas de pesquisa mais em alta hoje é a epigenética, o estudo de seções específicas do DNA (chamadas "marcas"), que, basicamente, dizem aos genes quando e com que força eles devem se expressar. Como regentes de uma orquestra, essas marcas epigenéticas são o controle remoto não apenas de sua saúde e longevidade, mas também de como você passará seus genes para as futuras gerações. Nossas escolhas pessoais cotidianas têm um efeito profundo na atividade de nossos genes. Isso nos dá poder. Já sabemos que nossas opções alimentares, o estresse que vivenciamos ou evitamos, os exercícios que fazemos ou deixamos de fazer, a qualidade do nosso sono e até os relacionamentos que escolhemos compõem grande parte da coreografia de quais genes serão ativos e quais serão desligados. Eis o mais convincente de tudo: podemos alterar a expressão de mais de 70% dos genes que têm influência direta em nossa saúde e longevidade.

Este capítulo explica como podemos melhorar a expressão de nossos "genes saudáveis", ao mesmo tempo em que desligamos os genes que desencadeiam eventos negativos, como os processos inflamatórios e a produção de radicais livres. Os genes que causam essas duas coisas sofrem forte influência das escolhas alimentares de gorduras e carboidratos, e essa informação dá ainda mais força às recomendações que serão feitas nos próximos capítulos.

A HISTÓRIA DA NEUROGÊNESE

Será que cada dose de bebida alcoólica que você toma realmente mata milhares de células cerebrais? Ocorre que nós não morremos com o mesmo número de neurônios com que nascemos, tampouco com aqueles que se desenvolvem na primeira infância. Nós desenvolvemos neurônios ao longo de toda a nossa vida. Também podemos fortalecer os circuitos cerebrais existentes e criar conexões novas e complexas, com novas células cerebrais. Eu tive sorte de participar dessa descoberta, que pôs abaixo gerações de ideias preconcebidas na neurociência, embora muitos ainda pensem de outra forma. Durante meus anos de faculdade eu tive a oportunidade de explorar o cérebro usando uma tecnologia que estava apenas no princípio. Foi no início da década de 1970, quando os suíços começaram a criar microscópios que podiam ser usados por neurocirurgiões realizando procedimentos cerebrais delicados. Quando essa tecnologia estava evoluindo e cirurgiões americanos estavam ansiosos para adotar essa nova abordagem à cirurgia cerebral, um problema logo se tornou claro.

Embora aprender a usar o microscópio funcional fosse relativamente fácil, os neurocirurgiões rapidamente se deram conta de que ficavam meio perdidos, em relação à compreensão da anatomia do cérebro, a partir dessa nova perspectiva microscópica. Eu tinha dezenove anos e estava apenas começando o terceiro ano de faculdade quando recebi uma ligação do dr. Albert Rhoton, um pesquisador e neurocirurgião pioneiro que se tornou internacionalmente famoso (depois de cinco décadas de uma carreira movimentada na faculdade de medicina da Universidade da Flórida, ele faleceu em 2016). Na época em que me contactou, o dr. Rhoton era um pioneiro na expansão do uso do microscópio funcional nos Estados Unidos e queria elaborar o primeiro texto sobre a anatomia do cérebro tal como era vista pelo microscópio. Ele me convidou a passar o verão seguinte estudando e mapeando o cérebro, e foi a partir dessa pesquisa que acabamos publicando uma série de artigos de pesquisa e capítulos de livros que deram aos neurocirurgiões o mapa necessário para atuar delicadamente no cérebro.

Além de anatomia, também tivemos a oportunidade de explorar e desenvolver outros aspectos da microneurocirurgia, inclusive a criação de instrumentos e procedimentos inovadores. De tanto passar o tempo atrás do microscópio, me tornei bastante experiente na manipulação e no conserto de vasos sanguíneos extremamente pequenos, que, antes do uso do microscópio, teriam sido destruídos no curso de operações cerebrais, muitas vezes com consequências ruins. Nosso laboratório havia angariado reconhecimento internacional por suas realizações nesse campo novo e empolgante, e atraiu muitos professores visitantes do mundo inteiro. E foi logo depois da visita de uma delegação de neurocirurgiões espanhóis que eu aceitei um convite para dar continuidade a minhas pesquisas no famoso Centro Ramón y Cajal, em Madri, na Espanha. O programa de microneurocirurgia do centro era elementar, mas a equipe era dedicada, e foi uma honra ajudá-los em seu esforço desbravador, particularmente na compreensão da irrigação sanguínea do cérebro. O nome do hospital é uma homenagem ao dr.

Santiago Ramón y Cajal, um patologista e neurocientista espanhol da virada do século xx que ainda é considerado o pai da neurologia moderna; havia inúmeros retratos dele nas paredes, e entre meus colegas espanhóis sentia-se o orgulho profundo por terem tido um cientista tão influente em seu próprio país. Em 1906 ele ganhou o Prêmio Nobel de Medicina por suas pesquisas pioneiras sobre a estrutura microscópica do cérebro. Ainda hoje centenas de seus desenhos, feitos à mão, são utilizados para fins didáticos.

Durante minha visita a Madri me interessei em saber mais a respeito do dr. Cajal e adquiri um profundo respeito por sua exploração da anatomia e do funcionamento do cérebro humano. Uma das suas principais doutrinas afirmava que os neurônios do cérebro eram únicos, se comparados às demais células do corpo, não apenas em razão de seu funcionamento, mas por não possuírem a capacidade de regeneração. O fígado, por exemplo, se regenera perpetuamente criando novas células hepáticas, e uma regeneração similar das células ocorre em potencialmente todos os demais tecidos, inclusive a pele, o sangue, os ossos e os intestinos.

Reconheço que a teoria de que as células cerebrais não se regeneram me foi vendida de forma convincente, mas já naquela época eu me perguntava se isso seria mesmo verdade — será que o cérebro não teria mesmo a capacidade de criar novos neurônios? Afinal de contas, pesquisadores do Instituto de Tecnologia de Massachusetts haviam mostrado que a neurogênese, o crescimento de novos neurônios cerebrais, ocorria durante todo o tempo de vida dos camundongos. E muitas coisas no corpo humano dependem da regeneração. Por exemplo, certas células sanguíneas se renovam no espaço de poucas horas, os receptores de paladar são substituídos a cada dez dias, as células epidérmicas são trocadas a cada mês, e as células musculares levam cerca de quinze dias para se renovarem totalmente. Na última década, os cientistas provaram que o músculo cardíaco — um órgão que durante muito tempo pensamos ser o mesmo desde o nascimento — na verdade também passa pela substituição de células.[1] Aos 25 anos, cerca de 1% de nossas células musculares é substituído a cada ano; mas aos 75, essa taxa cai para menos de 0,5% ao ano. Se você chegar aos oitenta anos, seu coração terá se renovado — se *substituído* — quatro vezes. Em outras palavras, você não morre com o mesmo coração com que nasceu. É difícil acreditar que só recentemente tenhamos identificado e compreendido esse fenômeno na máquina que bombeia o sangue em nosso corpo. E agora finalmente decodificamos o cérebro e descobrimos sua capacidade de autorrenovação.

O dr. Cajal não tinha como saber até que ponto o cérebro podia ser maleável e "plástico", dada a tecnologia com que trabalhava, e o fato de o DNA não ter sido codificado ainda. Em sua obra de referência, *Degeneration and Regeneration of the Nervous System* [Degeneração e regeneração no sistema nervoso], de 1928, ele afirmou: "Nos centros adultos, algumas vezes os condutos nervosos são inalteráveis, determinados e imutáveis".[2] Se eu pudesse alterar essa afirmação para refletir aquilo que sabemos hoje, eu trocaria as palavras "inalteráveis", "determinados" e "imutáveis" para o exato oposto: *alteráveis*, *indeterminados* e *mutáveis*. Também diria que as células cerebrais podem morrer, mas com toda certeza *podem* se regenerar. É fato que Cajal deu grandes contribuições ao conhecimento do cérebro e do funcionamento dos neurônios; estava até à frente de seu tempo na tentativa de compreender a patologia das inflamações. Mas sua crença de que o cérebro estava, de alguma maneira, limitado àquilo que lhe cabia é um mito que atravessou a maior parte da história humana — até que a ciência moderna, no final do século XX, provou o quão flexível o cérebro pode ser.

Em um livro anterior de minha autoria, *Power Up Your Brain: The Neuroscience of Enlightenment* [Turbine seu cérebro: A neurociência do esclarecimento], eu e o dr. Alberto Villoldo contamos a história de como a ciência veio a entender o dom da neurogênese no ser humano. Embora os cientistas tenham provado a neurogênese em diversos outros animais há muito tempo, foi só na década de 1990 que passaram a se concentrar exclusivamente na tentativa de demonstrar a neurogênese em pessoas.[3] Em 1998, a revista *Nature Medicine* publicou um artigo do neurologista sueco Peter Eriksson, em que ele afirmava ter descoberto que dentro do nosso cérebro existe uma população de células-tronco neurais que são permanentemente reabastecidas e conseguem se transformar em neurônios.[4] E ele tinha mesmo razão: todos nós passamos por uma "terapia de células-tronco" cerebral a cada minuto de nossas vidas. Isso deu origem a uma nova ciência, chamada "neuroplasticidade".

A revelação de que a neurogênese ocorre no ser humano durante toda a vida deu aos neurocientistas do mundo inteiro um novo e empolgante ponto de referência, com consequências que atingem praticamente todo o leque de transtornos cerebrais.[5] Também trouxe esperança àqueles que buscam pistas para interromper, reverter ou até curar as doenças cerebrais progressivas. A ideia da regeneração dos neurônios cerebrais criou um novo nível de motivação nos cientistas dedicados ao estudo das desordens neurodegenerativas. Também abriu o caminho para novos tratamentos que transformem a vida das pessoas que sofreram lesões ou doenças cerebrais graves. Nos livros *O cérebro que se transforma: Como a neurociência pode curar as pessoas* e *O cérebro que cura: Como a neuroplasticidade pode revolucionar o tratamento de lesões e doenças cerebrais*, Norman Doidge conta histórias reais que provam o quanto nosso cérebro — e nosso potencial humano — é adaptável.[6] Se vítimas de derrames podem reaprender a falar e pessoas nascidas com apenas parte do cérebro podem treiná-lo e reprogramá-lo para funcionar como um cérebro inteiro, imagine as possibilidades para aqueles de nós que esperam apenas preservar as próprias faculdades mentais.

A pergunta que não quer calar: é possível criar novos neurônios cerebrais? Em outras palavras, o que influencia a neurogênese? E o que podemos fazer para estimular esse processo natural?

Esse processo, como seria de esperar, é controlado pelo nosso DNA. Especificamente, um gene localizado no cromossomo 11 que tem o código da produção de uma proteína chamada "fator neurotrófico derivado do cérebro", ou BDNF. O BDNF desempenha um papel fundamental na criação de novos neurônios. Mas além de seu papel na neurogênese, o BDNF protege os neurônios existentes, garantindo sua capacidade de sobrevivência ao mesmo tempo em que estimula a formação de sinapses, a conexão de um neurônio ao outro — processo vital para o raciocínio, o aprendizado e níveis mais altos de funcionamento cerebral. Na verdade, pesquisas mostram níveis inferiores de BDNF em pacientes de Alzheimer, o que, considerando o que se sabe sobre o funcionamento do BDNF, não é motivo de surpresa.[7] Um ano depois da publicação de *A dieta da mente*, em um estudo fundamental publicado no *Journal of the American Medical Association*, pesquisadores da Universidade de Boston descobriram que, em um grupo de mais de 2100 idosos acompanhados durante dez anos, 140 desenvolveram demência.[8] Aqueles com níveis mais elevados de BDNF no sangue tinham menos da metade do risco de demência, se comparados com os que possuíam níveis mais baixos de BDNF. Comparando-se aqueles que tinham o nível de BDNF mais baixo no início do estudo com os que tinham o nível mais alto, os idosos na faixa superior do BDNF tinham um risco até 50% menor de desenvolver demência. A correlação entre BDNF e Alzheimer é tão poderosa que é vista hoje em dia como um "biomarcador" capaz de prever a capacidade da pessoa de resistir ao declínio cognitivo do Alzheimer.[9] Os níveis de BDNF não estão apenas relacionados ao Alzheimer; estão associados a uma série de condições neurológicas, inclusive a epilepsia, a anorexia nervosa, a depressão, a esquizofrenia e o transtorno obsessivo-compulsivo. Pesquisas mais recentes mostraram até mesmo que níveis reduzidos em mulheres podem ser sinônimo de um risco maior de suicídio:[10]

As seguintes condições e comportamentos foram relacionadas cientificamente a níveis reduzidos de BDNF:[11]

Alzheimer	transtornos do
esquizofrenia	neurodesenvolvimento
histórico de tentativas de	transtornos do sono
suicídio	transtornos relacionados à
obesidade	ansiedade
transtorno bipolar	vício em álcool
transtorno depressivo	vício em estimulantes
transtornos alimentares	vício em opioides

Agora temos uma compreensão firme dos fatores que fazem nosso DNA produzir BDNF. E felizmente esses fatores estão, na maioria, sob nosso controle direto. O gene que aciona o BDNF é ativado por uma série de hábitos pessoais, que incluem exercícios físicos, restrição calórica, uma dieta cetogênica e o acréscimo de certos nutrientes, como a curcumina e o DHA, uma gordura ômega 3.

Essa é uma lição valiosa, porque todos esses fatores estão ao nosso alcance e representam escolhas que podemos fazer para acionar o botão que faz crescerem novas células cerebrais. Vamos explorá-las uma a uma.

ESTE É SEU (NOVO) CÉREBRO, EXERCITADO

Vou guardar a parte mais densa desta conversa para o capítulo 8, que explora em profundidade o papel do exercício na prevenção do declínio cognitivo. As descobertas são espantosas. No estudo de 2014 da revista *JAMA*, que citei anteriormente, os pesquisadores afirmaram, referindo-se aos resultados que mostravam o poder do BDNF na proteção contra o declínio cognitivo: "Isto é de interesse especial, pois os níveis séricos de BDNF podem ser elevados por meio de medidas simples de estilo de vida, tais como atividade física ampliada."[12] De fato, o exercício físico é como um botão que liga a produção de BDNF, além de uma das maneiras mais poderosas de alterar seus genes. Em termos simples, quando se exercita, você literalmente treina seus genes. Exercícios aeróbicos, em especial, não apenas ativam seus genes relacionados à longevidade, mas também estimulam o gene BDNF, o "hormônio de crescimento" do cérebro. Mais especificamente, descobriu-se que os exercícios aeróbicos aumentam o BDNF, revertem o declínio de memória nos idosos e, além disso, aumentam o surgimento de novas células no centro de memória do cérebro. O exercício não serve apenas para ter uma aparência esbelta e um coração forte; talvez seu efeito mais poderoso passe a maior parte do tempo despercebido no andar de cima, onde nosso cérebro habita. Basta dizer que a visão científica emergente da evolução humana e do papel da atividade física dá um novo sentido à expressão "exercitar a memória". Um milhão de anos atrás, nós conseguíamos percorrer grandes distâncias porque éramos capazes de andar e correr mais longe que a maioria dos outros animais. Isso nos tornou os seres humanos inteligentes que somos hoje. Quanto mais nos mexemos, mais aguçado ficou nosso cérebro. E ainda hoje o funcionamento saudável do cérebro exige atividade física regular, apesar da passagem do tempo e dos males do processo de envelhecimento.

A RESTRIÇÃO CALÓRICA

Outro fator epigenético que ativa o gene da produção de BDNF é a restrição calórica. Estudos detalhados mostraram claramente que quando um animal é submetido a uma dieta de restrição de calorias (reduzida em torno de 30%), a produção de BDNF pelo cérebro dá um salto e ocorrem fortes melhorias na memória e em outras funções cognitivas. Mas uma coisa é ler sobre pesquisas experimentais envolvendo camundongos num ambiente controlado; outra, bem diferente, é fazer recomendações às pessoas com base em pesquisas com animais. Felizmente, agora já dispomos de amplos estudos com humanos que demonstram o efeito poderoso de uma redução na ingestão calórica sobre as funções cerebrais. Muitos desses estudos foram publicados em algumas das mais respeitadas revistas de medicina.[13]

Em janeiro de 2009, por exemplo, a *Proceedings of the National Academy of Science* publicou um estudo em que pesquisadores alemães compararam dois grupos de indivíduos idosos. Um deles reduziu as calorias em 30% e o outro foi autorizado a comer o que bem entendesse. Os pesquisadores queriam verificar se era possível medir a diferença nas funções cerebrais entre os dois grupos. Ao final dos três meses de estudo, aqueles que tinham liberdade de comer sem restrições sofreram um declínio pequeno, mas claramente definido no funcionamento da memória, enquanto no grupo com a dieta de redução calórica a memória até melhorou, e de maneira acentuada. Cientes de que as atuais abordagens farmacêuticas em relação à saúde cerebral são muito limitadas, os autores concluíram: "As presentes descobertas podem ajudar a desenvolver novas estratégias de prevenção e tratamento para manter a saúde cognitiva em idade avançada".[14]

Evidências adicionais que sustentam o papel da restrição calórica no fortalecimento do cérebro e na maior resistência às doenças degenerativas vêm do dr. Mark P. Mattson, chefe do Laboratório de Neurociências do Instituto Nacional para o Envelhecimento, que afirmou:

> Dados epidemiológicos sugerem que indivíduos com baixa ingestão de calorias podem ter uma redução no risco de derrames e desordens neurodegenerativas. Há uma forte correlação entre o consumo alimentar per capita e o risco de mal de Alzheimer e derrames. Dados de estudos caso-controle de base populacional mostraram que os indivíduos com a menor ingestão diária de calorias tiveram os menores riscos de mal de Alzheimer e de Parkinson.[15]

Mattson estava se referindo a um estudo longitudinal prospectivo, de base populacional, com famílias nigerianas em que alguns membros se mudaram para os Estados Unidos. Esse estudo específico conta uma história diferente para aqueles que acreditam que o Alzheimer é algo que você tem no próprio DNA. Foi demonstrado que a incidência de Alzheimer entre os imigrantes nigerianos vivendo nos Estados Unidos aumentou, se comparada aos parentes que permaneceram na Nigéria. Geneticamente, os nigerianos que se mudaram para os Estados Unidos eram iguais aos parentes que permaneceram.[16] Tudo que mudou foi o ambiente — especificamente, a ingestão calórica. A pesquisa concentrou-se claramente nos efeitos negativos de um consumo de calorias mais alto sobre a saúde cerebral. Em um estudo de 2016, publicado na *Johns Hopkins Health Review*, Mattson mais uma vez ressaltou a importância da restrição de calorias para evitar doenças neurodegenerativas, ao mesmo tempo que se melhora a memória e o humor.[17] Uma das maneiras de fazer isso é por meio dos jejuns intermitentes, que vamos explorar plenamente no capítulo 7. Outra, obviamente, é enxugar o consumo diário.

Se a perspectiva de reduzir seu consumo de calorias em 30% parece assustadora, pense no seguinte: em média, consumimos 23% mais calorias por dia do que em 1970.[18] Com base em dados da Organização das Nações Unidas para Alimentação e Agricultura, o adulto americano médio consome mais de 3600 calorias por dia.[19] A maioria consideraria um consumo calórico "normal" em torno de 2 mil calorias diárias, para mulheres, e 2550, para homens (com exigências maiores segundo o nível de atividade/ exercício). Um corte de 30% nas calorias, de uma média de 3600 por dia, representa 1080 calorias.

Grande parte do aumento de nosso consumo de calorias se deve ao açúcar. O americano médio consome diariamente cerca de 163 gramas (652 calorias) de açúcar refinado — o que reflete um aumento de 30% somente nas três últimas décadas.[20] Desse total, cerca de 76 gramas (302 gramas) provêm de xarope de milho rico em frutose. Portanto, concentrar-se somente na redução da ingestão de açúcar já seria meio caminho andado para alcançar uma redução significativa na ingestão de calorias, o que obviamente ajudaria na perda de peso. Com efeito, a obesidade propriamente dita está associada a níveis reduzidos de BDNF, assim como a elevação do açúcar no sangue. É bom lembrar ainda que um aumento do BDNF acarreta o benefício extra de uma redução no apetite. É o que eu chamo de duplo benefício.

Mas se os números acima ainda não são suficientes para motivá-lo no sentido de uma dieta que ajude seu cérebro, o mesmo processo que ativa a produção de BDNF pode, em muitos aspectos, ser ativado por jejuns intermitentes (que, repetindo, vamos discutir mais amplamente no capítulo 7).

Porém, na verdade, os efeitos benéficos do tratamento de condições neurológicas por meio da restrição calórica não são novidade para a ciência moderna; eles são conhecidos desde a Antiguidade. A restrição calórica foi o primeiro tratamento eficaz para crises epiléticas na história da medicina. Mas agora sabemos como e por que ela é tão eficaz. Ela confere profunda proteção neurológica, estimula o crescimento de novas células cerebrais e permite que as redes neurais existentes expandam sua esfera de influência (isto é, neuroplasticidade).

Embora a ingestão reduzida de calorias esteja bem documentada no que diz respeito à promoção da longevidade em diversas espécies — inclusive nematódeos, roedores e macacos —, as pesquisas também demonstraram que uma baixa ingestão calórica está associada com uma incidência menor de Alzheimer e Parkinson. E os mecanismos pelos quais isso ocorre são por meio de uma função mitocondrial melhorada e do controle da expressão gênica.

O consumo de menos calorias reduz a geração de radicais livres, ao mesmo tempo em que estimula a produção de energia das mitocôndrias, minúsculos organelos em nossas células que geram energia química sob a forma de ATP (adenosina trifosfato). As mitocôndrias têm seu próprio DNA e hoje sabemos que desempenham um papel-chave em doenças degenerativas, como o Alzheimer e o câncer. A restrição calórica também exerce um forte efeito na redução da apoptose, processo pelo qual as células sofrem uma autodestruição. A apoptose acontece quando são ligados mecanismos genéticos internos das células que culminam na sua morte. Embora de início possa parecer surpreendente que esse processo seja visto como positivo, a apoptose é uma função celular crucial para a vida tal qual a conhecemos. A morte pré-programada das células é uma parte normal e vital de todos os tecidos vivos, mas deve haver um equilíbrio entre a apoptose efetora e a apoptose de degradação. Além disso, a restrição calórica desencadeia uma redução dos fatores inflamatórios e um aumento nos fatores neuroprotetores, mais especificamente o BDNF. Também ficou demonstrado o aumento das defesas antioxidantes naturais do corpo pelo estímulo a enzimas e moléculas importantes na destruição do excesso de radicais livres.

Em 2008, a dra. Verónica Araya, da Universidade do Chile, em Santiago, publicou um estudo realizado por ela em que indivíduos obesos e com sobrepeso foram postos numa dieta de restrição de calorias de três meses, com uma redução total de 25% das calorias.[21] Ela e seus colegas registraram um aumento excepcional na produção de BDNF, que por sua vez levou a reduções notáveis no apetite. Também foi mostrado que o oposto ocorre: a produção de BDNF diminui em animais com uma dieta rica em açúcar.[22] Resultados como esse foram replicados desde então.

Uma das moléculas mais bem estudadas, associadas à restrição calórica e ao surgimento de novas células cerebrais, é a sirtuína (SIRT1), uma enzima que regula a expressão gênica. Nos macacos, uma ativação maior da sirtuína 1 estimula uma enzima que degrada amiloides — a proteína semelhante ao amido cujo acúmulo é uma marca de doenças como o Alzheimer.[23] Além disso, a ativação da sirtuína 1 altera certos receptores nas células, levando a reações cujo efeito geral é uma redução dos processos inflamatórios. Talvez de forma mais importante, a ativação do processo da sirtuína pela restrição calórica estimula o BDNF. Não apenas as células-tronco cerebrais aumentaram em número, mas sua diferenciação em neurônios cerebrais é estimulada pelo BDNF (uma vez mais em função da restrição calórica). É por essa razão que dizemos que o BDNF melhora o aprendizado e a memória.[24]

OS BENEFÍCIOS DE UMA DIETA CETOGÊNICA

Embora a restrição calórica possa ativar esses diferentes processos, que não apenas protegem o cérebro, mas estimulam o crescimento de novas redes neuronais, eles também podem ser ativados pelo consumo de gorduras especiais, chamadas cetonas. De longe, a gordura mais importante para a utilização de energia pelo cérebro é o beta-hidroxibutirato (beta-HBA), e vamos explorar essa gordura singular mais detalhadamente no próximo capítulo. É por isso, na verdade, que a chamada "dieta cetogênica" tem sido um tratamento para a epilepsia desde o início dos anos 1920 e agora está sendo reavaliada como uma poderosíssima opção terapêutica no tratamento de Parkinson, Alzheimer, ELA e até autismo.[25] Também tem se mostrado promissora na perda de peso e no fim do diabetes tipo 2. Em modelos com camundongos, a dieta recupera déficits de memória hipocampal e estende o tempo de vida saudável.

Dê um Google no termo "dieta cetogênica" e aparecerão mais de 1 milhão de resultados. Entre 2015 e 2017, as buscas no Google pelo termo em inglês "keto" aumentaram nove vezes. Mas estudos demonstrando o poder da dieta cetogênica datam de muito antes. Em um estudo de 2005, por exemplo, pacientes de Parkinson tiveram uma melhora notável em seus sintomas, comparável à de medicamentos e até de cirurgia cerebral, depois de adotar uma dieta cetogênica por apenas 28 dias.[26] Especificamente, constatou-se que o consumo de gorduras cetogênicas (isto é, triglicérides de cadeia média, ou óleo MCT) gera uma melhora significativa nas funções cognitivas dos pacientes de Alzheimer.[27] O óleo de coco, do qual derivamos o MCT, é uma fonte rica de uma importante molécula precursora do beta-hidroxibutirato e uma abordagem eficiente para o tratamento do Alzheimer.[28] Também se verificou que a dieta cetogênica reduz os amiloides no cérebro[29] e aumenta no hipocampo um antioxidante protetor do cérebro natural do corpo, chamado glutationa.[30] Além disso, estimula o crescimento das mitocôndrias, aumentando, assim, a eficiência metabólica.[31]

Dominic D'Agostino é pesquisador em neurociência, farmacologia molecular e fisiologia na Universidade do Sul da Flórida. Ele já escreveu muita coisa a respeito dos benefícios da dieta cetogênica, e na minha entrevista para o canal *Empowering Neurologist*, ele afirmou:

> As pesquisas mostram que as cetonas são substratos de energia poderosos para o cérebro, protegendo-o ao melhorar as defesas antioxidantes e ao mesmo tempo suprimindo processos inflamatórios. Sem dúvida, é por isso que a cetose nutricional é algo que as empresas farmacêuticas estão tentando replicar de forma agressiva.

Também estudei bastante para compreender os benefícios cerebrais da cetose — um estado metabólico em que o organismo queima gordura para obter energia, criando cetonas nesse processo. Simplificando, nosso corpo está em estado de cetose quando está criando cetonas para obter combustível, em vez de depender da glicose. E o cérebro ama isso.

Embora a ciência tradicionalmente tenha visto o fígado como a fonte principal da produção de cetona na fisiologia humana, hoje se reconhece que o cérebro também pode produzir cetonas em células especiais, chamadas astrócitos. Esses corpos cetônicos são profundamente neuroprotetores. Reduzem a produção de radicais livres no cérebro, elevam a biogênese mitocondrial e estimulam a produção de antioxidantes ligados ao cérebro. Além disso, as cetonas bloqueiam o processo apoptótico que, do contrário, levaria à autodestruição de células cerebrais.

Infelizmente, as cetonas sempre tiveram uma imagem ruim. Lembro-me, durante minha residência médica, que certa vez uma enfermeira me acordou para tratar de um paciente em "cetoacidose diabética". Médicos, estudantes de medicina e residentes ficam com medo quando encaram o desafio de um paciente nesse estado — e com razão. Ele ocorre nos diabéticos tipo 1 dependentes de insulina, quando não há insulina disponível para metabolizar a glicose como combustível. O corpo se volta para a gordura, que produz essas cetonas em quantidades perigosamente elevadas, que se tornam tóxicas quando se acumulam no sangue. Ao mesmo tempo, há uma profunda perda de bicarbonato, e isso leva a uma redução significativa do pH (acidose). Como resultado, em geral, os pacientes perdem muita água, devido aos níveis elevados de açúcar no sangue, e surge uma emergência médica.

Essa é uma condição extremamente rara e, repito, ela ocorre em diabéticos tipo 1 que não conseguem regular seus níveis de insulina. Nossa fisiologia normal evoluiu para lidar com algum grau de cetonas no sangue; na verdade, somos bastante singulares em meio a nossos camaradas do reino animal, possivelmente por causa de nosso cérebro (pesado em relação ao corpo) e à sua alta demanda de energia. Em descanso, 20% do nosso consumo de oxigênio cabem ao cérebro, que representa apenas 2% do corpo humano. Em termos evolutivos, a capacidade de usar as cetonas como combustível quando se exauriu o açúcar do sangue e o glicogênio do fígado não está mais disponível (durante um período de fome) tornou-se obrigatória, se quiséssemos sobreviver e continuar a caçar e coletar. A cetose mostrou-se um passo crucial na evolução humana, permitindo-nos resistir durante períodos de escassez alimentar. Citando Gary Taubes, na verdade, podemos definir essa cetose moderada como o estado normal do metabolismo humano quando não estamos ingerindo os carboidratos que não existiam em nossas dietas durante 99,9% da história humana. Dessa forma, pode-se afirmar que a cetose não apenas é uma condição natural, mas até particularmente sadia.[32]

Há uma relação entre cetose e restrição calórica, e juntos os dois podem ser uma arma poderosa na melhoria da saúde cerebral. Quando se restringem calorias (e em especial carboidratos) e ao mesmo tempo se aumenta a ingestão de gordura, desencadeia-se a cetose e aumentam-se os níveis de cetonas no sangue. Em 2012, quando pesquisadores da Universidade de Cincinnati atribuíram aleatoriamente a 23 idosos com comprometimento cognitivo leve dietas ou ricas ou muito pobres em carboidratos durante seis semanas, registraram alterações notáveis no grupo pobre em carboidratos.[33] Observaram não apenas melhoria no desempenho da memória verbal, mas também redução no peso, na circunferência da cintura, na glicemia de jejum e na insulina de jejum. Pois bem, eis o ponto importante: "Os níveis cetônicos estavam positivamente correlacionados ao desempenho da memória".

Pesquisadores alemães, já em 2009, demonstraram em cinquenta indivíduos idosos saudáveis, com peso normal ou sobrepeso, que, quando se restringem as calorias concomitantemente a um aumento de 20% na gordura alimentar, há um aumento mensurável das notas de memória verbal.[34] Outro estudo pequeno, certo, mas cujos resultados foram publicados na respeitável revista *Proceedings of the National Academy of Sciences*, gerando novas pesquisas semelhantes àquela da experiência de 2012. Esses indivíduos, quando comparados àqueles que não tiveram restrição calórica, demonstraram melhoria nos níveis de insulina e declínio na proteína C-reativa, o famigerado marcador de processos inflamatórios. Como esperado, a melhora mais pronunciada ocorreu naqueles que seguiram mais estritamente a dieta imposta.

As pesquisas e o interesse pela cetose vêm explodindo nos últimos anos, e continuarão assim. A chave para obter a cetose, como veremos em detalhes mais à frente, é cortar fortemente os carboidratos e aumentar a gordura alimentar. É simples assim. Você precisa restringir os carboidratos, se quiser que seu cérebro atinja o bem-estar.

A CURCUMINA E O DHA

Atualmente, a curcumina, principal ingrediente ativo da cúrcuma, é objeto de intensas pesquisas científicas, principalmente no que diz respeito ao cérebro. Tem sido usada na medicina tradicional chinesa e indiana (ayurvédica) há milhares de anos. Embora seja bastante conhecida por suas propriedades antioxidantes, anti-inflamatórias, antifúngicas e antibacterianas, é especificamente sua capacidade de aumentar o BDNF que tem atraído o interesse de neurocientistas do mundo inteiro, principalmente epidemiologistas em busca de pistas que expliquem por que a prevalência de demência é especialmente reduzida em comunidades onde a cúrcuma é usada em abundância. Em 2018, um estudo realizado por pesquisadores da UCLA chegou à imprensa, devido a seus resultados espantosos: pessoas com leves problemas de memória que tomaram noventa miligramas de curcumina duas vezes por semana, durante um ano e meio, vivenciaram melhoria significativa na memória e na capacidade de atenção.[35] Também tiveram ganhos de humor. Foi um estudo bem bolado, controlado por placebo e com método duplo-cego, envolvendo quarenta adultos entre os cinquenta e os noventa anos de idade. No início do estudo e ao final dos dezoito meses, trinta dos voluntários passaram por PET scans (tomografias por emissão de pósitrons), para determinar os níveis de amiloide e proteínas tau em seus cérebros (as proteínas tau são um componente microscópico das células cerebrais, essenciais para a sobrevivência dos neurônios. Mas, quando sofrem alterações químicas, podem ficar danificadas, tornando-se nocivas). Depois da experiência, as tomografias cerebrais apresentavam sinais significativamente menores de amiloides e tau nas regiões do cérebro que controlam a memória e funções emocionais, na comparação com aqueles que receberam o placebo. Os pesquisadores estão iniciando um estudo de follow-up com um número maior de participantes (mais sobre a curcumina no capítulo 7).

Talvez nenhuma outra molécula estimuladora do cérebro tenha recebido tanta atenção ultimamente quanto o ácido docosaexaenoico (DHA). Nas últimas décadas, os cientistas têm estudado de forma intensa essa gordura crucial para o cérebro, por pelo menos três razões. Em primeiro lugar, mais de dois terços do peso seco do cérebro humano vêm de gordura e, dessa gordura, um quarto é DHA. Estruturalmente, o DHA é um importante "tijolo" para as membranas que envolvem as células cerebrais, sobretudo as sinapses, que estão no cerne de um funcionamento eficiente do cérebro. Diversos estudos demonstraram uma correlação entre os níveis de DHA e o volume do cérebro, entre eles um de 2014 que analisou mais de 1100 mulheres no pós-menopausa, inscritas no Estudo de Memória da Women's Health Initiative.[36] Como ocorre em muitos estudos do gênero, os pesquisadores usaram ressonâncias magnéticas do cérebro para medir o volume cerebral, tanto no começo do estudo quanto oito anos depois. Níveis mais elevados de DHA representaram um cérebro maior, especificamente no que diz respeito ao volume do hipocampo. Um estudo anterior, de 2012, chegou aos mesmos resultados depois de examinar mais de 1500 homens e mulheres que faziam parte do Estudo de Framingham.[37] É uma boa notícia para todos nós que desejamos frear o encolhimento natural do cérebro que ocorre com a idade, pois dá para agir consumindo mais DHA.

Em segundo lugar, o DHA é um importante regulador dos processos inflamatórios. Reduz naturalmente a atividade da enzima COX-2, que ativa a produção de substâncias químicas inflamatórias danosas. O DHA também age como um soldado, sob muitos aspectos, quando invade território hostil provocado por uma dieta ruim. Pode enfrentar os processos inflamatórios quando ocorre uma "guerra" dentro do revestimento intestinal de uma pessoa sensível ao glúten. E pode bloquear os efeitos ruinosos de uma dieta rica em açúcar, especialmente frutose, e ajudar a prevenir disfunções metabólicas do cérebro resultantes do excesso de carboidratos na dieta. Em 2016, o *American Journal of Clinical Nutrition* relatou que o DHA supera outro ácido graxo ômega 3 popular, o ácido eicosapentaenoico (EPA), no que se refere às propriedades anti-inflamatórias. Nas palavras dos pesquisadores, "o DHA é mais eficaz que o EPA na modulação de marcadores específicos de inflamação, assim como de lipídios do sangue".[38]

A terceira, e talvez mais interessante, atividade do DHA é seu papel na regulagem da expressão gênica para a produção de BDNF. Em termos simples, o DHA ajuda a orquestrar a produção, a conectividade e a viabilidade das células cerebrais, ao mesmo tempo que estimula seu funcionamento.

Em um estudo intervencional com método duplo-cego, hoje conhecido pelo nome de Midas (sigla em inglês para "estudo de melhoria de memória com DHA), um grupo de 485 indivíduos com média de idade de setenta anos e leves problemas de memória recebeu um suplemento contendo DHA de algas marinhas ou um placebo, durante seis meses.[39] Ao final do estudo, não apenas os níveis de DHA no sangue tinham dobrado no grupo que recebia DHA, mas os efeitos nas funções cerebrais foram notáveis. A principal autora do estudo, a dra. Karin Yurko-Mauro, comentou:

Em nosso estudo, pessoas saudáveis com queixas de memórias que tomaram cápsulas de DHA de algas durante seis meses reduziram praticamente pela metade os erros em um teste que mede a aprendizagem e o desempenho da memória, em relação àqueles que tomaram um placebo [...] o benefício é, grosso modo, o equivalente a ter os níveis de aprendizagem e memória de alguém três anos mais jovem.

Outro estudo, feito com 815 indivíduos com idades entre 65 e 94 anos, concluiu que aqueles que consumiram a maior quantidade de DHA tiveram uma incrível redução de 60% no risco de desenvolver Alzheimer.[40] Tal nível de proteção supera outros ácidos graxos populares, como o EPA e o ácido linoleico. O Estudo do Coração de Framingham também apontou um efeito protetor fantástico. Quando os pesquisadores compararam os níveis de DHA no sangue em 899 homens e mulheres durante um período de quase dez anos, durante o qual algumas pessoas desenvolveram demência e Alzheimer, calculou-se um risco 47% menor de tais diagnósticos naqueles que mantiveram os níveis mais elevados de DHA no sangue.[41] Os pesquisadores também descobriram que consumir mais de duas porções de peixe por semana estava associado a uma redução de 59% na ocorrência de Alzheimer.

> Quando os pais me perguntam como podem agir em relação aos problemas comportamentais, costumo mencionar o DHA. Devido a seu papel no desencadeamento do BDNF, ele é importante in utero, assim como no bebê e na criança. Mas muitas crianças hoje em dia não recebem o DHA suficiente, e é em parte por isso que temos visto tantos casos de transtorno de déficit de atenção e hiperatividade (TDAH). Já perdi a conta de quantas vezes "curei" TDAH apenas receitando um suplemento de DHA. No capítulo 10, darei minhas recomendações de dosagem para este importante suplemento.

Como podemos elevar nosso DHA? Nosso corpo consegue fabricar pequenas quantidades de DHA e nós podemos sintetizá-lo a partir de uma gordura alimentar ômega 3 comum, o ácido alfa-linoleico. Mas é difícil conseguirmos todo o DHA de que necessitamos com aquilo que comemos, e não podemos confiar, tampouco, na sua produção natural pelo corpo. Precisamos de pelo menos duzentos a trezentos miligramas diários, mas a maioria dos americanos consome menos de 25% desse total, e seria bom passarmos esse mínimo básico. No capítulo 10, proponho minha receita para garantir que você tenha a dose suficiente por meio de fontes alimentares e suplementos.

O ESTÍMULO INTELECTUAL DESENVOLVE NOVAS REDES

Se o senso comum não nos dissesse que manter o cérebro intelectualmente estimulado é bom para a saúde, então as palavras cruzadas, os cursos de educação continuada, as visitas aos museus e até mesmo a leitura não seriam tão populares. Todos nós sabemos que desafiar a mente fortalece novas redes neurais, mais ou menos como nossos músculos ganham força e funcionalidade quando são desafiados fisicamente pelo exercício. Não apenas nosso cérebro se torna mais rápido e eficiente em sua capacidade de processamento, mas também consegue armazenar mais informações. Uma vez mais, o resumo que o dr. Mattson faz das provas existentes na literatura médica é informativo:

Em relação ao envelhecimento e às desordens neurodegenerativas relacionadas à idade, os dados disponíveis sugerem que aqueles comportamentos que estimulam a complexidade dendrítica e a plasticidade sináptica também promovem um envelhecimento saudável e reduzem o risco dessas desordens.[42]

Ele prossegue oferecendo diversos exemplos. Observa que gente mais instruída tem um risco menor de sofrer de Alzheimer, e que a proteção contra desordens neurodegenerativas relacionadas à idade costuma começar nas primeiras décadas de vida. Com esse objetivo, o dr. Mattson cita estudos que mostram que aqueles com maior habilidade linguística quando jovens adultos têm um risco reduzido de demência. E escreve que "dados de estudos com animais sugerem que uma atividade maior nos circuitos neurais, resultante da atividade intelectual, estimula a expressão de genes que têm um papel em seus efeitos neuroprotetores".

O PODER DA MEDITAÇÃO

Meditar está longe de ser uma atividade passiva. Pesquisas mostram que quem medita tem um risco muito menor de sofrer doenças cerebrais, entre outras.[43] Aprender a meditar exige tempo e prática, mas a atividade gera diversos benefícios comprovados, todos eles com um papel importante em nossa longevidade. Visite meu site, DrPerlmutter.com, para ler sobre recursos que ajudam a aprender essa técnica.

A FALÁCIA DOS ANTIOXIDANTES[44]

Por toda parte se veem anúncios que proclamam as virtudes de um suco ou extrato de frutas exótico com o mais alto conteúdo em antioxidantes do planeta. Isso pode levá-lo a pensar: por que tanto barulho? Qual o benefício de ingerir um antioxidante? Como a esta altura você já sabe, os antioxidantes ajudam a controlar os radicais livres do mal, e o cérebro gera enormes quantidades de radicais livres. Felizmente, hoje em dia já sabemos como compensar essa disparidade danosa, mas é impossível fazer isso apenas com o consumo de antioxidantes. Nosso DNA pode, de fato, ativar a produção de antioxidantes protetores na presença de sinais específicos, e esse sistema interno antioxidante é muito mais poderoso que qualquer suplemento nutricional. Por isso, se você está ingerindo frutas vermelhas exóticas ou se enchendo de vitaminas E e C na tentativa de derrotar esses radicais livres, leve em conta o que segue abaixo.

Em 1956, o dr. Denham Harman demonstrou que radicais livres podem ser "derrotados" por antioxidantes, dando origem a toda uma indústria.[45] Sua teoria se tornou mais sofisticada em 1972, quando ele reconheceu que as mitocôndrias, a verdadeira fonte dos radicais livres, correm elas próprias um risco maior de sofrer danos com esses radicais, e que quando o funcionamento das mitocôndrias fica comprometido por causa desses danos ocorre o envelhecimento.[46]

A compreensão do poderoso efeito destruidor dos radicais livres, especialmente no que diz respeito ao cérebro, incentivou os pesquisadores a procurar antioxidantes melhores para abastecer o cérebro com alguma proteção e, assim, não apenas interromper doenças, mas talvez melhorar seu funcionamento também. Por exemplo, a relação entre o comprometimento cognitivo leve e os radicais livres foi detalhadamente descrita em um artigo do falecido dr. William Markesbery, da Universidade de Kentucky, em 2007 (ele morreu em 2010). Em seu artigo, o dr. Markesbery e seus colegas demonstraram que as funções cognitivas começam a declinar cedo — muito antes do diagnóstico de uma doença cerebral. Ele também observou que marcadores elevados de danos oxidativos a gorduras, proteínas e até o DNA têm uma correlação direta com o grau de comprometimento mental. Markesbery afirma: "Esses estudos estabelecem o dano oxidativo como um evento precoce na patogênese do mal de Alzheimer, que pode servir como um alvo terapêutico para retardar a evolução ou talvez o aparecimento da doença".[47]

Os autores prosseguem:

Antioxidantes e agentes melhores, usados em combinação com reguladores que elevam os mecanismos de defesa contra a oxidação, serão necessários para neutralizar o componente oxidante da patogênese do mal de Alzheimer. É bastante provável que, para otimizar esses agentes neuroprotetores, eles tenham que ser usados na fase pré-sintomática da doença.

Em termos mais simples: precisamos estimular as defesas inatas do corpo contra os radicais livres muito antes que venham à tona os sinais e sintomas de declínio cognitivo. E quando reconhecemos que, se vivermos além dos 85 anos, nosso risco de Alzheimer é de 50%, muitas pessoas devem levar em conta que já são "pré-sintomáticas".

Portanto, se nosso tecido cerebral está sendo atacado pelos radicais livres, não faz sentido se encher de antioxidantes? Para respondera a essa pergunta, precisamos levar em conta os fornecedores de energia para nossas células, as mitocôndrias. No processo normal de produção de energia, cada mitocôndria produz centenas, senão milhares de moléculas de radicais livres por dia. Multiplique isso pelos 10 quatrilhões de mitocôndrias que cada um de nós possui e chegamos a um número inconcebível, 10 seguido de dezoito zeros. Poderíamos pensar: que eficácia teria, digamos, uma cápsula de vitamina E ou uma vitamina C solúvel diante desse massacre de radicais livres? Os antioxidantes comuns funcionam se sacrificando para tornar-se oxidados quando estão diante dos radicais livres. Assim, uma molécula de vitamina C é oxidada por um radical livre (essa química um-por-um é chamada pelos químicos de "reação estequiométrica"). Você consegue imaginar quanta vitamina C, ou outro antioxidante oral, seria necessário tomar para neutralizar um número indizível de radicais livres gerados diariamente pelo corpo?

Felizmente, e como seria de esperar, a fisiologia humana desenvolveu sua própria bioquímica para criar antioxidantes mais protetores nos momentos de elevado estresse oxidativo. Longe de depender inteiramente de fontes alimentares externas de antioxidantes, nossas células têm sua própria capacidade inata de gerar enzimas antioxidantes conforme a necessidade. Níveis altos de radicais livres ativam uma proteína específica no núcleo, chamada Nrf2, que basicamente abre a porta para a produção de um vasto leque não apenas dos mais importantes antioxidantes do nosso corpo, mas também de enzimas desintoxicantes. Por isso, se o excesso de radicais livres acarreta uma produção melhor de antioxidantes através desse processo, a pergunta que se segue é óbvia: o que mais ativa a Nrf2?

É aí que a história fica realmente empolgante. Novas pesquisas identificaram diversos fatores modificáveis que podem "apertar o botão" da Nrf2, ativando genes que conseguem produzir antioxidantes poderosos e enzimas desintoxicantes. O farmacologista Ling Gao descobriu que quando as gorduras ômega 3 EPA e DHA se oxidam, ocorre uma ativação significativa do processo da Nrf2. Durante vários anos os pesquisadores observaram níveis menores de danos dos radicais livres em indivíduos que consomem óleo de peixe (fonte de EPA e DHA), mas, graças a essa nova pesquisa, a relação entre o óleo de peixe e a proteção antioxidante ficou clara. Como escreveu o dr. Gao, "nossos dados sustentam a hipótese de que a formação de [...] compostos gerados pela oxidação de EPA e DHA in vivo pode atingir concentrações altas o bastante para induzir antioxidantes com base na Nrf2 e [...] sistemas de defesa desintoxicantes".[48]

DESINTOXICAÇÃO: O QUE ELA REPRESENTA PARA A SAÚDE CEREBRAL

O corpo humano produz uma impressionante variedade de enzimas que servem para combater o grande número de toxinas às quais somos expostos tanto no ambiente externo quanto internamente, geradas no curso normal do nosso metabolismo. Essas enzimas são produzidas sob a direção do nosso DNA e evoluíram ao longo de centenas de milhares de anos.

A glutationa é vista como um dos mais importantes agentes desintoxicantes do cérebro humano. Substância química relativamente simples, a glutationa é um tripeptídeo, o que significa que consiste em apenas três aminoácidos. Mas, apesar de sua simplicidade, a glutationa tem um papel amplo na saúde do cérebro. Em primeiro lugar, ela funciona como um importante antioxidante na fisiologia celular, não apenas ajudando a proteger as células dos danos dos radicais livres, mas, talvez de forma mais importante, protegendo as delicadas mitocôndrias, que ajudam a sustentar a vida. A glutationa é um antioxidante tão importante que muitos cientistas medem o nível de glutationa nas células como um indicador geral da saúde celular. A glutationa também tem um papel poderoso na química da desintoxicação, ligando-se a várias toxinas para torná-las menos nocivas. Ainda mais importante é o fato de a glutationa servir como substrato para a enzima glutationa S-transferase, envolvida na transformação de inúmeras toxinas, tornando-as mais solúveis em água e, dessa forma, mais facilmente excretadas. Deficiências no funcionamento dessa enzima estão associadas a um amplo número de problemas de saúde, incluindo melanoma, diabetes, asma, câncer de mama, Alzheimer, glaucoma, câncer pulmonar, ELA, Parkinson e enxaquecas, entre outros. Com essa compreensão do papel fundamental da glutationa tanto como antioxidante quanto como desintoxicante, faz sentido todo o esforço possível para manter e até aumentar os níveis de glutationa, que é exatamente o que a minha dieta vai ajudá-lo a atingir.

Não surpreende que tenha sido comprovado, numa série de modelos de laboratório, que a restrição calórica induza a ativação da Nrf2. Quando as calorias são reduzidas na dieta de animais de laboratório, não apenas eles vivem mais tempo (provavelmente resultado de uma maior proteção antioxidante), mas se tornam muito resistentes ao desenvolvimento de diversos tipos de câncer. E é esse o atributo que dá força ao programa de jejum descrito no próximo capítulo.

Foram identificados vários compostos naturais que acionam processos antioxidantes e desintoxicantes por meio da ativação do sistema Nrf2. Entre eles estão a curcumina, da cúrcuma; o extrato de chá verde; a silimarina, do cardo mariano; o extrato de bacopa; o DHA; o sulforafano, presente no brócolis; e a ashwagandha. Cada uma dessas substâncias é eficaz no acionamento da produção inata, pelo corpo, de antioxidantes-chave, inclusive a glutationa. E se nenhum desses compostos parece algo que você esteja acostumado a usar diariamente na sua dieta, você ficará satisfeito de saber que o café é um dos ativadores de Nrf2 mais poderosos da natureza. Várias moléculas no café, algumas delas parcialmente presentes no café bruto, outras geradas durante o processo de torrefação, são responsáveis por esse efeito positivo.[49]

Além da função antioxidante, a ativação do processo da Nrf2 aciona os genes que produzem uma ampla gama de substâncias químicas protetoras, que dão ainda mais sustentação aos processos de desintoxicação do corpo, ao mesmo tempo que reduzem os processos inflamatórios. Tudo isso é bom para a saúde cerebral.

O "GENE DO ALZHEIMER"

Desde que o genoma humano foi completamente decodificado, mais de quinze anos atrás, conseguimos acumular uma grande quantidade de evidências a respeito das consequências, boas ou más, mapeadas por certos genes. Se você prestou atenção no noticiário no início ou em meados dos anos 1990, provavelmente ficou sabendo que os cientistas haviam descoberto um "gene do Alzheimer", uma associação entre um gene específico e o risco de ter Alzheimer. E você deve ter pensado: *será que eu tenho?*

Primeiro, uma aula rápida de bioquímica, um oferecimento do Instituto do Envelhecimento, parte do Instituto Nacional de Saúde. Mutações genéticas, ou alterações permanentes em um ou mais genes específicos, nem sempre causam doenças. Mas algumas causam, e se você herdou uma mutação causadora de doença, provavelmente vai desenvolver essa doença. A anemia falciforme, a doença de Huntington e a fibrose cística são exemplos de desordens herdadas geneticamente. Às vezes, uma *variante* genética pode ocorrer, em que alterações em um gene podem levar a uma doença, mas nem sempre. O mais comum é que a variante simplesmente aumente ou diminua o risco de a pessoa desenvolver determinada doença ou condição. Se é sabido que uma variante aumenta o risco, mas não desencadeia necessariamente a doença, é chamada de "fator de risco genético".[50]

É preciso deixar claro que os cientistas não identificaram um gene específico que cause o Alzheimer. Mas um fator de risco genético que parece aumentar o risco de desenvolver a doença está associado ao gene da apolipoproteína E (ApoE), no cromossomo 19. Ele tem o código com as instruções para fabricar uma proteína que ajuda a transportar o colesterol e outros tipos de gordura na corrente sanguínea. Ele se apresenta sob várias formas diferentes, ou alelos. As três principais formas são o ApoE ε2, o ApoE ε3 e o ApoE ε4.

O ApoE ε2 é relativamente raro, mas se você herdar esse alelo tem uma probabilidade maior de desenvolver Alzheimer em idade avançada. O ApoE ε3 é o alelo mais comum, mas se acredita que não aumente nem diminua o risco. O ApoE ε4, porém, é aquele que é mais mencionado nos meios de comunicação e mais temido. Na população em geral, está presente em 25% a 30% das pessoas, e cerca de 40% das pessoas com Alzheimer carregam esse alelo. Por isso, mais uma vez, você deve estar imaginando se carrega esse fator de risco e o que isso pode significar para você e seu futuro.

Infelizmente, não sabemos como esse alelo aumenta o risco individual de Alzheimer. Ainda se conhece pouco a respeito do mecanismo. Quem nasce com o alelo ApoE ε4 tem maior probabilidade de desenvolver a doença cedo em relação àqueles que não o carregam. É importante lembrar que herdar um alelo ApoE ε4 não significa que sua sorte esteja selada. Você não desenvolverá necessariamente o Alzheimer. Algumas pessoas cujo DNA contém o alelo ApoE ε4 nunca sofrem de qualquer declínio cognitivo. E há inúmeras pessoas que desenvolvem Alzheimer sem possuir esse fator de risco genético.

Um simples teste de DNA pode determinar se você possui esse gene, mas mesmo que você o possua, há algo que pode fazer a respeito. Sempre afirmo que é possível controlar o futuro do seu cérebro, a despeito do seu DNA. Nunca é demais repetir: o destino da sua saúde — e sua paz de espírito, como mostrará o próximo capítulo — está, na maior parte, em suas mãos.

6. A fuga do seu cérebro
Como o glúten acaba com a sua paz de espírito, e com a de seus filhos

> *Via de regra, o que está fora da vista perturba mais a mente dos homens do que aquilo que pode ser visto.*
> Júlio César

Se os açúcares e os carboidratos recheados de glúten, inclusive seu pão integral diário ou aquelas comidas que você está acostumado a comer, corroem lentamente a saúde de longo prazo e a funcionalidade do seu cérebro, o que mais esses ingredientes podem produzir no curto prazo? Será que eles podem provocar alterações de comportamento, tirar o foco e a concentração, e estar por trás de alguns tiques nervosos e problemas de humor (como a depressão)? Seriam eles os culpados por dores de cabeça crônicas e até enxaquecas?

Sim. Os males vão muito além de simplesmente prejudicar a neurogênese e aumentar seu risco de problemas cognitivos que evoluirão silenciosamente ao longo do tempo. Como já foi dito nos capítulos anteriores, uma dieta rica em carboidratos inflamatórios e pobre em gorduras saudáveis prejudica a mente de mais de uma maneira — o que tem influência não apenas no risco de demência, mas no risco de males neurológicos comuns, como TDAH, transtorno de ansiedade, síndrome de Tourette, doenças mentais, enxaquecas e até autismo.

Até aqui, concentrei-me primordialmente no declínio cognitivo e na demência. Agora, vamos nos debruçar sobre os efeitos destruidores do glúten no cérebro do ponto de vista dessas desordens comportamentais e psicológicas comuns. Vou começar com os males que são comumente diagnosticados em crianças pequenas, e em seguida cobrir uma gama mais ampla de problemas encontrados em pessoas de qualquer idade. Uma coisa ficará clara: a retirada do glúten da dieta e a adoção de um modo de vida livre dos grãos costumam ser as melhores garantias de alívio para os males do cérebro que atormentam milhões de pessoas hoje em dia, e essa "prescrição" simples pode muitas vezes dispensar a terapia medicamentosa.

UMA HISTÓRIA REAL DM QUE TRANSFORMOU UMA FAMÍLIA INTEIRA

Fui diagnosticada com hipotireoidismo no outono de 2013 e meu médico prescreveu levotiroxina. Inicialmente, constatei alguma melhora de meus sintomas, mas, à medida que o tempo passava, eles foram voltando. Senti-me muito frustrada e recorri à internet em busca de conselhos e informação. Fiquei sabendo que o glúten pode ser nocivo à tireoide, e perguntei a meu médico se ele achava que eu podia cortá-lo. A resposta dele: "Isso é conversa fiada". Por isso, continuei tomando meu remédio e me sentindo mal. Na primavera seguinte, resolvi parar de comer coisinhas cheias de carboidrato durante a Quaresma. Em 48 horas, estava me sentindo bem como há muito não me sentia. Isso me fez refletir a respeito da minha dieta. Por isso, pesquisei um pouco mais sobre o glúten e decidi cortá-lo, para ver se ajudava. Mergulhei de cabeça, implementando essa novidade em minha dieta e minha vida. Consegui largar o medicamento para a tireoide, e desde então meus exames de sangue andam excelentes.

Meu filho mais velho sempre teve a saúde frágil. Lutou contra uma asma crônica e uma infinidade de outras doenças desde que nasceu. Na primavera de 2014, sua saúde deu uma guinada para pior. Tirei o glúten da dieta dele, mas ainda assim ele teve que faltar aos dois últimos meses de aulas devido aos problemas de saúde. Já no final do ano letivo, ele recebeu o diagnóstico de distrofia neurovascular reflexa. Conseguimos fazer sua reabilitação, com bastante fisioterapia sob a forma de caminhada em trilhas. No início do ano letivo de 2015, ele estava indo bem, mas a dieta saiu um pouco do zero glúten. Num piscar de olhos, ele começou a ter doença atrás de doença, e adquiriu sobrepeso. Acabou novamente perdendo os dois últimos meses de aulas. Eu sabia que precisava forçá-lo a se adaptar a um jeito de comer sem glúten e pobre em carboidratos. Não era fácil, para uma criança de treze anos. Houve muitos momentos difíceis enquanto tentávamos descobrir o que ele podia e o que não podia comer. Também achei um médico funcional, que nos ajudou a chegar a um diagnóstico de candidíase e de um sistema imunológico muito frágil. Graças ao novo estilo de vida, ele perdeu incríveis oito quilos em cerca de nove meses! Ele continua a progredir e seu sistema imunológico nunca esteve melhor.

Meu marido também se adaptou a esse jeito de se alimentar. Alguns anos antes dos meus problemas, ele chegou à conclusão de que tinha candidíase, e testou três estratégias diferentes, inclusive uma dieta restritiva de calorias. Quando viu quanto o protocolo de *A dieta da mente* me ajudou, ele fez a experiência e notou uma grande diferença no jeito como se sente. Quando ele sai da linha, percebe na mesma hora.

Minha filha teve dores de cabeça, sinusites crônicas e dores de estômago durante anos. Ela achou loucura minha quando fiquei tão empolgada com *A dieta da mente* e comecei a mudar um monte de coisas em casa. Não a forcei a nada, mas falei até cansar sobre os benefícios desse estilo de vida. Eu sabia que ela não ia concordar a não ser que chegasse por conta própria, do jeito dela, a essa decisão. Por decisão dela, um ano atrás cortou o glúten, e se deu conta da enorme diferença que isso fez em sua vida. Eu a convenci a deixar de lado todo tipo de grão uns dois meses atrás, e agora estamos trabalhando a ingestão de açúcar, porque ela come mais frutas do que deveria.

A dieta da mente ajudou tremendamente todos os membros da nossa família. O livro abriu meus olhos em relação a tudo que há de errado com os alimentos que consumimos, sem falar na formação dos médicos nas faculdades. Sou incrivelmente grata por essas informações e continuarei sem ingerir grãos pelo resto da vida. — Wendy S.

O PAPEL DO GLÚTEN NOS TRANSTORNOS MOTORES E COMPORTAMENTAIS

Minha primeira consulta com Stuart ocorreu quando ele havia acabado de fazer quatro anos. Ele foi trazido à minha clínica pela mãe, Nancy, que eu conhecia havia vários anos; ela era fisioterapeuta de muitos de meus pacientes. Nancy começou pela descrição de sua inquietação com Stuart e relatou que, embora não tivesse percebido nada de errado com o filho, o professor da pré-escola o achou excepcionalmente "ativo" e sugeriu que examiná-lo não seria má ideia. Eu não era o primeiro médico a vê-lo por causa dessa inquietação. Na semana anterior, a mãe de Stuart o havia levado ao pediatra da família, que o orientou a se tratar de TDAH e escreveu uma receita de Ritalina.

Compreensivelmente, Nancy estava com medo de dar o remédio ao filho, e isso fez com que buscasse outras opções. Inicialmente, ela explicou que o filho tinha constantes explosões de raiva e que "tremia incontrolavelmente quando ficava frustrado". Ela contou que o professor da pré-escola queixou-se de que Stuart era incapaz de "se concentrar numa tarefa", o que me fez pensar que tipo, exatamente, de tarefa exige concentração exclusiva de uma criança de quatro anos de idade.

O histórico médico de Stuart era revelador. Ele havia sofrido várias infecções de ouvido e havia passado por incontáveis períodos sob antibióticos. Na verdade, quando eu o examinei, ele estava em meio a um período de seis meses de antibióticos profiláticos, para reduzir o risco de novas otites. Mas, além do problema de ouvido, Stuart reclamava constantemente de dores nas articulações, a ponto de também estar tomando com frequência Naprosyn, um poderoso anti-inflamatório. Como eu previa, fiquei sabendo que Stuart não havia sido amamentado quando bebê.

Em seu exame notei três coisas importantes. Primeiro, ele respirava pela boca, indicação clara de uma inflamação nas fossas nasais. Segundo, o rosto apresentava clássicas olheiras de rinite, círculos escuros sob os olhos que estão relacionados a alergias. E terceiro, de fato ele era muito ativo. Não conseguia ficar mais de dez segundos sentado. Levantava-se para explorar cada centímetro do consultório e rasgava o papel que costuma cobrir a maioria das mesas de exame.

Em vez de procurar um medicamento para tratar os sintomas, decidimos atacar a causa dos problemas do menino, isto é, a inflamação, que estava desempenhando um papel central em praticamente tudo em sua fisiologia, inclusive seus problemas de ouvido, das articulações e sua incapacidade de se concentrar.

Expliquei a Nancy que ele ia ter de parar de ingerir glúten. E para ajudar a recompor um intestino saudável, depois de tanta exposição aos antibióticos, precisávamos adicionar algumas bactérias benéficas, os probióticos, a seu regime. Por fim, a gordura ômega 3 DHA foi acrescentada à lista.

Um roteiro de cinema não teria um desfecho melhor. Depois de duas semanas e meia, os pais de Stuart receberam um telefonema do professor da pré-escola, agradecendo a eles por terem começado a medicá-lo, pois ele tinha apresentado uma "forte melhora" em suas maneiras. Os pais observaram que ele se acalmou, passou a interagir mais e a dormir melhor. Mas sua transformação não se devia a medicamentos. Foi puramente graças à dieta que ele foi capaz de ter "forte melhora" na atitude e na saúde.

Eu recebi um bilhete de Nancy, dois anos e meio depois, dizendo: "Ele entrou no ensino básico como o aluno mais novo da classe. Tem brilhado tanto em leitura quanto em matemática e não prevemos mais nenhum problema em relação à hiperatividade. Ele está crescendo tão rápido que já é um dos garotos mais altos da turma".

O transtorno de déficit de atenção e hiperatividade (TDAH) é um dos diagnósticos mais frequentes nos consultórios pediátricos. Os pais de crianças hiperativas são levados a crer que seus filhos têm alguma forma de uma doença que limitará a capacidade de aprendizado. Frequentemente, o *establishment* médico convence os pais de que os medicamentos são a solução mais rápida. Toda a noção de que o TDAH é uma doença específica, rapidamente remediada por uma pílula, é convincente, mas alarmante. Em algumas escolas americanas, até 25% dos alunos recebem regularmente medicação poderosa e modificadora da mente cujas consequências de longo prazo nunca foram estudadas!

Embora a Associação Pediátrica Americana afirme em seu *Manual Diagnóstico e Estatístico de Transtornos Mentais* que cerca de 5% das crianças em idade escolar sofrem de TDAH, pesquisas estimaram índices mais altos em amostragens em comunidades específicas, e dados de pesquisas com os pais, reunidos pelo Centro de Controle e Prevenção de Doenças (CDC), apresentam um quadro diferente.[1] Segundo os novos dados do CDC, divulgados em 2016, cerca de 9,4% das crianças entre os dois e os dezessete anos de idade tiveram um diagnóstico de TDAH. Isso se traduz numa estimativa de 6,1 milhões de crianças; o estado de Kentucky lidera o ranking com espantosos 18,7% das crianças com um diagnóstico.[2] Como publicado pelo *The New York Times*, "cerca de dois terços dos atualmente diagnosticados recebem receitas de estimulantes, como Ritalina e Adderall, que podem melhorar drasticamente a vida daqueles que têm TDAH, mas também podem viciar, provocar ansiedade e, ocasionalmente, psicose".[3] Isso levou a Associação Americana de Psiquiatria a pensar em mudar sua definição de TDAH, de modo a aumentar o número de pessoas diagnosticadas — e tratadas com drogas. O dr. Thomas R. Frieden, diretor do CDC, disse que o aumento no número de receitas de estimulantes para crianças lembra o abuso de analgésicos e antibióticos em adultos, e eu concordo. Nas palavras do dr. Jerome Groopman, professor da Faculdade de Medicina de Harvard e prolífico autor de livros, em entrevista ao *Times*, "há uma tremenda pressão para que, se o comportamento da criança for considerado, entre aspas, anormal — se ele não estiver sentado quietinho em sua mesa —, trata-se de uma patologia, em vez de simplesmente infância".[4] O que isso significa, então, quando nossa definição de infância é substituída por diagnósticos vagos como o TDAH? Também considero interessante que os Estados Unidos estejam significativamente à frete do resto do mundo no consumo de drogas estimulantes (por exemplo, Adderall e Ritalina) usadas para tratar os sintomas do TDAH. Embora as crianças ainda sejam as principais usuárias dessas drogas, o número de adultos que as utilizam anda crescendo num ritmo muito mais acelerado. Entristece-me o fato de que a bilionária indústria farmacêutica de psicotrópicos se baseia na ideia de que as pessoas devem tomar uma pílula para tratar seus sintomas, enquanto se ignora a causa subjacente.

Além do aumento dramático no uso de remédios para tratar o TDAH, o uso de remédios psiquiátricos em geral disparou: atualmente, um em cada seis americanos toma uma droga psiquiátrica para o tratamento de transtornos psicológicos e comportamentais. Isso inclui antidepressivos, calmantes e antipsicóticos. Curiosamente, as mulheres têm uma probabilidade muito maior que os homens de tomar uma droga para uma condição de saúde mental: 21% contra 12%.[5] (Pesquisadores de Harvard teorizam que isso pode ser provocado pelas transformações hormonais, nas mulheres, ligadas à puberdade, à gravidez e à menopausa. Embora a depressão possa afetar homens e mulheres da mesma maneira, mulheres são tipicamente mais suscetíveis a procurar auxílio médico.) Entre o período de 1988 a 1994 e o período de 2007 a 2010, o CDC constatou a quintuplicação do número de menores de dezoito anos usando psicoestimulantes. O índice mais recente, publicado em 2014, foi de 4,2%. A taxa de prescrição de antipsicóticos para menores sextuplicou entre esses dois períodos, segundo um estudo de consultas clínicas na Pesquisa de Assistência Médica Ambulatorial Nacional.[6]

Onze por cento dos americanos acima dos doze anos tomam antidepressivos, mas esse percentual dispara quando se olha para o número de mulheres na faixa dos quarenta e cinquenta anos a quem foram receitados antidepressivos — impressionantes 23%.

Considerando o número em ascensão de transtornos mentais e comportamentais, contra os quais cada vez mais são usadas drogas poderosas, por que ninguém chama a atenção para as razões subjacentes dessa tendência? E como podemos propor soluções que não tragam consigo produtos farmacêuticos temerários? O que está na raiz do problema? A proteína adesiva do trigo, o glúten. Embora o júri ainda não tenha chegado a um veredicto em relação à correlação entre a sensibilidade ao glúten e problemas psicológicos ou comportamentais, já conhecemos alguns fatos:

- Quem sofre de doença celíaca tem um risco maior de atraso no desenvolvimento, dificuldades de aprendizagem, tiques nervosos e TDAH.[7]

- A depressão e a ansiedade costumam ser fortes em pacientes com sensibilidade ao glúten.[8] Isso se deve primordialmente às citocinas, que bloqueiam a produção de neurotransmissores cruciais para o cérebro, como a serotonina, essencial na regulagem do humor. Com a eliminação do glúten e, muitas vezes, dos derivados de leite, muitos pacientes se livraram não apenas dos transtornos de humor, mas de outras condições causadas por um sistema imunológico hiperativo, como alergias e artrite.

- Até 45% das pessoas com transtornos do espectro do autismo (TEAS) têm problemas gastrointestinais.[9] Embora nem todos os sintomas gastrointestinais nas TEAS resultem de doença celíaca, os dados mostram uma prevalência maior desta em casos pediátricos de autismo em comparação com a população pediátrica em geral.

A boa notícia é que podemos reverter muitos dos sintomas das desordens neurológicas, psicológicas e comportamentais simplesmente cortando o glúten e acrescentando à nossa dieta suplementos como o DHA e probióticos. E para ilustrar o impacto de uma prescrição tão simples, sem remédios, conheça a história de KJ, que eu conheci há mais de uma década. Ela tinha cinco anos de idade na época e um diagnóstico de síndrome de Tourette, uma espécie de transtorno do espectro obsessivo-compulsivo caracterizada por movimentos repentinos, repetitivos, não rítmicos (tiques motores) e vocalizações que envolvem determinados grupos musculares. Os cientistas dizem que a causa exata dessa anomalia neurológica é desconhecida, mas a verdade é que sabemos que, como muitas desordens neuropsiquiátricas, ela tem raízes genéticas que podem ser agravadas por fatores ambientais. Acredito que pesquisas futuras vão revelar a verdade por trás de muitos casos de Tourette e mostrar a sensibilidade ao glúten em ação.

Na primeira visita de KJ ao consultório, a mãe explicou que no ano anterior sua filha começara a ter contrações involuntárias dos músculos do pescoço, por razões desconhecidas. Ela já tinha recebido vários tipos de massoterapia, que trouxeram alguma melhoria, mas o problema ia e vinha. Acabou piorando a ponto de KJ sofrer com movimentos agressivos na mandíbula, no rosto e na nuca. Ela também limpava a garganta o tempo todo, produzindo diferentes grunhidos. Seu médico havia diagnosticado a síndrome de Tourette.

Quando assumi seu caso, percebi que três anos antes do surgimento de seus graves sintomas neurológicos, a menina começou a ter crises de diarreia e dor abdominal crônica, das quais ainda sofria. Dois dias depois de iniciar uma dieta sem glúten, todos os movimentos anormais, o limpar da garganta, os grunhidos e até as dores abdominais haviam desaparecido. Até hoje KJ está livre dos sintomas e não pode mais ser considerada uma paciente de síndrome de Tourette. Foi uma reação tão convincente que eu costumo citar seu caso em minhas palestras a profissionais da área da saúde.

> Advertência: drogas usadas no tratamento do TDAH resultaram em casos permanentes de síndrome de Tourette. Os cientistas vêm documentando esses casos desde o início dos anos 1980.[10] Agora que dispomos das pesquisas que provam o poderoso efeito de cortar o glúten, é hora de mudarmos — ou melhor, de *fazermos* — a história.

Outro caso que eu gostaria de compartilhar nos traz de volta ao TDAH. Os pais de KM, uma linda menininha de nove anos, trouxeram-na a meu consultório com os sintomas clássicos de TDAH e "memória fraca". O que havia de interessante no caso dela era que os pais disseram que suas dificuldades de concentração e raciocínio "duravam dias", depois dos quais ela ficava "bem" durante vários dias. Testes acadêmicos mostraram que ela tinha um desempenho de uma aluna do quarto ano do ensino fundamental. Ela parecia muito comportada e atenta, e quando revisei seus boletins, confirmei que de fato ela tinha um desempenho normal para sua idade.

Exames de laboratório identificaram dois culpados em potencial por seus problemas — sensibilidade ao glúten e níveis de DHA no sangue abaixo do normal. Receitei uma dieta sem glúten, quatrocentos miligramas diários de suplemento de DHA e pedi que ela parasse de consumir adoçantes à base de aspartame, já que ela bebia vários refrigerantes diet por dia. Três meses depois, o pai e a mãe de KM estavam empolgados com sua evolução, e até ela mesma sorria de orelha a orelha. Novos testes escolares mostraram que seu nível em matemática era de sexta série, seu desempenho escolar geral era de quinta série, e a capacidade de recordar histórias era de nona série.

Cito uma carta que recebi de sua mãe:

[KM] está terminando o quarto ano este ano. Antes de tirar o glúten da dieta dela, as matérias, principalmente matemática, eram difíceis. Como você pode ver, agora ela está voando em matemática. Com base nesse teste, ela pode ser a melhor da turma no ano que vem. O professor disse que se ela pulasse o quinto ano e fosse para o sexto, estaria no meio da turma. Que feito!

Casos assim são comuns em minha carreira. Já conheço há muito tempo o "efeito escolar" de cortar o glúten e felizmente as provas científicas estão finalmente acompanhando as evidências empíricas. Um estudo particularmente marcante para mim foi publicado em 2006; ele documentava uma história de "antes e depois" muito reveladora, envolvendo pacientes de TDAH que cortaram o glúten durante seis meses. O que mais me agrada nesse estudo específico é o fato de que ele avaliou um amplo espectro de indivíduos — dos três aos 57 anos — e usou uma escala comportamental para TDAH muito respeitada, a chamada Escala Abrangente de Conners de Classificação Comportamental. Em seis meses, a melhora foi significativa:[11]

"Não presta atenção em detalhes" caiu 36%.

"Dificuldade de manter a atenção" caiu 12%.

"Não termina o que começa" caiu 30%.

"Desatento, facilmente distraído" caiu 46%.

"Solta respostas e frases repentinas" caiu 11%.

A "nota média" total para esses indivíduos caiu 27%. Minha esperança é que mais pessoas se unam à minha cruzada e ajam, para que todos nós sejamos mais saudáveis — e mais inteligentes.

> ## COMO AS CESARIANAS AUMENTAM O RISCO DE TDAH
>
> Bebês que nascem de cesariana têm um risco maior de desenvolver TDAH, mas por quê? A compreensão dos elos da cadeia dá respaldo à importância de uma flora bacteriana saudável no auxílio à saúde do intestino e ao bem-estar geral. Quando o bebê passa pelo canal de parto naturalmente, bilhões de bactérias saudáveis banham a criança, inoculando no recém-nascido probióticos adequados, cujos efeitos sobre a saúde durarão a vida toda. Se uma criança nasce de cesariana, porém, não passará por essa espécie de banho, e isso arma o cenário para uma inflamação intestinal e, com ela, um risco maior de sensibilidade ao glúten e, mais adiante, TDAH.[12]
>
> Novas pesquisas estão dando às mães outro motivo para amamentar. Estudos mostraram que bebês que tomam leite materno regularmente têm 52% menos risco de desenvolver doença celíaca ao serem expostos pela primeira vez a alimentos com glúten.[13] Uma das possíveis razões para isso é o fato de a amamentação cortar diversas infecções gastrointestinais, reduzindo o risco de comprometimento do revestimento do intestino. Isso também pode prevenir a resposta imune ao glúten.

O AUTISMO PODE SER TRATADO COM UMA DIETA SEM GLÚTEN?

É comum que me façam perguntas sobre a possível relação entre o glúten e o autismo. Uma em cada 150 crianças nascidas hoje desenvolverá alguma forma dessa condição, dentro de um amplo espectro. Em 2015, um novo relatório do governo americano indicava que uma em cada 45 crianças entre os três e os dezessete anos — ou seja, mais de 1 milhão de crianças —, teve um diagnóstico de transtorno do espectro autista (TEA).[14] É um número significativamente maior que a estimativa oficial do governo americano, dos Centros de Controle e Prevenção de Doenças, de que uma em cada 68 crianças americanas teria autismo.[15] Transtorno neurológico que costuma aparecer por volta dos três anos de idade, o autismo afeta o desenvolvimento de habilidades sociais e de comunicação. Os cientistas estão tentando entender as causas exatas do autismo, que provavelmente tem origens tanto genéticas quanto ambientais. Diversos fatores de risco estão sendo estudados, inclusive infecciosos, metabólicos, nutricionais e ambientais, mas menos de 10% a 12% dos casos têm causas específicas que podem ser identificadas.

Sabemos que não existe uma bala de prata para curar o autismo, assim como não há tampouco para a esquizofrenia ou o transtorno bipolar. São doenças cerebrais diferentes umas das outras, mas todas elas têm uma característica subjacente: os processos inflamatórios, alguns dos quais podem ser simplesmente resultado de uma sensibilidade a escolhas alimentares. Embora isso ainda seja tema de debate, algumas pessoas que sofrem de autismo reagem positivamente à retirada do glúten, do açúcar e, às vezes, dos derivados de leite de suas dietas. Em um caso particularmente dramático, descobriu-se que um menino de cinco anos diagnosticado com autismo severo também sofria de uma grave doença celíaca que o impedia de absorver nutrientes. Seus sintomas de autismo diminuíram quando ele deixou de comer glúten, o que levou seus médicos a recomendar que todas as crianças com problemas de desenvolvimento neurológico passassem por exames de deficiências nutricionais e síndromes de má absorção, como a doença celíaca. Em alguns casos, as deficiências nutricionais que afetam o sistema nervoso podem estar na raiz de atrasos de desenvolvimento semelhantes ao autismo.[16]

Reconheço que ainda falta o tipo definitivo de pesquisa científica de que necessitamos para extrair correlações conclusivas, mas vale a pena fazermos um apanhado geral do tema e pensarmos em algumas conclusões lógicas.

Para começar, vamos apontar uma tendência paralela no crescimento do autismo e da doença celíaca. Não se está afirmando que ambos estão categoricamente relacionados, mas é interessante notar um padrão semelhante nos números puros. O que as duas condições têm em comum, porém, é a mesma característica fundamental: o processo inflamatório. Da mesma forma que a doença celíaca é uma desordem inflamatória dos intestinos, o autismo é uma desordem inflamatória do cérebro. Está bem documentado que indivíduos autistas têm um nível mais alto de citocinas inflamatórias no organismo. Só isso já bastaria para ponderar a eficácia da redução de todas as interações anticorpos-antígenos no corpo, incluindo as que envolvem glúten.

Um estudo pioneiro britânico, publicado em 1999, monitorou 22 crianças autistas com dieta sem glúten durante cinco meses, e ocorreram algumas melhoras comportamentais. O mais alarmante é que, quando as crianças ingeriram glúten acidentalmente, depois de haver iniciado a dieta sem glúten, "a velocidade com que o comportamento retornou, como resultado [...] foi dramática e percebida por muitos pais".[17] O estudo também observou que levou pelo menos três meses para as crianças apresentarem melhora no comportamento. Para qualquer pai que controla a dieta do filho, é importante não perder as esperanças no começo caso não ocorram alterações imediatas de comportamento. Aguente firme durante três a seis meses antes de esperar qualquer melhora perceptível.

Alguns especialistas questionaram se aqueles compostos semelhantes às morfinas que mencionei antes (as "exorfinas") podem ter uma parcela de culpa. Quando alimentos e proteínas do leite contendo glúten provocam a liberação de exorfinas, eles podem estimular diversos receptores no cérebro e elevar não apenas o risco de autismo, mas igualmente de esquizofrenia.[18] São necessárias novas pesquisas para desmentir esse tipo de teoria. Mas existe o potencial para redução do risco de desenvolver essas condições e administrá-las melhor.

Apesar da falta de estudos, está claro que o sistema imunológico desempenha um papel no desenvolvimento do autismo, e que esse mesmo sistema imunológico conecta a sensibilidade ao glúten ao cérebro. Também é preciso mencionar o "efeito de camadas", em que um problema biológico leva a outro, numa cadeia de eventos. Quando uma criança é severamente sensível ao glúten, a resposta imune no intestino pode levar a sintomas comportamentais e psicológicos. No autismo, isso pode levar a uma "exacerbação de efeitos", como a chamou uma equipe de cientistas.[19]

DEPRÊ

É um fato desolador: a depressão é a maior causa de incapacidade no planeta. Também dá a quarta maior contribuição para o fardo das doenças no mundo inteiro. A Organização Mundial da Saúde estimou que até 2020 a depressão se tornará a segunda maior causa de sofrimento — perdendo apenas para as doenças cardíacas. Em muitos países desenvolvidos, como os Estados Unidos, a depressão já está entre as maiores causas de mortalidade.[20]

Mas o que é mais inquietante é o elefante sentado nos consultórios médicos de muitas pessoas com depressão: os vidrinhos dos chamados "antidepressivos". Medicamentos como Prozac, Paxil, Zoloft e incontáveis outros são, de longe, o tratamento mais comum contra a depressão nos Estados Unidos, apesar de em muitos casos não terem se mostrado mais eficazes que um placebo, e de em alguns casos serem excessivamente perigosos e até conduzir a suicídios. Novas pesquisas estão começando a mostrar até que ponto esses medicamentos podem ser assassinos. Anote: quando pesquisadores em Boston analisaram mais de 136 mil mulheres entre as idades de cinquenta e 79 anos, descobriram uma relação indiscutível entre aquelas que estavam tomando antidepressivos e o risco de derrames e de morte em geral. Mulheres tomando antidepressivos tinham uma probabilidade 45% maior de sofrer derrames e um risco 32% de morrer, somadas todas as causas.[21] Essas descobertas, publicadas na revista *Archives of Internal Medicine*, foram divulgadas na Women's Health Initiative, uma importante investigação de saúde pública voltada para as mulheres americanas. E não fazia diferença se estavam sendo usadas novas formas de antidepressivos, conhecidas como inibidores seletivos da recaptação da serotonina (ISRS) ou outras formas de antidepressivos conhecidos como antidepressivos cíclicos, como o Elavil. Os ISRS costumam ser usados como antidepressivos, mas podem ser receitados no tratamento de transtornos de ansiedade e de alguns transtornos de personalidade. Eles funcionam impedindo que o cérebro reabsorva o neurotransmissor serotonina. Ao alterar o equilíbrio da serotonina no cérebro, os neurônios enviam e recebem melhor as mensagens, o que, por sua vez, melhora o humor.

Estudos perturbadores levaram a um ponto de inflexão, e alguns gigantes da indústria farmacêutica recuaram do desenvolvimento de drogas antidepressivas (embora ainda ganhem muito dinheiro nesse setor — cerca de mais de 15 bilhões de dólares por ano). Como foi noticiado no *Journal of the American Medical Association*, "a dimensão dos benefícios dos remédios antidepressivos, se comparados ao placebo, aumenta com a gravidade dos sintomas de depressão, e pode ser mínima ou inexistente, na média, em pacientes com sintomas leves ou moderados".[22]

Isso não quer dizer que certos medicamentos não ajudem em alguns casos graves, mas as consequências são pesadas. Vamos rever rapidamente algumas outras descobertas instigantes que inspirarão quem quer que esteja pensando em tomar um antidepressivo a tentar outro caminho para a felicidade.

HUMOR EM BAIXA, COLESTEROL EM BAIXA

Já apresentei meus argumentos em favor do colesterol como nutriente para a saúde do cérebro. Ocorre que inúmeros estudos demonstraram que a depressão é muito mais frequente em pessoas com colesterol baixo.[23] E quem começa a tomar remédios redutores de colesterol (estatinas) pode ficar muito mais deprimido.[24] Em meu trabalho, testemunhei isso pessoalmente. Não está claro se a depressão é um resultado direto da droga propriamente dita ou se é simplesmente uma consequência da redução do nível de colesterol — ou se é uma combinação de ambos, explicação para a qual eu pendo.

Estudos que remontam aos anos 1990 mostram uma correlação entre a depressão e um colesterol total baixo, sem mencionar comportamentos impulsivos, inclusive suicídios e violência. O dr. James M. Greenblatt, psiquiatra duplamente diplomado que trata tanto de crianças como de adultos e autor do livro *The Breakthrough Depression Solution* [A solução revolucionária para a depressão], escreveu em 2011 um belo artigo na revista *Psychology Today*, em que resume as evidências.[25] Em 1993, concluiu-se que homens idosos com colesterol baixo tinham um risco de depressão trezentas vezes maior que seus pares com colesterol mais alto.[26] Um estudo sueco de 1997 identificou um padrão semelhante: entre trezentas mulheres sem outros problemas de saúde, entre 31 e 65 anos de idade, aquelas cujo nível de colesterol estava no décimo percentil inferior sofreram de significativamente mais sintomas depressivos que aquelas no estudo com níveis de colesterol mais elevados.[27] Em 2000, cientistas holandeses divulgaram que homens com níveis de colesterol total baixo a longo prazo sofriam de mais sintomas depressivos que aqueles com níveis de colesterol mais elevados.[28] Segundo um estudo de 2008, publicado no *Journal of Clinical Psychiatry*, "baixo colesterol sérico pode estar associado a um histórico de tentativas de suicídio".[29] Os pesquisadores observaram um grupo de 417 pacientes que haviam tentado suicídio — 138 homens e 279 mulheres — e os compararam com 155 pacientes psiquiátricos que não haviam tentado, além de 358 pacientes saudáveis de controle. O estudo definiu "baixo colesterol sérico" como menos de 160. Os resultados foram bastante impressionantes. Mostrou-se que os indivíduos na categoria de colesterol baixo tinham 200% mais probabilidade de ter tentado suicídio. E em 2009 o *Journal of Psychiatric Research* publicou um estudo que acompanhou quase 4500 veteranos das Forças Armadas americanas durante quinze anos.[30] Em homens depressivos com níveis baixos de colesterol total, o risco de morrer prematuramente de causas não naturais, como suicídio e acidentes, era sete vezes maior em relação aos demais participantes do estudo. Como foi comentado acima, há muito tempo se registra um maior índice de tentativas de suicídio entre pessoas com colesterol total baixo.

Eu poderia seguir adiante mostrando estudos do mundo inteiro que chegam à mesma conclusão, tanto em relação aos homens quanto às mulheres: se você tem colesterol baixo, seu risco de desenvolver depressão é muito maior. E quanto mais ele baixar, maior a chance de ter ideias suicidas. Não afirmo isso de maneira leviana. Hoje em dia temos provas documentais, de muitas instituições reconhecidas, a respeito da seriedade dessa relação de causa e efeito. Essa relação também é bem documentada no terreno do transtorno bipolar.[31] Aqueles que o possuem têm uma probabilidade muito maior de tentar o suicídio quando têm colesterol baixo.

O GLÚTEN QUE DEPRIME

Há muito tempo os cientistas observam uma interseção entre a doença celíaca e a depressão, assim como uma interseção entre a doença celíaca, o TDAH e outros transtornos comportamentais. Relatos de depressão entre pacientes de doença celíaca começaram a aparecer nos anos 1980. Em 1982, pesquisadores suecos relataram que a "psicopatologia depressiva é uma característica da doença celíaca adulta".[32] Um estudo de 1998 mostrou que cerca de um terço dos que sofrem de doença celíaca também têm depressão.[33] Mais recentemente, em um estudo revisional de 2015, um amplo grupo de pesquisadores, tanto da Europa quanto da Argentina, ressaltou o fardo psicológico da doença celíaca, conclamando os profissionais de saúde a atentarem em especial para esses pacientes.[34]

Vamos retornar a alguns desses importantes estudos. Num deles, particularmente grande, publicado em 2007, pesquisadores suecos avaliaram, uma vez mais, 14 mil pacientes de doença celíaca e compararam-nos a mais de 66 mil pessoas saudáveis como grupo de controle.[35] Eles queriam descobrir qual o risco de ficar depressivo quando se tem doença celíaca, assim como o risco de ter doença celíaca quando se tem depressão. Observou-se que os pacientes com doença celíaca tinham um risco de depressão 80% mais elevado, e que o risco de se ter um diagnóstico de doença celíaca em indivíduos com depressão aumentava 230%. Em 2011, outro estudo sueco mostrou que o risco de suicídio entre pessoas com doença celíaca aumentava 55%.[36] E outro estudo, feito por uma equipe de pesquisadores italianos, concluiu que a doença celíaca aumenta o risco de uma depressão grave em incríveis 270%.[37]

Uma pergunta se impõe: como a depressão pode ter a ver com um intestino maltratado? Quando o revestimento intestinal é ferido pela doença celíaca, ele se torna ineficaz na absorção de nutrientes essenciais, muitos dos quais mantêm o cérebro saudável, como o zinco, o triptofano e as vitaminas do complexo B. Além disso, esses nutrientes são ingredientes necessários para a produção de substâncias químicas neurológicas, como a serotonina. A grande maioria dos hormônios e das substâncias químicas que causam bem-estar também é produzida na região dos intestinos, por aquilo que os cientistas passaram a chamar de "segundo cérebro".[38] As células nervosas no seu intestino não apenas regulam músculos, células imunes e hormônios, mas também fabricam cerca de 80% a 90% da serotonina do corpo. Na verdade, seu cérebro intestinal fabrica mais serotonina que o cérebro que fica dentro do seu crânio.

Algumas das deficiências nutricionais mais cruciais que foram relacionadas à depressão incluem a vitamina D e o zinco. Você já conhece a importância da vitamina D em vários processos psicológicos, inclusive a regulagem do humor. O zinco, da mesma forma, é um curinga da mecânica do corpo. Além de ajudar o sistema imunológico e manter a memória aguçada, o zinco é necessário na produção e no uso desses neurotransmissores bons para o humor. Isso ajuda a explicar por que se tem constatado que os suplementos de zinco melhoram os efeitos dos antidepressivos em pessoas com depressão (a propósito: um estudo de 2009 mostrou que em pessoas nas quais os antidepressivos não faziam efeito, o início do uso de suplementos com zinco levou a uma melhora importante).[39] O dr. James M. Greenblatt, que eu mencionei anteriormente, escreveu muitos textos sobre esse tema. Ele, como eu, examina vários pacientes em quem os antidepressivos fracassaram, mas quando eles param de ingerir alimentos contendo glúten seus sintomas psicológicos se resolvem. Em outro artigo para a revista *Psychology Today*, ele escreveu: "A doença celíaca não diagnosticada pode exacerbar os sintomas de depressão ou até ser sua causa subjacente. Pacientes com depressão devem ser submetidos a testes de deficiência nutricional. Quem sabe se a doença celíaca é o diagnóstico correto, e não depressão?".[40] Muitos médicos ignoram deficiências nutricionais e nem sequer lhes ocorre pedir testes de sensibilidade ao glúten, porque eles estão muito acostumados (e à vontade) com a prescrição de medicamentos.

É importante observar que um elemento comum em muitos desses estudos é o espaço de tempo necessário para que as transformações no cérebro ocorram. Como é o caso com outros transtornos de comportamento, como o TDAH e o transtorno de ansiedade, pelo menos três meses podem transcorrer até que o indivíduo sinta uma sensação completa de alívio. É crucial perseverar quando se entra numa dieta sem glúten. Não perca as esperanças caso não haja melhora significativa imediata, mas tenha em mente que é provável que você vivencie uma melhora drástica, sob diversos aspectos. Certa vez eu cuidei de um treinador de tênis profissional, que a depressão deixara incapacitado. Ele não melhorava, apesar do emprego de múltiplos medicamentos antidepressivos receitados por outros médicos. Quando eu diagnostiquei sua sensibilidade ao glúten e ele adotou uma dieta sem esse produto, tudo se transformou. Não apenas evaporaram-se seus sintomas depressivos, mas ele retornou ao desempenho máximo nas quadras.

Quando se trata do elo entre o glúten e transtornos relacionados ao cérebro, como a depressão, não podemos esquecer o papel dos processos inflamatórios. Um dos fatos que vieram à luz na literatura científica mais recentemente é que a depressão passou a ser considerada um transtorno inflamatório. Hoje em dia compreendemos que os marcadores inflamatórios, os mesmos cuja elevação constatamos em doenças cardíacas, também aumentam no paciente com depressão. A rigor, não se trata de uma informação "nova", mas se você fosse perguntar a alguém na rua a respeito de depressão, provavelmente ouviria algo como "É um desequilíbrio químico no cérebro". Duas décadas de literatura científica ressaltaram o papel dos processos inflamatórios nas doenças mentais, da depressão à esquizofrenia.[41] Já antes da metade do século passado a área da psiquiatria conhecia o papel do sistema imunológico no surgimento da depressão. Mas só recentemente começamos a entender o vínculo, graças a uma tecnologia superior e a estudos longitudinais.[42] Níveis de inflamação mais elevados aumentam drasticamente o risco de desenvolver depressão. E quanto mais altos os níveis dos marcadores inflamatórios, pior a depressão. Isso situa a depressão em alinhamento total com outros transtornos inflamatórios, como o Parkinson, a esclerose múltipla e o Alzheimer.

Alguns estudos foram importantes para abrir os olhos. Por exemplo, quando os cientistas ministram a pessoas sadias, sem sinais de depressão, uma infusão de uma substância que desencadeia processos inflamatórios, desenvolvem-se quase instantaneamente sintomas depressivos clássicos. De maneira similar, demonstrou-se que, quando se dá interferona, que eleva as citocinas inflamatórias, a pessoas em tratamento de hepatite C, um quarto delas desenvolve depressão severa.[43] As interferonas são um grupo de proteínas de origem natural, que são parte integrante do sistema imunológico, mas podem ser sintetizadas e ministradas como droga, no tratamento de certas infecções virais. Ainda mais convincentes são novas pesquisas demonstrando que medicamentos antidepressivos podem funcionar em certas pessoas por causa da capacidade de reduzir substâncias químicas inflamatórias. Em outras palavras, o verdadeiro mecanismo dos antidepressivos modernos pode não ter nada a ver com seu efeito sobre as substâncias químicas do cérebro, e tudo a ver com a redução dos processos inflamatórios.

A ESTABILIDADE MENTAL ATRAVÉS DA DIETA

Não há dúvida de que todo o debate sobre a relação insidiosa do glúten com transtornos psicológicos comuns suscita questões sobre o papel do glúten em praticamente todos os males que envolvem a mente, da desordem mental mais comum nos Estados Unidos — a ansiedade, que afeta aproximadamente 40 milhões de adultos — a problemas complexos, como a esquizofrenia e o transtorno bipolar.

O que dizem, então, os cientistas sobre o glúten e as doenças mentais que nos deixam mais perplexos, como a esquizofrenia e o transtorno bipolar? São doenças complicadas, em que entram em jogo fatores genéticos e ambientais, mas sucessivos estudos têm demonstrado que as pessoas que recebem esses diagnósticos frequentemente também têm sensibilidade ao glúten. E quando elas têm um histórico de doença celíaca, o risco de desenvolver esses transtornos psiquiátricos é maior que nas demais pessoas. Além disso, já dispomos de evidências documentais de que mães sensíveis ao glúten dão à luz bebês cuja probabilidade de vir a desenvolver esquizofrenia anos depois é 50% maior.

Esse estudo, publicado em 2012 pelo *American Journal of Psychiatry*, junta-se a um corpo cada vez maior de evidências de que muitas doenças que surgem durante a vida se originam antes e logo depois do parto. Os autores do estudo, do Instituto Karolinska, da Suécia, uma das maiores e mais respeitadas faculdades de medicina da Europa, e da Universidade Johns Hopkins, nos Estados Unidos, colocaram os fatos de maneira precisa:

> O estilo de vida e os genes não são os únicos fatores que moldam o risco de doenças, e fatores e exposições antes, durante e após o nascimento podem ajudar a pré-programar muito de nossa saúde adulta. Nosso estudo é um exemplo ilustrativo que sugere que uma sensibilidade alimentar prévia ao parto pode ser um catalisador do desenvolvimento de esquizofrenia ou uma condição similar 25 anos depois.[44]

Se você está imaginando como eles conseguiram fazer essa correlação, basta dar uma olhada nos detalhes de suas análises, que exigiram o exame de registros de nascimento e amostras de sangue neonatal de crianças nascidas na Suécia entre 1975 e 1985. Cerca de 211 das 764 examinadas desenvolveram desordens mentais durante a vida, caracterizadas por um desvio de personalidade significativo e uma perda de contato com a realidade. A equipe mediu os níveis de anticorpos IgG para leite e trigo em amostras de sangue e concluiu que "crianças de mães com níveis anormalmente elevados de anticorpos para a proteína do trigo tinham quase 50% mais probabilidade de desenvolver esquizofrenia durante a vida que crianças de mães com níveis normais de anticorpos para o glúten".[45] Essa associação permanecia válida mesmo depois que os cientistas eliminaram outros fatores que sabidamente elevam o risco de desenvolver esquizofrenia, como a idade da mãe durante a gravidez e se a criança nasceu por cesariana (na maioria dos casos, fatores genéticos e impactos ambientais in utero pesam muito mais no risco de esquizofrenia que os fatores ambientais encontrados mais tarde na vida). Mas as crianças de mães com níveis anormalmente altos de anticorpos à proteína do leite não mostraram risco maior de transtornos psiquiátricos.

Os autores também acrescentaram uma fascinante observação histórica ao artigo. Foi só na Segunda Guerra Mundial que começou a aflorar a suspeita de uma correlação entre transtornos psiquiátricos e sensibilidade alimentar materna. Um pesquisador do Exército americano, o dr. F. Curtis Dohan, foi um dos primeiros cientistas a perceber uma relação entre a escassez de alimentos na Europa do pós-guerra (e, consequentemente, uma falta de trigo na dieta) e um número consideravelmente menor de hospitalizações por esquizofrenia. Embora essa observação, na época, não tenha permitido provar uma associação, desde então temos o benefício de estudos de longo prazo e tecnologias modernas para julgar os argumentos contra o glúten.

A relevância do planejamento pré-natal gerou um imenso campo de estudos nas últimas décadas. Mais recentemente houve uma explosão de novas formas de estudar como os acontecimentos do início da vida programam os descendentes para uma série de resultados de saúde adversos. Essa área promissora ganhou até um renomado centro de gravidade, batizado de DOHAD Society — a Sociedade Internacional para as Origens Desenvolvimentistas de Saúde e Doenças. Pesquisadores do mundo inteiro continuam a documentar uma correlação profunda entre ambientes e exposições pré-natais e a aparição posterior de doenças, de problemas mentais a doenças cardiovasculares e diabetes. Em um artigo de 2015 intitulado "Programação Pré-Natal de Doenças Mentais", os autores escreveram: "O útero pode ser tão importante quanto o lar".[46] A frase é uma homenagem ao epidemiologista David J. Barker, que introduziu em 1990 o conceito de que "o útero pode ser mais importante que o lar".[47]

Os estudos também mostraram que uma dieta pobre em carboidratos e rica em gorduras, como aquela que exponho no capítulo 7, pode mitigar não apenas a depressão, mas também a esquizofrenia. Uma mulher citada na literatura médica, conhecida apenas pelas iniciais CD, solucionou completamente seus sintomas de esquizofrenia quando adotou uma dieta sem glúten e pobre em carboidratos.[48] Ela teve o primeiro diagnóstico aos dezessete anos e vivenciou paranoia, fala desestruturada e alucinações diárias durante toda a vida. Antes de adotar uma dieta pobre em carboidratos, aos setenta anos de idade, ela fora hospitalizada inúmeras vezes por tentativas de suicídio e sintomas psicóticos severos. Os medicamentos não conseguiram minorar seus sintomas. Na primeira semana da nova dieta, CD relatou se sentir melhor, com mais energia. E em três semanas ela não ouvia mais vozes nem "via esqueletos".

UMA CURA PARA A CEFALEIA COMUM?

Não consigo imaginar o que deva ser sofrer de dores de cabeça diárias, mas tratei muitos pacientes que tiveram de carregar o fardo desse tipo de sofrimento por toda a vida. Tome-se, por exemplo, o caso de um senhor de 66 anos que eu examinei pela primeira vez em janeiro de 2012. Vou chamá-lo de Cliff.

Cliff havia suportado trinta longos anos sentindo a mesma dor de cabeça incessante e merece uma medalha de ouro por tudo que fez no esforço para se livrar da dor. Suas tentativas incluíram uma batelada de remédios, daqueles feitos para enxaqueca, como o Sumatriptan, a analgésicos narcóticos, como o Tramadol, receitados depois de consultas com as melhores clínicas de cefaleia — sem resultado. Além de serem ineficazes, muitos desses medicamentos, ele descobriu, tiravam sua energia. Embora Cliff tenha mencionado achar que suas dores de cabeça tinham a ver com a alimentação, ele não sabia dizer se esse era o caso o tempo todo. Nada no seu histórico médico me chamou a atenção, mas quando falamos sobre seu histórico familiar ele disse que a irmã também sofria de enxaquecas e tinha importantes intolerâncias alimentares. Esse fiapo de informação me levou a investigar um pouco mais. Fiquei sabendo que Cliff tinha um histórico de vinte anos de rigidez muscular, e que a irmã possuía um anticorpo específico, relacionado à sensibilidade ao glúten, que também é associado àquilo que os médicos chamam de "síndrome da pessoa rígida".

Quando pedi um exame de sangue de Cliff, várias coisas chamaram a atenção. Ele era altamente reativo a onze proteínas relacionadas ao glúten. Como a irmã, ele mostrava uma forte reação em relação ao anticorpo associado à síndrome da pessoa rígida. E também percebi que ele era bastante intolerante ao leite de vaca. Assim como muitos de meus pacientes, prescrevi-lhe uma dieta que restringia glúten e laticínios. Depois de três meses, ele me relatou que não havia necessitado de Tramadol durante todo o mês anterior, e numa escala de 1 a 10 suas piores dores de cabeça agora estavam num suportável 5, em vez de um gritante 9. O melhor de tudo é que suas dores de cabeça deixaram de se arrastar pelo dia inteiro; agora duravam apenas três ou quatro horas. Embora Cliff não estivesse totalmente curado, seu alívio era substancial e, para ele, muito recompensador. Na verdade, ele estava tão satisfeito com os resultados que me permitiu usar sua fotografia ao apresentar seu caso, agora publicado, a profissionais da área da saúde.

Tive muitos outros pacientes que entraram pela minha porta e saíram com a cabeça livre da dor, graças à adoção de uma dieta sem glúten. Uma mulher com uma experiência semelhante fora a incontáveis médicos, havia tentado inúmeros remédios e passado por tomografias cerebrais de alta tecnologia. Nada funcionou, até que ela se consultou comigo e meu bloco de receitas, e fez um teste de sensibilidade ao glúten. E, surpresa, o vilão foi identificado — e, com ele, a cura.

A dor de cabeça é uma de nossas doenças mais comuns, e as enxaquecas, em particular, são o terceiro mal mais frequente no mundo.[49] Só nos Estados Unidos, mais de 39 milhões de homens, mulheres e crianças sofrem de enxaqueca, e outros milhões sofrem de dores de cabeça crônicas.[50] Incrivelmente, a medicina do século XXI continua focada no tratamento dos *sintomas* de um problema que é totalmente evitável. Se você sofre de dores de cabeça crônicas, por que não tentar uma dieta sem glúten? O que você tem a perder?

UM RESUMO DAS GRANDES DORES DE CABEÇA

Para a discussão deste livro, incluí todos os tipos de dor de cabeça numa única categoria. Assim, esteja você lidando com dores de cabeça de tensão, cefaleia em salvas, dor nos seios da face ou enxaquecas, na maior parte do tempo referir-me-ei às dores de cabeça como uma "cesta" coletiva de condições que têm a mesma característica: dor na cabeça provocada por alterações físicas e bioquímicas no cérebro. Registre-se que as enxaquecas tendem a ser o tipo mais doloroso e muitas vezes vêm acompanhadas de náusea, vômitos e fotofobia. Mas dor de cabeça é dor de cabeça, e se você tiver uma, sua prioridade é encontrar uma solução. De vez em quando, porém, farei referência específica às enxaquecas.

Um número enorme de coisas pode desencadear uma dor de cabeça, de uma noite ruim de sono a mudanças no tempo, substâncias químicas na comida, congestão dos seios da face, trauma na cabeça, tumores no cérebro ou excesso de álcool. A bioquímica exata das dores de cabeça, principalmente das enxaquecas, continua a ser estudada. Mas sabemos muito mais hoje em dia do que antes. E para aqueles sofredores que não conseguem encontrar a causa (e, assim, a provável solução) de suas dores de cabeça, minha aposta é que em nove de cada dez casos essa razão pode ser uma sensibilidade ao glúten não diagnosticada.

Em 2012, pesquisadores do Centro Médico da Universidade Columbia, em Nova York, completaram um estudo de um ano de duração que documentou dores de cabeça crônicas em 56% das pessoas que tinham sensibilidade ao glúten e 30% daqueles com doença celíaca (os considerados "sensíveis ao glúten" não testaram positivo para a doença celíaca, mas relataram alguns sintomas quando ingeriam alimentos com trigo; volto a lembrar que, mesmo que você não sinta sintomas de sensibilidade ao glúten, deve assumir que é impactado por esse ingrediente).[51] Eles também descobriram que 23% daqueles com doenças inflamatórias do intestino também tinham dores de cabeça crônicas. Quando os pesquisadores se voltaram para a prevalência de enxaquecas, encontraram percentuais muito mais altos no grupo com doença celíaca (21%) e no grupo com doenças inflamatórias do intestino (14%) que no grupo de controle (6%). Quando perguntaram a ela qual a explicação para a correlação, a principal autora do estudo, a dra. Alexandra Dimitrova, fez alusão ao maior culpado de todos: o processo inflamatório. Citando a dra. Dimitrova:

É possível que pacientes com [doenças intestinais inflamatórias] tenham uma reação inflamatória generalizada, e isso pode ser similar em pacientes de doença celíaca, em que o corpo inteiro, inclusive o cérebro, é afetado pela inflamação [...]. A outra possibilidade é que haja anticorpos na doença celíaca que podem [...] atacar as células cerebrais e as membranas que envolvem o sistema nervoso, o que de alguma maneira causa dores de cabeça. O que sabemos com certeza é que há uma prevalência maior de dores de cabeça de todos os tipos, inclusive enxaqueca, em relação ao grupo de controle saudável.

Ela acrescentou que muitos de seus pacientes relataram grande melhora na frequência e na intensidade de suas dores de cabeça depois que adotaram uma dieta sem glúten; em alguns, as dores de cabeça desapareceram completamente.

O dr. Marios Hadjivassiliou, que mencionei ao longo deste livro, realizou extensos estudos sobre a dor de cabeça e a sensibilidade ao glúten.[52] Entre seus trabalhos mais impressionantes estão ressonâncias magnéticas cerebrais que mostram profundas alterações na substância branca dos pacientes de dor de cabeça com sensibilidade ao glúten. Essas anormalidades indicam processos inflamatórios. A maioria desses pacientes era resistente aos tratamentos normais contra dor de cabeça. No entanto, assim que adotaram uma dieta sem glúten, se livraram do sofrimento.

O dr. Alessio Fasano, que chefia o Centro de Pesquisa e Tratamento Celíacos do Hospital Geral de Massachusetts, é um gastroenterologista pediátrico de renome mundial e importante pesquisador na área de sensibilidade ao glúten.[53] Fiz menção a ele anteriormente neste livro. Quando eu me encontrei com ele em um simpósio nacional, em que ambos éramos palestrantes, ele me disse que não considera mais novidade que pacientes sensíveis ao glúten, inclusive aqueles com diagnóstico de doença celíaca, frequentemente sofram de cefaleia. Lamentamos juntos a infelicidade de esse tipo de dor de cabeça desencadeada pelo glúten ser tão mal compreendida pelo público em geral. A solução é tão simples, e, no entanto, poucos dos que sofrem com ela sabem que são sensíveis ao glúten.

Quando pesquisadores italianos realizaram uma experiência de supressão de glúten em 88 crianças com doença celíaca e dores de cabeça crônicas, descobriram que 77,3% delas tiveram uma melhora significativa nas dores de cabeça ao manter uma dieta sem glúten, e

27,3% das que melhoraram se livraram totalmente delas. O estudo também mostrou que 5% das crianças com dores de cabeça que não tinham diagnóstico anterior de doença celíaca na verdade a possuíam — percentual muito maior que o 0,6% que os pesquisadores haviam documentado na população pediátrica geral do estudo. Portanto, o risco de dores de cabeça no grupo com doença celíaca aumentou em 833%. Os autores concluíram:

Registramos — em nossa região geográfica — uma elevada frequência de dores de cabeça em pacientes com doença celíaca e vice-versa, com um efeito benéfico de uma dieta sem glúten. Testes de doença celíaca podem ser recomendáveis no processo diagnóstico de pacientes com dor de cabeça.[54]

A prevalência de enxaquecas na população pediátrica está aumentando. Antes do início da puberdade, a enxaqueca afeta meninas e meninos na mesma proporção. Depois disso, as mulheres superam os homens numa proporção de três para um, aproximadamente. Crianças com enxaquecas têm um risco 50% a 75% maior de sofrerem de enxaqueca quando adultos, e a doença é hereditária em 80% dos casos. A enxaqueca infantil representa a terceira principal causa de absenteísmo escolar.[55]

É coincidência que tantas crianças com dores de cabeça crônicas também tenham uma forte sensibilidade ao glúten? E é fortuito que a retirada do glúten de suas dietas tenha feito as dores de cabeça desaparecerem como num passe de mágica? Não e não. Infelizmente, muitas crianças com dores de cabeça crônicas nunca passam por testes de sensibilidade ao glúten; em vez disso, lhe são receitadas drogas poderosas. A abordagem padrão ao tratamento de dores de cabeça infantis inclui o uso de medicamentos anti-inflamatórios não esteroides, compostos com aspirina, triptanas, ergotaminas e antagonistas de dopamina. Para prevenir dores de cabeça, algumas das drogas usadas incluíam antidepressivos tricíclicos, diversos anticonvulsivos, incluindo sódio divalproex e, mais recentemente, topiramato, agentes antisserotoninérgicos, betabloqueadores e bloqueadores do canal de cálcio. O topiramato, que é usado no tratamento da epilepsia, traz consigo efeitos colaterais desagradáveis que causariam receio em qualquer pai e desconforto à criança. Eles incluem perda de peso, anorexia, dores abdominais, dificuldades de concentração, sedação e parestesia (a sensação de "formigamento", ou de um membro "dormente").[56] Não sei você, mas eu não gostaria que meu filho sofresse esses efeitos colaterais, ainda que temporariamente, para tratar de uma dor de cabeça que não tem nada a ver com aquilo para que a droga foi concebida. Nos últimos anos, diversos estudos surgiram mostrando que, na maior parte, os anticonvulsivos não aliviam dores de cabeça em crianças mais do que um placebo.[57] Na verdade, os maiores pesquisadores da dor de cabeça têm feito pressão em favor de mais estudos em crianças, porque poucas drogas se mostraram úteis, eficazes e seguras. Infelizmente, o foco nas drogas, em vez das escolhas alimentares e dos suplementos nutricionais, nos afasta da abordagem da causa subjacente da dor de cabeça.

GRANDES BARRIGAS, GRANDES DORES DE CABEÇA

Você já sabe que a gordura abdominal aumenta o risco de uma série de problemas de saúde (doenças cardíacas, diabetes, demência, entre outras). Mas as pessoas não pensam no maior risco de dores de cabeça provocado pela circunferência da cintura. Surpresa: a circunferência é um previsor melhor de crises de enxaqueca que a obesidade em geral, tanto em homens quanto em mulheres, até os 55 anos. Somente na última década foi possível mostrar cientificamente a força dessa relação, em parte graças aos pesquisadores da Faculdade de Medicina da Universidade Drexel, na Filadélfia, que analisaram dados de mais de 22 mil participantes na Pesquisa Nacional de Saúde e Nutrição (na sigla em inglês, NHANES), ainda em andamento.[58] Os dados incluem um tesouro de informações valiosas a examinar, de cálculos de obesidade abdominal (medida pela circunferência da cintura) e obesidade geral (determinada pelo índice de massa corporal) a relatos das pessoas a respeito da frequência das dores de cabeça e enxaquecas. Mesmo depois de ponderar a obesidade geral, os pesquisadores determinaram que tanto entre homens quanto entre mulheres dos vinte aos 55 anos — a faixa de idade em que a enxaqueca é mais comum — o excesso de gordura abdominal estava relacionado a um aumento significativo das crises de enxaqueca. E mulheres com gordura em excesso em volta da barriga tinham 30% mais probabilidade de sofrer de enxaqueca que aquelas sem. Isso se manteve mesmo quando os pesquisadores ponderaram a obesidade total, fatores de risco para doenças cardíacas e características demográficas.

Vários outros estudos mostram o elo inexorável entre a obesidade e o risco de dores de cabeça crônicas.[59] Um estudo particularmente grande, publicado em 2006, avaliou mais de 30 mil pessoas e concluiu que dores de cabeça crônicas diárias eram 28% mais comuns no grupo de obesos que no grupo de controle saudável, de peso normal. Aqueles que sofriam de obesidade mórbida tiveram um aumento de 74% no risco de ter dores de cabeça crônicas diárias. Quando os pesquisadores examinaram mais de perto aqueles que sofriam especificamente de enxaquecas, as pessoas com sobrepeso tiveram um aumento de 40% no risco, e os obesos tiveram um aumento de 70%.[60]

A esta altura do livro você já sabe que a gordura é um poderosíssimo órgão hormonal, e é um sistema que pode gerar compostos que favoreçem processos inflamatórios. As células de gordura liberam uma enorme quantidade de citocinas, que desencadeiam processos inflamatórios. As dores de cabeça são, na raiz, manifestações de processos inflamatórios, tanto quanto a maioria dos outros males relacionados ao cérebro que abordamos.

Por isso, faz sentido que os estudos que examinam a relação entre fatores de estilo de vida (isto é, sobrepeso, pouca atividade física e fumo) e dores de cabeça recorrentes estabeleçam uma conexão entre gordura abdominal e dores de cabeça crônicas. Em 2010, pesquisadores noruegueses entrevistaram 5847 estudantes adolescentes a respeito de suas dores de cabeça e fizeram com que preenchessem um questionário abrangente sobre seus hábitos de vida, além de submetê-los a um exame clínico.[61] Aqueles que disseram praticar atividade física regular e que não eram fumantes foram classificados como possuidores de um bom estilo de vida. Esses estudantes foram comparados com aqueles considerados menos saudáveis, em razão de um ou mais hábitos de vida "negativos".

O resultado? Os garotos com sobrepeso tinham 40% mais probabilidade de sofrer de dores de cabeça; o risco era 20% maior naqueles que não se exercitavam muito; e os fumantes tinham um risco 50% superior. Esses percentuais, porém, se acumulavam quando um estudante podia marcar mais de um fator de risco. Isto é, se um estudante fumasse, tivesse sobrepeso e não fizesse exercícios, ele ou ela possuía um risco muito maior de sofrer de dores de cabeça crônicas. E uma vez mais o estudo apontava para os efeitos dos processos inflamatórios como causa do incêndio.

Quanto maior a sua barriga, maior o seu risco de ter dores de cabeça. É raro pensarmos no nosso estilo de vida e na nossa dieta quando temos dor de cabeça. Em vez disso, nós nos voltamos para as drogas e ficamos à espera da próxima pancada na cabeça. Todos os estudos até hoje, porém, mostram o impacto do estilo de vida quando se trata de cuidar, tratar e curar permanentemente as dores de cabeça. Se você puder reduzir as fontes de processos inflamatórios (perder os quilos a mais, eliminar o glúten, adotar uma dieta pobre em carboidratos e rica em gorduras boas, e manter um equilíbrio saudável do açúcar no sangue), você pode atacar e controlar as dores de cabeça.

OS MANDAMENTOS PARA SE LIVRAR DA DOR DE CABEÇA

Várias coisas podem desencadear a dor de cabeça. Não há como relacionar todos os possíveis culpados, mas posso oferecer algumas dicas para acabar com o sofrimento. Experimente as seguintes:

- *Mantenha um ciclo de sono muito rigoroso*. Isso é chave para regular os hormônios de seu corpo e manter a homeostase — o estado preferido do corpo, em que a fisiologia está em equilíbrio.
- *Perca peso*. Quanto mais você pesa, maior a probabilidade de sofrer de dores de cabeça.
- *Mantenha-se ativo*. Ficar sedentário enseja processos inflamatórios.

- *Atente para o consumo de cafeína e álcool.* Cada um dos dois, em excesso, pode estimular dores de cabeça.
- *Não mantenha hábitos alimentares inconstantes.* Assim como acontece com o sono, seu padrão alimentar controla muitos processos hormonais que podem afetar seu risco de dores de cabeça.
- *Controle o estresse emocional, a ansiedade, as preocupações e até a excitação.* Essas emoções estão entre as que mais comumente provocam dores de cabeça e quem sofre de enxaqueca costuma ser sensível a eventos estressantes, que levam à liberação de certas substâncias químicas no cérebro que podem provocar alterações vasculares e causar enxaquecas; para piorar as coisas, emoções como a ansiedade e a preocupação podem aumentar a tensão muscular e dilatar vasos sanguíneos, aumentando a intensidade da enxaqueca.
- *Corte o glúten, os conservantes, os aditivos e as comidas processadas.* A dieta baixa em glicemia, pobre em carboidratos e rica em gorduras saudáveis apresentada no capítulo 11 ajudará muito a reduzir seu risco de ter dor de cabeça; tome cuidado, em especial, com queijos maturados, carnes salgadas e fontes de glutamato monossódico (muito encontrado na comida chinesa), pois esses ingredientes podem ser responsáveis por desencadear até 30% das enxaquecas.
- *Investigue os padrões de sua experiência com a cefaleia.* Sempre ajuda saber quando seu risco de ter dor de cabeça aumenta; muitas mulheres, por exemplo, descobrem padrões em torno do ciclo menstrual; se você for capaz de definir esses padrões, entenderá melhor a peculiaridade da sua cefaleia e agirá de acordo.

A noção de que podemos tratar — e, em alguns casos, eliminar totalmente — males neurológicos comuns apenas através da dieta nos dá força. A maioria das pessoas se volta imediatamente para os medicamentos em busca de uma solução, sem se dar conta da cura que espera por elas com umas poucas mudanças de estilo de vida, que são altamente práticas e totalmente gratuitas. Entre meus pacientes e suas circunstâncias individuais, alguns precisam de mais apoio de curto prazo para lidar com certas condições, e isso pode vir sob a forma de psicoterapia ou até medicação suplementar. Mas a grande maioria reage positivamente apenas dando uma limpeza na própria dieta e deixando de lado ingredientes enervantes (literalmente). E aqueles que necessitam de auxílio médico extra muitas vezes descobrem que podem se livrar dos remédios e colher os frutos que uma vida livre deles tem a oferecer. Lembre-se, se você seguir apenas uma recomendação deste livro, eliminar o glúten e os carboidratos refinados, você sentirá efeitos profundamente positivos, em complemento àqueles descritos neste capítulo. Além de sentir seu humor melhorar, você verá seu peso diminuir e sua energia aumentar no espaço de poucas semanas. A capacidade de cura inata do seu corpo estará em alta rotação, assim como as funções do seu cérebro.

PARTE II

COMO CURAR SEU CÉREBRO

Agora que você teve uma visão panorâmica do problema, que abrange mais que apenas grãos e inclui virtualmente todos os carboidratos, é hora de debruçar-se sobre as formas pelas quais você pode ajudar a saúde e o funcionamento ideais do seu cérebro. Nesta seção do livro, vamos examinar três hábitos fundamentais: dieta, exercícios e sono. Cada um deles desempenha um papel significativo no funcionamento do cérebro. E com as lições aprendidas nesta parte, você estará totalmente preparado para executar o programa de quatro semanas apresentado na terceira parte.

7. O regime alimentar para o cérebro ideal
Bom dia, jejum, gordura e suplementos essenciais

Eu jejuo para ter maior eficiência física e mental.
Platão (428-348 a.C.)

O tamanho do nosso cérebro, em comparação com o resto do corpo, é uma das características mais importantes que nos distinguem de todos os demais mamíferos. Um elefante, por exemplo, tem um cérebro que pesa 7500 gramas, bem mais que nosso cérebro de 1400 gramas. Mas o cérebro do elefante representa 1/550 do peso total de seu corpo, enquanto o nosso representa 1/40 do total. Por isso, não podemos fazer nenhuma comparação de "potência cerebral" ou inteligência apenas com base no tamanho do cérebro. A razão entre o tamanho do cérebro e o tamanho do corpo é essencial quando se leva em conta a capacidade funcional do cérebro.[1]

Mas ainda mais importante que nosso impressionante volume de massa cerebral é o fato de, grama por grama, nosso cérebro consumir uma quantidade enormemente desproporcional de energia. Ele representa 2,5% do peso total de nosso corpo, mas consome incríveis 22% do gasto de energia corporal em repouso. O cérebro humano gasta cerca de 350% a mais de energia que o de outros antropoides, como os gorilas, os orangotangos e os chimpanzés. Por isso, manter nosso cérebro funcionando exige muitas calorias alimentares. Felizmente para nós, porém, nossos cérebros grandes e poderosos nos permitiram desenvolver as habilidades e a inteligência necessárias para sobreviver em condições extremas, como a escassez de comida. Podemos conceber o futuro e planejá-lo, uma característica singular do ser humano.

E ter uma compreensão das incríveis habilidades do cérebro nos ilumina em relação às maneiras de otimizar nossa dieta para um cérebro de funcionamento saudável.

O PODER DO JEJUM

Um mecanismo crítico do corpo humano, que eu já abordei, é a capacidade de converter gordura em combustível vital durante períodos de fome. Podemos decompor a gordura em moléculas especializadas chamadas cetonas, e uma delas, especificamente, já citada — o beta-hidroxibutirato (beta-HBA) —, é um combustível superior para o cérebro. Isso não apenas é um argumento convincente em favor dos benefícios de jejuns intermitentes para alimentar o cérebro, por mais contraditório que possa parecer, mas também serve como explicação para uma das questões que geram debates mais acalorados na antropologia: por que nossos parentes Neandertais desapareceram entre 40 mil e 30 mil anos atrás. Embora seja conveniente e quase dogmático aceitar que os Neandertais foram exterminados por *Homo sapiens* mais inteligentes, muitos cientistas acreditam hoje em dia que a escassez de comida possa ter tido um papel preponderante em seu desaparecimento. Pode ser que os Neandertais simplesmente não tivessem a "resistência mental" para perseverar, porque lhes faltava o processo químico para utilizar a gordura como alimentação para o cérebro.

Ao contrário dos cérebros dos outros mamíferos, o nosso pode usar uma fonte alternativa de calorias em períodos de fome. Em geral, nosso consumo alimentar diário fornece glicose como combustível para o cérebro. Entre uma e outra refeição, nosso cérebro é abastecido permanentemente com um fluxo constante de glicose gerado a partir da decomposição do glicogênio, na maior parte do fígado e dos músculos. Mas os estoques de glicogênio podem fornecer glicose apenas até certo ponto. Quando essas reservas se esgotam, nosso metabolismo muda e somos capazes de criar moléculas novas de glicose a partir de aminoácidos tirados de proteínas encontradas primordialmente nos músculos. Esse processo é chamado, apropriadamente, de gluconeogênese. O lado positivo é que isso acrescenta ao sistema a tão necessária glicose; o negativo é que sacrifica os músculos. E uma decomposição dos músculos não é algo bom para um caçador-coletor faminto.

Felizmente, a fisiologia humana oferece um processo a mais para produzir energia para o cérebro. Quando não há mais comida disponível, depois de uns três dias, o fígado começa a usar a gordura do corpo para criar as cetonas. É aí que o beta-HBA atua como uma eficiente fonte de energia para o cérebro, que nos possibilita longos períodos de funcionamento cognitivo durante a escassez de comida. Tal fonte alternativa de energia ajuda a reduzir nossa dependência da gluconeo-gênese, preservando, assim, nossa massa muscular.

Mas, mais do que isso, nas palavras do falecido professor George F. Cahill, da Faculdade de Medicina de Harvard:

> Estudos recentes mostraram que o beta-hidroxibutirato, a principal cetona, não apenas é um combustível, mas também um supercombustível, que produz energia ATP de maneira mais eficiente que a glicose. Ele também protegeu as células neuronais, em uma cultura de tecidos, contra a exposição a toxinas associadas ao Alzheimer ou ao Parkinson.[2]

De fato, o dr. Cahill e outros pesquisadores estabeleceram que o beta-HBA, que pode ser obtido facilmente pelo acréscimo de óleo de coco à dieta, melhora a função antioxidante, aumenta o número de mitocôndrias e estimula o crescimento de novas células cerebrais.

No capítulo 5 exploramos a necessidade de reduzir a ingestão de calorias para aumentar o BDNF, como forma de estimular o crescimento de novas células cerebrais, assim como de estimular o funcionamento dos neurônios existentes. A ideia de reduzir substancialmente a ingestão diária de calorias não atrai muita gente, apesar do fato de ser uma maneira poderosa não apenas de aprimorar o cérebro, mas também a saúde como um todo. Mas jejuns intermitentes — uma restrição total de alimentos, por 24 a 72 horas, a intervalos regulares ao longo do ano — são mais administráveis, e eu recomendo e delineio um programa no capítulo 10. Pesquisas mostraram que muitos dos mesmos processos genéticos bons para a saúde e para o cérebro, ativados pela restrição calórica, também o são pelo jejum, mesmo que por períodos de tempo relativamente curtos.[3] Isso vai contra o senso comum, que diz que o jejum reduz o metabolismo e força o organismo a estocar gordura, num suposto "modo fome". Bem ao contrário, o jejum produz para o corpo benefícios que podem acelerar e estimular a perda de peso, sem falar na melhora da saúde cerebral. No início dos anos 1900, os médicos começaram a recomendá-lo para tratar de diversos transtornos, como diabetes, obesidade e epilepsia. Hoje, dispomos de um vasto corpo de pesquisas demonstrando que o jejum intermitente pode aumentar a longevidade e adiar o surgimento de doenças que tendem a encurtar a vida, entre elas a demência e o câncer.[4]

O jejum não apenas ativa a engrenagem genética da produção de BDNF, mas também acelera o processo de Nrf2 que eu descrevi anteriormente, levando a uma desintoxicação superior, a uma redução dos processos inflamatórios e uma produção maior de antioxidantes que protegem o cérebro. Jejuar também faz o cérebro trocar o uso da glicose como combustível pelas cetonas fabricadas no fígado. Quando o cérebro está metabolizando cetonas como combustível, até mesmo o processo de suicídio celular (apoptose) se reduz, enquanto os genes mitocondriais são ativados, o que leva à replicação mitocondrial. Simplificando, o jejum aumenta a produção de energia e prepara o caminho para um funcionamento melhor e mais claro do cérebro.

O jejum durante buscas espirituais é uma parte integral da história das religiões. Todas as grandes religiões promovem o jejum como algo mais que um ato simplesmente cerimonial. O jejum sempre foi uma parte fundamental da prática espiritual, como no Ramadã muçulmano ou no Yom Kippur judeu. Os iogues praticam a austeridade em suas dietas e os xamãs jejuam durante suas buscas visionárias. O jejum também é uma prática comum entre os cristãos devotos, e a Bíblia tem exemplos de jejuns de um, três, sete e quarenta dias.

O QUE O JEJUM E AS DIETAS CETOGÊNICAS TÊM EM COMUM

O que acontece quando você reduz substancialmente sua ingestão de carboidratos e obtém uma quantidade maior de calorias a partir da gordura? Acabei de explicar os benefícios do jejum, que estimula o cérebro a recorrer à gordura como combustível, sob forma de cetonas. Uma reação similar ocorre quando você segue uma dieta pobre em carboidratos e rica em gorduras e proteínas saudáveis. Essa é a base do programa dietético deste livro.

Ao longo de nossa história recorremos à gordura como uma fonte alimentar densa em calorias. Ela nos manteve esbeltos e nos foi útil nos tempos de caçadores-coletores. Como você já sabe, ingerir carboidratos estimula a produção de insulina, que leva à produção e à retenção de gordura, e a uma capacidade menor de queimá-la. Além disso, ao consumir carboidratos, estimulamos uma enzima chamada lipoproteína lipase, que tende a transportar a gordura para as células; a insulina liberada quando consumimos carboidratos piora as coisas, ao desencadear enzimas que prendem a gordura em nossas células adiposas.

Como já expliquei, quando queimamos gordura, em vez de carboidratos, entramos na cetose. Não há nada intrinsecamente errado nisso. Nosso corpo está preparado para essa atividade desde que começamos a caminhar pela Terra. Um leve estado de cetose é, na verdade, saudável. Ficamos levemente cetóticos quando acordamos, de manhã, e nosso fígado está mobilizando a gordura do corpo para utilizar como combustível. Tanto o coração quanto o cérebro funcionam de forma até 25% mais eficiente com cetonas do que com o açúcar do sangue. As células cerebrais normais e saudáveis prosperam quando se alimentam de cetonas. Algumas células de tumores cerebrais, porém, só conseguem utilizar a glicose como combustível. O tratamento padrão para o glioblastoma, um dos tipos mais agressivos de tumores cerebrais, é cirurgia, radioterapia e quimioterapia. Mas, para ser franco, os resultados dessa abordagem são bastante decepcionantes. Tirando partido do fato de que as células do glioblastoma só podem usar glicose, e não cetonas, o dr. Giulio Zuccoli, ex-professor da Faculdade de Medicina da Universidade de Pittsburgh e atualmente chefe de neurorradiologia do Hospital Infantil da Filadélfia, argumentou que uma dieta cetogênica pode, na verdade, mostrar-se eficaz no tratamento do glioblastoma, junto com os tratamentos tradicionais.[5] E, de fato, ele publicou um estudo de caso de tratamento de um paciente de glioblastoma com a dieta cetogênica, com resultados impressionantes. Se uma dieta cetogênica pode prolongar a vida de um paciente de câncer, o que poderia conseguir num indivíduo saudável?

Uma dieta puramente cetogênica obtém 80% a 90% das calorias a partir de gorduras, e o restante de carboidratos e proteínas. É, certamente, radical, mas é preciso reconhecer que as cetonas são um combustível muito mais eficiente para o cérebro. Em 1921, quando Russell Wilder, da Clínica Mayo, criou a dieta cetogênica, ela basicamente só propunha a ingestão de gorduras. Nos anos 1950, descobriram-se os triglicérides de cadeia média (MCT), que atuam como precursores do beta-HBA no organismo e podem ser consumidos no óleo de coco. Demonstrou-se, na verdade, que o consumo de óleo de MCT melhora a cognição e, o que é essencial, o poder do cérebro. Um desses estudos, feito no Japão e publicado em 2016, concluiu: "Sugeriu-se que a refeição cetogênica [com acréscimo de MCTs] tem efeitos positivos na memória funcional, na atenção visual e na alternância de tarefas em idosos não dementes".[6] Os pesquisadores documentaram uma correlação direta entre a elevação dos níveis de beta-HBA no sangue e a melhora vivenciada pelos pesquisados com dietas cetogênicas ricas em MCTS. A dieta cetogênica se tornou popular nos últimos anos, e ainda mais popular nos círculos de pesquisadores. Hoje, os cientistas estão investigando de forma rigorosa como ela pode melhorar não apenas o funcionamento do cérebro como um todo, mas ajudar a tratar condições complicadas como a ELA, o Parkinson e até o diabetes tipo 1.

O dr. Keith Runyan escreveu dois livros sobre como derrotar ambos os tipos de diabetes com uma dieta cetogênica. Runyan, ele próprio um diabético tipo 1, desafiou abordagens há muito consagradas para sua condição. Ele clinicou nas áreas de medicina emergencial, medicina interna, nefrologia e obesidade durante quase trinta anos. Diagnosticado em 1998, ele atingiu a hemoglobina-A1C "recomendada" de 6,5% a 7% ao longo dos quatorze anos seguintes, usando tratamento convencional. No entanto, ele ficava incomodado com frequentes episódios hipoglicêmicos desagradáveis e constrangedores, durante os quais ficava incrivelmente trêmulo, confuso, suado e irritado. Depois de começar a se exercitar com regularidade como treinamento para triatlos em 2007 e a tomar gel esportivo para prevenir a hipoglicemia, seu controle glicêmico acabou piorando. Com a ideia de disputar o Ironman, ele saiu em busca de um método melhor de controle do diabetes. Experimentou a dieta cetogênica em 2012 e sentiu não apenas uma melhora do controle glicêmico, mas também uma redução da hipoglicemia e de seus sintomas. Em 2012, ele completou o Ironman sem hipoglicemia ou necessidade de açúcar ou alimento, em razão da adaptação às gorduras propiciada pela dieta cetogênica. Hoje, ele é um porta-voz do uso da dieta cetogênica no controle do diabetes (você pode assistir à entrevista que fiz com ele em DrPerlmutter.com ou em meu canal no YouTube).

Os efeitos poderosos da dieta cetogênica no tratamento do diabetes tipo 2, em especial, foram ressaltados em um artigo de 2018, da dra. Sarah Hallberg (que conhecemos no capítulo 3; ela comanda um programa médico de perda de peso, na Universidade de Indiana).[7] A dra. Hallberg e seus colegas realizaram um estudo com um grupo de 349 diabéticos tipo 2. Parte do grupo recebeu cuidados convencionais, sob supervisão dos médicos de sua equipe, durante um período de um ano; o outro grupo foi posto numa dieta cetogênica. Começaram com trinta gramas de carboidratos por dia, e o nível de carboidratos foi sendo ajustado para mantê-los em cetose. O que havia de singular nesse estudo é o fato de que o grupo "de intervenção" — o grupo posto na dieta cetogênica — estava em contato direto com médicos e consultores de saúde, fazendo medições constantes da glicemia e do A1C, assim como dos níveis cetônicos do sangue, para assegurar a manutenção da cetose. Os resultados do estudo são de tirar o fôlego. Um ano depois, os pacientes na dieta cetogênica tinham perdido 12% do peso corporal, e seus níveis de A1C caíram de 7,6 para 6,3. Incrivelmente, 94% dos pacientes a quem foi receitada insulina puderam reduzi-la ou cortá-la totalmente. E entre aqueles pacientes que tomavam sulfonilurias, um medicamento oral comum para diabéticos, todos puderam descontinuar a droga. Os pacientes que não fizeram a dieta cetogênica não tiveram alterações nos níveis de A1C, no peso ou no uso de medicamentos para diabetes. É importante reiterar que o grupo com a dieta cetogênica esteve sob supervisão contínua de um consultor de saúde e de um médico, e que isso pode ter pesado nessa drástica melhoria. Esse estudo demonstra que uma dieta cetogênica, nessas condições, representa a intervenção mais eficaz jamais demonstrada para o tratamento do diabetes tipo 2. Eu tive a oportunidade de entrevistar a dra. Hallberg algumas semanas depois da publicação desse estudo histórico na revista *Diabetes Therapy* (você pode assistir à entrevista em DrPerlmutter.com ou em meu canal do YouTube. Também o incentivo a dar uma olhada na palestra TED Talk dela em 2015: "Reverter o diabetes tipo 2 começa por ignorar as recomendações"; já foi vista mais de 3 milhões de vezes — e o número continua a aumentar).

Os mecanismos que explicam como as cetonas produzidas durante a dieta cetogênica são tão boas para o cérebro, além de reduzir o risco de diabetes, incluem a redução dos processos inflamatórios, uma produção de energia mais eficiente e um aumento da produção de antioxidantes. Além disso, as cetonas aumentam o BDNF, ao agir como moléculas que alertam as células para acionarem certas vias genômicas que aumentam a viabilidade das células. Em outras palavras, entrar em um estado de cetose altera sua expressão gênica, ajudando a controlar a glicemia, aumentar a disponibilidade de energia para o cérebro, equilibrar os níveis de insulina e reduzir a morte programada das células. Um artigo de 2012 sobre os benefícios da dieta cetogênica chegou a explicar como ela aumenta a ativação gênica da sirtuína, uma via genômica associada com um aumento do tempo de vida dos animais.[8]

O programa alimentar delineado no capítulo 10 respeita os princípios cetogênicos gerais ao reduzir significativamente os carboidratos, obrigando o corpo a queimar gorduras, ao mesmo tempo que aumenta as gorduras alimentares e acrescenta nutrientes para elevar a produção de beta-HBA. Você limitará seu consumo de carboidratos líquidos a apenas vinte ou 25 gramas diários, durante as primeiras quatro semanas, após o que aumentará essa quantidade para trinta gramas. "Carboidratos líquidos" significa o total de carboidratos (em gramas) menos o conteúdo em fibras (em gramas), já que as fibras não têm nenhum efeito negativo sobre a glicemia (desde que o alimento não contenha alcoóis de açúcar). O grau de cetose que você é capaz de atingir pode, na verdade, ser medido facilmente com um medidor de cetona. Antes, eu recomendava tiras de teste de cetona (por exemplo, Ketostix), que detectam cetonas na urina, mas esse tipo de teste não tem nem de longe a precisão de um medidor de cetona no sangue, que pode medir a glicose e as cetonas com um simples furinho no dedo. Esses aparelhos, que são acessíveis e podem ser encomendados on-line, costumam medir o beta-HBA; são incrivelmente fáceis de usar no monitoramento da cetose. Para manter uma leve cetose, o ideal é que os níveis de beta-HBA fiquem na faixa de 0,5 µmol/l a 4 µmol/l. Isso significa que seu corpo está usando as cetonas como forma de energia de maneira eficiente.

Se você seguir meu programa, a expectativa é que se torne levemente cetótico depois de mais ou menos uma semana, e pode ter interesse em fazer o teste por conta própria para verificar esse efeito. Algumas pessoas se sentem melhor em níveis mais altos de cetose, embora outras passem por um período temporário de "adaptação", mais ou menos durante uma semana, em que podem se sentir mal (o que é às vezes chamado de "gripe cetogênica"). Não há nada de errado com isso, já que é uma reação natural do corpo que entra em cetose e muda de um estado de queima de glicose para queima de gordura. Depois de se acostumar a uma alimentação que mantém uma leve cetose, é provável que você não precise fazer medições todo dia, talvez nem toda semana. Durante o programa de quatro semanas, sugiro que você permaneça o tempo todo em leve cetose, mas não é preciso ficar em leve cetose durante os 365 dias do ano. Recomendo interromper a cetose, de maneira inteligente, uma ou duas vezes por mês, comendo carboidratos líquidos mais saudáveis durante dois dias. Para muitos, os fins de semana são o momento ideal para aumentar a ingestão de carboidratos e interromper o ciclo de cetose. Aí chega a segunda de manhã, e volta-se ao modo de queima de gordura.

SUPLEMENTOS QUE TURBINAM O CÉREBRO

A dieta rica em carboidratos que te passei há vinte anos acabou te dando diabetes, pressão alta e problemas no coração. Ops.

Eu gosto muito de cartuns que oferecem sabedoria em uma questão de segundos, o tempo necessário para se captarem a imagem e a legenda. Este chamou minha atenção alguns anos atrás. Como eu gostaria que mais médicos fossem tão inteligentes quanto o cartunista Randy Glasbergen. Considerando todo o conhecimento científico acumulado desde que esse cartum foi publicado pela primeira vez, em 2004, poderíamos acrescentar à legenda: "e deixa você pronto para doenças cerebrais".

A dura realidade na profissão médica atual é que é improvável que você obtenha muitos bons conselhos sobre como evitar transtornos cerebrais durante uma visita ao seu clínico. Hoje em dia, você não consegue mais que quinze minutos (se tanto) com o médico, que pode ou não estar sabendo dos conhecimentos mais recentes sobre como manter suas faculdades mentais. O que é mais perturbador é o fato de muitos dos médicos de hoje, treinados décadas atrás, não terem qualquer noção de nutrição e de seus efeitos sobre a saúde. Não digo isso para menosprezar meus colegas, estou simplesmente apontando uma verdade que é, em grande parte, consequência da situação econômica.

Minha esperança é de que a próxima geração de médicos esteja mais bem preparada para fazer a balança pender para o lado da prevenção, em vez de se concentrar tanto no tratamento. Isso me leva a meus suplementos recomendados (veja nas pp. 293-4 as doses exatas e as instruções em relação a quando tomar cada um deles diariamente).

DHA: como citei anteriormente, o ácido docosaexaenoico (DHA) é o astro no reino dos suplementos. O DHA é um ácido graxo ômega 3 que representa mais de 90% das gorduras ômega 3 no cérebro. Cinquenta por cento do peso da membrana plasmática de um neurônio são compostos de DHA. E ele é um componente-chave no tecido cardíaco. Eu poderia redigir um capítulo inteiro apenas a respeito do DHA, mas vou poupá-lo de tamanho grau de detalhe. Basta dizer que o DHA é um dos queridinhos mais bem documentados na proteção do cérebro.

> Em minhas palestras, costumo perguntar aos médicos qual é, na opinião deles, a fonte mais rica de DHA natural. Ouço todo gênero de resposta — óleo de fígado de bacalhau, óleo de salmão, óleo de anchova. Alguns chutam óleo de linhaça ou de abacate, mas nenhum dos dois contém DHA o suficiente. A fonte natural mais rica em DHA é o leite materno humano. Isso explica por que a amamentação é sempre promovida como algo importante para a saúde neurológica e o desempenho de longo prazo da criança.

Muitos suplementos de DHA de alta qualidade estão disponíveis hoje em dia, e há mais de quinhentos produtos alimentares enriquecidos com DHA. Não importa muito se você comprar DHA derivado de óleo de peixe ou de algas. Embora o DHA seja melhor que seu similar, o EPA, no que diz respeito à potência e aos efeitos sobre a saúde do cérebro, não há nada de errado em comprar DHA que venha em combinação com EPA.

MCT OU ÓLEO DE COCO: Como mencionado anteriormente, o óleo de coco é uma ótima fonte de triglicérides de cadeia média (MCT), uma excelente forma de ácidos graxos saturados de fácil digestão, capazes de aumentar os níveis do colesterol "bom", o HDL. Os MCTS no óleo de coco fazem deste um supercombustível para o cérebro — com o benefício extra de reduzir os processos inflamatórios. Na literatura científica, é conhecido por ajudar a prevenir e tratar doenças degenerativas, assim como turbinar a memória e a cognição. Embora em 2017 a American Heart Association (AHA) tenha publicado um "Conselho Presidencial" que classifica o óleo de coco como uma gordura saturada nociva à saúde, permitam-me deixar claro: não apenas a AHA está errada, do ponto de vista científico, mas deixou de mencionar que recebeu financiamento da Bayer Crop Science, produtora da soja da marca Liberty Link, quando louvou as virtudes dos óleos poli-insaturados, como o óleo de soja. Para uma resposta sensacional ao texto opinativo da AHA, convido-o a ler o arrasador post de convidado de Gary Taubes no site CardioBrief.org.[9] Recomendo que você tome uma colher de sopa diária de óleo com MCT derivado de óleo de coco, ou, se preferir óleo de coco puro, duplique a dose. Você também pode cozinhar com óleo de coco ou adicionar MCT ou óleo de coco ao café ou ao chá. O óleo de coco tem estabilidade térmica. Por isso, você pode usá-lo para cozinhar em altas temperaturas — use-o no lugar do azeite de oliva extravirgem para fritar ovos ou saltear filés de peixe, por exemplo.

CÚRCUMA: A cúrcuma (*Curcuma longa*), integrante da família do gengibre, é tema de intensas pesquisas científicas, muitas delas para avaliar os efeitos anti-inflamatórios e antioxidantes que vêm de seu ingrediente ativo, a curcumina. A cúrcuma é um tempero que dá a cor amarelada ao pó do curry e, como mencionei anteriormente, é usada há milhares de anos nas medicinas chinesa e indiana como medicamento natural para uma série de males. Em um estudo para o *American Journal of Epidemiology*, pesquisadores investigaram a correlação entre o nível de consumo de curry e as funções cognitivas em idosos asiáticos.[10] Aqueles que consumiam curry "ocasionalmente" e "frequentemente" ou "muito frequentemente" tiveram resultados muito melhores em testes específicos criados para medir as funções cognitivas, em relação àqueles que "nunca" ou "raramente" ingeriam curry.

Uma das armas secretas da curcumina é a capacidade de ativar genes que produzem uma vasta gama de antioxidantes que servem para proteger nossas preciosas mitocôndrias. Ela também melhora o metabolismo da glicose. Todas essas propriedades ajudam a reduzir o risco de doenças cerebrais. A menos que você prepare um monte de pratos com curry em casa, provavelmente você não obterá muita cúrcuma em sua dieta regularmente, então sugiro que tome um suplemento.

PROBIÓTICOS: Novas e impressionantes pesquisas mostraram que ingerir alimentos ricos em probióticos — microrganismos vivos que auxiliam as bactérias residentes no nosso intestino — pode influenciar o comportamento do cérebro e ajudar a aliviar o estresse, a ansiedade e a depressão.[11] Essa tribos de "bactérias boas" que moram no seu intestino e auxiliam a digestão são estimuladas e nutridas pelos probióticos. Eles desempenham um papel na produção, na absorção e no transporte de substâncias neuroquímicas como a serotonina, a dopamina e o fator de crescimento nervoso, essenciais para um cérebro saudável e para a função nervosa (para saber todos os detalhes biológicos disso, consulte meu livro *Amigos da mente*).

Compreender como isso acontece requer uma aula rápida sobre a ciência da comunicação entre microflora, intestino e cérebro.[12] É fato que o intestino é o seu "segundo cérebro".[13] É uma área de pesquisas atuantes e fascinantes, e muitas delas, nos últimos anos, demonstraram a existência de uma via de comunicação íntima entre o cérebro e o sistema digestório. Por esse canal de mão dupla, o cérebro recebe informações sobre o que está ocorrendo em seu intestino, enquanto o sistema nervoso central envia informação de volta ao intestino, para garantir o funcionamento ideal.

Toda essa transmissão em vaivém nos possibilita controlar o comportamento alimentar e a digestão, e até mesmo ter um sono reparador à noite. O intestino também envia sinais hormonais que transmitem ao cérebro sensações de saciedade, fome e até dor provocada por inflamação intestinal. Nas doenças e males que afetam o intestino, como doença celíaca não controlada, síndrome do intestino irritável ou doença de Crohn, o intestino pode ter uma influência decisiva no bem-estar —

como nos sentimos, se dormimos bem, qual o nosso nível de energia, quanta dor sentimos e até como pensamos. Atualmente, os pesquisadores estão investigando o possível papel de algumas cepas de bactérias intestinais sobre a obesidade, desordens gastrointestinais funcionais e inflamatórias, dores crônicas, autismo e depressão. Também estão investigando o papel que essas bactérias desempenham em nossas emoções.[14]

Esse sistema é tão intrincado e influente que a saúde do nosso intestino pode ter um papel em nossa percepção geral de saúde maior do que jamais imaginamos. As informações processadas pelo intestino e enviadas ao cérebro têm tudo a ver com nossa sensação de bem-estar. E se pudermos auxiliar esse sistema, simplesmente ingerindo os colaboradores mais importantes do intestino — bactérias intestinais saudáveis —, por que não? Embora vários alimentos — como o iogurte e certas bebidas — hoje sejam fortificados com probióticos, esses produtos costumam vir com muito açúcar. O ideal é conseguir probióticos através de alimentos naturais e ricos e, probióticos, como kefir, alimentos e condimentos fermentados e iogurtes com cultura viva, ou através de suplementos não transgênicos, que ofereçam uma boa variedade de estirpes (pelo menos dez), incluindo *lactobacillus acidophilus* e *bifidobacterium*, e que contenham pelo menos 10 bilhões de bactérias ativas por cápsula. Eis algumas joias que eu recomendo procurar, com base no que a ciência já documentou:

Lactobacillus plantarum

Lactobacillus acidophilus

Lactobacillus brevis

Bifidobacterium lactis

Caso você queira perder peso, sugiro procurar as seguintes espécies, além das supracitadas:

Lactobacillus gasseri

Lactobacillus rhamnosus

Para aqueles com problemas de humor, inclusive depressão, procurem:

Lactobacillus helveticus

Bifidobacterium longum

(Uma vez mais, consulte *Amigos da mente* para obter mais detalhes científicos sobre seu microbioma e os probióticos, de modo a selecionar as melhores fórmulas. Também podem lhe interessar os *prebióticos*, ingredientes que as bactérias do intestino adoram ingerir para alimentar seu crescimento e atividade; eles podem ser ingeridos com facilidade através de certos alimentos, como folhas de dente-de-leão, alho e alcachofra-girassol, ou tupinambo. Os prebióticos também podem ser encontrados combinados com suplementos probióticos.)

EXTRATO DE GRÃO DE CAFÉ INTEGRAL: Este é um dos acréscimos mais empolgantes a meu regime de suplementos. Você já deve conhecer os grãos de café, que usamos para fazer o café. Mas o grão do café é, na verdade, uma semente, que fica dentro de uma fruta vermelha e carnuda, do tamanho de uma cereja, tirada do cafeeiro. Quando o fruto integral do café é transformado em suplemento, por meio de um processo especial, ganhamos uma usina para o cérebro, rica em antioxidantes. Esse extrato, que contém substâncias químicas chamadas procianidinas, que sabidamente protegem as células cerebrais, possui um perfil de polifenóis singular, que, acredita-se, aumenta os níveis sanguíneos de BDNF, substância que apresentei a você no capítulo 5. Não se pode exagerar a importância do BDNF, não apenas para manter o cérebro saudável e resistente a danos, mas também para desencadear o crescimento de novas células cerebrais e aumentar as conexões entre elas. Seguidos estudos vêm demonstrando a correlação entre os níveis de BDNF e o risco de desenvolver Alzheimer. Lembre-se do estudo seminal de 2014, que eu mencionei no capítulo 5 e foi publicado no *Journal of the American Medical Association*, no qual pesquisadores da Universidade de Boston concluíram que, num grupo de mais de 2100 idosos acompanhados por dez anos, 140 desenvolveram demência.[15] Aqueles que tinham níveis mais elevados de BDNF no sangue tiveram menos da metade do risco de demência, se comparados àqueles que tinham os níveis mais reduzidos de BDNF. Níveis baixos de BDNF são encontrados em pessoas com Alzheimer, assim como em pessoas com obesidade e depressão. Uma dose simples de extrato de grão integral de café mostrou-se suficiente para duplicar os níveis de BDNF no sangue na primeira hora após o consumo. E você não precisa ter receio de uma overdose de cafeína, pois esse extrato contém níveis mínimos de cafeína. Não se trata do mesmo que "concentrado de café", apesar daquilo que o nome possa indicar.

ÁCIDO ALFA-LIPOICO: Esse ácido graxo se encontra em todas as células do corpo, onde é necessário a fim de produzir a energia para o funcionamento normal do organismo. Ele cruza a barreira hematoencefálica e atua como um poderoso antioxidante no cérebro, tanto nos tecidos adiposos quanto aquosos. Hoje em dia os cientistas o investigam como um tratamento potencial para derrames e outras condições cerebrais que envolvem danos aos radicais livres, como a demência.[16] Embora o corpo consiga produzir suprimentos adequados desse ácido graxo, nosso estilo de vida moderno e nossas dietas adequadas podem tornar útil a suplementação.

COMPLEXO DE VITAMINA B: Como citei rapidamente mais acima, níveis elevados de homocisteína aumentam o risco de demência, mas é possível reduzir esses níveis com vitaminas B, principalmente a vitamina B_6, o folato e a vitamina B_{12} (a título de curiosidade, diversos estudos na literatura vêm apontando para casos de pessoas que sofrem de depressão com nível de B_{12} extremamente baixo, e que ficam curadas apenas com suplementação). Muitas drogas podem inibir as vitaminas B, elevando, dessa forma, a homocisteína (veja a lista na aba "Resources" do site DrPerlmutter.com). É por esse motivo que eu recomendo tomar um complexo B, sobretudo se seus níveis de homocisteína andam mais para altos (qualquer valor acima de 10 µmol/l no sangue).

VITAMINA D: É uma impropriedade chamar a vitamina D de "vitamina", porque na verdade ela é um hormônio esteroide lipossolúvel. Embora a maioria das pessoas a associe simplesmente à saúde dos ossos e ao nível de cálcio — daí ser ela adicionada ao leite —, a vitamina D tem efeitos de longo alcance sobre o corpo e, especialmente, sobre o cérebro. É sabido que existem receptores de vitamina D em todo o sistema nervoso central; também sabemos que a vitamina D ajuda a regular enzimas no cérebro e o fluido cérebro-espinhal, envolvidos na produção de neurotransmissores e que estimulam o crescimento de nervos. Estudos tanto com animais quanto em laboratório sugerem que a vitamina D protege os neurônios dos efeitos danosos dos radicais livres e reduz os processos inflamatórios. A vitamina D também tem relação com o microbioma. Em 2010, descobrimos que as bactérias do intestino interagem com nossos receptores de vitamina D, controlando-os, seja para aumentar, seja para reduzir sua atividade.[17] Veja abaixo algumas descobertas-chave:[18]

- Estudos mostraram uma redução de 25% no risco de declínio cognitivo nos indivíduos com níveis mais elevados de vitamina D (indivíduos com severa deficiência, num desses estudos, mostraram uma probabilidade 60% maior de sofrer declínio cognitivo durante um acompanhamento de seis anos).[19]

- Um artigo publicado em 2014 em minha revista favorita, *Neurology*, avaliou 1658 idosos que não tinham demência no início do estudo. Cinco anos e meio depois, aqueles que tinham os níveis mais reduzidos de vitamina D mais que duplicaram o risco de Alzheimer.[20] Mesmo aqueles que tinham deficiência da vitamina no início tiveram um aumento de 53% no risco, se comparados àqueles com níveis suficientes de vitamina D. A conclusão dos pesquisadores: "Nossos resultados confirmam que a deficiência de vitamina D está associada a um risco substancialmente aumentado de demência, de todas as causas, e de Alzheimer".

- Em outro estudo, foi avaliado o estado mental de 858 adultos, entre 1998 e 2006. O estudo constatou um declínio substancial nas funções mentais naqueles com severa deficiência de vitamina D.[21]

- Diversos estudos associaram níveis baixos de vitamina D ao risco de Parkinson e de recidiva em pacientes com esclerose múltipla. Em um artigo de 2017 para a *Neurology*, analisando estudos bem projetados e de grande escala associando em especial a falta de vitamina D ao risco de esclerose múltipla (EM), dois médicos canadenses escreveram:

  > A suplementação de vitamina D é uma intervenção simples que poderia ter alto custo-benefício, mesmo que previna apenas uma pequena parcela dos casos de EM. É improvável que tal estratégia possa causar dano; doses de até 4000 UI/dia são seguras para adultos, mesmo durante a gravidez; portanto, podem ser usadas do final da adolescência à idade adulta, já que seriam adequadas para obter suficiência em vitamina D para a maioria dos indivíduos. A suplementação de vitamina D também pode gerar outros benefícios; nos primeiros anos de vida, a suplementação está associada a uma massa óssea maior, em meninas dos sete aos nove anos. É hora de adotar uma abordagem ativa na prevenção da EM, no mínimo visando os indivíduos com alto risco de EM, entre eles fumantes, obesos e aqueles com histórico familiar de EM.[22]

- Já há muito tempo a literatura médica tem mostrado que níveis baixos de vitamina D contribuem para a depressão e até para a fadiga crônica.[23] Um nível adequado de vitamina D é exigido pelas glândulas suprarrenais para ajudar a regular uma enzima necessária para a produção de dopamina, epinefrina e norepinefrina — hormônios cerebrais cruciais, que influenciam o humor, a administração do estresse e a energia; sabe-se que quem tem depressão, de moderada a severa, vivencia reviravoltas e melhorias apenas com a suplementação.

Consertar a insuficiência de vitamina D pode exigir vários meses de suplementação, mas melhora significativamente toda a química do seu organismo — da saúde dos ossos à do cérebro — e até a sensibilidade à insulina. Meu programa alimentar também fornecerá boas fontes de vitamina D encontradas na natureza, como peixes de águas frias e cogumelos.

UMA NOTA ESPECIAL SOBRE MEDICAMENTOS

Se atualmente você toma algum medicamento receitado, é importante que converse com seu médico antes de dar início a qualquer programa de suplementação. Mas também quero lembrar a você que remédios populares, alguns deles adquiríveis no balcão da farmácia, podem estar trabalhando contra você e a saúde do seu cérebro. Entre os mais problemáticos, novos estudos têm mostrado, estão os inibidores de bomba de prótons, para refluxo ácido (os IBPS: por exemplo, omeprazol, ranitidina, misoprostol). Na TV americana todos já viram os comerciais: um homem tenta comer um sanduíche de linguiça, e a linguiça foge, dando a entender que, se ele comê-la, terá "indigestão", seja lá o que isso significa. A atitude a tomar é procurar uma pílula que bloqueie a acidez. Então, ele pode comer o que bem entender, e o mundo supostamente se torna um lugar melhor.

Estima-se que 15 milhões de americanos usem IBPS para doença do refluxo gastroesofágico (DRGE). São drogas que bloqueiam a produção de ácido gástrico, de que seu corpo necessita para fazer a digestão normal. Não apenas elas deixam as pessoas vulneráveis a deficiências nutricionais e vitamínicas e infecções, algumas delas com risco de vida, mas também aumentam o risco de doenças cardíacas e insuficiência renal crônica. E também atacam as bactérias benéficas do intestino. Quando os pesquisadores examinaram a diversidade microbiana em amostras de fezes de pessoas que tomam duas doses diárias de inibidores de bomba de prótons, registraram mudanças drásticas depois de apenas uma semana de tratamento. São drogas que na prática podem arruinar a integridade do seu sistema digestório, por alterarem radicalmente as bactérias do intestino. Além disso, os estudos recentes têm chegado a conclusões tão negativas que levaram a American Medical Association a publicar uma declaração ousada em sua revista, em 2016:

> Evitar medicamentos IBP pode prevenir o desenvolvimento de demência. É uma conclusão apoiada em análises fármaco-epidemiológicas recentes, com dados primários, e está em linha com modelos realizados com camundongos, em que o uso de IBPS aumentou os níveis de beta-amiloides nos cérebros dos camundongos.[24]

Essa afirmação espantosa deve ser levada a sério por qualquer um que queira preservar as funções cerebrais.

Outras drogas contra as quais eu advirto as pessoas incluem o paracetamol (Tylenol), anti-inflamatórios não esteroides, como o ibuprofeno (Advil, Alivium) e o naproxeno (Flanax), e antibióticos. Eis os motivos:

Paracetamol: Novas pesquisas mostram que ele compromete o funcionamento do cérebro, aumentando o risco de cometer erros cognitivos. Um estudo da Universidade Estadual de Ohio, de 2015, revelou que o paracetamol tolhe as emoções, tanto positivas quanto negativas.[25] Participantes que tomaram paracetamol sentiram emoções menos intensas, tanto ao ver fotos agradáveis quanto incômodas, em comparação com aqueles que tomaram placebos. Sabe-se também que o paracetamol priva o corpo de um de seus mais importantes antioxidantes, a glutationa, que ajuda a controlar os danos oxidativos e os processos inflamatórios no organismo, especialmente no cérebro. E em um estudo de 2014, cientistas dinamarqueses, em colaboração com pesquisadores da UCLA e da Universidade do Arizona, entre outros, concluíram que mulheres que tomaram paracetamol durante a gravidez tinham uma probabilidade maior de ter filhos medicados para TDAH aos sete anos de idade.[26]

Anti-inflamatórios não esteroides (AINEs): São drogas que atuam reduzindo no corpo a quantidade de prostaglandinas, uma família de substâncias químicas produzidas pelas células e que têm várias e importantes funções. As prostaglandinas promovem o tipo de inflamação de curto prazo necessária para a cura, ajudam a função coagulante das plaquetas e protegem o revestimento do estômago contra os efeitos destrutivos da acidez. Por causa dessas duas últimas funções, os AINES que impedem as prostaglandinas de exercer seu trabalho podem levar a consequências indesejadas sobre o revestimento intestinal: seu principal efeito colateral são sangramentos no estômago, úlceras e incômodo estomacal.[27] Pesquisas mostram que eles danificam o intestino delgado e comprometem o revestimento intestinal, armando assim o cenário para exatamente aquilo que deveriam impedir: inflamações.[28]

Antibióticos: Eles matam as bactérias, tanto as do bem quanto as do mal. Às vezes os antibióticos podem ser necessários para tratar infecções graves de origem bacteriana, mas há um excesso constante de prescrições e mau uso. Os antibióticos não apenas alteram a ecologia microbiana do corpo. Também levam a alterações negativas na sensibilidade à insulina, na tolerância à glicose e na acumulação de gordura, em razão da forma como modificam a flora bacteriana. São drogas que mexem com nossa própria fisiologia, alterando a maneira como metabolizamos os carboidratos e como o fígado metaboliza a gordura e o colesterol.

Não há dúvida de que os medicamentos têm sua hora e lugar. Mas vivemos em um mundo em que a primeira opção é medicar, autoprescrever e depender de pílulas. Meu sonho é o dia em que poderemos minimizar as medicações e maximizar a capacidade inata do corpo de curar a si próprio. Se você é dependente de medicamentos, incentivo a trabalhar com seu profissional de saúde para encontrar métodos alternativos de tratamento e controle de suas condições. Acredito sinceramente que, se você seguir este programa, vivenciará uma redução de seus sintomas, quer necessite continuar um tratamento medicamentoso ou não.

8. Medicina genética
Exercite seus genes para conquistar um cérebro melhor

Uma mente velha é como um cavalo velho; é preciso exercitá-lo se queremos que continue funcionando.
John Adams

Uma enquete: o que vai torná-lo mais inteligente e menos sujeito a doenças cerebrais: a) resolver um quebra-cabeças complexo ou b) dar uma caminhada? Se você respondeu *a*, não vou recriminá-lo, mas eu lhe aconselharia a dar uma caminhada antes (o mais rápido que puder) e depois sentar-se para tentar resolver o quebra-cabeça. Pois a resposta é *b*. O simples ato de mover seu corpo fará mais por seu cérebro que qualquer charada, equação matemática, livro policial ou simples raciocínio. Na verdade, nada poderia ter um impacto mais positivo na saúde e no funcionamento do cérebro que o bom e velho exercício. Estudos que remontam a décadas, e outros saindo agora (e amanhã) afirmaram e vão continuar a concluir irrefutavelmente: exercício melhora a função do cérebro. Ponto. Atua até como um "kit de primeiros socorros" para as células cerebrais danificadas.

Os exercícios têm inúmeros efeitos positivos para a saúde do corpo — principalmente do cérebro. Têm um papel importante no mundo da epigenética. Simplificando: quando você se exercita, literalmente exercita sua configuração genética. Exercícios aeróbicos não apenas acionam os genes relacionados à longevidade, mas também influenciam o gene que tem o código do BDNF, o "hormônio do crescimento" do cérebro. Mais exercício significa mais BDNF e menos inflamação. Constatou-se que exercícios aeróbicos revertem o declínio da memória nos idosos e até aumentam o surgimento de células no centro de memória. Estudos de acompanhamento que eu mencionei na edição original deste livro, e posteriormente novos estudos nos últimos anos, mostram repetidamente que as pessoas que praticam atividade física regular (45 a sessenta minutos de intensidade moderada na maioria dos dias da semana) superam significativamente seus similares sedentários em termos de desempenho cognitivo e velocidade de processamento mental. Há uma relação inversa entre "atividade física nas horas de lazer" e risco de declínio cognitivo, inclusive a velocidade com que se pensa e processa informações, assim como a velocidade da memória.[1] E qualquer que seja o status cognitivo, aqueles que se mexem mais desfrutam de cérebros maiores, devido à menor atrofia com a idade. Eis uma frase excelente para recordar, de um desses estudos colaborativos entre diversas instituições e liderados pela UCLA:

> Com o crescimento rápido da população idosa, é crucial uma compreensão melhor das medidas preventivas para manter as funções cognitivas. Estudos como este sugerem que o simples gasto calórico, independentemente do tipo ou duração do exercício, pode por si só moderar a neurodegeneração e até aumentar o volume de substância cinzenta nas estruturas do cérebro centrais para o funcionamento cognitivo.[2]

Já há bastante tempo se sabe que os exercícios são bons para o cérebro, mas somente nos últimos dez ou quinze anos fomos realmente capazes de quantificar e qualificar a extraordinária relação entre a boa forma física e a boa forma mental.[3] Foi necessária a força coletiva de muitos pesquisadores inquiridores, trabalhando em diferentes áreas, como neurocientistas, fisiologistas, bioengenheiros, psicólogos, antropólogos e doutores de diversos outros campos da medicina. Também foi necessário o desenvolvimento de várias tecnologias avançadas para que fôssemos capazes de analisar e entender o funcionamento interno da substância cinzenta propriamente dita, inclusive neurônios individuais. Hoje podemos ver e representar o cérebro como nunca foi feito antes. As descobertas mais recentes tornam inegavelmente claro que o elo entre os exercícios e a saúde cerebral não é apenas "uma" relação. Nas palavras de Gretchen Reynolds, repórter de ciência do *The*

New York Times, "é *a* relação".[4] Os exercícios, segundo as descobertas científicas mais recentes, "parecem construir um cérebro resistente ao encolhimento físico e estimulam a flexibilidade cognitiva". E isso, meus amigos, pode significar que não há melhor instrumento ao nosso alcance que o movimento físico. Dê uma olhada nos dois gráficos a seguir. Um deles mostra a diferença percentual no risco de Alzheimer com base no nível de exercício; o outro, a diferença com base na intensidade do exercício. Acho que os dois são bastante reveladores:[5]

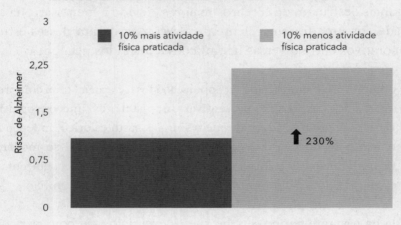

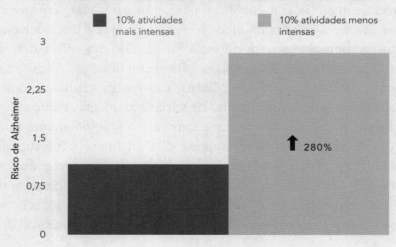

No início de 2018, a Academia Americana de Neurologia publicou uma recomendação clínica aos neurologistas indicando aquilo que representariam as melhores escolhas a adotar no tratamento de pacientes com comprometimento cognitivo leve (CCL). Lembrando, o CCL representa uma situação em que não apenas o paciente reconhece que há algum grau de problema em relação às funções cerebrais, mas em que o médico também é capaz de detectar esse déficit. Não há como subestimar a importância de diagnosticar o CCL, pois representa, tipicamente, o precursor do Alzheimer pleno mais adiante. Há muitos anos os neurologistas debatem o que deve ser feito nessa situação para reduzir o risco desses pacientes de desenvolverem Alzheimer. É bem verdade que tem havido um grande esforço para aprovar um medicamento que se mostre eficaz nessa situação. O subcomitê da Academia Americana de Neurologia encarregado de elaborar essas recomendações revisou nada menos que oito medicamentos disponíveis, que poderiam ser úteis na desaceleração do progresso do CCL para o Alzheimer pleno. E concluíram que na lista não havia uma única droga que se mostrasse de alguma forma eficaz.

Pois bem, eis a conclusão principal: o painel também teve a oportunidade de revisar os exercícios como uma modalidade que poderia reduzir os riscos de declínio cognitivo e desenvolvimento do Alzheimer. As conclusões foram espantosas. Eles concluíram que os exercícios são, na verdade, *a única recomendação válida* que os clínicos podem e devem fazer aos pacientes diagnosticados com CCL. Você consegue imaginar a mais respeitada revista de neurologia revisada por pares defendendo exercícios — e não drogas? Sim, as coisas estão mudando — para melhor!

São, em termos gerais, duas as maneiras como o exercício beneficia o cérebro (e o corpo, para ser mais exato). Diretamente, o exercício reduz a resistência à insulina e os processos inflamatórios, ao mesmo tempo que estimula a liberação de fatores de crescimento. Esses fatores de crescimento, entre eles o BDNF, afetam a saúde dos neurônios, o crescimento de novos vasos sanguíneos no cérebro e até mesmo a abundância e sobrevivência de novos neurônios. Indiretamente, o exercício também turbina o cérebro, reduzindo o estresse e a ansiedade e melhorando o sono e o humor. Causa alguma surpresa, então, que possa ser tamanho antídoto ao risco de declínio cerebral e demência? Nem a magia faria tanto.

A MÁGICA DO MOVIMENTO

Como seres humanos, sempre fomos fisicamente ativos — pelo menos até bem pouco tempo. A tecnologia moderna nos propiciou o privilégio de uma existência sedentária; virtualmente tudo de que necessitamos nos dias de hoje está disponível sem que tenhamos que exercer muito esforço, tampouco sair da cama. Mas nosso genoma, ao longo de milhões de anos, evoluiu num estado de constante desafio, do ponto de vista físico, na busca por comida. Na verdade, nosso genoma tem a expectativa de exercícios frequentes — de fato, ele *exige* exercícios aeróbicos regulares para sustentar a vida. Mas, infelizmente, muito poucos de nós respeitamos essa exigência atualmente. E as doenças crônicas e a elevada taxa de mortalidade estão aí para mostrar isso.

A ideia de que o exercício possa nos tornar mais inteligentes intrigou não apenas pesquisadores tradicionais em laboratórios de biomedicina, mas também antropólogos em busca de pistas sobre a formação da humanidade ao longo dos milênios. Em 2004, a revista *Nature* publicou um artigo dos biólogos evolucionistas Daniel E. Lieberman, de Harvard, e Dennis M. Bramble, da Universidade de Utah, afirmando que sobrevivemos tanto tempo na história em virtude de nossas proezas atléticas.[6] Nossos ancestrais das cavernas foram capazes de suplantar os predadores e caçar presas valiosas como alimento, que permitiram a sobrevivência — gerando refeições e energia para procriar. E esses campeões de resistência precoces passaram seus genes adiante. É uma bela hipótese: fomos projetados para ser atletas, de modo a viver tempo o bastante para procriar. O que quer dizer que a seleção natural levou os primeiros humanos a evoluir de modo a se tornarem seres tremendamente ágeis — desenvolvendo pernas mais longas, dedos dos pés atarracados e ouvidos internos complexos, que nos ajudam a manter o equilíbrio e a coordenação ideais, quando de pé, e caminhar em apenas dois pés, em vez de usar quatro apoios.

Durante muito tempo, a ciência foi incapaz de explicar por que nossos cérebros ficaram tão grandes — desproporcionais, quando se leva em conta o tamanho de nosso corpo. Os cientistas evolucionistas do passado gostavam de falar de nossos hábitos carnívoros e de nossa necessidade de interação social. Ambas exigiam complexos padrões de raciocínio (para caçar e matar, assim como se relacionar com os demais). Mas hoje os cientistas dispõem de outro ingrediente para a mistura: a atividade física. Segundo as últimas pesquisas, devemos nossos incríveis cérebros à necessidade de pensar... e à necessidade de correr.

Para chegar a essa conclusão, os antropólogos buscaram padrões entre o tamanho do cérebro e a resistência de muitos animais, de porquinhos-da-índia a camundongos, de lobos a carneiros.[7] Eles perceberam que as espécies com a maior capacidade inata de resistência também tinham os maiores volumes cerebrais em relação ao tamanho do corpo. Em seguida, os pesquisadores levaram a experiência um passo além, estudando camundongos e ratos criados expressamente para serem "maratonistas". Foi criada uma linhagem de animais de laboratório excelentes em corridas, através do cruzamento entre aqueles que corriam mais nas rodas de atividade. Foi aí que a verdade começou a vir à tona: nos animais assim criados, começaram a aumentar os níveis de BDNF e outras substâncias boas para a saúde e para o crescimento de tecidos. Como você sabe, o BDNF também melhora o crescimento cerebral. Por essa razão, o novo conceito é de que a atividade física possa nos ter ajudado a evoluir e nos tornarmos seres inteligentes e de raciocínio rápido. David A. Raichlen, antropólogo da Universidade do Arizona e um dos mais importantes pesquisadores da evolução do cérebro humano, resumiu essa noção de maneira brilhante em sua explicação ao *The New York Times*, como citado por Gretchen Reynolds:[8]

[...] Os mais atléticos e ativos sobreviveram e, assim como os camundongos de laboratório, passaram adiante as características fisiológicas que melhoravam sua resistência, inclusive níveis elevados de BDNF. Por fim, esses atletas precoces vieram a ter BDNF suficiente correndo em seus organismos para que parte migrasse dos músculos para o cérebro, onde ele passou a estimular o crescimento de tecido cerebral.

Com uma capacidade turbinada de pensar, raciocinar e planejar, os primeiros humanos podiam aguçar as habilidades necessárias para sobreviver, como caçar e matar as presas. Eles se beneficiaram de um círculo virtuoso: não apenas mexer-se os tornava mais inteligentes, mas as mentes aguçadas também lhes permitiam manter-se em movimento e mover-se de forma mais eficiente. Ao longo do tempo, os seres humanos viriam a adotar raciocínios complexos e inventar coisas como a matemática, os microscópios e os Macbooks.

A conclusão é que, se a atividade física nos ajudou a desenvolver os cérebros que utilizamos hoje, é seguro dizer que precisamos de exercício para manter esse mesmo cérebro (sem falar em continuar a evoluir rumo a uma espécie mais inteligente, mais rápida e mais esperta).

SEJA RÁPIDO E ÁGIL

A biologia que explica como os exercícios podem ser tão benéficos à saúde cerebral vai muito além do argumento de que estimula o fluxo sanguíneo para o cérebro e, com isso, traz os nutrientes necessários para o crescimento e a manutenção das células. De fato, o fluxo sanguíneo no cérebro é algo positivo. Mas isso já era sabido. As descobertas científicas mais recentes, que explicam a mágica do movimento que protege e preserva as funções cerebrais, são espantosas. Podem ser resumidas em cinco benefícios: o controle das inflamações, o aumento da sensibilidade à insulina, a influência num melhor controle do açúcar no sangue, a expansão do tamanho do centro da memória e, como já mencionei, a elevação dos níveis de BDNF.

Algumas das pesquisas mais interessantes foram realizadas nos últimos anos.[9] Em 2011, o dr. Justin S. Rhodes e sua equipe, no Instituto Beckman de Ciência e Tecnologia Avançadas, na Universidade de Illinois, fizeram algumas descobertas usando quatro grupos de camundongos em quatro modos de vida diferentes.[10] Um grupo levou uma vida de luxo em um ambiente que incluía refeições fartas, boas para camundongos (castanhas, frutas, queijos e água com sabores), além de vários brinquedos divertidos para explorar, como espelhos, bolas e túneis. O segundo grupo teve acesso às mesmas iguarias e brinquedos, mas suas residências incluíam rodas de atividade. As gaiolas do terceiro grupo pareciam um hotel de beira de estrada; nada tinham de extraordinário e a comida dos camundongos era comum. Ao quarto grupo de camundongos também faltava acesso aos confortos e à comida sofisticada, mas suas casas tinham rodas de atividade.

No começo do estudo, os camundongos passaram por uma série de testes cognitivos, e lhes injetaram uma substância que permitia aos pesquisadores acompanhar as alterações em suas estruturas cerebrais. Ao longo de vários meses, os cientistas deixaram os ratos fazer o que bem entendessem em seus respectivos lares. Depois disso, os pesquisadores voltaram a testar as funções cognitivas dos camundongos e examinaram seus tecidos cerebrais.

A única variável que se destacou claramente acima de todas as demais foi se os camundongos dispunham ou não de uma roda de atividade. Não importava se tinham outras coisas com que brincar em suas gaiolas. Os animais que se exercitaram eram aqueles que tinham os cérebros mais saudáveis e o melhor desempenho nos testes cognitivos. Aqueles que não corriam, mesmo vivendo num mundo com outros estímulos, não apresentaram melhora cognitiva. Os pesquisadores estavam observando, especificamente, melhoras cognitivas que implicassem um ganho no raciocínio complexo e na solução de problemas. Apenas os exercícios físicos se mostraram fundamentais para essa melhoria.

Sabemos que o exercício enseja a geração de novas células cerebrais. Os cientistas conseguiram medir esse efeito simplesmente comparando camundongos e ratos que correram durante algumas semanas em comparação com aqueles que eram sedentários. Os animais que corriam tinham duas vezes mais neurônios novos em seus hipocampos que os ratos de sofá. Outros estudos observaram que tipos de exercício são os mais eficientes. Em 2011, quando um grupo de 120 homens e mulheres idosos foi dividido em dois subgrupos — um praticou um programa de caminhadas e o outro, alongamentos —, os caminhantes prevaleceram.[11] Ao final de um ano, aqueles apresentaram hipocampos maiores e níveis mais altos de BDNF em suas correntes sanguíneas. Estes últimos, por sua vez, tiveram perda de volume cerebral, em razão da atrofia normal, e não se saíram tão bem nos testes cognitivos. Observe os resultados:

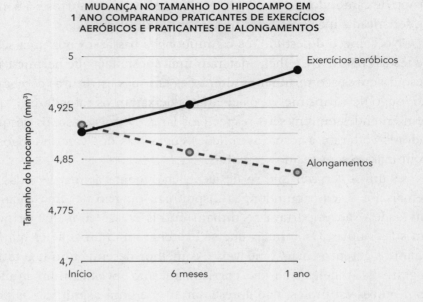

FAÇA NOVAS REDES NASCEREM

Os exercícios já mostraram induzir o crescimento de novos neurônios no cérebro, mas seu verdadeiro milagre é a construção de novas redes. Uma coisa é fazer surgir novas células cerebrais; outra é organizar essas células numa rede que funciona harmonicamente. Nós não nos tornamos "mais espertos" apenas pela produção de novas células cerebrais. Precisamos ser capazes de interconectar essas células na rede neural existente. Do contrário, elas vagarão sem rumo e acabarão morrendo. Uma maneira de fazer isso é aprender coisas novas. Em um estudo de 2007, neurônios recém-nascidos de camundongos se integraram às redes cerebrais quando eles aprenderam a se orientar num labirinto aquático.[12] Essa é uma tarefa que exige mais força cognitiva que capacidade física. Os pesquisadores também observaram que as novas células tinham limitações em relação àquilo que conseguiam fazer; não eram capazes, por exemplo, de ajudar os camundongos a realizar outras tarefas cognitivas além do labirinto. Para fazer isso, os camundongos teriam que fazer esforço físico, o que estimularia essas células novas a se tornarem ágeis e cognitivamente flexíveis.

E é aí que mora o benefício oculto dos exercícios: eles tornam os neurônios ágeis e flexíveis para várias tarefas diferentes. Não sabemos como os exercícios facilitam as transformações da mente em nível molecular, mas sabemos que o BDNF tem influência, fortalecendo as células e os axônios, enrijecendo as conexões entre os neurônios e desencadeando a neurogênese. Esta aumenta a capacidade do cérebro de aprender coisas novas, o que, por sua vez, fortalece essas novas células cerebrais e reforça ainda mais a rede neural. Lembre-se ainda de que níveis mais elevados de BDNF estão relacionados a uma redução do apetite. Por isso, para aqueles indivíduos incapazes de controlar o apetite, isso representa mais um motivo para se exercitar.

Com a compreensão da relação do BDNF com o exercício, os pesquisadores passaram a examinar o efeito do exercício físico em pessoas que têm risco ou já sofrem de transtornos e doenças cerebrais. Num artigo recente para o *Journal of the American Medical Association*, o professor Nicola Lautenschlager, à época na Universidade da Austrália Ocidental e hoje na Universidade de Melbourne, descobriu que indivíduos idosos que se exercitaram regularmente por um período de 24 semanas tiveram uma melhora de 1800% nas medições de memória, capacidade linguística, atenção e outras importantes funções cognitivas, quando comparados a um grupo de controle.[13] O grupo que se exercitou fez aproximadamente 142 minutos de atividade física semanal, o que dá uma média de vinte minutos diários. Os pesquisadores atribuíram essa melhora a um fluxo sanguíneo superior, ao surgimento de novos vasos sanguíneos e de novas células cerebrais e a uma melhora da "plasticidade" do cérebro.

Num estudo similar, pesquisadores de Harvard identificaram uma forte associação entre os exercícios e as funções cognitivas em mulheres idosas, concluindo:

Neste estudo amplo e prospectivo de mulheres mais velhas, níveis mais altos de atividade física regular de longo prazo mostraram forte correlação com níveis mais altos de funções cognitivas e menor declínio cognitivo. Especificamente, os benefícios cognitivos aparentes de uma maior atividade física foram equivalentes a ter três anos de idade a menos e estavam relacionados a um risco 20% menor de comprometimento cognitivo.[14]

Efeitos múltiplos se somam quando o corpo participa de atividades físicas. O exercício é um poderoso anti-inflamatório. Ao ativar a via da proteína Nrf2, que eu descrevi anteriormente, ele ativa os genes que suprimem as inflamações. E isso pode ser medido em laboratório. Cientistas comprovaram, repetidas vezes, que as proteínas C-reativas — um marcador de inflamação frequentemente usado em laboratório — são menores naqueles que mantêm uma rotina de exercícios. A sensibilidade à insulina também melhora. O exercício ajuda a equilibrar o açúcar no sangue e reduz a glicação de proteínas. Sabemos que isso é verdade graças a pesquisas a respeito dos efeitos do exercício físico sobre a hemoglobina A1C. Em um estudo notável, pesquisadores pediram a trinta participantes que não fizessem qualquer mudança de estilo de vida, enquanto outros 35 foram postos num programa de exercícios três vezes por semana.[15] O grupo de controle não participou de qualquer forma de exercício. Depois da 16ª semana, a hemoglobina A1C caiu 0,73 no grupo que se exercitava, mas aumentou 0,28 no grupo sem exercícios. Para contextualizar esses números, quando a hemoglobina A1C é de 6, uma redução de 0,73 acarretada pelos exercícios representa uma redução de 12%, o que é comparável ao efeito de um remédio contra o diabetes.

NÃO É PRECISO MUITO PARA CAUSAR IMPACTO

O.k., então os exercícios fazem bem ao corpo e ao cérebro. Mas quanto exercício? Quão rigoroso? Limpar a casa e atividades diárias habituais, como cuidar do jardim ou tirar o lixo, contam?

Para responder a essa pergunta, vamos examinar um estudo do Projeto de Memória e Envelhecimento da Universidade Rush, uma instituição privada do estado de Illinois, nos Estados Unidos. É o estudo que gerou os gráficos que exponho na página 260. Quando o dr. Aron S. Buchman estudou os efeitos dos exercícios físicos diários sobre o risco de Alzheimer, não tinha como prever que os resultados mostrariam diferenças radicais entre pessoas relativamente sedentárias e aquelas que realizam diversos tipos de atividade, inclusive atitudes simples como cozinhar, lavar pratos, jogar cartas, empurrar uma cadeira de rodas e limpar a casa. Ele conseguiu rastrear o nível de atividade das pessoas usando um novo aparelho, chamado ActiGraph, que é colocado no pulso e detecta e quantifica os movimentos. A idade média dos testados, nenhum deles com demência, era de 82 anos. Dos 716 iniciais, 71 desenvolveram completamente Alzheimer ao longo de aproximadamente três anos e meio de acompanhamento.[16]

Os resultados do estudo revelaram que os indivíduos no décimo percentil inferior de atividade física diária tiveram um aumento de 230% no risco de desenvolver Alzheimer, se comparados àqueles no décimo percentil mais alto de atividade física. Quando foram avaliados os dados em termos de intensidade de atividade física, os resultados foram ainda mais convincentes. Ao comparar aqueles no décimo percentil mais baixo com os indivíduos nos 10% mais altos, o dr. Buchman e sua equipe concluíram que o risco de Alzheimer quase triplicou naqueles que se exercitavam menos. O dr. Buchman argumentou, com razão, que não podemos subestimar o poder de atividades de baixo custo, fácil acesso e nenhum efeito colateral, que não são necessariamente exercícios formais. Os simples atos da vida cotidiana podem propiciar benefícios protetores do cérebro em qualquer idade. Qualquer que seja a atividade, dispomos de provas suficientes para afirmar com segurança que o exercício não precisa ser exaustivo para ser benéfico para o cérebro.

Você não precisa estabelecer a meta de escalar o monte Everest. Tampouco precisa treinar para uma prova de resistência. Mas exercícios regulares, que mantêm seu coração batendo forte, são indispensáveis. Embora um pequeno número de estudos tenha mostrado benefícios cognitivos entre idosos que apenas puxaram ferro durante um ano, a maioria dos estudos atuais e todas as experiências com animais envolviam correr ou outras atividades aeróbicas como a natação, o ciclismo, a caminhada em trilha ou a caminhada pesada, pelo menos cinco dias por semana, com no mínimo vinte minutos por sessão.

Tenho consciência de que os exercícios não estão na lista de prioridades da maioria das pessoas, mas espero que as evidências que apresentei neste capítulo o incentivem a repensar sua lista de tarefas, caso você já não possua uma rotina de exercícios. Peço que dedique uma semana, durante o programa, a se concentrar nessa área importante de sua vida, e comece a malhar regularmente, se é que já não o faz. E se já faz, use essa semana para aumentar a duração e a intensidade de seus exercícios, ou experimentar algo novo.

9. Boa noite, cérebro
Alavanque sua leptina para controlar os hormônios

Encerre um dia antes de começar o outro,
e interponha uma sólida parede de sono entre os dois.
Ralph Waldo Emerson

Quando Samuel, um corretor de ações de 48 anos, veio se consultar comigo num dia do final de novembro, ele me pediu para "otimizar sua saúde". Ele não era o primeiro a fazer um pedido tão genérico, até vago, mas eu sei o que ele realmente queria: ele queria que eu fosse fundo em seus problemas e o levasse a um estado de saúde vibrante que ele nunca sentira antes na vida. Missão dura para qualquer médico realizar, mas algo em seu rosto inchado me deu uma pista imediata de onde poderia estar o problema. Comecei me informando de seu histórico médico e de suas queixas principais. Ele tinha um histórico de baixo funcionamento da tireoide, que ele tratava com remédios. Disse que levava uma vida bastante estressante, mas classificou como "boa" sua saúde geral. Não havia muito a relatar no que diz respeito a problemas médicos anteriores. Mas é interessante notar que ele mencionou que o filho havia sido "sensível" a alimentos sólidos quando era bebê, e uma sensibilidade ao glúten havia sido diagnosticada. Discutimos em maiores detalhes o problema da tireoide, e fiquei sabendo que ele tivera uma doença autoimune chamada tireoidite de Hashimoto, causada pela ativação anormal do sistema imunológico, que passa a atacar a glândula tireoide.

Fui adiante e pedi um exame de sensibilidade ao glúten, que deu resultados inegáveis. De fato, ele era altamente sensível ao glúten; apenas um de 24 anticorpos testados estava na faixa normal. Ele precisava experimentar uma dieta sem glúten.

A reação dele à dieta foi bastante notável e, francamente, bastante previsível à luz tanto da experiência do próprio filho como de seu teste fora da curva. Quatro meses depois do início da dieta, recebi dele uma carta que me fez sorrir. Ele admitia por escrito o quanto sua vida tinha piorado até o momento em que marcou consulta comigo. Evidentemente, ele havia contado uma mentirinha quando me contou que sua saúde estava "bem". Longe disso. Ele escreveu:

> Antes do diagnóstico de sensibilidade ao glúten, minha saúde estava numa espiral negativa [...]. Embora eu apenas tivesse acabado de entrar na casa dos quarenta e fizesse exercícios diários, eu me sentia letárgico e mal conseguia chegar ao fim do dia [...]. Eu estava me tornando irascível e surtava facilmente, por qualquer motivo [...]. A depressão se instalou, já que eu não conseguia me livrar dos pensamentos negativos. Convenci-me de que ia morrer [...]. [Hoje] eu sou uma pessoa nova. Voltei a ser tranquilão e tenho energia o dia todo. Durmo a noite inteira regularmente e minha dor nas juntas desapareceu. Consigo pensar com clareza e não me distraio das minhas tarefas. A melhor parte é que aquela gordurinha teimosa em volta da minha região central virtualmente derreteu pela metade em duas semanas. Agradeço ao senhor por me devolver minha vida.

Embora Samuel não tenha mencionado seus problemas de sono na primeira consulta, meu palpite era que fazia tempo que ele não tinha um sono reparador. Tinha o ar exausto e todos os sinais padrão de uma falta de sono prolongada. Em muitos de meus pacientes antes do tratamento, a falta de sono é tão normal que eles chegam a esquecer o que é uma boa noite de sono até voltar a ter uma. Samuel deve ter achado que dormir a noite inteira fosse apenas um efeito colateral positivo da adoção de uma dieta sem glúten. Mas era mais do que isso. A partir do momento em que ele começou a ter um sono relaxante, uma noite após a outra, ele começou a "recarregar" profundamente o corpo — hormonal, emocional, física e até espiritualmente. Deixando de lado todos os problemas com o glúten e até o transtorno de tireoide, posso dizer sem sombra de dúvida que obter um sono reparador teve um grande papel na reversão de suas condições, conduzindo-o exatamente à posição onde queria estar: um estado de saúde ideal.

A maioria de nós subestima os benefícios do sono, mas é um dos poucos aspectos de nossas vidas totalmente gratuitos e absolutamente essencial a nosso bem-estar. Também é, como você está para descobrir, uma ferramenta fundamental na prevenção do declínio do cérebro.

A CIÊNCIA DO SONO

Muito se escreveu, nos últimos dez anos, sobre a ciência do sono. E com razão: mais do que nunca, hoje entendemos o valor do sono do ponto de vista científico. Estudos laboratoriais e clínicos mostraram que praticamente todos os sistemas do corpo são influenciados pela qualidade e pela quantidade do nosso sono, especialmente o cérebro.[1] Entre os benefícios comprovados: o sono pode determinar quanto comemos, a velocidade do nosso metabolismo, o quanto engordamos ou emagrecemos, se conseguimos combater infecções, o quanto somos criativos e cheios de ideias, se lidamos bem com o estresse e com que velocidade processamos informações e aprendemos coisas novas.[2] Um sono adequado, o que para a maioria de nós significa pelo menos sete boas horas, também influencia nossos genes. No início de 2013, cientistas ingleses descobriram que uma semana de privação de sono alterava o funcionamento de 711 genes, incluindo alguns que afetam o estresse, os processos inflamatórios, a imunidade e o metabolismo.[3] Tudo que afeta negativamente essas importantes funções do organismo afeta o cérebro. Dependemos desses genes para produzir um fornecimento constante de proteínas que substituam ou reparem tecidos danificados, e se eles param de funcionar depois de apenas uma semana de sono ruim, isso nos diz muito a respeito do poder do sono. Embora possamos não perceber os efeitos colaterais da falta de sono no nível genético, com certeza vivenciamos os demais sintomas da privação de sono crônica: confusão mental, perda de memória, baixa imunidade, obesidade, doenças cardiovasculares, diabetes e depressão. Todas essas condições estão intimamente ligadas ao cérebro.

Embora saibamos que muitos de nós não conseguimos dormir o bastante para sustentar as necessidades reais do nosso corpo, devo observar que *excesso de sono* passou a ser considerado um marcador precoce em potencial do declínio cognitivo. Em 2017, a revista *Neurology* relatou que dormir mais de nove horas por noite poderia aumentar o risco de progressão para a demência clínica num espaço de dez anos.[4] É uma afirmação e tanto, e ainda mais potente quando se sabe que o mesmo estudo constatou uma redução do volume cerebral nos "dorminhocos". Portanto, está claro que deve existir um ponto ideal para extrair os benefícios do sono, e aparentemente ele se situa entre seis e nove horas para a maioria de nós. Porém, a maioria de nós também dificilmente consegue dormir tanto.

Cerca de 10% dos americanos sofrem de insônia crônica, enquanto nada menos que 25% de nós relatam não dormir o suficiente com alguma frequência.[5] E além da necessidade de dormir o bastante, os cientistas agora se concentram na *qualidade* do sono, ou seja, sua capacidade de restaurar o cérebro. É melhor ter um sono profundo de seis horas ou um sono ruim de oito? Pode parecer fácil responder a essas perguntas e que já sabemos tudo que podemos saber sobre algo que todos fazemos durante grande parte da vida. Mas os cientistas ainda estão tentando desfazer o mistério do sono e de como ele afeta homens e mulheres de maneiras diferentes. Aparentemente, os hormônios influenciados pela privação do sono são diferentes no homem e na mulher.[6] Embora as consequências sejam as mesmas para ambos os sexos — uma tendência a comer demais —, o gatilho subjacente da fome não é o mesmo nos dois. No homem, a falta de sono suficiente leva a níveis elevados de grelina, um hormônio que estimula o apetite. Nas mulheres, em compensação, os níveis de grelina não são influenciados pela falta de sono, mas os níveis de GLP-1, um hormônio supressor de apetite, são. Reconheço que uma diferença tão sutil pode parecer insignificante, dado que o resultado é o mesmo de um jeito ou de outro, mas serve para mostrar quão pouco sabemos a respeito de toda a bioquímica do corpo humano em resposta ao sono.

Se há uma coisa que precisamos saber sobre o sono, é que ele se torna um problema cada vez maior à medida que envelhecemos. Isso ocorre por uma série de razões, muitas delas decorrentes de condições médicas que podem solapar um sono profundo. Chega a 40% o número de adultos idosos que não conseguem ter uma noite boa de sono devido a problemas crônicos, como apneia e insônia. Hoje em dia temos inclusive evidências da relação entre o sono interrompido e o declínio cognitivo. Kristine Yaffe, psiquiatra da Universidade da Califórnia, em São Francisco, estuda pessoas cujo risco de desenvolver comprometimento cognitivo e demência é elevado. Em sua clínica de transtornos de memória, ela vê um dado comum nas queixas dos pacientes: a dificuldade de cair no sono e continuar adormecido. Eles relatam que sentem cansaço o dia todo e recorrem a cochilos. Quando Yaffe realizou uma série de estudos analisando mais de 1300 adultos acima dos 75 anos ao longo de um período de cinco anos, ela percebeu que aqueles com interrupções do sono, como as provocadas por uma respiração inadequada ou apneia do sono, tinham quase duas vezes mais chance de desenvolver demência ao longo da vida. Aqueles que sofriam interrupções no ritmo circadiano natural ou que acordavam no meio da noite também tinham um risco maior.[7] Pesquisas mais recentes confirmam os estudos anteriores, mostrando a relação entre o sono e o risco de diversos problemas de saúde. Essas pesquisas revelaram até que os bichinhos do nosso intestino — o microbioma intestinal — compartilham uma relação não apenas com nossos hábitos de sono, mas com nosso ritmo circadiano e se ele é saudável ou suscetível a tropeços.[8]

O ciclo circadiano está no cerne do nosso bem-estar. Por volta das seis semanas de vida, todos nós estabelecemos esse padrão de atividade repetitiva, associado aos ciclos do dia e da noite, que permanece conosco. Assim como ocorre com o nascer e o pôr do sol, esse ciclo se repete basicamente a cada 24 horas. Temos diversos ciclos que coincidem com o dia solar de 24 horas, do ciclo de sono e vigília aos padrões estabelecidos em nossa configuração biológica — a alta e a baixa dos hormônios, as flutuações na temperatura corporal, o fluxo e refluxo de certas moléculas de que dependem nossa saúde e nosso bem-estar. Quando nosso ritmo não está sincronizado com o dia solar de 24 horas, podemos nos sentir adoentados ou cansados, que é o que ocorre, por exemplo, quando viajamos de um fuso horário para outro e forçamos o corpo a adaptar-se rapidamente a um novo ciclo.

A meu ver, a maioria das pessoas não se dá conta de quanto o ritmo inerente do corpo depende dos hábitos de sono e é controlado pelo cérebro. Os ciclos naturais de dia e noite do corpo ditam praticamente tudo em nós. Basta lembrar que os padrões de liberação de hormônios estão ligados a esse ciclo. Um exemplo básico é a temperatura do corpo, que, em consequência da dança de certos hormônios no corpo, sobe durante o dia, sofre uma ligeira queda à tarde (daí a sesta), tem um pico noturno e depois vai caindo ao longo da noite. Nas primeiras horas da manhã, chega ao ponto mais baixo, ao mesmo tempo em que outro padrão começa a subir, com os níveis de cortisol atingindo o pico de manhã e em seguida caindo ao longo do dia. Trabalhadores noturnos, que sabidamente mantêm hábitos de sono irregulares devido à função, convivem por causa disso com um risco potencial mais elevado de uma série de doenças. Não é à toa que em inglês se usa a expressão *graveyard shift* — o turno do cemitério.

Por isso, da próxima vez que você se sentir anormalmente cansado, mal-humorado, mentalmente lento, esquecido, com sede, fome, ou até mesmo alerta, agressivo ou excitado, analise seus hábitos de sono recentes em busca de explicações. Basta dizer que precisamos de um padrão regular e confiável de vigília e de um sono reparador para regular nossos hormônios. Daria para escrever vários livros sobre os hormônios do corpo. Mas, para os fins desta discussão, em particular sobre a questão do sono e da saúde cerebral, vamos nos concentrar em um dos hormônios mais discretos e subestimados do nosso corpo: a leptina. Como ela coordena, basicamente, as respostas inflamatórias do corpo e ajuda a determinar se ansiamos por carboidratos, nenhuma conversa sobre a saúde do cérebro pode deixar de lado esse importante hormônio. E ele é fortemente impactado pelo sono. Conseguindo controlar esse "mestre de cerimônias" biológico, pode-se regular o reino hormonal, beneficiando o cérebro e o corpo.

> **DORMIU BEM?**
>
> Pode ser que você nem se dê conta de que a qualidade do seu sono é baixa. A menos que você saiba de verdade que é "bom de cama" e acorde toda manhã sentindo-se revigorado e sem necessidade de despertador, recomendo que faça um estudo do sono, conhecido como polissonografia. É um procedimento indolor, não invasivo, que exigirá que você durma uma ou duas noites em uma clínica do sono. Enquanto você dorme, um sonoterapeuta registra diversas funções biológicas para determinar se você possui transtornos, como apneia do sono ou síndrome das pernas inquietas.

NO REINO DA LEPTINA

Era o ano de 1994. Foi uma descoberta que chocou a comunidade médica e mudou para sempre não apenas a forma como vemos o corpo humano e seu complexo sistema hormonal, mas também o sono e seu verdadeiro valor como regente do império. Justamente quando achávamos ter descoberto todos os hormônios e suas funções, achamos um "novo", que não sabíamos que existia.[9] Ele se chama leptina, e ocorre que não é apenas um hormônio comum; como a insulina, a leptina é um dos principais, com decisiva influência sobre todos os demais, e controle sobre praticamente todas as funções do hipotálamo. O hipotálamo é onde mora seu dinossauro interior; é uma estrutura antiga, anterior ao ser humano, que fica no meio da cabeça e é responsável pelas atividades rítmicas do corpo e por um amplo leque de funções fisiológicas, da fome ao sexo. Mas talvez essa descoberta tenha demorado tanto porque a leptina foi identificada num local improvável: as células adiposas.

Anteriormente, mencionei que se acreditava que as células adiposas apenas guardavam para os dias de chuva calorias desnecessárias. Mas agora se sabe que o tecido adiposo participa de nossa fisiologia tanto quanto outros órgãos "vitais", graças a hormônios residentes, como a leptina, que controla se acabaremos ou não com barrigas salientes e cérebros pequenos. Antes de tudo, um esclarecimento rápido:

a função da leptina no corpo, como a de todo hormônio, é extremamente complexa. Todo o sistema hormonal, na verdade, é extraordinariamente intrincado. Há um número incontável de inter-relações. Descrever todas vai além do escopo deste livro. Vou simplificar e revelar apenas o que você precisa saber para assumir o controle de seus hormônios, em benefício do cérebro.

A leptina é, no nível mais básico, uma ferramenta primitiva de sobrevivência. Está ligada de forma singular à coordenação de nossas respostas metabólica, hormonal e comportamental à fome. Assim sendo, tem um poderoso efeito em nossas emoções e nosso comportamento. A leptina é uma espécie de guardião, e ao compreender esse hormônio você saberá como regular o restante de seu sistema hormonal. Ao fazê-lo, poderá cuidar de sua saúde de maneiras inimagináveis.

Embora a leptina seja encontrada nas células adiposas, ela não é necessariamente "ruim". Em excesso, é bem verdade, causa problemas, sobretudo doenças degenerativas e uma vida mais curta. Mas níveis saudáveis de leptina fazem o contrário — previnem a maior parte das doenças do envelhecimento e aumentam a longevidade. Quanto mais se majora a sensibilidade a esse hormônio crucial, mais saudável se é. Por "sensibilidade" entendo a forma como os receptores desse hormônio reconhecem e usam a leptina para realizar diversas operações. Nora T. Gedgaudas, uma terapeuta nutricional reconhecida, define a leptina de maneira sucinta no livro *Primal Body, Primal Mind* [Corpo primordial, mente primordial]:[10]

> A leptina controla, essencialmente, o metabolismo dos mamíferos. A maioria das pessoas acha que esse papel cabe à tireoide, mas na verdade a leptina controla a tireoide, que regula a taxa de metabolismo. A leptina supervisiona todas as reservas de energia. A leptina decide nos deixar com fome e armazenar ou queimar gordura. A leptina organiza nossas reações inflamatórias e controla até o despertar simpático versus o parassimpático no sistema nervoso. Se qualquer parte do seu sistema [hormonal] não vai bem, incluindo os hormônios sexuais e suprarrenais, você nunca terá chance de verdadeiramente resolver esse problema até controlar seus níveis de leptina.

Gedgaudas chama a leptina de "vizinho novo que manda no bairro inteiro", e a definição não poderia ser mais perfeita. Da próxima vez que você largar o garfo e levantar-se da mesa do jantar, agradeça à sua leptina. Quando você está de estômago cheio, as células adiposas liberam leptina para dizer a seu cérebro que pare de comer. É seu freio. Isso explica por que quem tem níveis reduzidos de leptina tende a comer em excesso. Um estudo que virou referência, publicado em 2004, mostrou que pessoas com uma queda de 20% na leptina sofrem um aumento de 24% na fome e no apetite, levando-as a ingerir alimentos ricos em calorias e carboidratos, principalmente doces, salgadinhos e alimentos com amido.[11] E o que causa essa queda na leptina? Privação de sono.[12] Descobrimos muito a respeito dos hormônios apenas com estudos sobre o sono. Estes, por sua vez, nos deram informações a respeito do valor do sono na regulagem de nossos hormônios.

A leptina e a insulina têm, na verdade, muito em comum, embora tendam a ser antagônicas. Ambas são moléculas que favorecem as inflamações. A própria leptina é uma citocina anti-inflamatória, além de desempenhar um importante papel nos processos inflamatórios do corpo. Controla a criação de outras moléculas inflamatórias no tecido adiposo. E ajuda a explicar por que pessoas com sobrepeso ou obesas são suscetíveis a problemas inflamatórios, inclusive aqueles que aumentam substancialmente o risco de transtornos cerebrais, problemas de saúde mental e doenças degenerativas. Tanto a leptina quanto a insulina têm um posto alto na hierarquia da cadeia de comando do corpo. Por isso, desequilíbrios tendem a se tornar círculos viciosos, perturbando quase todos os sistemas do corpo, não apenas aqueles diretamente controlados por esses hormônios. Além disso, a leptina e a insulina sofrem influência negativa das mesmas coisas, e os maiores transgressores são os carboidratos. Quanto mais um carboidrato é refinado e processado, mais desregula os níveis saudáveis de leptina e insulina. Expliquei anteriormente como o abuso constante dos carboidratos sobre o bombeamento de insulina e o equilíbrio do açúcar no sangue acaba levando à resistência à insulina. O mesmo ocorre com a leptina. Quando o organismo está sobrecarregado e inundado de substâncias que causam elevações constantes da leptina, adivinhe: os receptores de leptina param de ouvir a sua mensagem; eles começam a ser desativados e você se torna resistente a ela. Em termos simples, eles abrem mão do controle e seu corpo fica vulnerável a doenças e outras disfunções. Portanto, mesmo com a leptina elevada, ela não funciona — não sinaliza ao seu cérebro que você está satisfeito e pode parar de comer. E se você é incapaz de controlar o apetite, o risco de ganhar peso e ficar obeso é muito maior, o que aumenta o risco de transtornos cerebrais. Estudos mostraram que níveis elevados de triglicérides, outro resultado do excesso de carboidratos na dieta, causam resistência à leptina.[13]

Nenhum remédio e nenhum suplemento no planeta podem equilibrar os níveis de leptina. Mas um sono melhor, assim como escolhas alimentares melhores, sim.

VOCÊ É RESISTENTE À LEPTINA?

É uma pergunta que temos que fazer a nós mesmos. Infelizmente, milhões de americanos podem ser considerados sócios remidos do clube dos resistentes à leptina. É quase garantido se você tem uma dieta rica em carboidratos e não dorme bem. O livro *The Rosedale Diet* [A dieta de Rosedale], de Ron Rosedale e Carol Colman, que trata de forma abrangente da leptina no controle do peso, enumera os sintomas, muitos dos quais ocorrem também na resistência à insulina:[14]

- excesso de peso;

- cansaço após as refeições;

- desejo constante de "alimentos de conforto";

- desejo constante de açúcar ou estimulantes, como a cafeína;

- dificuldade para cair no sono ou continuar dormindo;

- fome permanente ou no meio da noite;

- incapacidade de mudar a aparência do corpo, por mais que se faça exercício;

- incapacidade de perder ou manter o peso;

- osteoporose;

- presença de "pneuzinhos";

- pressão arterial alta;

- sensação constante de estresse e ansiedade;

- tendência a beliscar depois das refeições

- triglicérides de jejum alto, acima de 100 mg/dL — principalmente quando igual ou superior aos níveis de colesterol.

Não entre em pânico se você tiver motivos para acreditar que é resistente à leptina. O programa descrito no capítulo 10 vai colocá-lo nos eixos.

O OUTRO LADO DA MOEDA: A GRELINA

Outro hormônio relacionado ao apetite, que eu preciso mencionar antes de seguir adiante, é a grelina. Ela é o yin e a leptina é o yang. A grelina é liberada pelo estômago quando ele está vazio, aumentando o apetite. Envia ao cérebro a mensagem de que você precisa comer. Como é de se esperar, uma ruptura na dança da leptina com a grelina é inimiga de seus desejos alimentares, de sua sensação de saciedade, de sua capacidade de resistir às tentações na cozinha e de sua cintura. Em estudos sobre o sono com pessoas do sexo masculino, os níveis de grelina dispararam em resposta a um tempo de sono inadequado. Isso provocou um apetite maior e uma propensão a migrar para alimentos ricos em carboidratos e pobre em nutrientes, que, uma vez consumidos, se transformam facilmente em gordura. Quando os hormônios do apetite não se comportam de maneira normal, o cérebro basicamente se desconecta do estômago. Ele o engana, fazendo crer que se tem fome quando não é o caso, e reforça ainda mais um desejo quase irresistível por alimentos que perpetuam o círculo vicioso de formação de gordura. Esse ciclo, por sua vez, alimenta um ciclo ainda maior, que se autoalimenta e afeta o equilíbrio do açúcar no sangue, os processos inflamatórios e, evidentemente, o risco de transtornos e doenças cerebrais. Em outras palavras, se você não for capaz de controlar a fome e o apetite, tem boas chances de não conseguir administrar a química do sangue, o metabolismo, a cintura, e, de maneira mais geral, a possibilidade de estragar o seu cérebro.

O dr. Matthew Walker, professor de neurociência e psicologia da Universidade da Califórnia-Berkeley e autor de *Why We Sleep* [Por que dormimos], costumava dizer que o sono é o terceiro pilar da boa saúde, ao lado da dieta e do exercício. Mas, considerando sua pesquisa sobre o impacto do sono no cérebro e no sistema nervoso, ele passou a ensinar que dormir é o ato individual mais eficiente para resetarmos nosso cérebro e nosso corpo, assim como aumentarmos o tempo de vida com saúde.[15] Em 2015, a National Sleep Foundation, ao lado de um grupo de especialistas, divulgou suas novas recomendações em relação ao sono.[16] Os bebês, por exemplo, precisam de mais sono que os idosos. Mas essas recomendações são elaboradas, sobretudo, levando em conta nossa média histórica de horas de sono. Existem pouquíssimos estudos que definem com precisão de quanto sono eu ou você precisamos individualmente. Os números variam. Eu recomendo a todos que não conseguem um sono repousante toda noite fazerem um estudo de sono, como eu mesmo já fiz. Como explicado no quadro da página 277, recomendo um estudo do sono apenas para saber se você dorme bem, de modo geral, porque pode ser que você não saiba em que fase do sono tem alguma deficiência.

Durante a terceira semana do programa, eu pedirei a você que se concentre na obtenção de um sono de alta qualidade, de modo a obter o controle sobre os hormônios que têm a ver diretamente com o futuro de seu cérebro. E você não terá que usar pílulas para dormir. O melhor sono, para o cérebro, é o que vem naturalmente.

PARTE III

DIGA ADEUS AOS GRÃOS

Parabéns. Agora você já sabe mais que muitos médicos de hoje a respeito dos hábitos de um cérebro altamente eficiente. Se você ainda não começou a mudar algumas coisas na sua vida com base naquilo que leu, agora é a sua chance. Nesta seção do livro, você seguirá um programa de quatro semanas, durante o qual mudará sua dieta, deixando de baseá-la em carboidratos, e reabilitará seu organismo, para atingir a saúde ideal. É nesse momento que você se sentirá vibrante, enérgico e mentalmente aguçado. Também é quando qualquer médico que examine seu sangue vai parabenizá-lo por ter um excelente controle da glicemia no sangue, dos marcadores de inflamações e até do nível de colesterol. É aonde todos sonhamos chegar, e está muito mais perto do que você imagina.

Alterar hábitos pessoais, ainda que pequenos, pode parecer insuportável no começo. Você se pergunta como evitar aquilo a que se acostumou. Vai sentir-se tolhido, ou com fome? Vai achar impossível manter para sempre o novo estilo de vida? Esse programa é factível, considerando o tempo disponível e os compromissos que você já assumiu? É possível chegar a um ponto em que seguir essas instruções se torna algo natural?

Este programa é a resposta. É uma estratégia simples e direta que tem o equilíbrio certo entre estrutura e adaptabilidade para você respeitar suas preferências pessoais e seu poder de escolha. Você completará meu programa de quatro semanas com os conhecimentos e a inspiração para permanecer num rumo saudável pelo resto da vida. Quanto mais você aderir às minhas recomendações, mais rapidamente constatará os resultados. Tenha em mente que este programa tem muitos benefícios, além dos físicos, que são óbvios. Uma saúde cerebral ideal (assim como uma cintura menor) deve ser a sua prioridade, mas a recompensa não para aí. Você verá alterações em todos os setores de sua vida. Vai se sentir mais confiante e com maior autoestima. Vai se sentir mais jovem e no comando da própria vida e do futuro. Será capaz de atravessar períodos de estresse com facilidade, terá motivação para manter-se ativo e relacionar-se com os outros e se sentirá mais realizado no trabalho e em casa. Em resumo, será mais feliz e mais produtivo. E o sucesso gerará mais sucesso. Quando sua vida se tornar mais enriquecida, mais plena e mais cheia de energia, como resultado do seu esforço, você não vai querer voltar ao comportamento antigo e insalubre. Eu sei que você é capaz. Você precisa, por você mesmo e por seus entes queridos. As compensações — e as consequências potencialmente desastrosas caso você não siga este conselho — são gigantescas.

HISTÓRIA REAL DM

Até onde minha memória alcança, sempre tive problemas com minha composição corporal. Passei a maior parte da juventude com sobrepeso e enfrentando depressão. Em 2015, entrei para os fuzileiros navais e passei a maior parte dos quatro anos seguintes no exterior. Embora tenha perdido peso durante meu período de serviço militar, a depressão e a ansiedade que sentia no dia a dia não paravam nunca. Quando dei baixa, voltei para casa e comecei a estudar em tempo integral na faculdade. Tudo mudou: estilo de vida, alimentação, níveis de estresse, e, claro, com o tempo, o peso começou a subir de novo. Passei incontáveis horas na academia tentando todo tipo de coisa, sem êxito. Mais que perder peso, eu precisava encontrar um jeito de me livrar da depressão. Essa depressão era como um véu que me cobria há anos. Afetava a qualidade do meu trabalho, dificultava o aprendizado e complicava tremendamente meu relacionamento com outras pessoas. Eu sabia que tinha que mudar. Por isso, em 2011, tranquei a faculdade de informática e comecei a estudar educação física, com especialização em biologia.

Comecei a trabalhar como *personal trainer* em 2012, e em 2014 consegui emprego em uma academia importante, onde tive ainda mais oportunidades para aprender a respeito de saúde e bem-estar. No entanto, por mais que eu obtivesse informações, por mais que mexesse com minha nutrição, a impressão era de que nunca conseguia "acertar na mosca" no que dizia respeito à minha depressão. E se eu mesmo estava com esse problema, como seria capaz de dar conselhos nutricionais a quem quer que fosse?

Naquele ano eu conheci uma médica que me indicou um livro que a ajudara a se recuperar de uma lesão cerebral traumática. Ela achava que o livro podia me ajudar também. Comprei, li, e, como profissional de *fitness*, aprendi muito. Será que os carboidratos estariam por trás dos danos neurológicos?

A esta altura, não há dúvidas quanto a isso. Depois de seguir as recomendações nutricionais apresentadas em *A dieta da mente*, tenho controlado com facilidade meu peso, minha depressão desapareceu completamente, não me sinto mais inchado e minha qualidade de vida melhorou muito.

Fiz essas recomendações a outros clientes, que também viram os resultados física, emocional e psicologicamente. — Joseph M.

10. Um novo modo de vida
O plano de ação de quatro semanas

Em casa, eu só sirvo comida cuja história eu conheço.
Michael Pollan

Chegou a hora. Alguns de vocês podem estar em pânico, só pela ideia de abandonar os bem-amados carboidratos. Reconheço que, para algumas pessoas, deixar de lado o pão, os doces e a maior parte das sobremesas (entre outras coisas) será doloroso. É difícil mudar. E mudar hábitos há muito estabelecidos é ainda mais difícil. É comum que me perguntem logo de cara: "Mas que diabos eu vou comer?". Alguns se preocupam com a abstinência de açúcar e trigo, e com a vontade insaciável de ingerir carboidratos. Preveem fomes colossais, a que não serão capazes de resistir. Temem a reação do corpo a uma virada de 180 graus na dieta. E imaginam se é mesmo factível no mundo real, quando a expressão "força de vontade" não consta do próprio vocabulário. Bem, pessoal, antes de tudo me permitam dizer que sim: tudo isso é possível. Você só precisa dar o salto inicial e sentir os efeitos. Numa questão de dias, ou de duas ou três semanas, prevejo que você notará as ideias mais claras, o sono melhor, o ganho de energia. Você terá menos dores de cabeça, lidará sem esforço com o estresse e se sentirá mais alegre. Aqueles que sofrem de uma condição neurológica crônica, como TDAH, transtorno de ansiedade ou depressão poderão notar os sintomas diminuindo ou até desaparecendo. Com o tempo, você perderá peso, e exames de laboratório específicos mostrarão enormes progressos em diversas áreas de sua bioquímica. Se você pudesse examinar o próprio cérebro, vê-lo-ia funcionando na capacidade máxima.

É uma boa ideia marcar uma consulta com o médico a respeito do início deste programa, principalmente se você tiver algum problema de saúde, como o diabetes. Isso é importante caso você opte pelo jejum de um dia, descrito nas páginas 303-4. Ao longo do próximo mês, você atingirá quatro metas importantes:

1. Livrar seu corpo de uma dependência de carboidratos como combustível e adicionar suplementos bons para o cérebro a seu regime diário.

2. Incorporar uma rotina de exercícios a seu dia a dia, caso ainda não tenha.

3. Esforçar-se para obter um sono regular e reparador sete dias por semana.

4. Estabelecer uma nova rotina e manter hábitos saudáveis pelo resto da vida.

Subdividi o programa em quatro semanas, e cada uma se concentra em uma dessas metas específicas. Nos dias que antecedem a primeira semana, você precisa pedir ao médico a realização de certos exames, que servirão como referência. Você também precisa aproveitar esse período para arrumar a cozinha, começar a ingerir suplementos, começar a se desfazer dos carboidratos e pensar num jejum de um dia para dar o pontapé inicial no programa.

Durante a primeira semana, "Foco na comida", você adotará meu planejamento de cardápio e executará minhas recomendações dietéticas.

Durante a segunda semana, "Foco nos exercícios", vou incentivá-lo a iniciar um programa físico regular e lhe dar ideias de como se movimentar o dia todo.

Na terceira semana, "Foco no sono", você voltará as atenções para seus hábitos de sono e seguirá algumas dicas simples para garantir a obtenção do melhor sono possível toda noite, inclusive nos fins de semana.

Durante a quarta semana, vou ajudá-lo a juntar todos os elementos deste programa e dotá-lo de estratégias para que esses hábitos novos sejam estabelecidos de forma permanente em sua vida. Não duvide da própria capacidade de ter êxito; projetei este programa para ser o mais prático e fácil possível de seguir.

PRELÚDIO À PRIMEIRA SEMANA: PREPARE-SE

DETERMINE SUA REFERÊNCIA INICIAL

Antes de iniciar meu programa dietético, se possível peça os seguintes exames de laboratório. Incluo abaixo os níveis considerados saudáveis. Note que suprimi alguns testes que considero menos importantes que os listados a seguir. Não é preciso testar sensibilidade ao glúten — considere que seu corpo rejeita esse ingrediente e elimine-o da dieta. O teste de vitamina D é opcional: às vezes os resultados não são tão precisos quanto você poderia imaginar (para quem mora no Canadá, por exemplo, as unidades de medida da vitamina D são diferentes). Acho melhor você considerar que pode turbinar os níveis de vitamina D, e, como afirmei anteriormente, não há como ter uma overdose desse *hormônio* crucial para o cérebro usando minhas recomendações de suplementação.

EXAME	NÍVEIS IDEAIS
glicemia de jejum	menos de 95 miligramas por decilitro (mg/dL)
insulina de jejum	abaixo de 8 µIU/mL (de preferência abaixo de 3)
hemoglobina A1C	4,8% a 5,4%
homocisteína	8 µmol/L ou menos
proteína C-reativa	0 a 3 mg/L
vitamina D (opcional)	80 ng/mL

Ao término do programa de quatro semanas, esses exames de laboratório devem ser repetidos. É preciso entender que pode levar várias semanas até que se note uma melhoria importante nesses parâmetros, principalmente a hemoglobina A1C, que costuma ser medida apenas a cada três ou quatro meses. Mas se você seguir este programa desde o primeiro dia, deve começar a perceber mudanças positivas nos seus níveis de glicemia e insulina depois de um mês, o que o motivará a seguir em frente.

A homocisteína é uma substância química semelhante aos aminoácidos, hoje considerados bastante tóxicos para o cérebro; como indicado acima, o nível ideal de homocisteína deve ficar em torno de 8 µmol/L ou menos. Se o seu estiver acima de 8 (e principalmente acima de 10 µmol/L), certifique-se de acrescentar a seu regime um suplemento de complexo B. Uma observação: algumas pessoas podem ter a homocisteína alta mesmo tomando vitaminas B. Se for o seu caso, pense na ideia de fazer um teste genético para determinar se você tem (como eu) uma deficiência genética chamada MTHFR. Se tiver, há muitos profissionais de saúde que podem ajudá-lo a baixar a homocisteína com suplementos nutricionais específicos.

O nível ideal de proteína C-reativa, um marcador de inflamações no organismo, é inferior a 1 mg/L. A PCR pode levar meses para melhorar, mas você pode muito bem sentir mudanças positivas com apenas um mês de programa.

COMECE A TOMAR SUPLEMENTOS

Você está iniciando um regime de suplementação diária para toda a vida. Todos os suplementos relacionados nas páginas 293-4, com suas doses diárias recomendadas, podem ser encontrados nas lojas de suplementos, na maioria das farmácias e supermercados e pela internet. Você encontrará uma lista das minhas marcas favoritas em DrPerlmutter.com. Os probióticos devem ser tomados com o estômago vazio, mas os demais suplementos podem ser tomados com ou sem comida. Geralmente é melhor tomar esses suplementos na mesma hora todo dia, para não esquecer. Para muita gente, isso significa a parte da manhã, antes de sair de casa. Apenas um dos suplementos que sugiro, a cúrcuma, deve ser tomada duas vezes por dia; tome uma dose de manhã e outra à noite. Para mais detalhes sobre cada um deles, consulte o capítulo 7.

Caso você tenha alguma dúvida a respeito da dose correta, em razão de problemas pessoais de saúde, peça ajuda a seu médico para fazer os ajustes adequados. Todas as doses listadas costumam ser ideais tanto para adultos quanto para crianças, mas peça a seu pediatra recomendações específicas, baseadas no peso da criança. Em meu consultório, por exemplo, costumo prescrever 100 mg de DHA para crianças de até dezoito meses, e 200 mg diários a partir daí; para crianças com TDAH, porém, as doses são em geral mais elevadas — em torno de 400 mg diários.

Ácido alfalipoico	300 a 500 mg diários.
Complexo B	Busque um complexo de vitamina B em alimento integral que contenha todas as vitaminas B solúveis em água e vitamina C. Elas incluem tiamina (vitamina B_1), riboflavina (vitamina B_2), niacina (vitamina B_3), ácido pantotênico (vitamina B_5), piridoxina (vitamina B_6), biotina, folato e vitamina B_{12} sob forma de metil B_{12}. Tome conforme a indicação da embalagem (em geral, uma ou duas cápsulas diárias). Lembre-se: as vitaminas B são sua melhor proteção contra níveis elevados de homocisteína, um aminoácido produzido no corpo que, quando em excesso, pode aumentar o risco de transtornos de humor, piora no desempenho mental e Alzheimer.
DHA	1000 mg diários (obs.: não há mal em tomar DHA que vem combinado com EPA; opte por um suplemento de óleo de peixe ou escolha DHA derivado de algas marinhas).

Óleo MCT	Uma colher de chá diária, diretamente ou adicionada ao café ou chá; ou duas colheres de sopa de óleo de coco por dia, diretamente ou na comida.
Cúrcuma	500 mg duas vezes por dia.
Vitamina D_3	5000 UI diárias (uma vez mais, embora você não precise testar seus níveis de vitamina D, pode alcançar a dosagem ideal pedindo a seu médico que monitore seus níveis e ajuste-os adequadamente).
Extrato de grão de café integral	100 mg diárias.
Probióticos	Uma cápsula multicepas por dia, pelo menos trinta minutos antes de uma refeição. Dê preferência a uma combinação de espécies de *Lactobacillus* e *Bifidobacterium* (veja nas páginas 250-1 quais as espécies específicas a procurar).

ARRUME SUA COZINHA

Nos dias que antecedem sua nova forma de comer, é bom fazer uma lista do que você tem na cozinha e eliminar aquilo que não vai mais consumir. Comece se livrando do seguinte:

- Todas as fontes de glúten (veja a lista completa nas páginas 96-8), inclusive grãos e pães integrais, *noodles*, massas, doces, biscoitos e cereais. Não se esqueça de se desfazer de todas as bebidas alcoólicas que contêm glúten, como cerveja e coolers de vinho (bebidas alcoólicas livres de glúten incluem rum, tequila e vinho. A menos que o glúten seja acrescido depois da destilação, todos os alcoóis destilados também são sem glúten — mas às vezes os grãos dos cereais são usados no processo de produção; por isso, verifique os ingredientes ou entre em contato com o fabricante para se certificar).

- Todas as formas de carboidratos, açúcares e amidos processados: batata chips, cream crackers, cookies, muffins, massa de pizza, bolos, donuts, barras energéticas, sorvete/iogurte frozen, geleias, ketchup, queijos processados cremosos, sucos, frutas secas, isotônicos, refrigerantes, alimentos fritos, mel, agave, açúcar (branco e mascavo) e xarope de milho.

- Todos os adoçantes artificiais e produtos feitos com adoçantes artificiais. Elimine até mesmo os substitutos do açúcar comercializados como "naturais". Eles incluem os seguintes: acesulfame de potássio; aspartame; sacarina; sucralose e neotame. Eu também teria cuidado com alcoóis de açúcar comercializados como alternativas ao açúcar comum ou artificial. Eles incluem ingredientes como sorbitol, manitol, xilitol, maltitol, eritritol e isomalte. Ainda não sabemos o que eles podem estar fazendo com o seu microbioma e, por tabela, com seu cérebro.

- Alimentos empacotados com o rótulo "sem gordura" ou "baixo teor de gordura" (a menos que sejam autenticamente "sem gordura" ou "baixo teor de gordura" e dentro do protocolo, como água, mostarda e vinagre balsâmico).

- Margarinas, cremes vegetais e qualquer marca comercial de óleo de cozinha (óleos de soja, milho, algodão, canola, amendoim, cártamo, grainha de uva, girassol, farelo de arroz e gérmen de trigo) — mesmo os orgânicos. É um erro comum achar que os óleos vegetais são derivados de vegetais. Não são. Trata-se de um termo incrivelmente enganoso, um anacronismo dos tempos em que a indústria alimentícia precisava distinguir essas gorduras das gorduras animais. São óleos que, em geral, provêm de grãos, como milho, sementes ou outras plantas, como a soja. E esses grãos foram altamente refinados e quimicamente alterados. Hoje em dia, a maioria dos americanos obtém gordura desses óleos, que são ricos em gorduras ômega 6 pró-inflamatórias, em contraposição às gorduras ômega 3 anti-inflamatórias. Não as consuma.

- Soja não fermentada (exemplos: tofu e leite de soja) e alimentos processados feitos com soja (procure "isolado de proteína de soja" na lista de ingredientes; evite queijo de soja, hambúrguer de soja, cachorro-quente de soja, nuggets de soja, sorvete de soja, iogurte de soja). Obs.: embora alguns molhos de soja fermentados naturalmente sejam tecnicamente sem glúten, muitas marcas comerciais contêm traços de glúten. Caso precise utilizar um molho de soja para cozinhar, use molho de soja tamari, feito com 100% de soja e sem trigo.

- A maior parte dos vegetais com amido e aqueles que crescem embaixo da terra: batata, batata-doce, beterraba, ervilha, inhame, milho.

Fique atento a alimentos que contenham no rótulo (e na propaganda) a expressão "sem glúten". Alguns desses alimentos são bons porque não teriam mesmo como ter glúten. Mas muitos são rotulados assim porque foram processados — o glúten foi substituído por algum outro ingrediente, como amido de milho, farinha de milho, amido de arroz, amido de batata ou amido de tapioca, todos eles potencialmente nocivos, elevando enormemente a glicemia. Além disso, podem persistir traços de glúten. O termo "sem glúten" não tem significado legal atualmente; a FDA americana propôs uma definição, mas ainda não a finalizou. Tome cuidado extra com molhos sem glúten, molhos de carne e produtos com farinha de milho (por exemplo, tacos, tortilhas, cereais e chips de milho).

REABASTEÇA-SE

Os seguintes itens podem ser consumidos de forma livre (sempre que possível, ao escolher alimentos integrais, dê preferência a produtos orgânicos e não transgênicos, de produção local; aqueles submetidos a congelamento instantâneo também são bons).

- **Gorduras saudáveis:** azeite de oliva extravirgem, óleo de gergelim, óleo de coco ou MCT, óleo de abacate, banha de animais alimentados no pasto e manteiga de animais alimentados com pasto ou orgânicos, manteiga clarificada (ghee), leite de amêndoas, abacate, coco, azeitona, nozes e manteiga de karité, queijo (exceto os azuis) e sementes (linhaça, girassol, abóbora, gergelim, chia).

- **Ervas, temperos e condimentos:** neste pormenor você tem ampla escolha, desde que preste atenção nos rótulos. Diga adeus ao ketchup e ao chutney, mas aproveite a mostarda, a raiz-forte, a tapenade e a salsa, desde que sem glúten, trigo, soja e açúcar. Praticamente não há restrições a ervas e temperos; tome cuidado com os produtos industrializados, porém, que vêm de indústrias que processam trigo e soja. Não se esqueça dos condimentos fermentados (maionese lactofermentada, mostarda, raiz-forte, *relish* e salsa mexicana), que são ricos em probióticos.

- **Frutas com pouco açúcar**: abacate, pimentão, pepino, tomate, abobrinha, abóbora, berinjela, limão, lima.

- **Proteínas**: ovos inteiros; peixes selvagens (salmão, peixe-carvão, dourado-do-mar, garoupa, arenque, truta, sardinha), mariscos e moluscos (camarão, caranguejo, lagosta, mexilhão, amêijoa, ostra); carne de animais alimentados no pasto, aves e carne de porco (carne de boi, cordeiro, fígado, bisão, frango, peru, pato, avestruz, vitela); carne de caça.

- **Vegetais**: salada verde e alface, couve, espinafre, brócolis, acelga, repolho, cebola, cogumelos, couve-flor, couve-de-bruxelas, chucrute, alcachofra, broto de alfafa, vagem, aipo, couve chinesa, rabanete, agrião, nabo, aspargo, alho, alho-poró, funcho, chalota, cebolinha, nabo mexicano, salsinha, castanheiro de água.

Os produtos a seguir podem ser consumidos com moderação (por "moderação" entenda-se comer pequenas quantidades desses ingredientes uma vez por dia ou, melhor ainda, apenas duas ou três vezes por semana):

- Adoçantes: estévia natural e chocolate (pelo menos 70% de cacau).

- Cenoura e chirivia.

- Frutos doces integrais: as frutas vermelhas são as ideais; cuidado com frutas açucaradas, como o pêssego, a manga, o melão, o mamão, as ameixas e o abacaxi.

- Grãos sem glúten: amaranto, trigo mourisco, arroz (integral, branco, arbóreo), milheto, sorgo, painço (uma observação sobre a aveia: embora ela não contenha glúten naturalmente, sofre muitas vezes contaminação de glúten, por ser processada em fábricas que também mexem com trigo; evite-a, a menos que venha com garantia de não conter glúten). Quando grãos sem glúten são processados para consumo humano (por exemplo, a moagem de aveia integral e a preparação do arroz para o empacotamento), a estrutura física desses grãos é alterada, e isso aumenta o risco de reações inflamatórias. Por essa razão, limitamos o consumo desses alimentos.

- Legumes (feijões, lentilhas, ervilhas). Exceção: você pode comer homus e grão-de-bico. Cuidado com o homus comercial, repleto de aditivos e ingredientes não orgânicos. O homus clássico é feito só de grão-de-bico, tahine, azeite de oliva, suco de limão, alho, sal e pimenta.

- Leite de vaca e nata: use-os com parcimônia em receitas, ou no café e no chá.

- Queijo cottage, iogurte e kefir: use com parcimônia em receitas ou como cobertura.

- Quinoa: é uma semente, e não um grão, mas é rica em carboidratos líquidos.

- Vinho: uma taça por dia, se desejar, de preferência tinto.

UMA NOTA SOBRE OGMS
(ORGANISMOS GENETICAMENTE MODIFICADOS)

Desde a publicação da primeira edição deste livro, "OGM", sigla de organismos geneticamente modificados, entrou para o vocabulário corrente, juntamente com o rótulo "não OGM" em artigos de supermercado. Esses termos não chegaram a ser mencionados na primeira edição porque ainda não tinham entrado para a linguagem comum em toda a indústria de alimentos e bebidas. Muita coisa mudou. Atualmente, há pesquisas em andamento para estudar os efeitos dos OGMS sobre nossa saúde e o meio ambiente. OGMS são plantas ou animais que passaram por engenharia genética com o DNA de outros seres vivos, entre eles bactérias, vírus, plantas e animais. As combinações genéticas resultantes não ocorreriam na natureza ou com cruzamentos tradicionais. Os alimentos OGM, em geral, são criados para combater insetos e vírus que destroem plantações, ou para realizar cultivos com determinadas características desejadas. Nos anos 1990, por exemplo, o vírus da mancha anelar dizimou quase metade das plantações de mamão papaia no estado americano do Havaí. Em 1998, os cientistas desenvolveram uma versão geneticamente modificada do papaia batizada de mamão Rainbow, que é resistente ao vírus. Hoje, 77% dos papaias produzidos no Havaí são OGMS.

O milho e a soja são os dois maiores OGMS produzidos nos Estados Unidos. Estima-se que haja OGMS em nada menos que 80% dos alimentos processados convencionais. Em mais de sessenta países do mundo inteiro, entre eles Austrália, Japão e todos os países da União Europeia, foram impostas restrições significativas ou pura e simples proibição à produção e venda de OGMS. Mas nos Estados Unidos o governo os aprova. O problema é que muitos dos estudos que concluíram que os OGMS são seguros foram realizados pelas mesmas empresas que os criaram e agora lucram com eles. Embora seja verdade que nem todo organismo geneticamente modificado seja intrinsecamente ruim, os métodos usados para criar e produzir os OGMS podem acarretar práticas com consequências de longo alcance, muitas das quais ainda não compreendemos.

Além dos receios quanto aos efeitos dos genes alterados nos OGMS sobre a saúde humana, um dos mais problemáticos — e controversos — aspectos desses produtos tem a ver com as práticas agrícolas usadas na produção desse tipo de alimento. Os agricultores não arrancam mais ervas daninhas dos campos a mão ou com máquinas. Agora borrifam as plantações com uma substância química que mata as ervas daninhas, o glifosato (ingrediente ativo do herbicida Roundup). E aplicam uma quantidade ainda maior dessa substância química pouco antes da colheita, para aumentar a produtividade e como agente secante para preparar o solo para a semeadura seguinte. Para proteger a plantação contra o herbicida, as sementes são modificadas geneticamente para se tornarem resistentes aos efeitos dele. No mundo da agricultura, essas sementes são conhecidas como *Roundup ready* ("prontas para o Roundup"). O uso de OGMS Roundup-ready permitiu aos agricultores empregar quantidades enormes desse herbicida. O que significa que os alimentos com OGMS — e alimentos produzidos de forma convencional — ficam invariavelmente contaminados com glifosato, o "tabaco" do século XXI, que provoca o caos na saúde humana. O glifosato é um veneno sem paralelo, tóxico do intestino ao cérebro. Eis uma lista dos meus maiores receios em relação a essa substância (para mais informações, veja *Amigos da mente* e o tópico "GMO" no site DrPerlmutter. com; veja também minha entrevista com a dra. Stephanie Seneff, em *The Empowering Neurologist*). O glifosato:[1]

- atua como um poderoso antibiótico, abatendo bactérias benéficas do seu intestino e, dessa forma, rompendo o equilíbrio saudável do seu microbioma; isto, por sua vez, pode provocar permeabilidade intestinal e aumento dos processos inflamatórios;

- mimetiza hormônios como o estrogênio, provocando ou estimulando a formação de cânceres ligados a fatores hormonais;

- compromete o funcionamento da vitamina D, que, como você sabe, tem um papel importante na fisiologia humana;

- priva o corpo de compostos cruciais, como ferro, cobalto, molibdênio e cobre;

- compromete a capacidade do corpo de se livrar de toxinas;

- compromete a síntese do triptofano e da tirosina, importantes aminoácidos na produção de proteínas e neurotransmissores.

Eu não ficaria nem um pouco surpreso se dentro de pouco tempo fosse revelado que a epidemia de obesidade pode ser pelo menos em parte atribuída ao uso generalizado de glifosato, em razão de seus efeitos sobre o microbioma e a saúde do intestino. Não há como falar o bastante da importância de evitar alimentos que entraram em contato com o glifosato. Ele pode ser encontrado em lugares improváveis. Em 2015, por exemplo, foi detectado na fórmula para bebês PediaSure Enteral, amplamente utilizada por hospitais nos Estados Unidos em crianças sob cuidado intensivo com carências nutricionais. É usado na produção de vinho. Foi encontrado até em produtos de limpeza, porque é usado pela indústria do algodão. A dra. Stephanie Seneff, que conhecemos no capítulo 3, tem dedicado seu tempo ao estudo do impacto dessa substância química sobre a saúde humana. Quando a entrevistei para meu vlog, ela resumiu a questão principal em relação ao glifosato:

> Hoje, asperge-se rotineiramente o trigo com glifosato logo antes da colheita, e o glifosato no trigo atrapalha a digestão de proteínas e danifica os micróbios do intestino. Proteínas não digeridas rompem a barreira permeável do intestino e levam a doenças autoimunes inflamatórias.

Minha esperança é que uma legislação mais rigorosa seja adotada para controlar o uso dessa substância química nociva. Em 2017, o estado americano da Califórnia impôs novos rótulos de advertência no âmbito da Lei 65, definindo o glifosato como um cancerígeno em potencial. Nesse mesmo ano, o *Journal of the American Medical Association* publicou dados indicando um aumento espantoso nos níveis de glifosato em um grupo de pessoas avaliadas em dois períodos, 1993 a 1996 e 2014 a 2016. Os pesquisadores concluíram que os níveis de glifosato na urina aumentaram 500% em um período de aproximadamente vinte anos! É por essa razão que devemos escolher produtos não OGM sempre que pudermos. E, insisto, embora o trigo não seja um OGM, quase sempre ele é borrifado com glifosato.

FELIZ ANO "OVO"

Sinto-me na obrigação de falar bem dos ovos, um dos alimentos mais falsamente acusados do mundo contemporâneo. De início, queria reafirmar dois fatos importantes, mas pouco lembrados: 1. Em inúmeras oportunidades, os cientistas fracassaram ao tentar relacionar as gorduras de origem alimentar (isto é, as gorduras saturadas) e o colesterol aos níveis de colesterol sérico ou ao risco de doenças cardíacas coronarianas. A crença de que o colesterol que ingerimos se converte diretamente em colesterol no sangue é inequivocamente falsa. 2. Quando os pesquisadores comparam os níveis de colesterol sérico à ingestão de ovos, observam o tempo todo que os níveis de colesterol naqueles que consomem poucos ovos, ou ovo algum, são virtualmente idênticos aos das pessoas que consomem uma enorme quantidade de ovos. Lembre-se de que, ao contrário do que diz o senso comum, o colesterol dietético na verdade reduz a produção de colesterol no organismo, e mais de 80% do colesterol no organismo medido no exame de colesterol é, na verdade, produzido pelo seu fígado.

Citando os autores de um estudo de referência de pesquisadores britânicos na newsletter da British Nutrition Foundation:

> O falso conceito popular, de que os ovos são ruins para o colesterol sanguíneo e, portanto, ruins para o coração, persiste entre muitas pessoas e ainda continua a influenciar os conselhos de alguns profissionais de saúde. O mito persiste, apesar de fortes evidências mostrando que os efeitos de alimentos ricos em colesterol sobre o colesterol no sangue são reduzidos e clinicamente insignificantes.[2]

A recomendação errônea, mas poderosa, de restringir os ovos, que partiu inicialmente dos Estados Unidos nos anos 1970, infelizmente está na praça há muito tempo. Inúmeros estudos confirmaram o valor dos ovos, possivelmente o alimento mais perfeito do mundo; e a gema é a parte mais nutritiva.[3] Na verdade, um estudo recente, de 2013, de pesquisadores da Universidade de Connecticut demonstrou que entre os que seguem uma dieta pobre em carboidratos, ingerir ovos inteiros

— mesmo diariamente — melhorou a sensibilidade à insulina e outros parâmetros de risco cardiovascular.[4] Conclusões parecidas foram publicadas em 2016 no *American Journal of Clinical Nutrition* depois de um estudo que acompanhou mais de mil homens na Finlândia.[5]

Além do colesterol saudável, ovos inteiros contêm todos os aminoácidos de que necessitamos para sobreviver, vitaminas e minerais, e antioxidantes que sabidamente protegem nossos olhos. Além disso, eles contêm uma ampla quantidade de colina, substância particularmente importante no auxílio às funções cerebrais, assim como à gravidez. Tremo quando vejo um cardápio que oferece omelete só de clara. Que saudade da antiga campanha publicitária americana que dizia: "Ovo é incrível, ovo é comestível!".

Você vai ver que eu recomendo muito ovo nesta dieta. Por favor, não tenha medo dele. O ovo pode ser a melhor forma de iniciar seu dia e dar o tom para o equilíbrio do açúcar no sangue. Você também pode fazer muitas coisas com ovo. Mexidos, fritos, poché, cozidos ou usados em pratos, os ovos estão entre os ingredientes mais versáteis. Ferva uma dúzia de ovos no domingo à noite e eles servirão de café da manhã e/ou lanche para a semana inteira.

O JEJUM OPCIONAL

O ideal é começar a primeira semana depois de um dia inteiro de jejum. Jejuar é uma excelente forma de estabelecer as bases e acelerar a passagem de seu organismo para a queima de gordura como combustível e para a produção de substâncias bioquímicas com efeitos favoráveis impressionantes sobre o corpo e o cérebro. Para muitos, o mais fácil é jejuar no domingo (depois do jantar de sábado) e iniciar o programa de dieta na manhã de segunda, ou fazer a última refeição na noite de sexta e iniciar o programa no domingo de manhã.

O protocolo do jejum é simples: não comer nada, mas beber bastante água num período de 24 horas. Evite também a cafeína. Se você está tomando remédios, não deixe de tomá-los de forma alguma (se você toma remédios para o diabetes, por favor, consulte antes seu médico). Se a ideia de jejuar for muito dura para você, simplesmente deixe de lado os carboidratos por alguns dias, enquanto prepara sua cozinha. Quanto mais seu corpo for viciado em carboidratos, mais difícil será. Prefiro que meus pacientes tenham crises de abstinência quando se trata de parar com o glúten. Por isso, faça o melhor possível para eliminar inteiramente as fontes de glúten e corte os demais carboidratos. Aqueles cujo organismo não é dependente de carboidratos conseguem jejuar por períodos mais longos, às vezes por mais de um dia. Se você tiver estabelecido essa dieta pelo resto da vida e quiser jejuar para aumentar os benefícios, tente um jejum de 72 horas (supondo que você já se consultou com o médico, caso tenha alguma condição de saúde relevante). Eu recomendo que se façam pelo menos quatro jejuns anuais; jejuar na mudança de estação (por exemplo, na última semana de setembro, dezembro, março e junho) é um costume ótimo.

DESAFIO DM

Como descrevi anteriormente, o corpo acorda em leve cetose. Se você pular o café da manhã, consegue manter esse estado durante algumas horas, até o almoço do meio-dia. Tente pular o café da manhã uma ou duas vezes por semana. Isso pode ajudar a acelerar sua transformação. Para mais recursos sobre como seguir uma dieta cetogênica, por favor entre no meu site, DrPerlmutter.com. Na aba "Eat" [Coma], você encontrará um tesouro de informações que o ajudará a manter a cetose. Lembre-se: tente se manter em leve cetose ao longo dessas quatro semanas, depois das quais você pode entrar e sair desse ciclo por breves períodos, uma ou duas vezes por mês. Para quebrar a cetose, simplesmente aumente sua ingestão de carboidratos durante dois dias consecutivos, como sábado e domingo. Aumente os carboidratos com escolhas saudáveis — opte por frutas in natura e arroz, e não açúcares processados!

PRIMEIRA SEMANA: FOCO NA COMIDA

Agora que sua cozinha está organizada, é hora de se acostumar a preparar as refeições empregando esse novo conjunto de instruções. No próximo capítulo, você encontrará um planejamento diário para o cardápio da primeira semana, que servirá como modelo para o planejamento das refeições nas três semanas restantes. Ao contrário de outras dietas, esta não lhe pedirá para contar calorias, limitar a ingestão de gorduras ou se preocupar com o tamanho das porções. Confio que você sabe a diferença entre um prato extragrande e uma quantidade normal. E nem vou lhe pedir para se preocupar em verificar quanta gordura saturada ou insaturada está ingerindo.

A boa notícia em relação a este tipo de dieta é ela ser em grande parte "autorregulada" — você não vai surpreender a si mesmo comendo demais e terá uma sensação de saciedade durante várias horas, antes de sentir a necessidade de outra refeição. Quando seu corpo depende majoritariamente de carboidratos, é guiado pela montanha-russa glicose-insulina, que provoca uma fome intensa quando o açúcar no sangue cai, seguida por uma saciedade de vida curta. Mas uma dieta pobre em carboidratos e rica em gordura terá o efeito inverso. Eliminará os desejos e prevenirá o cansaço mental de fim de tarde que ocorre muitas vezes nas dietas baseadas em carboidratos. Isso lhe possibilitará automaticamente controlar as calorias (mesmo sem pensar), queimar mais gordura e deixar de comer de forma desnecessária (isto é, as quinhentas calorias extras que tantas pessoas ingerem de modo inconsciente para sustentar o caos do açúcar no sangue), melhorando sem esforço o desempenho mental. Diga adeus à sensação de mau humor, confusão, preguiça e cansaço durante o dia. E diga oi a seu eu novinho em folha.

A única diferença entre este mês e os próximos é que, agora, sua meta é a menor quantidade possível de carboidratos. É fundamental reduzir a ingestão de carboidratos líquidos a apenas *vinte a 25 gramas por dia, durante quatro semanas* (veja o boxe). Depois disso, você pode aumentar a ingestão de carboidratos líquidos para trinta gramas diários. Adicionar mais carboidratos à dieta, depois das primeiras quatro semanas, não significa que você possa voltar a comer massas e pão.

O que você vai fazer é simplesmente aumentar o número de itens da lista de "moderados", como frutas in natura, grãos sem glúten e legumes. Como saber o quanto você está ingerindo? Use o almanaque alimentar do meu site (DrPerlmutter.com), que tem uma lista de gramas de carboidratos por porção. Se você seguir as ideias de cardápio e as receitas deste livro, logo vai adquirir uma percepção daquilo a que se assemelha uma refeição pobre em carboidratos.

E quanto à ingestão de fibras? Muitas pessoas temem que limitar todos os pães e derivados de trigo "ricos em fibras" causará uma perda drástica de fibras importantes. Não é verdade. Quando você substitui os carboidratos de trigo por carboidratos de castanhas e vegetais, sua ingestão de fibras aumenta (e os carboidratos líquidos caem). Você obtém sua cota de vitaminas e nutrientes essenciais, que provavelmente também já lhe faltavam.

> Agora que as recomendações alimentares de baixo carboidrato tomaram conta das dietas em voga, estamos começando a constatar um pouco mais de informação sobre os rótulos nutricionais, descrevendo não apenas o conteúdo total de carboidratos de um alimento específico, mas indicando também os "carboidratos líquidos". Dependendo do tipo de comida, pode haver, de fato, uma diferença significativa entre esses dois valores. Por isso, permita-me lembrá-lo dessa importante diferença.
>
> O termo "carboidratos líquidos" descreve tão somente o número total de gramas de carboidratos em uma porção de comida, menos os gramas de fibras. As fibras, como você deve se lembrar, são uma forma de carboidrato, mas são carboidratos que não têm efeito algum sobre a glicemia ou a reação da insulina. Portanto, a ideia de dar ênfase aos carboidratos líquidos, no sentido de carboidratos que restam quando se retiram as fibras da conta, faz todo sentido, porque são esses carboidratos residuais que têm mais influência na glicemia e, consequentemente, na reação da insulina.
>
> Vamos analisar um exemplo. Uma porção-padrão de cenouras baby contém aproximadamente seis gramas de carboidratos totais. Mas cenouras in natura contêm uma quantidade razoável de fibras, que pode chegar a dois ou três gramas, aproximadamente,

neste caso. Portanto, os carboidratos líquidos seriam cerca de três ou quatro gramas. Um item importante no qual compreender isso faz diferença são, por exemplo, os sucos de frutas. Uma porção de suco de laranja comum fornece 25,8 gramas de carboidratos totais e apenas 0,5 grama de fibras. Portanto, os carboidratos líquidos chegam a 25,3 gramas. É o bastante para gerar uma significativa reação na glicemia e na reação da insulina.

Outra forma de analisar esse cálculo revela que uma grande diferença entre os carboidratos totais e os carboidratos líquidos é um bom indicador do conteúdo em fibras. Quanto maior a diferença, melhor o alimento para o corpo e para o cérebro.

Você pode achar de grande valia manter um diário alimentar durante todo o programa. Tome nota das receitas de que gosta e dos alimentos que você acha que ainda podem lhe causar dificuldades (por exemplo, caso você sinta sintomas como incômodo estomacal ou dor de cabeça toda vez que ingere sementes de gergelim). Algumas pessoas são sensíveis a certos alimentos incluídos nesta dieta. Por exemplo, cerca de 50% dos intolerantes a glúten também o são ao leite. Surpreendentemente, pesquisadores também estão descobrindo que o café tende a ter uma reação cruzada com o glúten. Caso depois de iniciar esta dieta você sinta algo errado, faça outro teste de laboratório, que pode ajudar a descobrir quais comidas, no seu caso, reagem com o glúten. O teste pode identificar reações aos seguintes produtos:

amaranto	laticínios	soja
arroz	levedura	sorgo
aveia	milheto	tapioca
café	ovos	trigo sarraceno
cânhamo	painço	*whey protein*
chocolate	quinoa	
espelta	sésamo	

Recomendo que você evite comer fora durante as três primeiras semanas do programa, de modo a concentrar-se em aprender o protocolo dietético. Isso vai prepará-lo para o dia em que for realmente comer fora de casa e tiver que fazer o pedido certo (ver pp. 317-8). As três primeiras semanas também vão eliminar seus desejos, resultando em menos tentações ao ler um cardápio repleto de carboidratos.

Durante a primeira semana, concentre-se em dominar seus novos hábitos alimentares. Você pode usar minhas receitas, inclusive a minha amostra de planejamento de refeições de sete dias, ou se arriscar por conta própria desde que consiga se ater às recomendações. Criei uma lista simples de ideias subdivididas por tipo de refeição (isto é, café da manhã, almoço ou jantar, sopas, saladas etc.), para que você possa fazer suas opções. Cada refeição deve conter uma fonte de gorduras e proteínas saudáveis. Você pode, basicamente, comer os vegetais que bem entender, à exceção de beterraba, ervilha, milho, batata, batata-doce, cenoura e chirivia. Se você seguir o planejamento da primeira semana, configurar suas próprias refeições no futuro será moleza.

SEGUNDA SEMANA: FOCO NOS EXERCÍCIOS

Busque envolver-se em atividades físicas aeróbicas, se já não o faz, por pelo menos vinte minutos diários. Empregue esta semana para estabelecer uma rotina agradável, que eleve seus batimentos cardíacos em pelo menos 50% em relação ao valor de base. Lembre-se, você está criando hábitos novos para o resto da vida, e não é bom se desgastar facilmente. Mas também não é bom sentir um conforto excessivo e evitar desafiar o próprio corpo de uma maneira que melhore a saúde e aumente a longevidade do cérebro.

Para colher os benefícios do exercício, estabeleça a meta de suar uma vez por dia e force seu pulmão e seu coração a trabalhar um pouco mais. Lembre-se, além de todos os benefícios cardiovasculares e de controle de peso que os exercícios trazem, há estudos que mostram que quem se exercita regularmente, pratica esportes ou apenas faz várias caminhadas por semana protege o cérebro contra o encolhimento. Também minimiza a chance de se tornar obeso e diabético — dois grandes fatores de risco para doenças cerebrais.

Se você tem um estilo de vida sedentário, simplesmente comece com uma caminhada diária de vinte minutos e vá aumentando o tempo à medida que se acostuma com a rotina. Você também pode aumentar a intensidade desse exercício ampliando a velocidade ou subindo ladeiras. Ou leve um peso de dois quilos em cada mão e faça exercícios para os bíceps enquanto caminha.

Aqueles que já seguem um programa de condicionamento físico podem tentar aumentar o esforço para um mínimo de trinta minutos diários, pelo menos cinco vezes por semana. Esta também pode ser a semana de tentar algo diferente, como entrar em uma aula coletiva na academia ou tirar a poeira da bicicleta velha na garagem. Hoje em dia, há oportunidades de se exercitar em toda parte, além das academias tradicionais. Portanto, não há desculpa. Você pode até procurar vídeos na internet e exercitar-se no conforto de sua casa. Pouco importa a atividade que você escolher. Basta escolher!

O exercício ideal e abrangente deve incluir uma mistura de treinamento cardiovascular, de força e alongamento. Mas se você estiver começando do zero, inicie pelo cardiovascular e, com o tempo, acrescente o treinamento de força e o alongamento. O treinamento de força pode ser feito com o equipamento clássico de academia, halteres ou o peso do próprio corpo, em aulas voltadas para esse tipo de atividade, como ioga e pilates. Essas aulas costumam incluir muito alongamento, também, mas você não precisa de uma aula para treinar sua flexibilidade. Você pode realizar diversos exercícios de alongamento por conta própria, até mesmo na frente da televisão.

Tendo estabelecido uma rotina regular de exercícios, você pode definir o horário semanal para cada tipo de exercício. Por exemplo, uma aula de bicicleta ergométrica de uma hora toda segunda, quarta e sexta; e uma aula de ioga às terças e quintas. No sábado, uma caminhada com os amigos ou algumas voltas na piscina, e descanso no domingo. Para a atividade física, eu recomendo a adoção de um calendário e de horários definidos.

Se durante o seu dia não há absolutamente tempo algum que possa ser dedicado a um momento contínuo de exercícios formais, pense em maneiras de enfiar alguns minutos adicionais de atividade física durante o dia. Todas as pesquisas indicam que três séries de exercício de dez minutos podem render os mesmos benefícios para a saúde que uma única malhação de trinta minutos. Por isso, se em determinado dia o tempo estiver curto, simplesmente subdivida sua rotina em pedaços menores. E crie maneiras de combinar os exercícios com outras tarefas. Por exemplo, faça uma reunião caminhando com um colega de trabalho, ou assista à televisão enquanto realiza uma série de exercícios de alongamento no chão. Se possível, limite os minutos que você passa sentado. Quando puder, fale ao telefone enquanto caminha, usando um fone de ouvido. Suba de escada, em vez de pegar o elevador, e estacione longe da porta do seu prédio. Quanto mais você se movimentar ao longo do dia, mais seu cérebro tem a ganhar.

> Não se esqueça de utilizar meus recursos on-line em DrPerlmutter.com. Ali publiquei uma biblioteca de informações úteis, inclusive vídeos em que demonstro exercícios específicos. Consulte em especial a aba "Focus" [Foco] na homepage.

TERCEIRA SEMANA: FOCO NO SONO

Além de dar continuidade à nova dieta e rotina de exercícios, utilize esta semana para concentrar-se na higiene do sono. Agora que você já segue o protocolo há duas semanas, seu sono deve ter melhorado. Se você dorme menos de seis horas por noite, pode começar simplesmente aumentando esse período para pelo menos sete horas. Esse é o mínimo necessário para ter níveis normais e saudáveis de hormônios flutuantes no corpo.

Para certificar-se de estar fazendo tudo a seu alcance para maximizar um sono reparador e de alta qualidade, seguem algumas dicas para garantir uma boa noite de sono:

1. **Mantenha hábitos de sono regulares**. Os especialistas na medicina do sono gostam de dar a isso o nome de "higiene do sono" — a forma pela qual garantimos um sono restaurador todas as noites. Vá para a cama e acorde mais ou menos no mesmo horário sete dias por semana, 365 dias do ano. Mantenha uma rotina consistente na hora de ir para a cama; ela pode incluir ler, tomar um banho morno, um chá de ervas, o que quer que ajude você a desacelerar e avisar ao corpo que está na hora de dormir. Fazemos isso com nossos filhos pequenos, mas é comum nos esquecermos dos nossos próprios rituais de repouso. Eles fazem milagres nos ajudando a preparar o sono.

2. **Identifique e cuide dos elementos nocivos ao sono**. Pode haver uma série deles, de medicamentos a cafeína, álcool e nicotina. Tanto a cafeína quanto a nicotina são estimulantes. Quem ainda fuma deve adotar um plano para parar, pois o simples fato de fumar aumenta o risco de tudo, do ponto de vista médico. Quanto à cafeína, tente evitá-la depois das duas da tarde. Isso dará a seu corpo tempo para processar a cafeína, de modo a não causar impacto no sono. Algumas pessoas, porém, são particularmente sensíveis à cafeína. Por isso, talvez você prefira antecipar esse limite para o meio-dia, ou adotar bebidas menos cafeinadas, como o chá. Pergunte a seu médico ou farmacêutico sobre medicamentos que você tome rotineiramente e quaisquer repercussões que possam ter sobre o sono. Saiba que vários remédios do balcão da farmácia também podem conter ingredientes que perturbam o sono. Remédios populares para a dor de cabeça, por exemplo, podem conter cafeína. O álcool, embora crie um efeito sedativo logo depois do consumo, pode perturbar o sono enquanto é processado pelo corpo; uma das enzimas usadas para decompor o álcool tem efeito estimulante. O álcool também causa a liberação de adrenalina e perturba a produção de serotonina, importante substância química do cérebro que dá início ao sono.

3. **Ajuste o horário do jantar.** Ninguém gosta de ir para a cama com estômago cheio ou vazio. Encontre seu ponto ideal, deixando aproximadamente três horas entre o jantar e a hora de dormir. Também se informe sobre os ingredientes dos alimentos que possam ser di-

fíceis de digerir antes de ir para a cama. A experiência de cada um será diferente nesse quesito.

4. **Não coma de maneira errática.** Alimente-se em horários regulares. Isso controlará seus hormônios do apetite. Retardar demais uma refeição desequilibra os hormônios, atuando sobre o sistema nervoso, o que pode afetar o sono mais tarde.

5. **Experimente fazer uma boquinha na hora de dormir.** A hipoglicemia noturna (nível baixo de glicose no sangue à noite) pode provocar insônia. Se seu açúcar no sangue cair demais, ocorre a liberação de hormônios que estimulam o cérebro, mandando você comer. Tente fazer uma boquinha noturna para evitar uma tragédia na madrugada. Dê preferência a alimentos ricos no aminoácido triptofano, que é um promotor natural do sono. Entre os alimentos ricos em triptofano se encontram: queijo cottage, peito de peru, frango, ovos e castanhas (sobretudo amêndoas). Cuidado com a porção, porém. Um punhado de castanhas basta. Nada de devorar uma omelete com peito de peru logo antes de deitar-se. Use o bom senso.

6. **Cuidado com os estimulantes disfarçados.** Você já sabe que o café comum o mantém alerta. Mas hoje em dia é fácil encontrar produtos cheios de cafeína. Se você seguir meu programa dietético, dificilmente vai cruzar com eles. Além disso, certos compostos alimentares, como colorantes, sabores artificiais e carboidratos refinados podem *atuar* como estimulantes. Portanto, evite-os da mesma forma.

7. **Arme o cenário.** Não causa surpresa saber que não é uma boa ideia manter no quarto aparelhos eletrônicos que estimulam os olhos e o cérebro. Mas a maioria das pessoas quebra esta regra, que é das mais básicas. Tente conservar seu quarto como um santuário silencioso e pacífico, livre de aparelhos que despertam (por exemplo, televisores, computadores, telefones etc.), assim como luzes fortes. Invista numa cama confortável, com lençóis macios. Instale luzes suaves. Crie um ambiente propício ao sono (e ao sexo, a propósito, que também pode predispor ao sono, mas isso já é outra história).

8. **Use remédios para dormir com prudência.** Ocasionalmente, eles não vão matá-lo. Mas o uso crônico pode se tornar um problema. O objetivo é chegar a um sono profundo rotineiro sem ajuda extra. E não estou me referindo a protetores de ouvido ou máscaras para os olhos, que eu aprovo como auxílios ao sono; refiro-me aos remédios de balcão de farmácia ou receita médica que induzem o sono. Os exemplos incluem fórmulas de automedicação, entre elas os anti-histamínicos sedativos, como a difenidramina e a doxilamina. Mesmo que se diga que não são viciantes, podem mesmo assim criar uma dependência psicológica. É melhor regular o sono naturalmente. E pense na ideia de um exame do sono, mesmo que acredite dormir bem.

UMA NOTA SOBRE ACESSÓRIOS DE BANHEIRO E PRODUTOS DE BELEZA

Além de concentrar-se no sono, durante a terceira semana você deve rever os produtos do seu banheiro. O glúten tem tendência a se infiltrar em diversos produtos comerciais e pode acabar indo parar involuntariamente em nosso organismo se utilizarmos esses produtos na pele — o maior órgão do corpo. Por isso, preste atenção nos artigos de beleza e maquiagem que você usa regularmente, incluindo xampus, condicionadores e outros produtos para os cabelos. Talvez você queira procurar novas marcas, que oferecem produtos sem glúten. Contate a empresa ou um de seus representantes se você tiver dúvidas a respeito da composição do produto.

QUARTA SEMANA: JUNTANDO TUDO

A esta altura você já deve estar no ritmo de um novo modo de vida e sentindo-se muito melhor do que três semanas antes. Você é capaz de apontar a diferença entre um alimento maléfico e opções mais saudáveis. Seu sono melhorou e você estabeleceu uma rotina regular de exercícios. E agora?

Não entre em pânico se você ainda não sente ter mudado totalmente. A maioria de nós tem algum ponto fraco na vida, que exige atenção especial. Talvez você seja do tipo que tem dificuldade de ir para a cama às dez toda noite, ou talvez seu calcanhar de aquiles seja encontrar tempo para malhar na maior parte da semana, ou evitar a *junk food* tão fácil de encontrar no horário de trabalho. Use esta semana para encontrar um novo ritmo em sua nova rotina. Identifique áreas da sua vida em que você tenha mais dificuldade de seguir este programa e veja o que pode fazer para corrigir isso. Algumas dicas podem lhe ser úteis:

- **Planeje com antecedência cada semana.** É bom reservar alguns minutos no fim de semana para planejar sua semana seguinte, levando em consideração sua agenda e seus compromissos. Preveja os dias mais atribulados, em que será mais difícil encontrar tempo para se exercitar, e tente encaixar um intervalo na sua agenda. Bloqueie o horário do sono de cada noite e faça o possível para ir deitar-se sempre no mesmo horário, de maneira religiosa. Mapeie a maior parte de suas refeições na semana, principalmente o almoço e o jantar. Em relação ao café da manhã, temos tendência a seguir mais a rotina, mas podemos ser vítimas de decisões de última hora quanto ao almoço, no horário de trabalho, assim como ao jantar, quando chegamos famintos em casa. Fique atento a esses dias em que você sabe que vai chegar em casa tarde e não terá energia para cozinhar. Tenha um plano B (no próximo capítulo, eu lhe darei várias ideias de como lidar com refeições fora de casa e com aqueles momentos em que você precisa de alguma coisinha para enganar o estômago antes de comer uma refeição completa).

- **Prepare listas de compras.** Quer você faça compras todo dia ou só uma vez por semana, é bom ter uma lista à mão. Isso o ajudará a ser mais eficiente e evitar as compras impulsivas. Também elimina muitas dúvidas, no mercado, pensando no que vale a pena comprar, preparar e comer. No geral, procure ater-se àquelas prateleiras do mercado que vendem os produtos mais naturais. Evite os corredores do meio, abarrotados de alimentos processados e empacotados. Não vá às compras com fome: se o fizer, tenderá a ser atraído por alimentos danosos, do tipo açucarado ou salgado. Lembre-se de que ingredientes frescos não durarão mais que três ou cinco dias, a menos que você os congele. Uma visita a um atacado, uma vez por mês, pode ser útil se você tiver uma família maior e espaço extra no congelador para grandes quantidades de carne, aves e vegetais congelados.

- **Fixe algumas metas inegociáveis.** Se você está decidido a ir à feira do bairro na quinta de manhã, anote isso no seu calendário e não abra mão. Se você sonha em fazer uma aula no novo estúdio de ioga que abriu no quarteirão, reserve um horário e faça acontecer. Criar metas inegociáveis o ajudará a driblar aquelas desculpas que sempre aparecem quando se tem preguiça ou surgem outros compromissos. Também é uma excelente maneira de blindar seus pontos fracos. Estabeleça claramente suas prioridades, defina o rumo da semana e não arrede pé!

- **Use a tecnologia.** Nós a usamos diariamente para facilitar nossas vidas. Então por que não nos aproveitarmos dos recursos da internet e dos aplicativos de alta tecnologia que podem nos ajudar a cumprir nossas metas e nos mantermos sintonizados com nós mesmos? O mercado de aplicativos de autoacompanhamento, por exemplo, disparou nos últimos anos. Existem aparelhos elegantes para monitorar quantos passos você dá por dia, se dormiu bem na noite passada, e até a velocidade com que come. Alguns deles funcionam em smartphones, enquanto outros exigem um aparelho de verdade, como um acelerômetro, que monitora seus movimentos durante o dia. O.k., não são ferramentas para todo mundo, mas você pode encontrar alguns programas que no fim das contas o auxiliem a manter um estilo de vida saudável. Procure algumas ideias no site DrPerlmutter.com. Ali você também encontrará uma lista de aplicativos que o ajudarão a maximizar as informações deste livro, bem como almanaques alimentares que dão informações sobre ingredientes em alimentos comuns e links de serviços de saúde que podem ajudá-lo a controlar seus hábitos. O Google Calendar, por exemplo, pode ser usado como um aplicativo abrangente para o acompanhamento pessoal. Faça aquilo que funciona para você.

- **Seja flexível, mas constante.** Não precisa se autoflagelar caso fuja do programa momentaneamente. Somos todos humanos. Você pode ter tido um dia ruim e de repente se vê pulando a academia para passar a noite com os amigos em um restaurante onde praticamente tudo que é oferecido foge do seu cardápio. Ou talvez sejam as férias, em que alguns caprichos são inevitáveis. Enquanto você puder voltar à linha assim que der, tudo bem. Mas não deixe um pequeno escorregão tirá-lo do caminho para sempre. Para isso, lembre-se de buscar constância em seus hábitos diários. Consistência não é sinônimo de rigidez. É uma questão de comer e se exercitar de uma forma que lhe seja boa sem lhe dar a sensação de estar chegando a extremos ou se forçando a fazer algo de que não gosta. Encontrar sua própria versão pessoal de consistência é a chave do sucesso. Você vai descobrir o que funciona melhor para você e o que não. Então você poderá adaptar este programa à sua vida, com base nestas linhas gerais, e mantê-lo de forma consistente.

- **Busque motivadores.** Isso às vezes ajuda. Por motivador entende-se qualquer coisa, do desejo de correr a prova de dez quilômetros da sua cidade à viagem dos sonhos com seus filhos ao Monte Kilimanjaro. Quem resolve concentrar-se na própria saúde costuma fazê-lo por razões específicas, como "Quero mais energia", "Quero viver mais tempo", "Quero perder peso" e "Não quero morrer igual à minha mãe". Tenha em vista o quadro mais amplo. Isso não apenas o ajudará a manter um estilo de vida saudável, mas também a entrar de novo nos eixos depois de uma fugida ocasional. Progredir às vezes é melhor que atingir a perfeição.

A agenda diária de cada um será diferente, mas deve haver padrões. A seguir, uma amostra daquilo a que um dia pode se assemelhar:

Acordar e levar o cachorro para passear	6h30
Café da manhã	7h
Lanche	10h
Almoço (marmita no escritório)	12h30
Caminhada de 20 minutos	13h
Lanche	16h
Academia	17h45
Jantar	19h
Passeio com o cachorro	19h30
Hora de dormir	22h30

COMENDO FORA DE CASA

Mais para o final da quarta semana, tente cumprir a meta de ser capaz de comer em qualquer lugar. A maioria de nós come fora várias vezes por semana, sobretudo quando estamos trabalhando. É praticamente impossível planejar e preparar toda e qualquer refeição e lanche que fazemos. Por isso, é preciso estabelecer a meta de lidar com outros cardápios. Tente voltar a seus restaurantes favoritos e fazer um pedido à la carte, sem sair deste programa. Se achar difícil demais, talvez seja o caso de testar novos restaurantes, que atendam a suas necessidades. Não é tão difícil adaptar-se a qualquer cardápio, desde que se esteja seguro em relação às próprias escolhas. Peixes assados com vegetais no vapor costumam ser uma opção segura (evite as batatas, as frituras e a cesta de pãezinhos, e peça uma salada com azeite de oliva e vinagre como entrada). Atenção aos pratos mais elaborados, que contêm ingredientes múltiplos. Se tiver dúvida, peça informação sobre os pratos.

Em geral, deve-se evitar comer fora, porque é impossível eliminar todas as fontes de ingredientes nocivos. Na maioria dos dias da semana, atenha-se ao consumo dos alimentos que você mesmo prepara. Tenha à mão coisas para beliscar, para não se deparar com a fome em frente à loja de conveniência do posto de gasolina. No próximo capítulo apresentamos várias ideias de lanchinhos, muitas delas fáceis de carregar e que não estragam. Assim que você pegar esse jeito de comer, tente voltar às antigas receitas e alterá-las para que se encaixem em minhas recomendações. Você ficará surpreso ao constatar como pequenas experiências na cozinha podem transformar um prato clássico, cheio de glúten e ingredientes inflamatórios, numa refeição igualmente deliciosa, mas amigável para o cérebro. Em vez de farinha comum ou trigo, experimente farinha de coco, ou refeições com castanhas, como amêndoas e linhaça; em vez de açúcar, adoce sua receita com um pouquinho de estévia ou frutas in natura; e em vez de cozinhar com óleos vegetais processados, fique com a boa e velha manteiga ou o azeite de oliva extravirgem.

E quando você se vir diante de uma tentação (a caixa de *donuts* no trabalho ou o bolo de aniversário de um amigo), lembre-se de que terá que compensar de alguma forma esses caprichos. Esteja disposto a aceitar essa consequência, caso não tenha força de dizer não. Mas tenha em mente que um modo de vida livre do glúten e dos carboidratos em excesso é, na minha opinião, o mais pleno e gratificante que existe. Aproveite.

UM NÚMERO DE EQUILIBRISTA

Assim como ocorre com tantas coisas, descobrir e estabelecer novos hábitos é como um número de equilibrista. Mesmo depois de mudar os hábitos físicos e alimentares, e alterar a forma de comprar, cozinhar e pedir comida, ainda haverá momentos em que os antigos hábitos ressurgirão. Minha expectativa não é que você nunca mais coma uma fatia crocante de pizza ou uma pilha de panquecas quentinhas na vida, e sim que você permaneça atento às necessidades reais de seu corpo, agora que dispõe de conhecimento, e desfrute dessa recém-adquirida sensibilidade todos os dias, da melhor forma possível.

Muitas pessoas puseram em prática, na dieta, o famoso princípio dos 80/20 — coma de forma saudável 80% do tempo e reserve os outros 20% para caprichos. Mas alguns de nós estão fazendo exatamente o contrário! É fácil demais permitir que um capricho ocasional se torne um hábito diário, como tomar sorvete várias vezes por semana. É preciso lembrar que sempre há uma desculpa para não cuidar bem de si mesmo. Temos que ir a festas e casamentos. Temos o trabalho, que nos deixa estressados e sem energia, tempo e cabeça para preparar uma comida saudável, fazer exercícios e dormir bem. Assim é a vida, e não há problema em aceitar algumas concessões. Mas tente cumprir uma regra 90/10. Noventa por cento do tempo, alimente-se seguindo estas instruções, e deixe os outros 10% por conta da vida, como é inevitável. E toda vez que sentir que se afastou demais dos trilhos, aperte o botão "reiniciar". Uma maneira de fazer isso é jejuar por um dia e adotar de novo, durante quatro semanas, a restrição a vinte ou 25 gramas diários de carboidrato. Este programa pode ser sua salvação na direção de uma vida mais saudável, dentro da visão que você tiver para si mesmo — e seu cérebro.

A vida é uma sequência interminável de escolhas. *Deste jeito ou daquele? Agora ou depois? Casaco vermelho ou verde? Sanduíche ou salada?* O objetivo deste livro foi ajudá-lo a tomar decisões melhores, que permitam que você venha a viver com plenitude. Minha esperança é ter lhe dado várias ideias, que pelo menos comecem a fazer alguma diferença em sua vida. Eu me dou conta de como a boa saúde — e a acuidade mental — fazem bem às pessoas. Também vejo o que doenças súbitas e crônicas podem fazer, independentemente daquilo que as pessoas realizaram na vida e de o quanto são queridas. Para muitos, a saúde pode não parecer a coisa mais importante da vida. Mas, sem ela, nada mais importa. E quando você tem saúde, quase tudo é possível.

11. O caminho para um cérebro saudável pela alimentação
Programas de refeições e receitas

O número de ideias de refeições e receitas aqui apresentado mostra quantas opções existem nesta dieta. Você encontrará, em abundância, verduras, peixes, carnes, aves, castanhas, ovos e saladas. Mas você pode compor, com a mesma facilidade, outros pratos baseados nos temas expostos aqui (por exemplo, para o jantar, cozinhe um peixe ou uma carne com algumas verduras e uma salada verde de acompanhamento, ou monte um lanche com os ovos cozidos do almoço e um punhado de castanhas). Você encontrará algumas ideias de sobremesa (sim, está liberado!), assim como vários molhos de salada.

Note que você não encontrará informação nutricional nestas receitas. Como mencionei anteriormente, um dos meus objetivos é liberá-lo para sempre de ter que contar calorias e gramas de proteínas e gordura (sobretudo a saturada). Quero ensinar *o que* comer, e não como comer (isto é, a quantidade disto ou daquilo). Se você seguir o programa e as instruções, a ingestão de gorduras, carboidratos e proteínas por si só bastará. Você não comerá demais, não se sentirá com fome e maximizará a nutrição de seu corpo e sua mente.

> No site DrPerlmutter.com, você encontrará recomendações de marcas específicas de alimentos que seguem as recomendações de *A dieta da mente*. Mesmo tirando o glúten, o trigo e a maior parte do açúcar da dieta, você ficará surpreso com a abundância de opções de comida disponíveis. Também ficará espantado com o controle que obterá sobre a fome, os desejos, o tamanho das porções e a ingestão de calorias. Suas papilas gustativas também agradecerão ao vivenciar uma espécie de renascimento.

Na última década, houve uma grande mudança na variedade de comida disponível em nossos mercados. Se você, por exemplo, vive numa cidade grande, provavelmente é capaz de encontrar todo tipo de ingrediente num raio de alguns quilômetros, seja no seu mercado habitual, hoje repleto de alimentos orgânicos, ou em alguma feira local. Conheça o seu vendedor; ele pode lhe dizer que produtos acabaram de chegar e de onde vêm. Dê preferência a produtos da estação, e disponha-se a experimentar aquilo que você nunca experimentou. Dez anos atrás, era difícil encontrar carne de bisão ou peixe-carvão, por exemplo, mas hoje carnes e frutos do mar exóticos e deliciosos estão amplamente disponíveis. Lembre-se: sempre que possível, dê preferência aos produtos orgânicos ou selvagens. Na dúvida, pergunte ao vendedor.

O que beber: O ideal é limitar-se à água pura. Beba diariamente um litro de água para cada 35 quilos, aproximadamente. Se você pesa setenta quilos, isso significa que você deve tomar pelo menos dois litros de água, ou cerca de nove copos por dia. Você também pode optar por chá ou café (supondo que você não tem problema com café), mas cuidado com a cafeína no final do dia. Para cada bebida cafeinada que você consumir, aumente o consumo de água em um ou dois copos. Recomendo fortemente que você tente o kombucha, que é uma forma de chá verde ou preto fermentado contendo probióticos naturais. Gasoso e em geral servido gelado, o kombucha é usado há séculos para aumentar a energia, e pode até ajudá-lo a perder peso, além de contribuir para a saúde do seu microbioma intestinal. O leite de amêndoas também é uma opção saudável. No jantar, você tem a alternativa de tomar uma taça de vinho, de preferência tinto. Muita gente tem me perguntado sobre o álcool em geral. Um dia dizem que faz bem, no outro que faz mal. Um estudo de 2017 surgiu declarando *qualquer* consumo de álcool — mesmo moderado — nocivo ao cérebro, incluindo atrofia do hipocampo.[1] Outros estudos mostraram que o consumo leve a moderado de álcool está associado a um risco menor de Alzheimer, enquanto o consumo pesado aumenta o risco. Meu parecer? Um balanço das pesquisas indica que, embora zero álcool possa estar associado a um risco maior de desenvolvimento de Alzheimer, sabemos que há um risco maior de Alzheimer entre aqueles com níveis de consumo mais alto. No fim das contas, minha posição é que existe um ponto ideal e que o vinho tinto seria a melhor opção, graças a seus ingredientes amigáveis para o cérebro, como o resveratrol e os polifenóis. Eu recomendo uma taça por dia para as mulheres e duas para os homens.

Uma observação especial sobre o café: Não se deixe enganar pelas advertências a respeito do café! Os benefícios do consumo de café — de três a cinco xícaras por dia — superam de longe os riscos. E não é só uma questão de reduzir o risco de demência em cerca de 65%. Em 2017, a revista *Annals of Internal Medicine* publicou um gigantesco estudo longitudinal envolvendo dez países europeus e mais de meio milhão de pessoas. Os resultados foram bastante significativos: aqueles que bebiam mais café tiveram o menor risco de morrer — de *qualquer causa* — durante o estudo, com uma redução de 12% do risco de morte entre os homens e 7% entre as mulheres.[2] E "um consumo maior de café mostrou-se associado a um menor risco de morte, particularmente aquelas associadas a doenças digestivas e circulatórias". No caso das mulheres, é importante notar que níveis mais altos de consumo de café tiveram correlação com níveis mais baixos de A1C, assim como níveis menores de proteína C-reativa. Mais boas notícias: se você não gosta de tomar café por causa da cafeína, o descafeinado pode trazer os mesmos benefícios. Muitos dos componentes do café que o tornam amigável para o cérebro e para o corpo, em especial os tais polifenóis, não se encontram na cafeína propriamente dita. O café é um poderoso antioxidante e estimulante do BDNF, e também está envolvido na ativação da produção de cetonas boas para o cérebro. Portanto, pode beber!

Frutas: Escolha frutas in natura e, durante as primeiras quatro semanas, tente guardá-las apenas para o lanche e a sobremesa. Experimente comê-las com creme de leite sem açúcar, misturadas com leite de coco e uma pitada de estévia ou cacau em pó sem açúcar.

A regra do azeite de oliva: Você pode usar livremente azeite de oliva (orgânico e extravirgem). Trata-se, na verdade, de um dos jeitos mais fáceis de acrescentar gorduras boas a sua dieta e reduzir automaticamente seu risco de derrame, demência e diabetes. Observe que em muitos casos você pode trocar o azeite de oliva pelo óleo de coco ao cozinhar. Por exemplo, frite peixe e verduras sauté em óleo de coco, em vez de azeite de oliva, ou faça ovos mexidos em óleo de coco no café da manhã. Isso o ajudará a atingir a meta de uma colher de chá de óleo de coco, recomendada na seção de suplementos.

Prepare sua comida: Quando o tempo está curto, o que é constantemente o caso quando se almoça no trabalho, leve sua comida de casa. É bom ter guardados na geladeira alimentos pré-cozidos — como frango assado ou grelhado, salmão escaldado ou tiras de bife ou rosbife. Encha um pote com alface e verduras cruas picadas, e acrescente as proteínas e os molhos de sua preferência antes de comer. Muitos supermercados passaram a oferecer alimentos prontos com a lista de ingredientes, para você saber o que está consumindo.

E não se esqueça dos restos. Muitas das receitas deste capítulo podem ser feitas no fim de semana (e repetidas) para abarcar várias refeições durante a semana, na rua. Leve sua comida num recipiente hermético e coma-a fria, ou esquente no micro-ondas.

Eu sempre saio com abacates e uma latinha de salmão. Comida enlatada pode ser uma ótima fonte de nutrição portátil e saudável, desde que você tome cuidado com os enlatados que está comprando.

Tomates enlatados, por exemplo, podem ser uma excelente alternativa ao tomate natural. Atente apenas para ingredientes adicionados, como sódio e açúcar. Ao escolher peixes enlatados, opte por aqueles pescados de maneira sustentável ou com anzol. Também evite peixes que possam ter alta quantidade de mercúrio. Um ótimo site para favoritar no seu computador é o programa Monterey Bay Aquarium's Seafood Watch, em montereybayaquarium.org/cr/seafoodwatch.aspx. Esse site oferece informações atualizadas a respeito da origem do peixe que você come e que peixes devem ser evitados devido a contaminantes e toxinas.

O que comer no lanche: Devido ao alto fator de saciedade das refeições que eu proponho (sem falar no controle preciso da glicemia), é pouco provável que você se veja desesperado por comida entre uma refeição e outra. Mas é bom saber o que você pode beliscar, dentro desta dieta, sempre que quiser. Seguem algumas ideias:

- Um punhado de castanhas cruas (à exceção dos amendoins, que são um legume, e não uma castanha). Ou então um mix de castanhas e azeitonas.

- Alguns quadradinhos de chocolate amargo (qualquer um com mais de 70% de cacau).

- Verduras cruas picadas (por exemplo, pimentões, brócolis, vagens, rabanetes) mergulhadas em homus, guacamole, queijo de cabra, tapenade ou manteiga de castanha. Ou experimente um condimento fermentado.

- Queijo com biscoitos sem trigo e pobres em carboidratos.

- Tiras de peru ou frango assado frio na mostarda ou maionese de abacate.

- Meio abacate com azeite, sal e pimenta.

- Dois ovos cozidos, normais ou fermentados.

- Salada caprese: um tomate em fatias com pedaços de queijo muçarela fresco, um fio de azeite, manjericão, sal e pimenta.

- Camarão sem casca, frio, com limão e endro.

- Um pedaço ou porção de fruta in natura, com pouco açúcar (por exemplo: laranja, maçã, frutas vermelhas, melão, pera, cereja, uva, kiwi, ameixa, pêssego, nectarina, toranja).

- Salmão defumado (selvagem, não de cativeiro) ou salmão defumado com cobertura de ricota.

- *Jerky* de carne de boi alimentado no pasto, peru ou salmão.

EXEMPLO DE CARDÁPIO SEMANAL

Eis um modelo de cardápio de uma semana. Todos os pratos acompanhados de receitas foram ressaltados em negrito. As receitas, muitas delas novas, começam na página 329. Mantive todas as receitas originais da primeira edição — e agora você ganha outras! Observação: ao fritar alimentos, você pode usar manteiga, azeite de oliva orgânico extravirgem ou óleo de coco. Evite óleos processados ou em spray, a menos que este último seja de azeite de oliva orgânico. Duplique ou triplique qualquer receita quando quiser que renda mais porções. Algumas destas receitas tomam um pouco mais de tempo que outras. Por isso, planeje-se e não se acanhe de mudar de uma para outra caso não tenha tempo de sobra. Para ainda mais ideias, vá ao meu site, que tem uma galeria de receitas adicionais. Recomendo fortemente consultar os meus alimentos "amigos da mente" sob a aba "Eat" [Comer]. Ali, você encontrará uma lista de alimentos ricos em probióticos e prebióticos a incorporar na dieta para ajudar a nutrir seu microbioma. Por fim, experimente pular o café da manhã em alguns dias da semana, o que vai turbinar sua cetose da noite para o dia. A seguir, eu faço essa sugestão em dois dias.

SEGUNDA-FEIRA:

- Café da manhã: 2 ovos mexidos com 30 g de queijo cheddar e verduras refogadas à vontade (por exemplo: cebola, cogumelo, espinafre, brócolis)

- Almoço: **Tomate recheado com salada de frango e abacate** (p. 357)

- Jantar: 100 g de contrafilé orgânico (ou frango assado orgânico ou peixe selvagem) acompanhado de salada verde e verduras refogadas na manteiga e no alho

- Sobremesa: ½ xícara de frutas vermelhas cobertas com um pouco de creme de leite sem açúcar

TERÇA-FEIRA:

- Café da manhã: Pule! Ou coma ½ abacate com um fio de azeite de oliva e 1 taça de iogurte coberta com avelãs moídas e mirtilos frescos

- Almoço: **Salada grega com camarão** (p. 357)

- Jantar: **Salmão com legumes no papel-manteiga** (p. 351)

- Sobremesa: 2 **Trufas de chocolate** (p. 373)

QUARTA-FEIRA:

- Café da manhã: **Fritada de micro-ondas de dois minutos** (p. 332)

- Almoço: **Salada de fajitas de frango** (p. 361)

- Jantar: **Peixe assado ao Chardonnay** (p. 341) acompanhado de ½ xícara de arroz arbóreo e legumes ao vapor à vontade.

- Sobremesa: 1 maçã inteira fatiada e coberta com um fio de estévia e canela

QUINTA-FEIRA:

- Café da manhã: 3 ou 4 fatias de salmão marinado ou defumado com 30 g de queijo de cabra e 1 porção de **"Cereais" rápidos e crocantes** (p. 336)

- Almoço: **Salada de grão-de-bico ao curry** (p. 361)

- Jantar: **Hambúrger no pão de berinjela** (p. 338) acompanhado de folhas e legumes salteados no alho e na manteiga

- Sobremesa: 2 ou 3 quadrados de chocolate amargo

SEXTA-FEIRA:

- Café da manhã: Pule! Ou experimente a **Omelete no óleo de coco** (p. 332)

- Almoço: **Tacos de peixe com *coleslaw* de abacate** (p. 337)

- Jantar: **Cordeiro grego ao limão** (p. 352) acompanhado de vagem e brócolis à vontade

- Sobremesa: **Mousse de chocolate e coco** (p. 373)

SÁBADO:

- Café da manhã: **Toranja assada com cobertura crocante de granola** (p. 334)

- Almoço: **Wrap de homus arco-íris** (p. 338)

- Jantar: **Steak de Wagyu com couve-de-bruxelas** (p. 344)

- Sobremesa: ¾ de xícara de morangos in natura cobertos com 3 quadradinhos de chocolate amargo derretido

DOMINGO:

- Café da manhã: **Ovos cremosos sobre aspargos** (p. 334)

- Almoço: **Gaspacho com salmão defumado** (p. 355)

- Jantar: **Sardinhas grelhadas com tomate, rúcula e queijo pecorino** (p. 345)

- Sobremesa: 2 quadradinhos de chocolate amargo com 1 colher de sopa de manteiga de amêndoas

Receitas

Seguir os princípios alimentares de A *dieta da mente* é mais fácil do que parece. Embora esta nova forma de se alimentar limite de forma significativa sua ingestão de carboidratos, sobretudo trigo e açúcar, não há uma verdadeira escassez de alimentos e ingredientes com que brincar na cozinha. Para continuar a comer alguns de seus pratos preferidos, você precisará de certa criatividade, mas, assim que aprender como preparar algumas substituições sem esforço, será capaz de fazer o mesmo com suas próprias receitas e voltar aos manuais de receitas clássicos. Essas receitas lhe darão uma ideia geral de como aplicar estas instruções a praticamente qualquer refeição e o ajudarão a dominar a arte da cozinha de A *dieta da mente*.

Por saber que a maior parte das pessoas tem o tempo curto e limitado para cozinhar, escolhi pratos simples, relativamente fáceis de preparar e, acima de tudo, cheios de sabor e nutritivos. Embora eu o incentive a seguir meu plano de refeição de sete dias, delineado nas páginas 326-8, de modo a não ter que pensar no que comer durante a primeira semana do programa, você pode fazer seu próprio planejamento, escolhendo as receitas que mais o apetecerem. A maioria dos ingredientes é fácil de encontrar. Lembre-se de dar preferência, sempre que possível, aos alimentos selvagens e orgânicos e aos animais alimentados no pasto. Quando escolher óleo de oliva ou de coco, procure o tipo extravirgem. Embora todos os ingredientes relacionados nas receitas sejam fáceis de encontrar na versão sem glúten, dê sempre uma olhada no rótulo para ter certeza, principalmente se comprar alimentos processados (como a mostarda). Nem sempre é possível controlar o que é posto nos produtos, mas você pode controlar o que é posto no seu prato.

CAFÉ DA MANHÃ

FRITADA DE GRUYÈRE E QUEIJO DE CABRA

Os ovos estão entre os ingredientes mais versáteis. Sozinhos, podem servir como uma refeição completa, ou ser acrescentados a outros pratos. Coma sempre que possível ovos orgânicos ou de aves criadas em liberdade. É fácil e rápido fazer uma fritada, e elas são ótimas para servir a grupos maiores. Você pode fazer vários tipos diferentes mudando o tipo de queijo, de verduras e legumes. Abaixo, uma das minhas favoritas.

Serve 4 pessoas.

1 colher (de sopa) de azeite de oliva extravirgem
1 cebola média picada
½ colher de chá de sal
½ colher de chá de pimenta
500 g de folhas de espinafre, lavadas e picadas
9 ovos grandes, batidos
1 colher (de sopa) de água
100 g de queijo de cabra picado
⅓ de xícara de queijo gruyère ralado

Preaqueça o forno a 200°C. Numa frigideira que vai ao forno, aqueça o azeite em fogo médio para alto. Junte a cebola, o sal e a pimenta. Deixe cozinhando por 3 a 4 minutos, mexendo de vez em quando até a cebola ficar transparente. Acrescente o espinafre e a água e frite, mexendo, até o espinafre murchar (1 a 2 minutos). Junte os ovos e salpique o queijo de cabra e o gruyère. Deixe fritando por 1 a 2 minutos, até a mistura firmar nas bordas. Leve a frigideira ao forno e deixe assar por dez a doze minutos.

Retire do forno, fatie e sirva.

FRITADA DE MICRO-ONDAS DE DOIS MINUTOS

Eis um jeito fácil de fazer uma fritada para uma pessoa, para um café da manhã rápido nos dias de pressa. Não há problema em trocar os legumes por outros que você tiver à mão.

Serve 1 pessoa.

2 ovos grandes
2 colheres (de sopa) de pimentão vermelho ou laranja em cubinhos
2 colheres (de sopa) de cogumelos em cubinhos
2 colheres (de chá) de queijo de cabra picado
½ colher (de chá) de orégano seco
Sal e pimenta a gosto

Numa tigela que vai ao micro-ondas (com capacidade de pelo menos duas xícaras, para deixar a fritada crescer), bata os ovos e em seguida misture os demais ingredientes. Ligue o micro-ondas em potência média por ½ minuto. Deixe a fritada por mais 30 segundos no micro-ondas desligado antes de tirá-la.
Sirva ainda quente na própria tigela.

OMELETE NO ÓLEO DE COCO

Em casa, as omeletes estão entre meus pratos favoritos. Faça experiências com diferentes verduras e faça a omelete um dia em azeite de oliva e, no outro, em óleo de coco.

Serve 1 pessoa.

2 ovos grandes
1 cebola picada
1 tomate vermelho picado
½ colher (de chá) de sal
½ colher (de chá) de pimenta
1 colher (de sopa) de óleo de coco

¼ de abacate fatiado
2 colheres (de sopa) de salsinha

Em uma tigela, bata os ovos. Junte a cebola, o tomate, o sal e a pimenta e misture. Coloque o óleo de coco em uma frigideira pequena e aqueça em fogo médio para alto. Quando estiver aquecido, acrescente a mistura e deixe até os ovos começarem a endurecer (cerca de 2 minutos). Vire a omelete com uma espátula e deixe até os ovos pararem de escorrer (mais 1 minuto). Dobre a omelete ao meio e deixe até escurecer um pouco. Sirva num prato, ainda quente, coberto pelo abacate e pela salsinha.

HUEVOS RANCHEROS

Mudamos este prato clássico da cozinha mexicana para que os ovos sejam servidos numa cama de folhas frescas, em vez de tortilhas.

Serve 2 pessoas.

1 colher (de sopa) de manteiga sem sal ou azeite de oliva extravirgem
4 ovos grandes
4 xícaras de alface crespa
50 g de queijo cheddar ralado
4 colheres (de sopa) de salsinha
2 colheres (de sopa) de folhas de coentro picadas
Sal e pimenta a gosto

Ponha a manteiga ou o azeite numa frigideira, em fogo médio para alto. Quando estiver quente, acrescente os ovos e cozinhe por 3 ou 4 minutos, se quiser a gema mole, ou mais, se preferir dura. Monte duas camas de alface crespa e coloque dois ovos em cada. Cubra cada prato com o queijo, a salsinha e o coentro. Tempere com sal e pimenta. Sirva quente.

OVOS CREMOSOS SOBRE ASPARGOS

Adicionar levedura nutricional em um prato com ovos é uma excelente forma de criar uma iguaria rica e cremosa. A levedura nutricional é de um tipo desativado, que vem a ser uma proteína completa, com um sabor que lembra queijo ou castanhas. A maioria das casas do ramo vende esse ingrediente, sob a forma de flocos ou um pó amarelo. Pode ser encontrado no setor de fermentos ou de massas.

Serve 1 pessoa.

6 aspargos sem as pontas
¼ de xícara de leite de coco
1 colher (de sopa) de abacate amassado
1 e ½ colher (de chá) de levedura nutricional
1 pitada de sal
2 ovos grandes, cozidos, descascados e picados

Cozinhe os aspargos no vapor em um prato raso com 2 colheres (de sopa) de água no micro-ondas, em potência alta, ou em um cesto de vapor (*steamer*) em água fervente, no fogão, por 4 a 5 minutos. Passe os aspargos no vapor para uma travessa. Em uma panela pequena, junte o leite de coco, o abacate, a levedura e o sal. Aqueça em fogo médio para alto até esquentar por igual e a mistura comece a encorpar, por cerca de 4 minutos.

Desligue o fogo e misture os ovos picados. Com a colher, cubra os aspargos com a mistura e sirva na hora.

TORANJA ASSADA COM COBERTURA CROCANTE
DE GRANOLA

Algo doce e saboroso para o café da manhã, que vai lhe dar a impressão de estar na sobremesa. Esse prato, baseado em frutas e castanhas, é fácil de montar e repleto de nutrientes para alimentar uma manhã produtiva.

Serve 1 pessoa.

½ toranja (*grapefruit*)
⅛ de colher (de chá) de canela em pó
1 colher (de sopa) de castanhas sem sal ou sementes de sua preferência
1 colher (de sopa) de coração de cânhamo (sementes de cânhamo descascadas)
1 colher (de sopa) de pasta de amêndoas (sem açúcar)

Preaqueça o forno a 190°C e forre uma assadeira pequena com alumínio.

Faça furinhos nos gomos da toranja com uma faca para legumes, para soltar a parte carnuda. Em seguida, ponha a meia toranja na assadeira. Salpique a canela e separe.

Em uma tigela pequena, junte as castanhas ou sementes, os corações de cânhamo e a pasta de amêndoas; mexa até ficar consistente. Espalhe a mistura por cima da toranja.

Asse até dourar, por 8 a 10 minutos, passe para uma travessa e sirva.

"FLOCOS DE AVEIA" SEM AVEIA

A receita a seguir foi adaptada do livro *The Paleo Diet Cookbook* [O livro de receitas da dieta paleolítica], de Loren Cordain e Nell Stephenson. Se você aprecia um café da manhã farto e quente, experimente isto, em vez dos flocos de aveia tradicionais.

Serve 2 pessoas.

¼ de xícara de nozes cruas, sem sal
¼ de xícara de amêndoas cruas, sem sal
2 colheres (de sopa) de linhaça moída
1 colher (de chá) de pimenta-da-jamaica moída
3 ovos grandes

¼ de xícara de leite de amêndoas sem açúcar, ou mais, se necessário
½ banana
1 colher (de sopa) de pasta de amêndoas (sem açúcar)
2 colheres (de chá) de semente de abóbora (opcional)
1 porção de frutas vermelhas (opcional)

Misture as nozes, as amêndoas, a linhaça e a pimenta-da-jamaica num processador para obter um grão grosso, sem chegar a ser pó. Reserve.

Numa tigela, misture os ovos e o leite de amêndoas até ficar cremoso. Misture a banana e a pasta de amêndoas. Junte a mistura de banana ao creme, mexendo bem. Adicione a mistura espessa de nozes.

Passe a mistura para uma panela pequena e esquente em fogo baixo, mexendo bastante, até atingir a consistência desejada. Salpique as sementes de abóbora e as frutas vermelhas e acrescente mais leite de amêndoas, se desejar. Sirva ainda quente.

"CEREAIS" RÁPIDOS E CROCANTES

Se você procura cereais que obedeçam às recomendações deste livro, experimente estes. Se você não gosta de nozes, pode trocá-las por sua castanha crua favorita.

Serve 1 pessoa.

¼ de xícara de nozes (ou outra castanha) moídas e sem sal
¼ de xícara de coco ralado
1 porção de frutas vermelhas
⅔ de xícara de leite integral ou leite de amêndoas

Misture os ingredientes numa tigela e saboreie.

ALMOÇO OU JANTAR

TACOS DE PEIXE COM *COLESLAW* DE ABACATE

Esses tacos de peixe são frescos, deliciosos, simples e saudáveis. Em vez de usar as tortilhas tradicionais para os tacos, use folhas de alface romana para enrolar seu peixe com *coleslaw*.

Serve 1 pessoa.

1 filé de pescada branca (100 g) sem espinha e sem pele
1 lima cortada em cruz
½ colher (de chá) de cominho em pó
Sal e pimenta a gosto
1 xícara de repolho picado
2 colheres (de sopa) de cenoura ralada
¼ de abacate
1 colher (de sopa) de salsa mexicana
3 folhas grandes de alface romana

Preaqueça o forno a 190°C e forre uma assadeira com alumínio.

Coloque o peixe na assadeira forrada. Esprema dois pedaços de lima por cima e salpique o cominho, o sal e a pimenta. Deixe assando por 10 a 12 minutos até assar bem.

Enquanto o peixe assa, prepare o *coleslaw*, juntando o repolho e a cenoura numa tigela. Acrescente o abacate e amasse-o com o repolho. Junte a salsa mexicana e tempere com sal e pimenta. Divida o *coleslaw* em partes iguais nas folhas de alface.

Quando o peixe estiver assado, corte-o em pedacinhos e distribua-os por igual por cima do *coleslaw*. Esprema os outros dois pedaços de lima por cima do peixe, enrole os tacos e sirva na hora.

HAMBÚRGUER NO PÃO DE BERINJELA

Quem não curte um suculento hambúrguer de vez em quando? Este clássico dispensa o pão e usa fatias de berinjela como substituto. Outra versão consiste em grelhar chapéus de cogumelos Portobello e usá-los no lugar da carne.

Serve 1 pessoa.

2 fatias de berinjela (1 cm de espessura), mais ou menos do mesmo tamanho e forma de um pão de hambúrguer
2 colheres (de chá) de azeite de oliva extravirgem
100 g de carne de boi criado no pasto, em forma de hambúrguer
Alface, fatias de tomate, mostarda e picles para servir (opcionais)

Passe o azeite dos dois lados da berinjela. Aqueça uma frigideira grande no fogo médio, coloque as fatias de berinjela e frite por 4 minutos de cada lado. Passe para uma travessa e separe.

Coloque o hambúrguer na mesma frigideira e frite bem em fogo médio por cerca de 5 minutos de cada lado.

Para servir, cubra uma fatia de berinjela com o hambúrguer, coloque a alface, uma fatia de tomate, mostarda e picles a gosto, e cubra com a fatia de berinjela restante. Sirva na hora.

WRAP DE HOMUS ARCO-ÍRIS

É um prato que pode ser feito rapidamente depois de fatiar tudo. Pode servir como um almoço leve, um lanche ou até um tira-gosto, quando você der a próxima festa. Se você não quiser fazer o homus do zero, certifique-se de estar comprando homus orgânico, sem adição de açúcares.

Serve 1 a 2 pessoas.

¼ de xícara de pimentão vermelho, amarelo ou laranja em cubinhos
¼ de xícara de folhas verde-escuras picadas (como couve, rúcula e/ou espinafre)
¼ de xícara de castanhas-d'água picadas
1 e ½ colher (de chá) de cebolinha picada
1 e ½ colher (de chá) de suco de limão feito na hora
1 e ½ colher (de chá) de azeite de oliva extravirgem
Sal e pimenta a gosto
¼ de xícara de homus
2 folhas grandes de alface romana

Em uma tigela pequena, misture os pimentões, as folhas verde--escuras, as castanhas-d'água, a cebolinha, o suco de limão, o azeite, o sal e a pimenta. Divida o homus por igual entre as folhas de alface, espalhando-o a partir do meio. Cubra com a mistura de vegetais, enrole e sirva na hora.

FRANGO AO LIMÃO

Aqui está uma receita de frango que serve para o jantar acompanhado por uma salada e legumes ao vapor. As sobras podem ser guardadas para o almoço do dia seguinte.

Serve 6 pessoas.

6 peitos de frango, desossados e sem pele
1 colher (de sopa) de folhas de alecrim picadas
2 dentes de alho picados
1 chalota picada
Raspas e suco de 1 limão
½ xícara de azeite de oliva extravirgem

Separe o frango numa travessa rasa onde caibam os seis peitos. Num copo medidor, junte o alecrim, o alho, a chalota, as raspas e o suco de limão. Acrescente o azeite de oliva lentamente. Derrame a marinada no frango, cubra e deixe descansar na geladeira por pelo menos 2 horas ou de um dia para o outro.

Preaqueça o forno a 180°C. Tire o frango da marinada, passe para uma assadeira e asse por 25 minutos ou até chegar ao ponto desejado. Sirva na hora.

FRANGO AO VINAGRETE DE MOSTARDA

Quando o tempo está curto, esta receita pode ser preparada em poucos minutos, desde que você já disponha de um frango assado. Você pode fazer o dobro de molho para usar em saladas durante a semana.

Serve 4 pessoas.

300 g de salada verde pré-lavada de sua preferência (cerca de 3 saquinhos)
1 frango orgânico assado

Para o vinagrete de mostarda

¼ de xícara de azeite de oliva extravirgem
2 colheres (de sopa) de vinho branco seco
1 colher (de sopa) de vinagre de vinho tinto
1 colher (de sopa) de mostarda de grão integral
1 colher (de chá) de mostarda Dijon
Sal e pimenta a gosto

Divida as folhas verdes por igual pelos pratos. Parta o frango e divida-o pelas folhas.

Em um copo medidor, misture todos os ingredientes do vinagrete. Espalhe o vinagrete sobre o frango e a salada e sirva.

PEIXE ASSADO AO CHARDONNAY

Não há nada mais simples que assar seu peixe favorito e acrescentar-lhe um molho rico e saboroso. Embora o molho abaixo tenha sido criado pensando no salmão, ele cai bem em qualquer peixe. Dê preferência a peixes selvagens, e compre os mais frescos que puder achar na feira. Este peixe cai bem com a receita de vagem ao molho de alho (p. 365).

Serve 4 pessoas.

½ xícara (8 colheres de sopa) de manteiga sem sal
1 xícara de Chardonnay ou outro vinho branco seco
2 ou 3 colheres (de sopa) de mostarda Dijon
3 colheres (de sopa) de alcaparras lavadas e secas
Suco de 1 limão
2 colheres (de chá) de endro picado
4 filés (100 g) de salmão sem espinha (com pele)

Preaqueça o forno a 215ºC.
Derreta lentamente a manteiga em uma frigideira em fogo médio e misture o Chardonnay, a mostarda, as alcaparras e o suco de limão. Aqueça 5 minutos para evaporar o álcool. Junte o endro e tire do fogo.
Arrume os filés de peixe numa assadeira, com a pele para baixo. Coloque o molho sobre o peixe e asse por 20 minutos, ou até o peixe ficar escamoso. Sirva na hora.

FILÉ GLACEADO AO BALSÂMICO

Este filé é outro prato que se prepara em poucos minutos. Tudo de que se precisa é de um corte excelente de carne de animal alimentado no pasto e uma suculenta marinada. Sirva os filés numa cama de folhas acompanhados por um de seus legumes preferidos.

Serve 2 pessoas.

3 colheres (de sopa) de vinagre balsâmico
2 colheres (de sopa) de azeite de oliva extravirgem
½ colher (de chá) de sal
½ colher (de chá) de pimenta
2 filés de boa carne (com 2 cm de espessura), como filé-mignon
250 g de salada verde (cerca de 2 saquinhos), como rúcula, endívia, mix de folhas ou espinafre baby

Misture o vinagre, o azeite de oliva, o sal e a pimenta num plástico abre e fecha e acrescente os filés. Sele e aperte os filés para embeber bem. Deixe marinar em temperatura ambiente por 30 minutos.

Aqueça a grelha em fogo alto e untada com azeite. Grelhe os filés 1 minuto de cada lado, ou o tempo que preferir. Pincele-os com a marinada enquanto grelham. Você também pode grelhá-los numa frigideira com azeite, em fogo alto, cerca de 30 segundos de cada lado, e depois tostá-los por 2 minutos de cada lado (ou mais tempo se quiser bem passado). Deixe-os descansar por 5 minutos.

Para servir, divida as folhas entre os dois pratos e cubra-as com os filés.

COSTELA SUCULENTA

A receita a seguir foi adaptada de uma do chef e viticultor Steve Clifton. Steve adora criar pratos que combinam com seus vinhos italianos Palmina, produzidos em sua vinícola californiana. Gosto de servir esse prato acompanhado pelo "cuscuz" de couve-flor (p. 366).

Serve 6 pessoas.

1 xícara de farinha de amêndoas
1 colher (de chá) de sal
1 colher (de chá) de pimenta
1 kg de costela de boi

6 colheres (de sopa) de azeite de oliva extravirgem
4 cebolas de tamanho médio, picadas grosseiramente
3 dentes de alho em pó
3 cenouras sem casca, picadas grosseiramente
6 pés de aipo, picados grosseiramente
3 colheres (de sopa) de passata de tomate
1 garrafa (750 mL) de vinho tinto italiano
Raspas e suco de 1 laranja-baía
¼ de xícara de folhas frescas de tomilho
½ xícara de salsinha de folha lisa fresca picada

Numa tigela grande, tempere a farinha de amêndoas com sal e pimenta, e empane a costela.

Aqueça o azeite de oliva numa caçarola em fogo de médio para alto. Doure a costela de todos os lados e reserve numa travessa. Acrescente as cebolas e o alho à caçarola e salteie até ficar transparente, por cerca de 5 minutos. Junte as cenouras e o aipo. Deixe até ficar ligeiramente macio, por uns 5 minutos. Volte a costela para a caçarola. Cubra-a com uma camada de passata de tomate. Junte o vinho, as raspas e o suco de laranja. Tampe e ponha para ferver, e depois deixe em fogo brando, tampado, por duas horas e meia. Destampe, junte as folhas de tomilho e deixe em fogo brando por mais 30 minutos. Sirva quente, salpicado de salsinha.

CARPACCIO DE ATUM-ALBACORA COM CEBOLA ROXA, SALSINHA E PIMENTA ROSA

As próximas sete receitas foram criadas por um grande amigo meu, o chef Fabrizio Aielli, do restaurante Sea Salt (seasaltnaples.com), um dos meus favoritos em Naples, na Flórida, que eu visito constantemente. Fabrizio foi muito generoso e compartilhou algumas de suas receitas comigo. Recomendo experimentá-las quando quiser impressionar os convidados para o jantar.

Serve 6 pessoas.

750 g de filé de atum-albacora, em fatias de meio centímetro de
    espessura
½ cebola roxa fatiada
1 maço de salsinha de folha lisa fresca picada, sem o caule
1 colher (de sopa) de pimenta rosa moída
¼ de xícara de azeite de oliva extravirgem
Sal a gosto
3 limões cortados ao meio

Ponha três a cinco fatias do atum em cada prato. Distribua por
cima a cebola roxa, a salsinha, a pimenta rosa e o azeite, e complete
com uma pitada de sal. Sirva acompanhado de meio limão.

STEAK DE WAGYU COM COUVE-DE-BRUXELAS

Este prato é um sucesso entre os amantes da boa carne. Se você
tiver dificuldade em encontrar o filé de Wagyu (produzido de um tipo
especial de gado, que em japonês significa "vaca vermelha"), qualquer
filé-mignon marmorizado servirá. O steak de Wagyu é famoso pelas
gorduras saudáveis e pelo sabor de dar água na boca.

Serve 6 pessoas.

6 xícaras de água
6 colheres (de sopa) de azeite de oliva extravirgem
Sal e pimenta a gosto
1 kg de couve-de-bruxelas limpa
1 xícara de caldo de galinha
6 cortes (cerca de 175 g cada) de steak de Wagyu
1 dente de alho amassado
Folhas de 2 raminhos de alecrim picados

Junte a água, 2 colheres (de sopa) de azeite de oliva e 2 colheres (de chá) de sal em uma panela grande. Ferva em fogo médio para alto. Acrescente as couves-de-bruxelas e cozinhe por 9 minutos, ou até ficarem macias. Escorra. Quando as couves-de-bruxelas esfriarem um pouco, corte-as ao meio.

Em outra frigideira, esquente mais 2 colheres (de sopa) de azeite de oliva em fogo alto. Adicione as couves-de-bruxelas e tempere com sal e pimenta a gosto. Frite até as couves ficarem ligeiramente douradas. Junte o caldo de galinha e deixe até evaporar. Tire do fogo.

Para os steaks:

Tempere os steaks com sal e pimenta. Aqueça as 2 colheres de azeite de oliva restantes em outra frigideira, aqueça em fogo médio para alto. Doure os steaks de um lado (cerca de 2 minutos). Vire-os e acrescente o alho triturado e o alecrim. Baixe o fogo para médio e continue a cozinhar por mais alguns minutos até o ponto desejado (três a seis minutos de cada lado, dependendo da espessura do filé).

Sirva um filé em cada prato. Cubra as couves-de-bruxelas com o suco da carne e sirva como acompanhamento.

SARDINHAS GRELHADAS COM TOMATE, RÚCULA E QUEIJO PECORINO

A sardinha é fantástica para aumentar sua ingestão de proteínas, ácidos graxos ômega 3, vitamina B_{12} e outros nutrientes. Embora alguns gostem de comer esse peixe de água salgada, pequeno e oleoso, direto da lata, eis um jeito fácil e ligeiro de servi-las num prato com ainda mais sabor.

Serve 6 pessoas.

18 sardinhas mediterrâneas limpas
3 colheres (de sopa) de azeite de oliva extravirgem
Sal e pimenta a gosto

6 maços de rúcula baby
4 tomates "heirloom" maduros picados
Suco de 3 limões
1 maço de salsinha de folha lisa fresca, limpa e picada
150 g de queijo pecorino ralado

Aqueça a grelha em temperatura média para alta (se for possível controlar a temperatura, 175°C).

Pincele as sardinhas com uma colher (de chá) de azeite de oliva e tempere com sal e pimenta. Grelhe por quatro minutos de cada lado (outra opção é fritar as sardinhas em fogo médio para alto).

Numa tigela grande, junte a rúcula, os tomates, o resto do azeite, o suco de limão, sal e pimenta. Divida em seis porções e cubra cada uma com as sardinhas, a salsinha picada e o queijo pecorino ralado. Sirva na hora.

PARGO-VERMELHO COM AIPO, AZEITONAS PRETAS, PEPINO, ABACATE E TOMATE AMARELO

Quando encontrar pargo-vermelho fresco no mercado, compre e experimente esta receita. Leva menos de vinte minutos para ficar pronta.

Serve 6 pessoas.

2 colheres (de sopa) de azeite de oliva extravirgem
6 filés de pargo-vermelho sem espinha com a pele
Sal e pimenta a gosto
2 pés de aipo picados
1 xícara de azeitonas pretas sem caroço
1 pepino picado
2 abacates picados, descascados e sem caroço
500 g de tomates amarelos cortados ao meio
1 colher (de sopa) de vinagre de vinho tinto
Suco de 2 limões

Aqueça 1 colher (de sopa) de azeite de oliva numa frigideira, em fogo de médio para alto. Tempere os filés com sal e pimenta e doure por 6 minutos de cada lado.

Numa tigela grande, misture o aipo, as azeitonas, o pepino, os abacates, os tomates, o vinagre, o suco de limão e o que resta do azeite de oliva. Reparta a salada em seis pratos e sirva sobre ela o pargo--vermelho, com a pele para cima. Sirva na hora.

GASPACHO DE IOGURTE DE ABOBRINHA COM PEITO DE FRANGO MARINADO AO AÇAFRÃO

Não é preciso muito açafrão, especiaria derivada da flor de açafrão, para criar um prato de sabor intenso e delicioso. Este não usa apenas açafrão, mas também abobrinha e coentro.

Serve 6 pessoas.

1 xícara de vinho branco seco
2 limões
1 pitada de açafrão
3 peitos de frango desossados sem pele
6 abobrinhas, picadas grosseiramente
1 litro de caldo de legumes
½ xícara de azeite de oliva extravirgem
Suco de 1 lima
2 colheres (de sopa) de coentro fresco picado com o talo
Sal e pimenta a gosto
1 pepino, picado finamente
½ cebola branca doce picada em cubinhos
1 tomate "heirloom" picado
6 colheres (de chá) de iogurte grego integral

Junte o vinho, o suco de um limão e o açafrão em uma tigela grande. Coloque os peitos de frango e deixe marinar a noite toda.

Aqueça a grelha em temperatura média para alta (175ºC, se sua grelha tiver um medidor de temperatura) e unte-a com azeite.

Tire os peitos de frango da marinada e grelhe por 6 minutos de cada lado, ou até ficarem no ponto (ou então grelhe o frango no forno pelo mesmo tempo de cada lado). Corte-os em fatias de 0,5 centímetro. Passe para uma travessa, cubra e leve à geladeira.

Ponha as abobrinhas, o caldo de legumes, o azeite de oliva, o suco de limão, o suco de lima e metade do coentro num liquidificador. Bata até virar um purê. Tempere com sal e pimenta a gosto. Derrame essa sopa numa tigela grande e junte o pepino, a cebola e o tomate. Cubra e deixe descansar por 1 a 2 horas na geladeira. Quando estiver pronto para servir, reparta a sopa em seis porções e cubra cada uma com 1 colher (de chá) de iogurte. Distribua o peito de frango por igual em cada porção. Tempere com sal e pimenta, guarneça com a colher de coentro restante e sirva.

MINESTRONE LÍQUIDO

Esta versão de sopa minestrone troca a massa ou o arroz por mais legumes — e mais sabor.

Serve 4 a 6 pessoas.

3 colheres (de sopa) de azeite de oliva extravirgem
3 pés de aipo picados
1 cebola picada
2 xícaras de brócolis picado
2 xícaras de couve-flor picada
1 xícara de aspargo picado
3 abobrinhas de tamanho médio picadas
1 colher (de chá) de tomilho seco
500 g de raiz de aipo descascada e cortada em cubos de 1 cm
3 xícaras de couve sem o caule
3 xícaras de acelga sem o caule
2 folhas de louro
½ colher (de chá) de sálvia seca
1 e ½ colher (de chá) de sal
¼ de colher (de chá) de pimenta

2 litros de caldo de galinha
5 xícaras de espinafre picado sem o caule
6 colheres (de sopa) de iogurte grego integral

Aqueça o azeite de oliva numa panela grande, em fogo de médio para alto. Acrescente o aipo, a cebola, o brócolis, a couve-flor, o aspargo, as abobrinhas e o tomilho. Cozinhe até que a cebola fique transparente. Acrescente a raiz de aipo, a couve, a acelga, as folhas de louro, a sálvia, o sal e a pimenta e cozinhe por mais 4 minutos. Junte o caldo de galinha. Ponha essa sopa para ferver e baixe o fogo para médio. Deixe em fogo brando por 25 a 30 minutos, até os legumes ficarem macios. Deixe a sopa esfriar por 10 minutos. Junte o espinafre e mexa. Enquanto mexe, encontre as folhas de louro na sopa e retire-as da mistura. Bata em porções num liquidificador até virar purê. Esquente um pouco de novo em fogo médio.

Guarneça cada porção com um pouco de iogurte grego.

SOPA DE TOMATE E REPOLHO ROXO

No auge do inverno ou no meio do verão, esta sopa simples e refrescante exige ingredientes que a maioria das pessoas tem à mão. Ela cai bem com qualquer entrada, no lugar da salada.

Serve 6 pessoas.

½ xícara de azeite de oliva extravirgem
1 cebola branca doce picada
2 pés de aipo picados
2 colheres (de sopa) de alho picadinho
2 latas (800 g) de pasta de tomate
1 repolho roxo picado e sem miolo
10 folhas de manjericão
1 e ½ litro de caldo de galinha
1 e ½ litro de caldo de legumes
Sal e pimenta a gosto

Numa panela grande, junte metade do azeite de oliva. Aqueça em fogo médio para alto. Junte a cebola, o aipo e o alho até ficarem transparentes (cerca de 5 minutos). Adicione a pasta de tomate, o repolho roxo, 5 folhas de manjericão, o caldo de galinha e o caldo de legumes, e deixe ferver. Quando atingir o ponto de fervura, baixe o fogo para médio e deixe cozinhar em fogo baixo por 25 a 30 minutos. Junte o restante do azeite de oliva, tempere com sal e pimenta e deixe a sopa esfriar por dez minutos. Bata no liquidificador, em porções, até virar purê. Esquente um pouco de novo em fogo médio. Sirva em seguida.

SALMÃO RÁPIDO COM COGUMELOS

Não há nada mais fácil que fritar filés de peixe e acrescentar-lhes sabor com cogumelos, ervas, especiarias e azeite. Esta receita fica pronta em poucos minutos. Sirva acompanhado de legumes da estação assados (p. 365).

Serve 4 pessoas.

4 colheres (de sopa) de azeite de oliva
3 dentes de alho amassados
3 chalotas cortadas em fatias finas
1 colher (de chá) de gengibre fresco, seco ou ralado
4 filés (100 g) de salmão sem pele e sem espinha
1 colher (de sopa) de óleo de gergelim
2 xícaras de cogumelos de Paris ou crimini cortados em fatias
½ xícara de folhas de coentro frescas picadas

Aqueça duas colheres (de sopa) de azeite de oliva numa frigideira, em fogo médio, e junte o alho, as chalotas e o gengibre. Frite por cerca de 1 minuto. Junte os filés de salmão e frite-os por cerca de 3 minutos de cada lado. Retire os filés e reserve.

Com uma toalha de papel, limpe cuidadosamente o fundo da frigideira. Aqueça o restante do azeite e do óleo de gergelim em fogo médio. Junte os cogumelos e deixe três minutos, mexendo constante-mente. Disponha os cogumelos sobre o salmão e enfeite com o coen-tro. Sirva na hora.

SALMÃO COM LEGUMES NO PAPEL-MANTEIGA

Este prato virou obrigatório em casa. Não há nada mais saudável e repleto de nutrientes que um salmão fresco com um mix de legumes, tudo embalado em papel-manteiga. Faça experiências com diferentes legumes para variar este prato, ou simplesmente enriqueça a mistura, com pimentões, brócolis ou couve-flor.

Serve 1 pessoa.

1 filé de salmão (100 g)
¼ de xícara de cogumelos de Paris ou crimini fatiados
½ xícara de abobrinha fatiada
¼ de xícara de tomate em cubinhos
1 ou 2 ramos de tomilho frescos
Sal e pimenta a gosto
1 colher (de chá) de suco de limão feito na hora
1 colher (de chá) de azeite de oliva extravirgem

Preaqueça o forno a 200°C. Coloque uma folha grande de papel--manteiga em uma assadeira.

Deite o filé de salmão no papel, com a pele para baixo. Cubra com os cogumelos, a abobrinha, o tomate e o tomilho. Tempere com sal e pimenta, e derrame o suco de limão e o azeite.

Enrole bem apertado o papel com o salmão e os legumes, dobran-do as pontas para selar. Leve a assadeira com o embrulho ao forno e deixe assar 20 minutos. Tire do forno e deixe descansar por 5 minutos. Ponha o embrulho na travessa, desenrole e aproveite.

CORDEIRO GREGO AO LIMÃO

Sempre que encontrar costeletas de cordeiro alimentado no pasto, compre. Elas podem se tornar entradas deliciosas e elegantes, rápidas de preparar e cozinhar. Tudo de que você precisa é uma boa marinada, como esta, a seguir. Sirva acompanhado de legumes ao vapor e "cuscuz" de couve-flor (p. 366).

Serve 4 pessoas.

2 colheres (de sopa) de azeite de oliva extravirgem
1 e ½ limão
2 dentes de alho amassados
Folhas de 2 ramos de tomilho
1 colher (de chá) de orégano seco
Sal e pimenta a gosto
12 costeletas de cordeiro

Junte numa tigela o azeite, o suco de meio limão, o alho, o tomilho, o orégano, o sal e a pimenta. Adicione as costeletas e mexa para embeber bem. Cubra e refrigere por 1 hora.

Esquente a grelha em potência alta e passe azeite. Tire as costeletas da marinada e grelhe por 1 ou 2 minutos de cada lado (uma opção é assar as costeletas no forno, a 200°C, por cerca de 10 minutos, ou até o ponto desejado).

Sirva o cordeiro com o que sobrou do limão, em pedaços, para espremer.

FRANGO ASSADO RÁPIDO

Eu gosto de deixar sempre um frango pequeno no congelador e, quando tenho visitas para o jantar ou quero sobras para o almoço do dia seguinte, preparo esta receita. Se você usar um frango congelado, descongele-o na geladeira à noite. Sirva acompanhado de salada e dos legumes da estação assados (p. 365).

Serve 6 pessoas.

1 frango orgânico de 1,5 kg, aproximadamente
4 colheres (de sopa) de azeite de oliva extravirgem
Sal e pimenta a gosto
1 limão siciliano em fatias
5 dentes de alho descascados
7 ramos de tomilho, estragão ou orégano frescos

Preaqueça o forno a 200ºC.

Usando uma tesoura de cozinha ou uma faca, corte o frango ao meio. Abra-o e pressione o osso do peito com firmeza, até deixá-lo plano. Deite o frango, com a pele para cima, numa assadeira grande. Numa tigela, junte as fatias de limão, os dentes de alho, o tomilho e duas colheres (de sopa) de azeite de oliva. Pincele o frango com o resto do azeite de oliva e tempere com sal e pimenta.

Numa tigela, junte as fatias de limão, os dentes de alho e os ramos com as 2 colheres de azeite restantes. Depois, espalhe sobre o frango e asse por 45 a 55 minutos, até ficar no ponto. Deixe descansar por 5 minutos, corte e sirva.

PEIXE AO ENDRO E LIMÃO SICILIANO

Um pouco de endro, limão siciliano e mostarda Dijon contribuem muito para tirar o melhor de qualquer peixe fresco. Você pode empregar esta receita com qualquer peixe fresco. Sirva com o "cuscuz" de couve-flor (p. 366) e espinafre e alho (p. 367).

Serve 4 pessoas.

Folhas de 1 maço de endro fresco ou salsinha de folha lisa, picadas
2 colheres (de sopa) de mostarda Dijon
Suco de 1 limão siciliano
2 colheres (de sopa) de azeite de oliva extravirgem
Sal e pimenta a gosto

4 filés firmes de peixe branco, como o halibute ou o peixe-carvão
   (0,5 kg ao todo), com pele e sem espinhas

Preaqueça o forno a 200°C.

Misture o endro, a mostarda, o suco de limão, o azeite, o sal e a pimenta em um processador, até ficar homogêneo.

Ponha os filés de peixe numa assadeira rasa, com a pele para baixo, e cubra com o molho de endro. Asse no forno até ficar no ponto, por aproximadamente 15 minutos.

Observação: Para um preparo ainda mais rápido, experimente cobrir o peixe com molho de endro (p. 370) ou o pesto de pecorino (p. 371).

SOPA DE BRÓCOLIS COM CREME DE CASTANHA DE CAJU

Quando o dia pede uma sopa quente no almoço ou no jantar, eis uma opção que você pode preparar com antecedência e guardar na geladeira até a hora de requentar. Ela também serve como lanche para enganar o estômago numa tarde atribulada, quando o jantar vai ficar para mais tarde.

Serve 4 a 6 pessoas.

¾ de xícara de castanhas de caju cruas sem sal
¾ de xícara de água
Sal e pimenta a gosto
3 colheres (de sopa) de azeite de oliva virgem
1 cebola grande picada
3 chalotas picadas
1 dente de alho picado
1 litro de caldo de galinha
6 xícaras de ramos de brócolis picados
4 colheres (de chá) de folhas de tomilho frescas
1 xícara de leite de coco
1 porção de sementes de abóbora como guarnição (opcional)

Num liquidificador, faça um purê com as castanhas, a água e uma pitada de sal; separe.

Numa panela grande, aqueça o azeite em fogo médio para alto. Junte a cebola, as chalotas e o alho e mexa até ficarem transparentes, por cerca de 4 minutos. Acrescente o caldo, o brócolis, o sal e a pimenta, e deixe ferver. Baixe o fogo e deixe por 10 minutos, até o brócolis ficar macio.

Tire do fogo e, em porções, coloque a sopa num liquidificador com o tomilho. Bata até virar purê. Devolva à panela (de sopa) e misture o leite de coco. Aqueça levemente em fogo brando.

Sirva a sopa com um pouco do creme de castanhas por cima. Se desejar, salpique sementes de abóbora.

GASPACHO COM SALMÃO DEFUMADO

Pode ser que você nunca tenha pensado em combinar uma sopa fria, como o gaspacho, com salmão defumado. Esse prato delicioso vai excitar suas papilas gustativas e lhe proporcionar outra maneira sensacional de incorporar o salmão defumado em uma refeição. Para servir como entrada em um jantar especial, basta duplicar ou triplicar a receita.

Serve 1 pessoa.

1 e ½ xícara de pepino descascado e picado, além de 1 fatia para
    decorar
¼ de abacate
1 a 2 colheres (de sopa) de água ou leite de coco
1 colher (de chá) de folhas frescas de hortelã finamente picadas,
    mais 1 raminho para decorar
Várias gotas de molho picante (a gosto)
Uma pitada de alho em pó
Sal e pimenta a gosto
100 g de salmão selvagem defumado, picado

Num liquidificador, faça um purê com o pepino picado, o abacate, 1 colher (de sopa) de água, a hortelã picada, o molho picante (se for usar), o alho em pó, o sal e a pimenta. Se for preciso, acrescente a colher (de sopa) de água restante para atingir a consistência desejada.

Derrame a sopa em uma tigela de servir e acrescente o salmão. Enfeite com a fatia de pepino e o raminho de hortelã. Sirva na hora (outra opção é refrigerar a sopa antes de servir. Nesse caso, espere a hora de servir para colocar o salmão e os enfeites).

Observação: Usar leite de coco em vez de água deixa a sopa mais cremosa.

SALADAS

TOMATE RECHEADO COM SALADA DE FRANGO E ABACATE

Juntar os ingredientes de uma salada é, muitas vezes, o jeito mais fácil de criar uma refeição deliciosa e nutritiva, que pode servir sozinha como acompanhamento de qualquer refeição. Quase todo dia eu como salada. O ideal é deixar pronto e na geladeira qualquer ingrediente que seja preciso cozinhar, como o frango, no caso desta receita. Assim, basta jogar tudo na tigela e *voilà*! Fique à vontade para duplicar ou triplicar os ingredientes para servir mais pessoas ou guardar mais na geladeira para o dia seguinte.

Serve 1 pessoa.

100 g de peito de frango sem pele e desossado, picado
¼ de abacate amassado
1 colher (de sopa) de maionese de abacate (sem açúcar)
1 colher (de chá) de suco de lima feito na hora
⅛ colher (de chá) de alho em pó
Sal e pimenta a gosto
1 tomate médio, sem miolo

Em uma tigela pequena, junte o frango, o abacate, a maionese, o suco de lima, o alho em pó, o sal e a pimenta. Mexa para misturar. Com uma colher, encha o tomate oco com a salada de frango, espremendo bem. Emprate e sirva com faca e garfo.

SALADA GREGA COM CAMARÃO

Neste prato de inspiração grega, o camarão é o protagonista, mas, se você não gosta de camarão, pode trocá-lo por frango, carne ou peixe. Também pode brincar um pouco com as verduras a acrescentar a esta salada superversátil. Não tenha medo de fazer experiências.

Serve 1 pessoa.

3 colheres (de chá) de azeite de oliva extravirgem
90 a 100 g de camarões grandes, descascados e eviscerados
1 xícara de pepino em cubinhos
1 tomate pequeno em cubinhos
½ xícara de pimentão amarelo picado
½ colher (de chá) de orégano seco
½ colher (de chá) de endro seco
Sal e pimenta a gosto
2 folhas de alface romana

Esquente 1 colher (de chá) de azeite na frigideira, em fogo médio para alto. Frite os camarões por cerca de 2 minutos de cada lado, até ficarem rosados e no ponto. Passe os camarões para uma saladeira e adicione os legumes, as 2 colheres de azeite restantes e os temperos. Mexa para misturar. Com uma colher, coloque a salada de camarão nas folhas de alface para servir.

SALADA DE ERVAS DO JARDIM AO VINAGRETE BALSÂMICO

Esta salada se tornou fundamental para mim. Pode ser servida como acompanhamento de um prato principal ou sozinha, acrescida da sua proteína favorita (por exemplo, fatias de frango assado, peixe ou carne). A receita de vinagrete rende uma xícara, mas, como eu me valho dessa salada a semana inteira, costumo duplicá-la, e aí é só juntar os ingredientes da salada.

Serve 6 pessoas.

Para a salada:

4 xícaras de legumes baby variados
1 xícara de salsinha de folha lisa fresca

½ xícara de cebolinha fresca picada

½ xícara de ervas variadas (coentro, estragão, sálvia e/ou hortelã)
   picadas

½ xícara de nozes cruas picadas

Para o vinagrete balsâmico:

¼ de xícara de vinagre balsâmico

Suco de 1 limão

2 ou 3 dentes de alho picados

½ chalota picada

1 colher (de sopa) de mostarda Dijon

1 colher (de sopa) de alecrim fresco picado ou alecrim seco moído

1 colher (de chá) de sal

1 colher (de chá) de pimenta

½ xícara de azeite de oliva extravirgem

Misture os ingredientes da salada numa saladeira.

Em um copo medidor, misture todos os ingredientes do vinagrete, exceto o azeite, e em seguida regue-os com o azeite, lentamente, misturando até formar uma emulsão.

Acrescente à salada metade do vinagrete balsâmico, mexa e sirva. Guarde o que sobrou do molho em um recipiente hermético, na geladeira, por até uma semana.

SALADA NIÇOISE

Esta receita se baseia na salada niçoise clássica, que vem de Nice, na França, mas sem a batata. Você pode usar qualquer tipo de peixe cozido. Embora exija um pouco mais de tempo de preparo, depois que está tudo pronto é rápida e fácil de montar.

Serve 4 pessoas.

Para a salada:

Sal
¾ de xícara de vagem sem as pontas
3 xícaras de rúcula ou mix de folhas
4 tomates maduros e firmes em cubos
1 pimentão verde sem sementes picado
1 pepino pequeno, descascado e cortado em cubos
3 cebolinhas cortadas em fatias finas
3 ovos cozidos fatiados
200 g de peixe cozido (por exemplo, dourado, salmão ou peixe-
-carvão), em pedacinhos
12 filés de anchova secos
½ xícara de azeitonas pretas
10 folhas de manjericão picadas

Para o vinagrete:

2 colheres (de sopa) de azeite de oliva extravirgem
2 colheres (de chá) de vinagre de vinho tinto
1 colher (de chá) de mostarda Dijon
Sal e pimenta a gosto

Ferva uma panela pequena com água e sal em fogo de médio para alto. Junte a vagem e escalde até ficar bem macio, por aproximadamente quatro minutos. Escorra. Ponha a vagem numa saladeira e acrescente os demais ingredientes.

Numa tigela pequena, misture os ingredientes do vinagrete. Coloque o molho na salada, mexa e sirva.

SALADA DE FAJITAS DE FRANGO

Adoro uma salada com ar mexicano — chili em pó e cominho moído turbinam qualquer prato. Este fica pronto rapidamente.

Serve 1 pessoa.

1 peito de frango sem pele e desossado (100 g)
2 colheres (de chá) de azeite de oliva extravirgem
½ colher (de chá) de cominho moído
¼ de colher (de chá) de chili em pó
Sal e pimenta a gosto
¼ de xícara de pimentões vermelhos, laranja e/ou amarelos em
      rodelas
2 xícaras de folhas verde-escuras esmigalhadas
1 tomate pequeno cortado em cruz
1 colher (de sopa) de salsa mexicana
Lima cortada em cruz para servir

Aqueça uma frigideira pequena em fogo de médio para alto. Passe o peito de frango no azeite, no cominho, no chili em pó, no sal e na pimenta. Frite o frango 4 a 5 minutos de cada lado, e incorpore os pimentões. Frite até o frango ficar no ponto e os pimentões, macios, por cerca de 5 minutos.

Enquanto prepara o frango, arrume as folhas numa travessa e cubra com os pedaços de tomate. Quando o frango estiver no ponto, corte-o em tiras e adicione-o à travessa, junto com os pimentões. Cubra com a salsa mexicana e sirva com os pedaços de lima para espremer por cima.

SALADA DE GRÃO-DE-BICO AO CURRY

Esta salada repleta de curry serve como prato isolado ou como acompanhamento. O curry em pó é de onde extraímos a cúrcuma, verdadeiro "alimento para o cérebro" usado há séculos na cozinha, que, demonstrou-se recentemente, ajuda a turbinar a capacidade do cérebro de se autorreparar. Muitas pessoas não sabem como incorporar a cúrcuma aos pratos do dia a dia. Por isso, eis uma receita que leva apenas alguns minutos para ficar pronta.

Serve 1 pessoa.

1 e ½ xícara de couve ralada
1 colher (de chá) de azeite de oliva extravirgem
1 colher (de sopa) de cebola em cubinhos
1 colher (de sopa) de cenoura ralada
1 colher (de sopa) de pimentão verde em cubinhos
½ colher (de chá) de curry em pó
½ xícara de grão-de-bico reduzido em sódio, lavado e escorrido
1 colher (de sopa) de leite de coco

Ponha a couve em uma saladeira e reserve.

Em uma panela pequena, aqueça o azeite em fogo de médio para alto. Adicione a cebola, a cenoura e o pimentão, salteando por cerca de 5 minutos, até amaciar. Incorpore o curry e deixe cozinhar, mexendo, por 1 minuto. Acrescente o grão-de-bico e o leite de coco e mexa até esquentar por igual. Com a colher, coloque o grão-de-bico por cima da couve e sirva na hora.

SALADA MESCLUN AO ÓLEO DE AMÊNDOAS

Você pode transformar qualquer salada nesta, usando apenas este molho, que homenageia o sabor forte das nozes. Embora nesta receita eu sugira o queijo de cabra, fique à vontade para escolher qualquer queijo, como o feta em pedaços ou o parmesão ralado.

Serve 2 pessoas.

Para a salada:

1 e ½ a 2 saquinhos de salada verde pré-lavada (por exemplo, mes-
    clun, mix de folhas ou espinafre baby)
4 colheres (de sopa) de queijo de cabra em pedacinhos
½ xícara de nozes torradas sem sal
3 colheres (de sopa) de mirtilos ou cranberries secos

Para o molho:

2 colheres (de sopa) de óleo de amêndoas
1 colher (de sopa) de vinagre balsâmico ou de vinho tinto
½ colher (de chá) de mostarda em grãos
Sal e pimenta a gosto

Arrume as folhas de salada numa saladeira e cubra com queijo de cabra, nozes e as frutinhas secas. Num copo medidor, misture os ingredientes do molho até ficar bem homogêneo. Despeje o molho sobre a salada, mexa e sirva.

RÚCULA AO LIMÃO COM PARMESÃO

Esta salada exige ingredientes mínimos, mas tem um sabor forte, graças à rúcula picante misturada com queijo picante e azeite de oliva. Gosto dela como complemento de qualquer prato de inspiração italiana.

Serve 2 pessoas.

4 xícaras de rúcula baby
⅓ de xícara de sementes de girassol cruas sem sal
8 a 10 porções de queijo parmesão ralado
Suco de 1 limão siciliano
6 colheres (de sopa) de azeite de oliva extravirgem
Sal e pimenta a gosto

Misture a rúcula, as sementes de girassol, o queijo e o suco de limão numa saladeira. Regue com azeite de oliva, mexa bem, tempere com sal e pimenta a gosto. Sirva em seguida.

SALADA DE COUVE COM QUEIJO FETA, PIMENTÃO ASSADO, AZEITONAS PRETAS, ALCACHOFRA E MOLHO DE LEITELHO

Já sou conhecido por sempre pedir essa salada quando vou almoçar no Sea Salt. Ela acompanha perfeitamente qualquer prato principal.

Serve 6 pessoas.

2 maços de couve, sem o caule e com as folhas despedaçadas
300 g de queijo feta em pedaços
3 pimentões assados em rodelas
1 xícara de azeitonas pretas sem caroço cortadas ao meio
12 alcachofras baby marinadas, cortadas ao meio
1 xícara de leitelho
½ xícara de azeite de oliva extravirgem
1 colher (de sopa) de vinagre de vinho tinto
Sal e pimenta a gosto

Numa saladeira, misture a couve, o queijo feta, os pimentões, as azeitonas e as alcachofras. Num copo medidor, misture o leitelho, o azeite de oliva e o vinagre de vinho tinto. Jogue o molho sobre a salada, mexa bem e tempere com sal e pimenta. Sirva em seguida.

ACOMPANHAMENTOS

LEGUMES DA ESTAÇÃO ASSADOS

É uma receita boa para qualquer época do ano. Pegue aquilo que for da estação e certifique-se de usar o melhor azeite de oliva disponível, junto com as ervas mais frescas. Pingar um pouco de vinagre balsâmico envelhecido no finzinho do processo de cozimento dá um gosto especial.

Serve 4 a 6 pessoas.

1 kg de legumes da estação (por exemplo: aspargos, couve-de-bruxelas, pimentões, abobrinha, berinjela, cebola)
⅓ de xícara de azeite de oliva extravirgem
Sal e pimenta a gosto
⅓ de xícara de ervas frescas picadas (por exemplo: alecrim, orégano, salsinha de folha lisa e/ou tomilho; opcional)
Vinagre balsâmico envelhecido (opcional)

Preaqueça o forno a 220°C. Corte os legumes maiores em pedaços. Espalhe-os numa assadeira forrada com papel-alumínio. Regue os vegetais com azeite de oliva à vontade. Misture-os, até que o óleo se incorpore nos ingredientes. Salpique sal, pimenta e ervas, se desejar. Mexendo a cada 10 minutos, asse por 35 a 40 minutos, ou até que eles fiquem dourados e bem assados. Logo antes de servir, jogue um pouco de vinagre balsâmico envelhecido a gosto.

VAGEM AO MOLHO DE ALHO

Praticamente qualquer legume e verdura pode ser temperado assim, com alho e ervas.

Serve 4 a 6 pessoas.

Sal e pimenta a gosto

1 kg de vagem, sem as pontas

2 colheres (de sopa) de azeite de oliva extravirgem

1 colher (de sopa) de suco de limão siciliano feito na hora

1 colher (de chá) de mostarda Dijon

2 dentes de alho picados

½ colher (de chá) de raspas de limão siciliano

½ xícara de amêndoas cruas, sem sal, picadas

1 colher (de sopa) de folhas de tomilho frescas

Numa panela grande de água salgada quente, ferva as vagens por 4 minutos ou até elas ficarem macias. Escorra.

Numa tigela grande, coloque o azeite, o suco de limão, a mostarda, o alho, as raspas de limão, o sal e o açúcar. Acrescente as vagens, as amêndoas e o tomilho, misture e sirva.

"CUSCUZ" DE COUVE-FLOR

Como substituto saboroso para vegetais com amido, como o purê de batatas, o arroz e o cuscuz tradicional, experimente este prato simples feito com couve-flor.

Serve 2 pessoas.

1 cabeça de couve-flor

2 colheres (de sopa) de azeite de oliva

2 dentes de alho amassados

¼ de xícara de pinhão torrado

½ xícara de salsinha de folha lisa fresca picada

Num processador, triture a cabeça da couve-flor até ela ficar granulada (ou rale-a com um ralador de queijo, usando o lado com buracos maiores até sobrar só o talo para desprezar).

Aqueça o azeite de oliva numa frigideira grande, em fogo médio. Acrescente a couve-flor, o alho, o pinhão e a salsinha e salteie, mexendo o tempo todo, até a couve-flor começar a dourar, por cerca de 5 minutos. Sirva.

Observação: Para reforçar o sabor, você pode acrescentar à couve-flor ¼ de xícara de azeitonas picadas, sem caroço, ou de queijo parmesão ralado durante o cozimento.

ESPINAFRE E ALHO SAUTÉ

Praticamente todas as folhas verdes salteadas no alho e no azeite de oliva ficam deliciosas. Eis a receita padrão com espinafre, mas fique à vontade para fazer experiências com outras folhas.

Serve 2 pessoas.

¼ de xícara de azeite de oliva extravirgem
2 saquinhos (100 g) de espinafre baby
6 dentes de alho cortados em fatias finíssimas
1 limão siciliano
1 a 2 colheres (de chá) de pimenta vermelha em flocos
Sal e pimenta a gosto

Numa panela grande, esquente o azeite em fogo alto até quase fumegar. Adicione o espinafre e deixe cozinhar, mexendo o tempo todo, por 1 ou 2 minutos. O espinafre vai começar a murchar ligeiramente. Junte o alho e continue a cozinhar, mexendo rapidamente por mais um minuto. Retire do fogo.

Esprema por cima o suco do limão, adicione a pimenta em flocos, o sal e a pimenta. Mexa bem e sirva.

MOLHOS E PASTAS

GUACAMOLE

Você encontrará várias versões de guacamole que caem bem com as recomendações de *A dieta da mente*. Por isso, sinta-se à vontade para fazer experiências. Esta receita foi adaptada a partir das instruções de Alton Brown no site Food Network.com. Sou fã do seu uso de especiarias para dar um gostinho a mais. Use-o para beliscar com verduras e legumes crus cortados, como pimentões, talos de aipo e rabanetes, ou adicione uma colherada a seus pratos para reforçar o sabor onde você achar que fica bom.

Serve 4 pessoas.

2 abacates grandes e maduros, sem o caroço
Suco de 1 limão
1 colher (de chá) de sal
¼ de colher (de chá) de cominho moído
¼ de colher (de chá) de pimenta caiena
½ cebola roxa pequena cortada em cubos
1 dente de alho amassado
½ pimenta jalapeño amassada e sem sementes
2 tomates médios maduros cortados em cubos
1 colher (de sopa) de folhas de coentro fresco picado

Numa tigela grande, amasse o abacate com o suco de limão. Acrescente sal, cominho e pimenta caiena. Coloque a cebola, o alho, o jalapeño, os tomates e o coentro. Sirva na hora ou guarde em recipiente hermético na geladeira por até dois dias.

PASTA DE ABACATE E TAHINE

Esta pasta está a meio caminho entre o guacamole e o homus. Experimente-a com legumes cortados crus ou frango cozido em cubinhos.

Rende aproximadamente 1 e ½ xícara.

1 saquinho (100 g) de rúcula pré-lavada
1 colher (de sopa) de azeite de oliva
1 abacate maduro e grande, sem o caroço
⅓ de xícara de tahine
Suco de 1 limão siciliano
½ colher (de chá) de cominho moído
2 colheres (de sopa) de salsinha de folha lisa ou folhas de coentro
    picadas

Aqueça o azeite em uma panela ou frigideira grande, em fogo médio para alto. Junte a rúcula e cozinhe até murchar. Transfira a rúcula, com os demais ingredientes, para um processador e misture até ficar homogêneo. Adicione mais água se necessário, até a mistura adquirir consistência mais ou menos espessa. Sirva na hora ou guarde na geladeira, em recipiente hermético, por até dois dias.

PASTA CREMOSA DE CASTANHA DE CAJU

As castanhas de caju são ricas em sabor e gorduras saudáveis para o cérebro. Além de servirem como pasta para beliscar com legumes crus, caem bem como molho em muitas sopas e pratos com frango.

Rende 1 xícara.

½ xícara de castanhas de caju cruas, sem sal
1 xícara de água
¼ de xícara de suco de limão siciliano
2 colheres (de chá) de missô light
¼ de colher (de chá) de noz-moscada moída
Sal a gosto

No liquidificador, bata um purê com as castanhas, meia xícara de água, o suco de limão, o missô e a noz-moscada. Com o liquidificador ainda em movimento, derrame lentamente a ½ xícara restante de água até a mistura ficar com a consistência de creme batido. Se você preferir uma consistência menos espessa, coloque mais água. Tempere com sal a gosto e sirva na hora, ou armazene num recipiente hermético na geladeira por até quatro dias.

HOMUS

O homus é uma das pastas mais versáteis, podendo ser usado de inúmeras maneiras. É delicioso como belisquete, com legumes, e pode ser empregado para encorpar pratos com carne.

Serve 4 pessoas.

1 lata de 500 g de grão-de-bico com baixo teor de sódio
¼ de xícara de suco de limão siciliano
2 colheres (de sopa) de azeite de oliva extravirgem, e mais um
    pouco para servir
1 e ½ colher (de sopa) de tahine
2 dentes de alho descascados
½ colher (de chá) de sal
½ xícara de salsinha de folha lisa picada

Escorra o grão-de-bico, mas reserve ¼ de xícara do líquido da lata. Num processador, misture o grão-de-bico, o líquido reservado, o suco de limão, o azeite, o tahine, o alho e o sal. Processe durante 3 minutos, em baixa velocidade, até ficar pastoso. Com uma colher, passe o homus para uma tigela de servir e pingue azeite de oliva por cima. Salpique com a salsinha e sirva na hora, ou armazene num recipiente hermético na geladeira por até quatro dias.

MOLHO DE ENDRO

Quando faltarem ideias, experimente este molho em qualquer peixe que você queira assar ou grelhar.

Rende aproximadamente ½ xícara.

1 e ½ xícara de folhas de endro (cerca de 3 maços)
½ xícara de folhas de salsinha de folha lisa (cerca de 1 maço)
2 dentes de alho descascados
3 colheres (de sopa) de azeite de oliva extravirgem
2 colheres (de sopa) de mostarda Dijon
1 colher (de sopa) de suco de limão siciliano
Sal e pimenta a gosto

Processe todos os ingredientes em um liquidificador ou processador até ficarem pastosos. Sirva na hora ou armazene num recipiente hermético na geladeira por até uma semana.

PESTO DE PECORINO

Eis um molho saboroso para usar com peixes assados ou grelhados.

Rende cerca de ½ xícara.

⅓ de xícara de amêndoas, nozes ou pinhões crus
2 dentes de alho, descascados
2 xícaras de folhas de manjericão frescas
⅓ de xícara de pecorino ralado
Sal e pimenta a gosto
⅓ xícara de azeite de oliva

Processe as amêndoas (ou nozes ou pinhões), o alho, o manjericão, o queijo, o sal e a pimenta, enquanto derrama lentamente o azeite pelo tubo. O pesto deve ficar rico, cremoso e fácil de espalhar. Sirva na hora ou armazene num recipiente hermético na geladeira por até uma semana.

REFOGADO

O refogado é um molho à base de tomate condimentado, bastante usado na cozinha dos países latinos. Incrivelmente versátil, pode ser usado com frango assado, guisados e ovos mexidos, assim como com peixes grelhados ou assados.

Rende 3 ou 4 xícaras.

2 colheres (de sopa) de azeite de oliva extravirgem
1 cebola média picada em cubinhos
1 pimentão verde, sem sementes, picado em cubinhos
2 dentes de alho amassados
750 g de extrato de tomate
Folhas de 1 maço de coentro fresco, picadas
1 colher (de chá) de páprica
Sal e pimenta a gosto

Em uma frigideira grande, aqueça o azeite em fogo médio. Acrescente a cebola e salteie até ficar transparente, por uns 5 minutos. Adicione o pimentão e deixe por 5 minutos, mexendo constantemente. Junte o alho e salteie por mais 1 minuto. Acrescente o extrato de tomate, o coentro e a páprica e mexa bem. Deixe por mais 10 a 15 minutos. Tempere com sal e pimenta a gosto e sirva na hora, ou armazene num recipiente hermético na geladeira por até uma semana.

SOBREMESAS

TRUFAS DE CHOCOLATE

Eis uma guloseima fantástica para a sobremesa ou para servir no seu próximo jantar com os amigos. Quanto maior a qualidade do chocolate, melhor. Faça experiências com sabores diferentes.

Rende 30 a 40 trufas.

200 g de chocolate meio amargo (com pelo menos 70% de cacau), em pedacinhos
½ xícara de creme de leite batido
1 colher (de chá) de essência de amêndoa, laranja, baunilha ou avelã
Pó de cacau sem açúcar ou nozes picadas para a cobertura

Coloque o chocolate em uma tigela pequena resistente ao calor; reserve.

Numa pequena panela, deixe o creme de leite fervilhar em fogo brando. Misture a essência de sua escolha e derrame a mistura sobre o chocolate em um recipiente separado. Reserve por alguns minutos e depois mexa até ficar cremoso. Deixe esfriar e leve a mistura por 2 horas na geladeira.

Forre uma assadeira com papel-manteiga. Faça bolinhas de 0,5 cm com uma colher (de chá), rolando-as rapidamente nas palmas das mãos. Ponha as bolinhas na assadeira. Cubra e deixe na geladeira a noite toda.

Role as bolinhas no pó de cacau ou nas nozes picadas. Guarde as trufas num recipiente hermético, na geladeira, durante no máximo um semana.

MOUSSE DE CHOCOLATE E COCO

Se você está à procura de uma sobremesa que possa ser feita em poucos minutos, guarde uma garrafinha de leite de coco na geladeira, para estar preparado quando tiver vontade de se dar de presente uma guloseima.

Serve 2 pessoas.

1 garrafinha (400 mL) de leite de coco integral
3 colheres (de sopa) de cacau em pó sem açúcar
1 ou 2 colheres (de chá) de estévia
Coco ralado sem açúcar, pasta de amêndoas ou canela em pó (opcionais)

Deixe a garrafa de leite de coco fechada na geladeira por várias horas, ou a noite inteira.

Abra a garrafa e, com uma colher, passe o creme solidificado para uma tigela (use o leite de coco que sobrar para fazer sopas e *smoothies*). Bata vigorosamente com um batedor manual ou elétrico até ficar macio (não pode ficar líquido). Adicione o cacau em pó e a estévia e continue batendo até a mousse ficar leve e fofa. Cubra com o coco ralado e uma colherada de pasta de amêndoas, ou, se preferir, salpique com canela, e sirva.

Epílogo
A *espantosa verdade*

No século XVIII, um médico alemão formado em Viena montou um consultório para estudar o chamado "magnetismo animal", que ele transformou num método de tratamento, o hipnotismo. Esse método também foi nomeado mesmerismo, por conta de seu nome: Franz Anton Mesmer. O dr. Mesmer afirmava poder curar problemas do sistema nervoso pelo uso do magnetismo. Segundo ele, um equilíbrio adequado de um "fluido sutil" mantinha a saúde do corpo. Esse mesmo fluido sutil era responsável pelo calor, pela luz e pela gravidade, e flutuava em todo o universo. O dr. Mesmer criou o "magnetismo animal" concentrando-se nos polos magnéticos do corpo, que, na visão dele, ajudavam a guiar esse fluido. Segundo sua teoria, os polos tinham de ser alinhados corretamente para funcionar e manter um fluxo correto, suave e harmonioso do fluido. Se o equilíbrio se perdesse, a pessoa podia desenvolver "aflições nervosas" e teria de ser "mesmerizada" para realinhar os polos e reequilibrar o fluido.

Não levou muito tempo para o dr. Mesmer ganhar publicidade, assim como notoriedade. Ele atraiu muita atenção e despertou a curiosidade de muita gente — instruída ou não. A comunidade médica e científica receava Mesmer; o governo se preocupava com o sigilo e a subversão de seus seguidores, que cresciam exponencialmente. Em 1777, o dr. Mesmer foi expulso de Viena. Foi para Paris e se estabeleceu de novo.

Na década de 1780 ele já havia reunido novos discípulos e aberto negócios com eles em Paris. Seus seguidores "mesmerizavam" as pessoas, afirmando localizar seus polos e controlar o fluido. Dá para imaginar a cena dramática do cientista louco sacudindo os braços no ar, reunindo seus poderes e administrando a força de seu toque aos incautos com "aflições nervosas", como num esforço inútil para exorcizar o demônio de seus corpos. Sua popularidade vinha em parte do mistério, em parte da moda. Ser tratado por Mesmer e seus "mesmerizadores" se tornou moda. Usava-se um aparato complexo, com tubos mesméricos, garrafas de água mesmerizada e barras de ferro que continham o fluido sutil. Esses tratamentos mesméricos ocorriam em locais reclusos. Isso só fazia aumentar o mistério e a notoriedade.

O dr. Mesmer não durou muito tempo em Paris, tampouco. Um inquérito foi instaurado. Uma comissão do governo real, que incluía nomes como Antoine-Laurent Lavoisier e Benjamin Franklin, estudou sua prática independente. Em 1785, Mesmer trocou Paris por Londres, indo na sequência para a Áustria, a Itália, a Suíça e, por fim, sua Alemanha natal, onde morreu em 1815, num vilarejo perto de onde nasceu. Onde quer que fosse, tentava angariar o reconhecimento universal que julgava merecer por sua terapia.

Hoje se acredita que Mesmer, na verdade, tratava males psicossomáticos, e tirou enorme proveito da credulidade das pessoas. Olhando para trás, suas teorias e práticas soam ridículas, mas, na verdade, a história de Mesmer guarda muitos paralelos com casos de hoje. Não é tão ridículo imaginar que algumas pessoas são presa fácil para produtos, procedimentos e crenças médicas vendidas de forma brilhante. Todos os dias recebemos alguma informação nova sobre saúde. Somos bombardeados com notícias — boas, ruins e confusamente contraditórias. E somos literalmente mesmerizados por essas mensagens. Até mesmo os consumidores inteligentes, instruídos, cautelosos e céticos são mesmerizados. É difícil separar a verdade da ficção e saber a diferença entre o que é saudável e o que é nocivo, quando as informações e os endossos vêm dos "especialistas".

Se você refletir a respeito de alguns dos conselhos distribuídos nos últimos cem anos pelos chamados "especialistas", dar-se-á conta rapidamente de que muitas coisas nem sempre são o que parecem. É muito comum testemunhar reviravoltas totais quando se trata da validade de certos fatos, práticas e afirmações. As hemorragias ainda eram um tratamento comum no final do século XIX. Achávamos que os ovos eram nocivos e que a margarina era mágica, mas agora sabemos que os ovos estão entre os alimentos mais ricos em nutrientes, e que a margarina contém gorduras trans letais. Os médicos de meados do século XX posavam para anúncios de cigarros e, tempos depois, começaram a dizer que o leite em pó era melhor que o materno para as crianças. E embora pareça difícil conceber hoje em dia, não faz muito tempo que se pensava que a dieta não tinha influência nenhuma sobre as doenças. Hoje sabemos que é o contrário.

Quando penso no mundo daqui a cinquenta anos, fico imaginando quais serão as afirmações falsas, hoje tidas como verdadeiras, a serem eliminadas da sociedade. Também fico pensando se terei tido alguma influência, com o trabalho que tenho feito para alterar o ponto de vista errôneo das pessoas em relação aos carboidratos, às gorduras e ao colesterol. Na verdade, hoje em dia há forças poderosas em favor de nossos pontos de vista. Entre em qualquer supermercado e você vai se deparar com dezenas de razões para comer isso ou aquilo. Muitas dessas afirmações perpetuam fatos e promessas mentirosos. Isso é verdade particularmente em relação aos alimentos com o rótulo "saudável" — grãos integrais, baixa gordura, sem colesterol. Além de lhe dizer que esses produtos são o passaporte para uma vida mais longa e vibrante, a indústria alimentícia, de alguma forma, os associa a um risco menor de câncer, doenças cardíacas, diabetes e obesidade. Mas agora você conhece a verdade.

Vivemos uma época empolgante na medicina; finalmente temos a tecnologia na ponta dos dedos para nos ajudar a diagnosticar, tratar e curar muitas doenças que apenas algumas décadas atrás encurtavam a vida. Mas também vivemos em uma época em que o número de pessoas que morrem de doenças crônicas supera em muito o de pessoas que morrem de doenças infecciosas. É de conhecimento geral que o sistema de saúde dos Estados Unidos precisa de conserto. Os custos do sistema de saúde são exorbitantes. Dedicamos muito mais da nossa economia à assistência médica — quase 20% de nosso Produto Interno Bruto — que qualquer outro país. O custo dos seguros-saúde para as famílias continua a aumentar drasticamente, chegando, no caso de algumas famílias, a superar os 20 mil dólares anuais. E embora os Estados Unidos estejam em primeiro lugar no ranking mundial de gastos com saúde, estamos em 37º lugar no desempenho geral do sistema de saúde, segundo a Organização Mundial da Saúde,[1] e em 22º lugar em expectativa de vida entre as trinta nações mais desenvolvidas. Em 2016 e 2017, a expectativa média de vida nos Estados Unidos *caiu* pela primeira vez em mais de duas décadas.[2] Parte disso pode ser atribuída a um salto nas overdoses, mas a incidência de Alzheimer também cresceu.

O que pode salvar nosso sistema e nossas futuras gerações? Não podemos esperar que um sistema de saúde complicado se conserte sozinho, assim como não podemos esperar que a mudança ocorra com a velocidade necessária. Também não podemos confiar em drogas para nos manter vivos e com saúde. Em muitos casos, como descrevi neste livro, os remédios nos afastam de onde realmente gostaríamos de estar. Precisamos começar individualmente, com pequenas mudanças em nossos hábitos diários, que levarão a grandes ganhos no nosso quociente de saúde, agora e no futuro.

Embora alguns considerem que o cerne da vida é o batimento cardíaco, quem ocupa o lugar central, na verdade, é o cérebro. Nosso coração não bateria sem o cérebro, e é o cérebro que nos permite vivenciar o mundo, em todos os níveis — sentir prazer e dor, amar e aprender, tomar decisões e participar da vida de uma maneira que valha a pena viver!

Até que nos deparemos com um problema de saúde que afete a funcionalidade do cérebro, tendemos a achar que sempre teremos nossas faculdades mentais. Supomos que nossa mente viajará conosco aonde formos. Mas e se isso não acontecer? E se na verdade nós pudermos assegurar a acuidade mental e a capacidade cerebral simplesmente nutrindo o cérebro da maneira que descrevi? Todos nós damos valor ao direito à liberdade de expressão, ao direito à privacidade e ao direito ao voto, entre outros. Todos são fundamentais ao nosso modo de vida. Mas e quanto ao direito a uma vida longa, livre do declínio cognitivo e de doenças mentais? Você pode reivindicar este direito hoje. Espero que o faça.

Agradecimentos

Como qualquer um que já tenha escrito um livro sabe bem, é necessário um exército de gente criativa, brilhante e incansável para juntar todas as peças. E bem na hora que você acha que acabou, outro batalhão de pessoas igualmente brilhantes surge para supervisionar tudo antes que o leitor, como você, possa desfrutar da primeiríssima página.

Se eu pudesse, faria uma lista com todos os nomes de quem um dia contribuiu para minha forma de pensar e me apoiou ao longo de minha vida e minha carreira. Mas isso representaria centenas de pessoas e muitas páginas deste livro. Por isso serei sucinto. Tenho uma dívida para com todos os cientistas e colegas que lutaram para compreender os mistérios do cérebro e do corpo humanos. Também sou eternamente grato a meus pacientes, com quem aprendo diariamente e que me proporcionam descobertas que não encontraria em nenhum outro lugar. Este livro é tão de vocês quanto é meu.

Agradeço a Bonnie Solow, minha amiga e agente literária. Foi seu reconhecimento da importância desta mensagem que catalisou tudo o que veio depois. Mas dou valor, acima de tudo, à amizade que esse projeto nos trouxe. Obrigado por sua liderança suave e sua atenção aos detalhes. Sei que você foi além no dever de proteger, conduzir e ajudar este livro a chegar ao público.

A Kristin Loberg. Embora o conteúdo deste livro represente minha pesquisa e minha experiência profissional, sua maestria artística tornou possível que esta mensagem fosse agora transmitida.

À incansável equipe da Little, Brown Spark, que apostou neste livro desde nosso primeiro encontro. Um agradecimento especial a Tracy Behar, minha editora, dona de um talento sem igual para garantir que o recado seja dado de maneira clara, sucinta e prática. Graças a seu genial talento, este livro ficou melhor em cada detalhe. Outro "obrigado" especial a Marisa Vigilante, que supervisionou a revisão desta nova edição com seu próprio talento editorial. Agradeço ainda a Michael Pietsch, Reagan Arthur, Ian Straus, Jessica Chun, Juliana Horbachevsky, Craig Young, Pamela Brown e Sabrina Callahan, Jayne Yaffe Kemp, Karen Wise, Kathryn Blatt, Pat Jalbert-Levine, Charlee Trantino, Giraud Lorber e Stacy Schuck. Foi um prazer trabalhar com um grupo tão dedicado e profissional.

A equipe de gestão da Proton Enterprises fez e continua a fazer um trabalho notável na gestão e direção das muitas peças em movimento na execução de nossos projetos. Obrigado a James Murphy, Sharon Green, Lou Cowell e Blake Brown.

Obrigado à Digital Natives, minha eficiente equipe tecnológica, responsável por dar vida a meu website, complemento deste livro.

Obrigado a Gigi Stewart, que me ajudou com algumas das receitas de sua própria e deliciosa cozinha, que segue minhas recomendações e torna cozinhar uma diversão.

A minha esposa, Leize: obrigado por todo o tempo e comprometimento na preparação amorosa das receitas. Sou imensamente grato por tê-la em minha vida.

E, por fim, eu gostaria de agradecer a meus filhos, Austin e Reisha, que nunca deixaram de me encorajar e apoiar nesta jornada.

Créditos de tabelas, gráficos e ilustrações

Página 15: Adaptado de Maureen M. Leonard et al., "Celiac Disease and Nonceliac Gluten Sensitivity". *JAMA*, v. 318, n. 7, pp. 647-56, 2017.

Página 17: Alzheimer's Association, "2017 Alzheimer's Disease Facts and Figures". *Alzheimer's & Dementia*, v. 13, pp. 325-73. Disponível em: <https://www.alz.org/documents_custom/2017-facts-and-figures.pdf.>, 2017.

Página 18: Alzheimer's Disease International, "World Alzheimer Report 2015". Disponível em: <https://www.alz.co.uk/research/World-AlzheimerReport2015.pdf>.

Página 47: Adaptado de K. A. Walker et al., "Midlife Systemic Inflammatory Markers Are Associated with Late-Life Brain Volume: The ARIC Study". *Neurology*, v. 89, n. 22, pp. 2262-70, 2017.

Página 86: Reimpressão de M. Hadjivassiliou et al., "Gluten Sensitivity: From Gut to Brain", *The Lancet Neurology*, v. 9, n. 3, pp. 318-30, mar. 2010, com autorização da Elsevier.

Página 118: Centers for Disease Control and Prevention, "Long-Term Trends in Diabetes". Disponível em: <https://www.cdc.gov/diabetes/statistics/slides/long_term_trends.pdf.>, abr. 2017.

Página 122: Adaptado de S. Yoon et al., "Brain Changes in Overweight/Obese and Normal-Weight Adults with Type 2 Diabetes Mellitus". *Diabetologia*, v. 60, n. 7, pp. 1207-17, 2017.

Página 122: Ibid.

Página 123: Ibid.

Página 123: Ibid.

Página 133: Adaptado de A. L. Culver et al., "Statin Use and Risk of Diabetes Mellitus in Postmenopausal Women in the Women's Health Initiative". *Archives of Internal Medicine*, v. 172, n. 2, pp. 144-52, 2012.

Página 159: Adaptado de C. Enzinger et al., "Risk Factors for Progression of Brain Atrophy in Aging: Six-Year Follow-Up of Normal Subjects". *Neurology*, v. 64, n. 10, pp. 1704-11, 2005.

Página 170: Adaptado de Matthew P. Pase et al., "Sugar- and Artificially Sweetened Beverages and the Risks of Incident Stroke and Dementia". *Stroke*, v. 48, n. 5, pp. 1139-46, 2017.

Página 170: Ibid.

Página 171: Ibid.

Página 246: © Randy Glasbergen. Disponível em: <glasbergen.com>. Reimpressão autorizada.

Página 260: Adaptado de A. S. Buchman et al., "Total Daily Physical Activity and the Risk of AD and Cognitive Decline in Older Adults". *Neurology*, v. 78, n. 17, pp. 1323-9, 2012.

Página 260: Ibid.

Página 266: Adaptado de K. I. Erikson et al., "Exercise Training Increases Size of Hippocampus and Improves Memory". *Proceedings of the National Academy of Sciences U.S.A.*, v. 108, n. 7, pp. 3017-22, 2011.

Notas

A seguir, uma lista de livros e artigos científicos que você pode achar úteis no aprendizado sobre alguns dos conceitos e ideias expressos neste livro. São materiais que podem abrir portas para mais pesquisa e investigação. Para acessar outros estudos e uma lista atualizada de referências, visite o site DrPerlmutter.com. Nossa base de dados é vasta e é possível fazer buscas por assunto; cheque também a aba "Focus" [Foco] no menu principal. Bônus: assine minha newsletter gratuita para se tornar parte de minha comunidade de e-mails.

INTRODUÇÃO: CONTRA OS GRÃOS

1. David Perlmutter, "Why We Can and Must Focus on Preventing Alzheimer's". *The Daily Beast*, 22 ago. 2013. Disponível em: <https://www.thedailybeast.com/why--we-can-and-must-focus-on-preventing-alzheimers>. Acesso em: 18 fev. 2020.

2. Alessio Fasano et al., "Effect of Gliadin on Permeability of Intestinal Biopsy Explants from Celiac Disease Patients and Patients with Non-Celiac Gluten Sensitivity". *Nutrients*, v. 7, n. 3, pp. 1565-76, 2015.

3. Maureen M. Leonard et al., "Celiac Disease and Nonceliac Gluten Sensitivity". *JAMA*, v. 318, n. 7, pp. 647-56, 2017.

4. Michal Schnaider Beeri et al., "Brain BDNF Expression as a Biomarker for Cognitive Reserve Against Alzheimer's Disease Progression". *Neurology*, v. 86, n. 8, pp. 702-3, 2016.

5. Alzheimer's Association, "2017 Alzheimer's Disease Facts and Figures". *Alzheimer's & Dementia*, v. 13, pp. 325-73, 2017. Disponível em: <https://www.alz.org/alzheimers-dementia/facts-figures>. Acesso em: 18 fev. 2020.

6. Alzheimer's Disease International. Disponível em: <https://www.alz.co.uk/>. Acesso em: 18 fev. 2020.

7. Alzheimer's Disease International, "World Alzheimer Report 2015". Disponível em: <https://www.alz.co.uk/research/WorldAlzheimerReport2015.pdf>. Acesso em: 18 fev. 2020.

8. N. Scarmeas et al., "Physical Activity, Diet, and Risk of Alzheimer's Disease". *JAMA*, v. 302, n. 6, pp. 627-37, 2009.

9. Jonathan Graff-Radford, "Alzheimer's: Can a Mediterranean Diet Lower my Risk?". *The Mayo Clinic's FAQ*, 2 fev. 2018. Disponível em: <https://www.mayoclinic.org/diseases-conditions/alzheimers-disease/expert-answers/alzheimers-disease/faq-20058062>. Acesso em: 18 fev. 2020.

10. Allison Aubrey, "The Average American Ate (Literally) a Ton This Year". *The Salt* (blog), NPR, 31 dez. 2011. Disponível em: <https://www.npr.org/sections/the-salt/2011/12/31/144478009/the-average-american-ate-literally-a-ton-this-year>. Acesso em: 18 fev. 2020.

11. Annie L. Culver et al., "Statin Use and Risk of Diabetes Mellitus in Postmenopausal Women in the Women's Health Initiative". *Archives of Internal Medicine*, v. 172, n. 2, pp. 144-52, 2012.

12. H. Cederberg et al., "Increased Risk of Diabetes with Statin Treatment Is Associated with Impaired Insulin Sensitivity and Insulin Secretion: A 6-Year Follow-Up Study of the METSIM Cohort". *Diabetologia*, v. 58, n. 5, pp. 1109-17, 2015.

13. Åsa Blomström et al., "Maternal Antibodies to Dietary Antigens and Risk for Nonaffective Psychosis in Offspring". *American Journal of Psychiatry*, v. 169, pp. 625-32, 2012.

AUTOAVALIAÇÃO: QUAIS SÃO OS SEUS FATORES DE RISCO?

1. Q. Hu et al., "Homocysteine and Alzheimers' Disease: Evidence for a Causal Link from Mendelian Randomization". *Journal of Alzheimer's Disease*, v. 52, n. 2, pp. 747-56, 2016; L. Shen et al., "Associations Between Homocysteine, Folic Acid, Vitamin B_{12} and Alzheimer's Disease: Insights from Meta-Analyses". *Journal of Alzheimer's Disease*, v. 46, n. 3, pp. 777-90, 2015.

2. Fei Ma et al., "Plasma Homocysteine and Serum Folate and Vitamin B_{12} Levels in Mild Cognitive Impairment and Alzheimer's Disease: A Case-Control Study". *Nutrients*, v. 9, n. 7, p. 725, 2017.

PARTE I. A VERDADE SOBRE O GRÃO INTEGRAL

1. A MAIOR CAUSA DAS DOENÇAS DO CÉREBRO: O QUE VOCÊ NÃO SABE SOBRE AS INFLAMAÇÕES

1. Eric Steen et al., "Impaired Insulin and Insulin-like Growth Factor Expression and Signaling Mechanisms in Alzheimer's Disease: Is This Type 3 Diabetes?". *Journal of Alzheimer's Disease*, v. 7, n. 1, pp. 63-80, 2005.

2. R. O. Roberts et al., "Relative Intake of Macronutrients Impacts Risk of Mild Cognitive Impairment or Dementia". *Journal of Alzheimer's Disease*, v. 32, n. 2, pp. 329--39, 2012; R. Kandimalla et al., "Is Alzheimer's Disease a Type 3 Diabetes? A Critical Appraisal". *Biochimica et Biophysica Acta*, v. 1863, n. 5, pp. 1078-89, 2017.

3. Mark Bittman, "Is Alzheimer's Type 3 Diabetes?". *Opinionator* (blog), *The New York Times*, 25 set. 2012. Disponível em: <https://opinionator.blogs.nytimes.com/2012/09/25/bittman-is-alzheimers-type-3-diabetes/>. Acesso em: 18 fev. 2020. A reportagem de Bittman tem uma ótima explicação do diabetes tipo 3. Um artigo mais recente, que também faz uma compilação dos estudos para leigos: Olga Khazan, "The Startling Link Between Sugar and Alzheimer's". *The Atlantic*, 26 jan. 2018. Disponível em: <https://www.theatlantic.com/health/archive/2018/01/the-startling-link-between-sugar-and--alzheimers/551528/>. Acesso em: 18 fev. 2020.

4. American Diabetes Association, "Statistics About Diabetes". Disponível em: <http://www.diabetes.org/diabetes-basics/statistics/>. Atualizado em 22 mar. 2018. Acesso em: 18 fev. 2020.

5. Centers for Disease Control and Prevention, National Center for Health Statistics, "Leading Causes of Death". Disponível em: <https://www.cdc.gov/nchs/fastats/leading-causes-of-death.htm>. Última modificação em 17 mar. 2017. Acesso em: 18 fev. 2020.

6. F. Zheng et al., "HbA1C, Diabetes and Cognitive Decline: The English Longitudinal Study of Ageing". *Diabetologia*, v. 61, n. 4, pp. 839-48, 2018.

7. Alzheimer's Association, "2018 Alzheimer's Association Facts and Figures". Disponível em: <https://www.alz.org/facts/>. Acesso em: 18 fev. 2020.

8. Ibid.

9. Centers for Disease Control and Prevention, National Center for Chronic Disease Prevention and Health Promotion, "National Diabetes Statistics Report 2017". Disponível em: <https://www.cdc.gov/diabetes/pdfs/data/statistics/national-diabetes--statistics-report.pdf>. Acesso em: 18 fev. 2020. Ver também: Andy Menke et al., "Prevalence of and Trends in Diabetes Among Adults in the United States, 1988-2012". *JAMA*, v. 314, n. 10, pp. 1021-9, 2015.

10. J. M. Silverman et al., "Outcome Age-Based Prediction of Successful Cognitive Aging by Total Cholesterol". *Alzheimer's & Dementia* (publicado on-line em 1 mar. 2018).

11. Framingham Heart Study. Disponível em: <http://www.framinghamheartstudy.org>. Acesso em: 18 fev. 2020.

12. Penelope K. Elias et al., "Serum Cholesterol and Cognitive Performance in the Framingham Heart Study". *Psychosomatic Medicine*, v. 67, n. 1, pp. 24-30, 2005.

13. Nicolas Cherbuin et al., "Higher Normal Fasting Plasma Glucose Is Associated with Hippocampal Atrophy: The PATH Study". *Neurology*, v. 79, n. 10, pp. 1019-26, jan./fev. 2012. Veja também o estudo de *follow-up*: Nicolas Cherbuin et al., "Higher Fasting Plasma Glucose Is Associated with Striatal and Hippocampal Shape Differences: The 2sweet Project". *BMJ Open Diabetes Research & Care*, v. 4, n. 1, p. e000175, 2016.

14. American Academy of Neurology (AAN), "Even in Normal Range, High Blood Sugar Linked to Brain Shrinkage". *Science Daily*, 4 set. 2012. Disponível em: <http://www.sciencedaily.com/releases/2012/09/120904095856.htm>. Acesso em: 18 fev. 2020.

15. Walter F. Stewart et al., "Risk of Alzheimer's Disease and Duration of NSAID Use". *Neurology*, v. 48, n. 3, pp. 626-32, mar. 1997; Angelika D. Wahner et al., "Nonsteroidal Anti-inflammatory Drugs May Protect Against Parkinson's Disease". *Neurology*, v. 69, n. 19, pp. 1836-42, 6 nov. 2007.

16. Jose Miguel Rubio-Perez et al., "A Review: Inflammatory Process in Alzheimer's Disease, Role of Cytokines". *Scientific World Journal*, 1 abr. 2012.

17. K. A. Walker et al., "Midlife Systemic Inflammatory Markers Are Associated with Late-Life Brain Volume: The ARIC Study". *Neurology*, v. 89, n. 22, pp. 2262-70, 2017.

18. M. Berk et al., "So Depression Is an Inflammatory Disease, but Where Does the Inflammation Come From?". *BMC Medicine*, v. 11, p. 200, 2013.

19. William Davis, *Wheat Belly*. Nova York: Rodale, 2011 [Ed. bras.: *Barriga de trigo*. São Paulo: WMF Martins Fontes, 2013].

2. A PROTEÍNA ADESIVA: O PAPEL DO GLÚTEN NOS PROCESSOS INFLAMATÓRIOS CEREBRAIS (O PROBLEMA NÃO É SÓ A SUA BARRIGA)

1. Heather Wood, "Motor Neuron Disease: Can Gluten Sensitivity Mimic Amyotrophic Lateral Sclerosis?". *Nature Reviews Neurology*, v. 11, n. 6, p. 308, 2015.

2. Statista, "Global Gluten-Free Food Market Size from 2013 to 2020 (in Million U.S. Dollars)". Disponível em: <https://www.statista.com/statistics/248467/global-gluten-free-foodmarket-size/>. Acesso em: 18 fev. 2020.

3. Katie Forster, "Gluten-Free Diet Can Do More Harm than Good for People without Coeliac Disease, Scientists Say". *The Independent*, 2 maio 2017. Disponível em: <https://www.independent.co.uk/news/health/gluten-free-diet-harmful-people-without-coeliac-disease-health-benefits-a7713711.html>. Acesso em: 18 fev. 2020.

4. Catherine M. Bulka et al., "The Unintended Consequences of a Gluten-free Diet". *Epidemiology*, v. 28, n. 3, pp. e24-e25, 2017.

5. Benjamin Lebwohl et al., "Long Term Gluten Consumption in Adults without Celiac Disease and Risk of Coronary Heart Disease: Prospective Cohort Study". *BMJ*, v. 357, p. j1892, 2017.

6. "Gluten-Free Diet May Increase Risk of Arsenic, Mercury Exposure". University of Illinois. Comunicado à imprensa para UCI Today, 13 fev. 2017. Disponível em: <https://today.uic.edu/gluten-free-diet-may-increase-risk-of-arsenic-mercury-exposure>. Acesso em: 18 fev. 2020.

7. The Celiac Disease Foundation, "What Is Celiac Disease?". Disponível em: <https://celiac.org/about-celiac-disease/what-is-celiac-disease/>. Acesso em: 18 fev. 2020.

8. Q. Mu et al., "Leaky Gut As a Danger Signal for Autoimmune Diseases". *Frontiers in Immunology*, v. 8, p. 598, 2017.

9. David Perlmutter, "Gluten Sensitivity and the Impact on the Brain". Disponível em: <http://www.huffingtonpost.com/dr-david-perlmutter-md/gluten-impacts-the-brain_b_785901.html>, 21 nov. 2010. Atualizado em 25 maio 2011. Acesso em: 18 fev. 2020. Para mais sobre esta discussão, veja também meu site <DrPerlmutter.com>. Acesso em: 18 fev. 2020.

10. David Perlmutter et al., *Power Up Your Brain: The Neuroscience of Enlightenment*. Nova York: Hay House, 2011.

11. O dr. Alessio Fasano, do Centro de Pesquisa e Tratamento Celíacos do Hospital Geral de Massachusetts, escreveu inúmeros artigos sobre a sensibilidade ao glúten e as várias formas de manifestação possíveis nas pessoas — algumas delas imitando outros transtornos. Você pode visitar o site dele e acessar suas publicações em <http://www.celiaccenter.org/>. Acesso em: 18 fev. 2020.

12. Marios Hadjivassiliou et al., "Does Cryptic Gluten Sensitivity Play a Part in Neurological Illness?". *Lancet*, v. 347, n. 8998, pp. 369-71, 10 fev. 1996.

13. Id., "Gluten Sensitivity as a Neurological Illness". *Journal of Neurology, Neurosurgery, and Psychiatry*, v. 72, n. 5, pp. 560-63, maio 2002.

14. Justin Hollon et al., "Effect of Gliadin on Permeability of Intestinal Biopsy Explants from Celiac Disease Patients and Patients with Non-Celiac Gluten Sensitivity". *Nutrients*, v. 7, n. 3, pp. 1565-76, 2015.

15. The Celiac Disease Foundation, "Non-Celiac What Sensitivity Is Official". Comunicado à imprensa, 4 ago. 2016. Disponível em: <https://celiac.org/about-the-foundation/featured-news/2016/08/non-celiac-wheat-sensitivity-is-official/>. Acesso em: 18 fev. 2020; M. Uhde et al., "Intestinal Cell Damage and Systemic Immune Activation in Individuals Reporting Sensitivity to Wheat in the Absence of Coeliac Disease". *Gut*, v. 65, n. 12, pp. 1930-37, 2016.

16. Beyond Celiac. Disponível em: <http://www.beyondceliac.org>. Acesso em: 18 fev. 2020.

17. Uhde et al., op. cit. (ver nota 15).

18. Bernadette Kalman et al., "Neurological Manifestations of Gluten Sensitivity". In: *Neuroimmunology in Clinical Practice*. Wiley-Blackwell, 2007. É um livro que proporciona um excelente resumo da história da doença celíaca.

19. Henry W. Woltman et al., "Funicular Degeneration of the Spinal Cord without Pernicious Anemianeurologic Aspects of Sprue, Nontropical Sprue and Idiopathic Steatorrhea". *Archives of Internal Medicine* (Chicago), v. 60, n. 2, pp. 272-300, 1937.

20. Marios Hadjivassiliou et al., "Gluten Sensitivity: From Gut to Brain". *Lancet Neurology*, v. 9, n. 3, pp. 318-30, mar. 2010. É um artigo que proporciona outra excelente síntese da doença celíaca ao longo dos séculos.

21. T. William et al., "Cognitive Impairment and Celiac Disease". *Archives of Neurology*, v. 63, n. 10, pp. 1440-46, out. 2006; Mayo Clinic, "Mayo Clinic Discovers Potential Link Between Celiac Disease and Cognitive Decline". *Science Daily*, 12 out. 2006. Disponível em: <http://www.sciencedaily.com/releases/2006/10/061010022602.htm>. Acesso em: 18 fev. 2020.

22. Hadjivassiliou et al., op. cit. (ver nota 20).

23. O seguinte site é uma porta de entrada para o trabalho e as publicações do dr. Aristo Vojdani: <http://www.yourmedicaldetective.com/public/148.cfm>. Acesso em: 18 fev. 2020.

24. Rodney P. Ford, "The Gluten Syndrome: A Neurological Disease". *Medical Hypotheses*, v. 73, n. 3, pp. 438-40, set. 2009.

25. E. Lionetti et al., "Gluten Psychosis: Confirmation of a New Clinical Entity". *Nutrients*, v. 8, n. 7, pp. 5532-9, 2015.

26. Gianna Ferretti et al., "Celiac Disease, Inflammation and Oxidative Damage: A Nutrigenetic Approach". *Nutrients*, v. 4, n. 4, pp. 243-57, abr. 2012.

27. Ibid.

28. Davis, *Barriga de trigo* (ver nota 19 do capítulo 1).

29. Christine Zioudrou et al., "Opioid Peptides Derived from Food Proteins (the Exorphins)". *Journal of Biological Chemistry*, v. 254, n. 7, abr. 10, pp. 2446-9, 1979.

30. Davis, *Barriga de trigo* (ver nota 19 do capítulo 1).

31. Lucy Goodchild van Hilten, "How Digesting Bread and Pasta Could Be Affecting Our Brains". Postado em Elsevier Connect em 2 jul. 2015. Disponível em: <https://www.elsevier.com/connect/how-digesting-bread-and-pasta-could-be-affecting-our-brains>. Acesso em: 18 fev. 2020.

32. Grażyna Czaja-Bulsa, "Non Coeliac Gluten Sensitivity: A New Disease with Gluten Intolerance". *Clinical Nutrition*, v. 24, n. 2, pp. 189-94, 2015.

3. CUIDADO, "CARBOÓLICOS" E "GORDUROFÓBICOS": A SURPREENDENTE VERDADE SOBRE OS AMIGOS E INIMIGOS DO SEU CÉREBRO

1. Statista, "U.S. Population: Do You Eat Breakfast Cereals (Cold)?". Disponível em: <https://www.statista.com/statistics/279999/us-households-consumption-of-breakfast-cereals-cold/>. Acesso em: 18 fev. 2020.

2. Office of Disease Prevention and Health Promotion, "2015-2020 Dietary Guidelines for Americans". Disponível em: <https://health.gov/dietaryguidelines/2015/>. Acesso em: 18 fev. 2020.

3. R. F. Gottesman et al., "Midlife Hypertension and 20-Year Cognitive Change: The Atherosclerosis Risk in Communities Neurocognitive Study". *JAMA Neurology*, v. 71, n. 10, pp. 1218-27, 2014.

4. Id., "Association Between Midlife Vascular Risk Factors and Estimated Brain Amyloid Deposition". *JAMA*, v. 317, n. 14, pp. 1443-50, 2017.

5. Roberts et al., "Relative Intake of Macronutrients Impacts Risk of Mild Cognitive Impairment or Dementia" (ver nota 2 do capítulo 1).

6. M. Mulder et al., "Reduced Levels of Cholesterol, Phospholipids, and Fatty Acids in Cerebrospinal Fluid of Alzheimer Disease Patients Are Not Related to Apolipoprotein E4". *Alzheimer Disease and Associated Disorders*, v. 12, n. 3, pp. 198-203, set. 1998.

7. P. Barberger-Gateau et al., "Dietary Patterns and Risk of Dementia: The Three--City Cohort Study". *Neurology*, v. 69, n. 20, pp. 1921-30, 13 nov. 2007.

8. Y. Zhang et al., "Intakes of Fish and Polyunsaturated Fatty Acids and Mild-to-Severe Cognitive Impairment Risks: A Dose-Response Meta-Analysis of 21 Cohort Studies". *American Journal of Clinical Nutrition*, v. 103, n. 2, pp. 330-40, 2016.

9. P. M. Kris-Etherton et al., "Polyunsaturated Fatty Acids in the Food Chain in the United States". *American Journal of Clinical Nutrition*, v. 71, n. 1, pp. S179-88, jan. 2000.

10. Rebecca West et al., "Better Memory Functioning Associated with Higher Total and Low-Density Lipoprotein Cholesterol Levels in Very Elderly Subjects Without the Apolipoprotein e4 Allele". *American Journal of Geriatric Psychiatry*, v. 16, n. 9, pp. 781-85, set. 2008.

11. L. M. de Lau et al., "Serum Cholesterol Levels and the Risk of Parkinson's Disease". *American Journal of Epidemiology*, v. 164, n. 10, pp. 998-1002, 11 ago. 2006.

12. X. Huang et al., "Low LDL Cholesterol and Increased Risk of Parkinson's Disease: Prospective Results from Honolulu-Asia Aging Study". *Movement Disorders*, v. 23, n. 7, pp. 1013-8, 15 maio 2008.

13. H. M. Krumholz et al., "Lack of Association Between Cholesterol and Coronary Heart Disease Mortality and Morbidity and All-Cause Mortality in Persons Older Than 70 Years". *JAMA*, v. 272, n. 17, pp. 1335-40, 2 nov. 1994.

14. H. Petousis-Harris, "Saturated Fat Has Been Unfairly Demonised: Yes". *Primary Health Care*, v. 3, n. 4, pp. 317-9, 1 dez. 2011.

15. George V. Mann, "Diet-Heart: End of An Era". *New England Journal of Medicine*, pp. 644-50, 22 set. 1977.

16. Id., *Coronary Heart Disease: The Dietary Sense and Nonsense*. Harry Ransom Humanities Research Center: Austin, 1993; ver também: <http://www.survivediabetes.com/lowfat.html>. Acesso em: 18 fev. 2020.

17. A. W. Weverling-Rijnsburger et al., "Total Cholesterol and Risk of Mortality in the Oldest Old". *Lancet*, v. 350, n. 9085, pp. 1119-23, 18 out. 1997.

18. L. Dupuis et al., "Dyslipidemia Is a Protective Factor in Amyotrophic Lateral Sclerosis". *Neurology*, v. 70, n. 13, pp. 1004-9, 25 mar. 2008.

19. P. W. Siri-Tarino et al., "Meta-Analysis of Prospective Cohort Studies Evaluating the Association of Saturated Fat with Cardiovascular Disease". *American Journal of Clinical Nutrition*, v. 91, n. 3, pp. 535-46, mar. 2010.

20. Michael I. Gurr et al., *Lipid Biochemistry: An Introduction*. 5. ed. Nova York: Wiley-Blackwell, 2010.

21. A. Astrup et al., "The Role of Reducing Intakes of Saturated Fat in the Prevention of Cardiovascular Disease: Where Does the Evidence Stand in 2010?". *American Journal of Clinical Nutrition*, v. 93, n. 4, pp. 684-8, abr. 2011.

22. Para uma visão abrangente e fascinante de nossos hábitos alimentares ao longo dos últimos cem anos, ver: Donald W. Miller Jr., "Health Benefits of a Low-Carbohydrate, High-Saturated- Fat Diet". Disponível em: <https://www.lewrockwell.com/1970/01/donald-w-miller-jr-md/low-carbohydrate-high-saturated-fat/>. Acesso em: 18 fev. 2020.

23. United States Department of Agriculture, "Choose My Plate". Disponível em: <http://www.choosemyplate.gov/>. Acesso em: 18 fev. 2020.

24. Miller, op. cit. (ver nota 22).

25. International Atherosclerosis Project, "General Findings of the International Atherosclerosis Project". *Laboratory Investigation*, v. 18, n. 5, pp. 498-502, maio 1968.

26. Centers for Disease Control and Prevention, "Long-Term Trends in Diabetes", abr. 2017. Disponível em: <https://www.cdc.gov/diabetes/statistics/slides/long_term_trends.pdf>. Acesso em: 18 fev. 2020.

27. R. Stocker et al., "Role of Oxidative Modifications in Atherosclerosis". *Physiology Review*, v. 84, n. 4, pp. 1381-478, out. 2004.

28. Y. Kiyohara, "The Cohort Study of Dementia: The Hisayama Study". *Rinsho Shinkeigaku*, v. 51, n. 11, pp. 906-9, nov. 2011. Note que o artigo está em japonês. Veja também a cobertura desse estudo feita por Ann Harding para o programa CNN Health. Disponível em: <http://www.cnn.com/2011/09/19/health/diabetes-doubles-alzheimers>. Acesso em: 18 fev. 2020.

29. Melissa A. Schilling, "Unraveling Alzheimer's: Making Sense of the Relationship between Diabetes and Alzheimer's Disease". *Journal of Alzheimer's Disease*, v. 51, n. 4, pp. 961-77, 2016.

30. S. Yoon et al., "Brain Changes in Overweight/Obese and Normal-Weight Adults with Type 2 Diabetes Mellitus". *Diabetologia*, v. 60, n. 7, pp. 1207-17, 2017.

31. M. Dehghan et al., "Associations of Fats and Carbohydrate Intake with Cardiovascular Disease and Mortality in 18 Countries from Five Continents (PURE): A Prospective Cohort Stud". *Lancet*, v. 390, n. 10107, pp. 2050-62, 2017.

32. R. H. Swerdlow et al., "Feasibility and Efficacy Data from a Ketogenic Diet Intervention in Alzheimer's Disease". *Alzheimer's & Dementia: Translational Research & Clinical Interventions*, v. 4, pp. 28-36, 2018.

33. C. Valls-Pedret et al., "Mediterranean Diet and Age-Related Cognitive Decline: A Randomized Clinical Trial". *JAMA Internal Medicine*, v. 175, n. 7, pp. 1094-103, 2015.

34. Michele G. Sullivan, "Fueling the Alzheimer's Brain with Fat". *Clinical Neurology News*, 23 ago. 2017. Disponível em: <https://www.mdedge.com/clinicalneurologynews/article/145220/alzheimers-cognition/fueling-alzheimers-brain-fat>. Acesso em: 18 fev. 2020; Ling Wu et al., "Olive Component Oleuropein Promotes β-cell Insulin Secretion and Protects β-cells from Amylin Amyloid Induced Cytotoxicity". *Biochemistry*, v. 56, n. 38, pp. 5035-9, 2017.

35. D. Jacobs et al., "Report of the Conference on Low Blood Cholesterol: Mortality Associations". *Circulation*, v. 86, n. 3, pp. 1046-60, set. 1992.

36. Duane Graveline, *Lipitor, Thief of Memory: Statin Drugs and the Misguided War on Cholesterol*. Duane Graveline, 2006.

37. Culver et al., "Statin Use and Risk of Diabetes Mellitus in Postmenopausal Women in the Women's Health Initiative" (ver nota 11 da Introdução).

38. David Perlmutter et al., "Appropriate Clinical Use of Statins: A Discussion of the Evidence, Scope, Benefits, and Risk". *Alternative Therapies, Heart Health*, v. 19, supl. 1, 2013.

39. Stephanie Seneff, "APOE-4: The Clue to Why Low Fat Diet and Statins May Cause Alzheimer's", 15 dez. 2009. Disponível em: <http://people.csail.mit.edu/seneff/alzheimers_statins.html>. Acesso em: 18 fev. 2020.

40. Iowa State University, "Cholesterol-Reducing Drugs May Lessen Brain Function, Says Researcher". *Science Daily*, 26 fev. 2009. Disponível em: <http://www.sciencedaily.com/releases/2009/02/090223221430.htm>. Acesso em: 18 fev. 2020.

41. Center for Advancing Health, "Statins Do Not Help Prevent Alzheimer's Disease, Review Finds". *Science Daily*, 16 abr. 2009. Disponível em: <http://www.sciencedaily.com/releases/2009/04/090415171324.htm>. Acesso em: 18 fev. 2020. Ver também B. McGuinness et al., "Statins for the Prevention of Dementia". *Cochrane Database of Systematic Reviews*, v. 2, 2009.

42. Ibid.

43. Seneff, op. cit. (ver nota 39).

44. Ibid.

45. Ibid.

46. K. Rizvi et al., "Do Lipid-Lowering Drugs Cause Erectile Dysfunction? A Systematic Review". *Journal of Family Practice*, v. 19, n. 1, pp. 95-8, fev. 2002.

47. G. Corona et al., "The Effect of Statin Therapy on Testosterone Levels in Subjects Consulting for Erectile Dysfunction: Part 1". *Journal of Sexual Medicine*, v. 7, n. 4, pp. 1547-56, abr. 2010.

48. C. J. Malkin et al., "Low Serum Testosterone and Increased Mortality in Men with Coronary Heart Disease". *Heart*, v. 96, n. 22, pp. 1821-5, nov. 2010.

49. David Perlmutter, *Brain Maker: The Power of Gut Microbes to Heal and Protect Your Brain — for Life*. Nova York: Little, Brown, 2015 [Ed. bras.: *Amigos da mente*. São Paulo: Paralela, 2015].

4. UMA UNIÃO INFRUTÍFERA: SEU CÉREBRO VICIADO EM AÇÚCAR (NATURAL OU NÃO)

1. R. H. Lustig et al., "Public Health: The Toxic Truth About Sugar". *Nature*, v. 482, n. 7383, pp. 27-9, 1 fev. 2012.

2. Gary Taubes, *Good Calories, Bad Calories: Challenging the Conventional Wisdom on Diet, Weight Control, and Disease*. Nova York: Knopf, 2007; Gary Taubes, *Why We Get Fat: And What to Do About It*. Nova York: Knopf, 2010 [Ed. bras.: *Por que engordamos: E o que fazer para evitar*. Porto Alegre: L&PM, 2014].

3. Gary Taubes, "Is Sugar Toxic?". *The New York Times*, 13 abr. 2011. Disponível em: <https://www.nytimes.com/2011/04/17/magazine/mag-17Sugar-t.html>. Acesso em: 18 fev. 2020.

4. Gary Taubes, *The Case Against Sugar*. Nova York: Knopf, 2016 [Ed. bras.: *Açúcar: Culpado ou inocente?*. Porto Alegre: L&PM, 2018].

5. Robert Lustig, *Fat Chance: Beating the Odds Against Sugar, Processed Food, Obesity, and Disease*. Nova York: Hudson Street Press, 2012.

6. U.S. Department of Agriculture Economic Research Service, "Food Availability and Consumption". Disponível em: <https://www.ers.usda.gov/data-products/ag-and-food-statistics-charting-the-essentials/food-availability-and-consumption>. Atualizado em 18 out. 2016. Acesso em: 18 fev. 2020.

7. E. E. Ventura, J. N. Davis et al., "Sugar Content of Popular Sweetened Beverages Based on Objective Laboratory Analysis: Focus on Fructose Content". *Obesity* (Silver Spring), v. 19, n. 4, pp. 868-74, 2011.

8. R. H. Lustig, "Sugar: The Bitter Truth". Disponível em: <https://youtu.be/dBnniua6-oM>, 2009. Acesso em: 18 fev. 2020. Trata-se de um vídeo que proporciona um apanhado interessantíssimo sobre o metabolismo do açúcar.

9. Taubes, op. cit., p. 138 (ver nota 2).

10. Ibid., p. 134.

11. National Institute of Diabetes and Digestive and Kidney Diseases, "Diabetes Statistics", set. 2017. Disponível em: <https://www.niddk.nih.gov/health-information/health-statistics/diabetes-statistics>. Acesso em: 18 fev. 2020.

12. K. Yaffe et al., "Diabetes, Glucose Control, and 9-Year Cognitive Decline Among Older Adults Without Dementia". *Archives of Neurology*, v. 69, n. 9, pp. 1170-5, set. 2012.

13. R. O. Roberts et al., "Association of Duration and Severity of Diabetes Mellitus with Mild Cognitive Impairment". *Archives of Neurology*, v. 65, n. 8, pp. 1066-73, ago. 2008.

14. Amy Dockser Marcus, "Mad-Cow Disease May Hold Clues to Other Neurological Disorders". *The Wall Street Journal*, 3 dez. 2012. Disponível em: <http://online.wsj.com/article/SB10001424127887324020804578151291509136144.html>. Acesso em: 18 fev. 2020.

15. J. Stöhr et al., "Purified and Synthetic Alzheimer's Amyloid Beta (Aβ) Prions". *Proceedings of the National Academy of Sciences*, v. 109, n. 27, pp. 11025-30, 3 jul. 2012.

16. L. C. Maillard, "Action of Amino Acids on Sugars: Formation of Melanoidins in a Methodical Way". *Comptes Rendus Chimie*, v. 154, pp. 66-8, 1912.

17. P. Gkogkolou et al., "Advanced Glycation End Products: Key Players in Skin Aging?". *Dermato-Endocrinology*, v. 4, n. 3, pp. 259-70, 1 jul. 2012.

18. Q. Zhang et al., "A Perspective on the Maillard Reaction and the Analysis of Protein Glycation by Mass Spectrometry: Probing the Pathogenesis of Chronic Disease". *Journal of Proteome Research*, v. 8, n. 2, pp. 754-69, fev. 2009.

19. Sonia Gandhi et al., "Mechanism of Oxidative Stress in Neurodegeneration". *Oxidative Medicine and Cellular Longevity*, 2012.

20. Yoon et al., "Brain Changes in Overweight/Obese and Normal-Weight Adults with Type 2 Diabetes Mellitus" (ver nota 29 do capítulo 3).

21. C. Enzinger et al., "Risk Factors for Progression of Brain Atrophy in Aging: Six-Year Follow-Up of Normal Subjects". *Neurology*, v. 64, n. 10, pp. 1704-11, 24 maio 2005.

22. M. Hamer et al., "Haemoglobin A1C, Fasting Glucose and Future Risk of Elevated Depressive Symptoms over 2 Years of Follow-Up in the English Longitudinal Study of Ageing". *Psychological Medicine*, v. 41, n. 9, pp. 1889-96, set. 2011.

23. C. Geroldi et al., "Insulin Resistance in Cognitive Impairment: The INCHIANTI Study". *Archives of Neurology*, v. 62, n. 7, pp. 1067-72, 2005.

24. E. I. Walsh et al., "Brain Atrophy in Ageing: Estimating Effects of Blood Glucose Levels vs. Other Type 2 Diabetes Effects". *Diabetes & Metabolism*, v. 44, n. 1, pp. 80-3, 2018.

25. H. Haimoto et al., "Effects of a Low-Carbohydrate Diet on Glycemic Control in Outpatients with Severe Type 2 Diabetes". *Nutrition & Metabolism*, Londres, v. 6, p. 6, 2009.

26. M. Adamczak et al., "The Adipose Tissue as an Endocrine Organ". *Seminars in Nephrology*, v. 33, n. 1, pp. 2-13, jan. 2013.

27. E. L. de Hollander et al., "The Association Between Waist Circumference and Risk of Mortality Considering Body Mass Index in 65 to 74 Year-Olds: A Meta--Analysis of 29 Cohorts Involving More Than 58,000 Elderly Persons". *International Journal of Epidemiology*, v. 41, n. 3, pp. 805-17, jun. 2012.

28. F. Item et al., "Visceral Fat and Metabolic Inflammation: The Portal Theory Revisited", parte 2, *Obesity Reviews*, v. 13, pp. S30-9, dez. 2012.

29. C. Geroldi et al., op. cit. (ver nota 23).

30. C. A. Raji et al., "Brain Structure and Obesity". *Human Brain Mapping*, v. 31, n. 3, pp. 353-64, mar. 2010.

31. R. A. Whitmer et al., "Central Obesity and Increased Risk of Dementia More Than Three Decades Later". *Neurology*, v. 71, n. 14, pp. 1057-64, 30 set. 2008.

32. A. Singh-Manoux et al., "Obesity Trajectories and Risk of Dementia: 28 Years of Follow-Up in the Whitehall II Study". *Alzheimer's & Dementia*, v. 14, n. 2, pp. 178-86, 2018.

33. C. Mason et al., "Dietary Weight Loss and Exercise Effects on Insulin Resistance in Postmenopausal Women". *American Journal of Preventive Medicine*, v. 41, n. 4, pp. 366-75, 2011.

34. C. B. Ebbeling et al., "Effects of Dietary Composition on Energy Expenditure During Weight-Loss Maintenance". *JAMA*, v. 307, n. 24, pp. 2627-34, 27 jun. 2012.

35. R. Estruch et al., "Primary Prevention of Cardiovascular Disease with a Mediterranean Diet". *New England Journal of Medicine*, 25 fev. 2013. Disponível em: <http://www.nejm.org/doi/full/10.1056/NEJMoa1200303#t=article>. Acesso em: 18 fev. 2020.

36. R. Estruch et al., "Primary Prevention of Cardiovascular Disease with a Mediterranean Diet". *New England Journal of Medicine*, jun. 21, 2018. Disponível em: <https://www.nejm.org/doi/10.1056/NEJMoa1800389>. Acesso em: 18 fev. 2020.

37. Michelle Luciano et al., "Mediterranean-Type Diet and Brain Structural Change from 73 to 76 Years in a Scottish Cohort". *Neurology*, v. 88, n. 5, pp. 449-55, 2017.

38. Segal et al., "Artificial Sweeteners Induce Glucose Intolerance by Altering the Gut Microbiota". *Nature*, v. 514, n. 7521, pp. 181-6, 2014; Sofia Carlsson et al., "Sweetened Beverage Intake and Risk of Latent Autoimmune Diabetes in Adults (LADA) and Type 2 Diabetes". *European Journal of Endocrinology*, v. 175, pp. 605-14, 2016; G. Fagherazzi et al., "Consumption of Artificially and Sugar-Sweetened Beverages and Incident Type 2 Diabetes in the Étude Épidemiologique auprès des femmes de la Mutuelle Générale de l'Éducation Nationale-European Prospective Investigation into Cancer and Nutrition Cohort". *American Journal of Clinical Nutrition*, v. 97, n. 3, pp. 517-23, 2013.

39. Matthew P. Pase et al., "Sugar- and Artificially Sweetened Beverages and the Risks of Incident Stroke and Dementia". *Stroke*, v. 48, n. 5, pp. 1139-46, 2017.

5. O DOM DA NEUROGÊNESE OU O CONTROLE DOS COMANDOS PRINCIPAIS: COMO MUDAR SEU DESTINO GENÉTICO

1. Nicholas Wade, "Heart Muscle Renewed over Lifetime, Study Finds". *The New York Times*, 2 abr. 2009. Disponível em: <http://www.nytimes.com/2009/04/03/science/03heart.html>. Acesso em: 18 fev. 2020.

2. Santiago Ramón y Cajal, *Cajal's Degeneration and Regeneration of the Nervous System* (*History of Neuroscience*). Nova York: Oxford University Press, 1991.

3. Charles C. Gross, "Neurogenesis in the Adult Brain: Death of a Dogma". *Nature Reviews Neuroscience*, v. 1, n. 1, pp. 67-73, out. 2000. Leia esse artigo para ter um resumo de como viemos a compreender a neurogênese nos mamíferos.

4. P. S. Eriksson et al., "Neurogenesis in the Adult Human Hippocampus". *Nature Medicine*, v. 4, n. 11, pp. 1313-7, nov. 1998.

5. Perlmutter et al., *Power Up Your Brain* (ver nota 10 do capítulo 2).

6. Norman Doidge, *The Brain That Changes Itself: Stories of Personal Triumph from the Frontiers of Brain Science*. Nova York: Viking, 2007 [Ed. bras.: *O cérebro que se transforma: Como a neurociência pode curar as pessoas*. Rio de Janeiro: Record, 2011]; Id. *The Brain's Way of Healing: Remarkable Discoveries and Recoveries from the Frontiers of Neuroplasticity*. Nova York: Viking, 2015 [Ed. bras.: *O cérebro que cura: Como a neuroplasticidade pode revolucionar o tratamento de lesões e doenças cerebrais*. Rio de Janeiro: Record, 2016].

7. J. Lee et al., "Decreased Levels of BDNF Protein in Alzheimer Temporal Cortex Are Independent of BDNF Polymorphisms". *Experimental Neurology*, v. 194, n. 1, pp. 91-6, jul. 2005.

8. G. Weinstein et al., "Serum Brain-Derived Neurotrophic Factor and the Risk for Dementia: The Framingham Heart Study". *JAMA Neurology*, v. 71, n. 1, pp. 55-61, 2014.

9. Schnaider Beeri e Sonnen, "Brain BDNF Expression as a Biomarker for Cognitive Reserve Against Alzheimer's Disease Progression" (ver nota 4 da Introdução).

10. A. Y. Kudinova et al., "Circulating Levels of Brain-Derived Neurotrophic Factor and History of Suicide Attempts in Women". *Suicide & Life-Threatening Behavior*, 28 set. 2017.

11. A. E. Autry et al., "Brain-Derived Neurotrophic Factor and Neuropsychiatric Disorders". *Pharmacological Reviews*, v. 64, n. 2, pp. 238-58, 2012.

12. Weinstein et al., op. cit. (ver nota 8).

13. Perlmutter et al., *Power Up Your Brain* (ver nota 10 do capítulo 2); T. Kishi et al., "Calorie Restriction Improves Cognitive Decline via Up-Regulation of Brain-Derived Neurotrophic Factor: Tropomyosin-Related Kinase B in Hippocampus of Obesity-Induced Hypertensive Rats". *International Heart Journal*, v. 56, n. 1, pp. 110-5, 2015.

14. A. V. Witte et al., "Caloric Restriction Improves Memory in Elderly Humans". *Proceedings of the National Academy of Sciences*, v. 106, n. 4, pp. 1255-60, 27 jan. 2009.

15. M. P. Mattson et al., "Prophylactic Activation of Neuroprotective Stress Response Pathways by Dietary and Behavioral Manipulations". *NeuroRx*, v. 1, n. 1, pp. 111-6, jan. 2004.

16. H. C. Hendrie et al., "Incidence of Dementia and Alzheimer Disease in 2 Communities: Yoruba Residing in Ibadan, Nigeria, and African Americans Residing in Indianapolis, Indiana". *JAMA*, v. 285, n. 6, pp. 739-47, 14 fev. 2001.

17. Joe Sugarman, "Are There Any Proven Benefits to Fasting?". *Johns Hopkins Health Review*, v. 3, n. 1, primavera/verão 2016.

18. Drew Desilver, "What's on Your Table? How America's Diet Has Changed Over Decades". Pew Research Center, 13 dez. 2016. Disponível em: <https://www.pewresearch.org/fact-tank/2016/12/13/whats-on-your-table-how-americas-diet-has--changed-over-the-decades/>. Acesso em: 18 fev. 2020. Dados do Sistema de Dados de Disponibilidade Alimentar (per capita) do Departamento de Agricultura dos Estados Unidos.

19. Skye Gould, "6 Charts That Show How Much More Americans Eat Than They Used To". *Business Insider*, 10 maio 2017. Disponível em: <https://www.businessinsider.com/daily-calories-americans-eat-increase-2016-07>. Acesso em: 18 fev. 2020.

20. US Department of Agriculture Economic Research Service, "Food Availability and Consumption". Disponível em: <https://www.ers.usda.gov/data-products/ag-and-food-statistics-charting-the-essentials/food-availability-and-consumption/>. Atualizado em 14 set. 2017. Acesso em: 18 fev. 2020.

21. A. V. Araya et al., "Evaluation of the Effect of Caloric Restriction on Serum BDNF in Overweight and Obese Subjects: Preliminary Evidences". *Endocrine*, v. 33, n. 3, pp. 300-4, jun. 2008.

22. R. Molteni et al., "A High-Fat, Refined Sugar Diet Reduces Hippocampal Brain-Derived Neurotrophic Factor, Neuronal Plasticity, and Learning". *Neuroscience*, v. 112, n. 4, pp. 803-14, 2002.

23. S. Srivastava et al., "Role of Sirtuins and Calorie Restriction in Neuroprotection: Implications in Alzheimer's and Parkinson's Diseases". *Current Pharmaceutical Design*, v. 17, n. 31, pp. 3418-33, 2011.

24. Y. Nakajo et al., "Genetic Increase in Brain-Derived Neurotrophic Factor Levels Enhances Learning and Memory". *Brain Research*, v. 1241, pp. 103-9, 19 nov. 2008.

25. C. E. Stafstrom et al., "The Ketogenic Diet As a Treatment Paradigm for Diverse Neurological Disorders". *Frontiers in Pharmacology*, v. 3, p. 59, 2012; M. Gasior et al., "Neuroprotective and Disease-Modifying Effects of the Ketogenic Diet". *Behavioral Pharmacology*, v. 17, n. 5-6, pp. 431-9, set. 2006; Z. Zhao et al., "A Ketogenic Diet as a Potential Novel Therapeutic Intervention in Amyotrophic Lateral Sclerosis, *BMC Neuroscience*, v. 7, p. 29, 3 abr. 2006. Para uma história da dieta cetogênica, veja <https://www.news-medical.net/health/History-of-the-Ketogenic-Diet.aspx>. Acesso em: 18 fev. 2020. Para ler mais sobre as dietas cetogênicas e ficar atualizado com as

pesquisas em andamento, veja meu site: <http://www.DrPerlmutter.com/ketogenic-
-diet-benefits>. Acesso em: 18 fev. 2020.

26. T. B. Vanitallie et al., "Treatment of Parkinson Disease with Diet-Induced
Hyperketonemia: A Feasibility Study". *Neurology*, v. 64, n. 4, pp. 728-30, 22 fev. 2005.

27. M. A. Reger et al., "Effects of Beta-Hydroxybutyrate on Cognition in Me-
mory-Impaired Adults". *Neurobiology of Aging*, v. 25, n. 3, pp. 311-4, mar. 2004.

28. Mary Newport, "What If There Was a Cure for Alzheimer's Disease and No
One Knew?", 22 jul. 2008. Disponível em: <https://coconutketones.com/wp-content/
uploads/2016/09/whatifcure.pdf>. Acesso em: 18 fev. 2020.

29. I. Van der Auwera et al., "A Ketogenic Diet Reduces Amyloid Beta 40 and
42 in a Mouse Model of Alzheimer's Disease". *Nutrition & Metabolism*, v. 2, p. 28, 17
out. 2005.

30. D. R. Ziegler et al., "Ketogenic Diet Increases Glutathione Peroxidase Activity in Rat Hippocampus". *Neurochemical Research*, v. 28, n. 12, pp. 1793-7, dez. 2003.

31. K. W. Barañano et al., "The Ketogenic Diet: Uses in Epilepsy and Other Neurologic Illnesses". *Current Treatment Options in Neurology*, v. 10, n. 6, pp. 410-9, nov. 2008.

32. Taubes, *Why We Get Fat: And What to Do About It.* p. 178 (ver nota 2 do capítulo 4).

33. R. Krikorian et al., "Dietary Ketosis Enhances Memory in Mild Cognitive
Impairment". *Neurobiology of Aging*, v. 33, n. 2, p. 425, 2012.

34. A. V. Witte et al., "Caloric Restriction Improves Memory in Elderly Humans". *Proceedings of the National Academy of Sciences of the United States of America*, v. 106,
n. 4, pp. 1255-60, 2009.

35. Gary Small et al., "Memory and Brain Amyloid and Tau Effects of a Bioa-
vailable Form of Curcumin in Non-Demented Adults: A Double-Blind, Placebo-
-Controlled 18-Month Trial". *American Journal of Geriatric Psychiatry*, v. 26, n. 3, pp.
266-77, 2018.

36. J. V. Pottala et al., "Higher RBC EPA + DHA Corresponds with Larger Total
Brain and Hippocampal Volumes: WHIMS-MRI Study". *Neurology*, v. 82, n. 5, pp. 435-
-42, 2014.

37. Z. S. Tan et al., "Red Blood Cell ω-3 Fatty Acid Levels and Markers of Acce-
lerated Brain Aging". *Neurology*, v. 78, n. 9, pp. 658-64, 2012.

38. K. Allaire et al., "Randomized, Crossover, Head-to-Head Comparison of EPA
and DHA Supplementation to Reduce Inflammation Markers in Men and Women: The
Comparing EPA to DHA Study". *American Journal of Clinical Nutrition*, v. 104, n. 2, pp.
280-7, 2016.

39. K. Yurko-Mauro et al., "Beneficial Effects of Docosahexaenoic Acid on Cognition in Age-Related Cognitive Decline". *Alzheimer's and Dementia*, v. 6, n. 6, pp. 456-6,
nov. 2010.

40. M. C. Morris et al., "Consumption of Fish and n-3 Fatty Acids and Risk
of Incident Alzheimer Disease". *Archives of Neurology*, v. 60, n. 7, pp. 940-6, jul. 2003.

41. E. J. Schaefer et al., "Plasma Phosphatidylcholine Docosahexaenoic Acid Content and Risk of Dementia and Alzheimer Disease: The Framingham Heart Study". *Archives of Neurology*, v. 63, n. 11, pp. 1545-50, nov. 2006.

42. Mattson et al., op. cit. (ver nota 15). Ver também: M. P. Mattson et al., "Modification of Brain Aging and Neurodegenerative Disorders by Genes, Diet, and Behavior". *Physiological Reviews*, v. 82, n. 3, pp. 637-72, jul. 2002.

43. G. L. Xiong et al., "Does Meditation Enhance Cognition and Brain Plasticity?". *Annals of the New York Academy of Sciences*, v. 1172, pp. 63-9, ago. 2009. Ver também: E. Dakwar et al., "The Emerging Role of Meditation in Addressing Psychiatric Illness, with a Focus on Substance Use Disorders". *Harvard Review of Psychiatry*, v. 17, n. 4, pp. 254-67, 2009.

44. Parte deste material foi adaptada de: Perlmutter et al., *Power Up Your Brain* (ver nota 10 do capítulo 2); e de Perlmutter, "Free Radicals: How They Speed the Aging Process". *Huffington Post*, 25 jan. 2011. Disponível em: <https://www.huffpost.com/entry/free-radicals-how-they-speed-the_b_812540>. Acesso em: 18 fev. 2020.

45. D. Harman, "Aging: A Theory Based on Free Radical and Radiation Chemistry". *Journal of Gerontology*, v. 11, n. 3, pp. 298-300, jul. 1956.

46. Id., "Free Radical Theory of Aging: Dietary Implications". *American Journal of Clinical Nutrition*, v. 25, n. 8, pp. 839-43, ago. 1972.

47. W. R. Markesbery et al., "Damage to Lipids, Proteins, DNA, and RNA in Mild Cognitive Impairment". *Archives of Neurology*, v. 64, n. 7, pp. 954-6, jul. 2007.

48. L. Gao et al., "Novel n-3 Fatty Acid Oxidation Products Activate Nrf2 by Destabilizing the Association Between Keap1 and Cullin3". *Journal of Biological Chemistry*, v. 282, n. 4, pp. 2529-37, 26 jan. 2007.

49. U. Boettler et al., "Coffee Constituents as Modulators of Nrf2 Nuclear Translocation and ARE (EpRE)-Dependent Gene Expression". *Journal of Nutritional Biochemistry*, v. 22, n. 5, pp. 426-40, maio 2011.

50. National Institute on Aging. Disponível em: <http://www.nia.nih.gov>. Acesso em: 18 fev. 2020.

6. A FUGA DO SEU CÉREBRO: COMO O GLÚTEN ACABA COM A SUA PAZ DE ESPÍRITO, E COM A DE SEUS FILHOS

1. Centers for Disease Control and Prevention, "Attention-Deficit/Hyperactivity Disorder (ADHD)". Disponível em: <https://www.cdc.gov/ncbddd/adhd/data.html>. Atualizado em 20 mar. 2018. Acesso em: 18 fev. 2020.

2. Ibid.

3. Alan Schwarz et al., "A.D.H.D. Seen in 11% of U.S. Children as Diagnoses Rise". *The New York Times*, 31 mar. 2013. Disponível em: <https://www.nytimes.

com/2013/04/01/health/more-diagnoses-of-hyperactivity-causing-concern.html>. Acesso em: 18 fev. 2020.

4. Ibid.

5. Sara G. Miller, "1 in 6 Americans Takes a Psychiatric Drug". *Scientific American*, 13 dez. 2016. Disponível em: <https://www.scientificamerican.com/article/1-in-6--americans-takes-a-psychiatric-drug/>. Acesso em: 18 fev. 2020.

6. Thomas Insel, "Post by Former NIMH Director Thomas Insel: Are Children Overmedicated?". National Institutes of Mental Health, 6 jun. 2014. Disponível em: <https://www.nimh.nih.gov/about/directors/thomas-insel/blog/2014/are-children--overmedicated.shtml>. Acesso em: 18 fev. 2020.

7. N. Zelnik et al., "Range of Neurologic Disorders in Patients with Celiac Disease". *Pediatrics*, v. 113, n. 6, pp. 1672-6, jun. 2004. Ver também: M. Percy et al., "Celiac Disease: Its Many Faces and Relevance to Developmental Disabilities". *Journal on Developmental Disabilities*, v. 14, n. 2, 2008.

8. L. Corvaglia et al., "Depression in Adult Untreated Celiac Subjects: Diagnosis by the Pediatrician". *American Journal of Gastroenterology*, v. 94, n. 3, pp. 839-43, mar. 1999; James M. Greenblatt, MD, "Is Gluten Making You Depressed? The Link between Celiac Disease and Depression". *The Breakthrough Depression Solution* (blog), *Psychology Today*, 24 maio 2011. Disponível em: <https://www.psychologytoday.com/us/blog/the--breakthrough-depression-solution/201105/is-gluten-making-you-depressed>. Acesso em: 18 fev. 2020.

9. American Academy of Pediatrics, "Gastrointestinal Problems Common in Children with Autism". *Science Daily*, 3 maio 2010. Disponível em: <http://www.sciencedaily.com/releases/2010/05/100502080234.htm>. Acesso em: 18 fev. 2020. Ver também: L. W. Wang et al., "The Prevalence of Gastrointestinal Problems in Children Across the United States with Autism Spectrum Disorders from Families with Multiple Affected Members". *Journal of Developmental and Behavioral Pediatrics*, v. 32, n. 5, pp. 351-60, jun. 2011.

10. T. L. Lowe et al., "Stimulant Medications Precipitate Tourette's Syndrome". *JAMA*, v. 247, n. 12, pp. 1729-31, 26 mar. 1982.

11. M. A. Verkasalo et al., "Undiagnosed Silent Coeliac Disease: A Risk for Underachievement?". *Scandinavian Journal of Gastroenterology*, v. 40, n. 12, pp. 1407-12, dez. 2005.

12. S. Amiri et al., "Pregnancy-Related Maternal Risk Factors of Attention-Deficit Hyperactivity Disorder: A Case-Control Study". *ISRN Pediatrics*, 2012.

13. A. K. Akobeng et al., "Effect of Breast Feeding on Risk of Coeliac Disease: A Systematic Review and Meta-Analysis of Observational Studies". *Archives of Disease in Childhood*, v. 91, n. 1, pp. 39-43, jan. 2006. Para uma atualização em relação a esse tipo de pesquisa, ver: H. Szajewska et al., Systematic Review: Early Infant Feeding and the Prevention of Coeliac Disease". *Alimentary Pharmacology & Therapeutics*, v. 36, n. 7, pp. 607-18, 2012.

14. Centers for Disease Control and Prevention, National Center for Health Statistics, "National Health Interview Survey". Disponível em: <https://www.cdc.gov/nchs/nhis/index.htm>. Atualizado em 7 jun. 2018. Acesso em: 18 fev. 2020.

15. Centers for Disease Control and Prevention, "Autism Spectrum Disorder". Disponível em: <https://www.cdc.gov/ncbddd/autism/data.html>. Atualizado em 26 abr. 2018. Acesso em: 18 fev. 2020.

16. S. J. Genuis et al., "Celiac Disease Presenting as Autism". *Journal of Child Neurology*, v. 25, n. 1, pp. 114-9, jan. 2013.

17. P. Whiteley et al., "A Gluten-Free Diet as an Intervention for Autism and Associated Spectrum Disorders: Preliminary Findings". *Autism*, v. 3, n. 1, pp. 45-65, mar. 1999.

18. K. L. Reichelt et al., "Can the Pathophysiology of Autism Be Explained by the Nature of the Discovered Urine Peptides?". *Nutritional Neuroscience*, v. 6, n. 1, pp. 19-28, fev. 2003. Ver também: A. E. Kalaydjian et al., "The Gluten Connection: The Association Between Schizophrenia and Celiac Disease". *Acta Psychiatrica Scandinavia*, v. 113, n. 2, pp. 82-90, fev. 2006.

19. C. M. Pennesi et al., "Effectiveness of the Gluten-Free, Casein-Free Diet for Children Diagnosed with Autism Spectrum Disorder: Based on Parental Report". *Nutritional Neuroscience*, v. 15, n. 2, pp. 85-91, mar. 2012. Ver também: Penn State, "Gluten-Free, Casein-Free Diet May Help Some Children with Autism, Research Suggests". *Science Daily*, 29 fev. 2012. Disponível em: <https://www.sciencedaily.com/releases/2012/02/120229105128.htm>. Acesso em: 18 fev. 2020.

20. C. J. L. Murray et al., "The Global Burden of Disease: A Comprehensive Assessment of Mortality and Disability from Diseases, Injuries and Risk Factors in 1990 and Projected to 2020". Organização Mundial da Saúde, Genebra, Suíça (1996).

21. J. W. Smoller et al., "Antidepressant Use and Risk of Incident Cardiovascular Morbidity and Mortality Among Postmenopausal Women in the Women's Health Initiative Study". *Archives of Internal Medicine*, v. 169, n. 22, pp. 2128-39, 14 dez. 2009.

22. J. C. Fournier et al., "Antidepressant Drug Effects and Depression Severity: A Patient-Level Meta-Analysis". *JAMA*, v. 303, n. 1, pp. 47-53, 6 jan. 2010.

23. J. Y. Shin et al., "Are Cholesterol and Depression Inversely Related? A Meta-Analysis of the Association Between Two Cardiac Risk Factors". *Annals of Behavioral Medicine*m v. 36, n. 1, pp. 33-43, ago. 2008.

24. S. Shrivastava et al., "Chronic Cholesterol Depletion Using Statin Impairs the Function and Dynamics of Human Serotonin1A Receptors". *Biochemistry*, v. 49, pp. 5426-35, 2010.

25. James Greenblatt, "Low Cholesterol and Its Psychological Effects: Low Cholesterol Is Linked to Depression, Suicide, and Violence". *The Breakthrough Depression Solution* (blog), *Psychology Today*, 10 jun. 2011. Disponível em: <http://www.psychologytoday.com/blog/the-breakthrough-depression-solution/201106/low-cholesterol-and-its-psychological-effects>. Acesso em: 18 fev. 2020.

26. R. E. Morgan et al., "Plasma Cholesterol and Depressive Symptoms in Older Men". *Lancet*, v. 341, n. 8837, pp. 75-9, 9 jan. 1993.

27. M. Horsten et al., "Depressive Symptoms, Social Support, and Lipid Profile in Healthy Middle-aged Women". *Psychosomatic Medicine*, v. 59, n. 5, pp. 521-8, set.-out. 1997.

28. P. H. Steegmans et al., "Higher Prevalence of Depressive Symptoms in Middle-Aged Men with Low Serum Cholesterol Levels". *Psychosomatic Medicine*, v. 62, n. 2, pp. 205-11, mar.-abr. 2000.

29. M. M. Perez-Rodriguez et al., "Low Serum Cholesterol May Be Associated with Suicide Attempt History". *Journal of Clinical Psychiatry*, v. 69, n. 12, pp. 1920-7, dez. 2008.

30. J. A. Boscarino et al., "Low Serum Cholesterol and External-Cause Mortality: Potential Implications for Research and Surveillance". *Journal of Psychiatric Research*, v. 43, n. 9, pp. 848-54, jun. 2009.

31. Sarah T. Melton, "Are Cholesterol Levels Linked to Bipolar Disorder?". Medscape Today News, Ask the Pharmacists, 16 maio 2011. Disponível em: <https://www.medscape.com/viewarticle/741999>. Acesso em: 18 fev. 2020.

32. C. Hallert et al., "Psychic Disturbances in Adult Coeliac Disease". *Scandinavian Journal of Gastroenterology*, v. 17, n. 1, pp. 21-4, jan. 1982.

33. C. Ciacci et al., "Depressive Symptoms in Adult Coeliac Disease". *Scandinavian Journal of Gastroenterology*, v. 33, n. 3, pp. 247-50, mar. 1998; James M. Greenblatt, op. cit. (ver nota 8).

34. Fabiana Zingone et al., "Psychological Morbidity of Celiac Disease: A Review of the Literature". *United European Gastroenterology Journal*, v. 3, n. 2, pp. 136-45, 2015.

35. J. F. Ludvigsson et al., "Coeliac Disease and Risk of Mood Disorders: A General Population-Based Cohort Study". *Journal of Affective Disorders*, v. 99, n. 1-3, pp. 117-26, abr. 2007.

36. Id., "Increased Suicide Risk in Coeliac Disease: A Swedish Nationwide Cohort Study". *Digest of Liver Disorders*, v. 43, n. 8, pp. 616-22, ago. 2011.

37. M. G. Carta et al., "Recurrent Brief Depression in Celiac Disease". *Journal of Psychosomatic Research*, v. 55, n. 6, pp. 573-4, dez. 2003.

38. R. Lasrado et al., "Lineage-Dependent Spatial and Functional Organization of the Mammalian Enteric Nervous System". *Science*, v. 356, n. 6339, pp. 722-6, 2017.

39. M. Siwek et al., "Zinc Supplementation Augments Efficacy of Imipramine in Treatment Resistant Patients: A Double Blind, Placebo-Controlled Study". *Journal of Affective Disorders*, v. 118, n. 1-3, pp. 187-95, nov. 2009.

40. Greenblatt, op. cit. (ver nota 8).

41. M. S. Cepeda et al. "Depression Is Associated with High Levels of C-Reactive Protein and Low Levels of Fractional Exhaled Nitric Oxide: Results From the 2007-2012 National Health and Nutrition Examination Surveys". *Journal of Clinical Psychiatry*, v. 77, n. 12, pp. 1666-71, 2016; M. Berk et al., "So Depression Is an Inflam-

matory Disease, but Where Does the Inflammation Come From?". *BMC Medicine*, v. 11, p. 200, 2013.

42. Jennifer C. Felger et al., "Inflammatory Cytokines in Depression: Neurobiological Mechanisms and Therapeutic Implications". *Neuroscience*, v. 246, pp. 199-229, 2013.

43. B. Gohier et al., "Hepatitis C, Alpha Interferon, Anxiety and Depression Disorders: A Prospective Study of 71 Patients". *World Journal of Biological Psychiatry*, v. 4, n. 3, pp. 115-8, 2003.

44. H. Karlsson et al., "Maternal Antibodies to Dietary Antigens and Risk for Nonaffective Psychosis in Offspring". *American Journal of Psychiatry*, v. 169, n. 6, pp. 625-32, jun. 2012.

45. Grace Rattue, "Schizophrenia Risk in Kids Associated with Mothers' Gluten Antibodies". *Medical News Today*, 16 maio 2012. Disponível em: <http://www.medicalnewstoday.com/articles/245484.php>. Acesso em: 18 fev. 2020.

46. Deborah R. Kim et al., "Prenatal Programming of Mental Illness: Current Understanding of Relationship and Mechanisms". *Current Psychiatry Reports*, v. 17, n. 2, p. 5, 2015.

47. D. J. Barker, "The Fetal and Infant Origins of Adult Disease". *BMJ*, v. 301, n. 6761, p. 1111, 1990.

48. B. D. Kraft et al., "Schizophrenia, Gluten, and Low-Carbohydrate, Ketogenic Diets: A Case Report and Review of the Literature". *Nutrition & Metabolism*, Londres, v. 6, p. 10, 26 fev. 2009.

49. Migraine Research Foundation. Disponível em: <http://migraineresearchfoundation.org/>. Acesso em: 18 fev. 2020.

50. Ibid.

51. A. K. Dimitrova et al., "Prevalence of Migraine in Patients with Celiac Disease and Inflammatory Bowel Disease". *Headache*, v. 53, n. 2, pp. 344-55, fev. 2013.

52. M. Hadjivassiliou et al., "The Neurology of Gluten Sensitivity: Science vs. Conviction". *Practical Neurology*, v. 4, pp. 124-6, 2004.

53. Center for Celiac Research and Treatment. Disponível em: <http://www.celiaccenter.org/>. Acesso em: 18 fev. 2020.

54. S. M. Wolf et al., "Pediatric Migraine Management". *Pain Medicine News*, pp. 1-6, set./out. 2003.

55. E. Lionetti et al. "Headache in Pediatric Patients with Celiac Disease and Its Prevalence as a Diagnostic Clue". *Journal of Pediatric Gastroenterology and Nutrition*, v. 49, n. 2, pp. 202-7, ago. 2009; Benedetta Bellini et al., "Headache and Comorbidity in Children and Adolescents". *Journal of Headache & Pain*, v. 14, n. 1, p. 79, 2013.

56. D. Ferraro et al., "Topiramate in the Prevention of Pediatric Migraine: Literature Review". *Journal of Headache Pain*, v. 9, n. 3, pp. 147-50, jun. 2008.

57. E. Bakola et al., "Anticonvulsant Drugs for Pediatric Migraine Prevention: An Evidence-Based Review". *European Journal of Pain*, v. 13, n. 9, pp. 893-901, out. 2009.

58. B. L. Peterlin et al., "Obesity and Migraine: The Effect of Age, Gender, and Adipose Tissue Distribution". *Headache*, v. 50, n. 1, pp. 52-62, jan. 2010.

59. M. E. Bigal et al., "Obesity, Migraine, and Chronic Migraine: Possible Mechanisms of Interaction". *Neurology*, v. 68, n. 27, pp. 1851-61, 22 maio 2007.

60. M. E. Bigal et al., "Obesity Is a Risk Factor for Transformed Migraine but Not Chronic Tension-Type Headache". *Neurology*, v. 67, n. 2, pp. 252-7, 25 jul. 2006.

61. L. Robberstad et al., "An Unfavorable Lifestyle and Recurrent Headaches among Adolescents: The HUNT Study". *Neurology*, v. 75, n. 8, pp. 712-7, 24 ago. 2010.

PARTE II. COMO CURAR SEU CÉREBRO

7. O REGIME ALIMENTAR PARA O CÉREBRO IDEAL: BOM DIA, JEJUM, GORDURA E SUPLEMENTOS ESSENCIAIS

1. Perlmutter et al., *Power Up Your Brain* (ver nota 10 do capítulo 2). Ver também: A. Villoldo, "Size Does Matter!", 25 abr. 2011. Disponível em: <https://www.healyourlife.com/size-does-matter>. Acesso em: 18 fev. 2020.

2. G. F. Cahill et al., "Ketoacids? Good Medicine?". *Transactions of the American Clinical and Climatological Association*, v. 114, pp. 149-61, 2003.

3. M. P. Mattson et al., "Beneficial Effects of Intermittent Fasting and Caloric Restriction on the Cardiovascular and Cerebrovascular Systems". *Journal of Nutritional Biochemistry*, v. 16, n. 3, pp. 129-37, mar. 2005.

4. Valter D. Longo et al., "Fasting: Molecular Mechanisms and Clinical Applications". *Cell Metabolism*, v. 19, n. 2, pp. 181-92, 2014.

5. G. Zuccoli et al., "Metabolic Management of Glioblastoma Multiforme Using Standard Therapy Together with a Restricted Ketogenic Diet: Case Report". *Nutrition & Metabolism*, Londres, v. 7, p. 33, 22 abr. 2010.

6. M. Ota et al., "Effect of a Ketogenic Meal on Cognitive Function in Elderly Adults: Potential for Cognitive Enhancement". *Psychopharmacology*, Berlim, v. 233, n. 21-2, pp. 3797-802, 2016.

7. S. J. Hallberg et al., "Effectiveness and Safety of a Novel Care Model for the Management of Type 2 Diabetes at 1 Year: An Open-Label, Non-Randomized, Controlled Study". *Diabetes Therapy*, v. 9, n. 2, pp. 583-612, 2018.

8. T. Hallböök et al., "The Effects of the Ketogenic Diet on Behavior and Cognition". *Epilepsy Research*, v. 100, n. 3, pp. 304-9, 2012.

9. Gary Taubes, "Vegetable Oils, (Francis) Bacon, Bing Crosby, and the American Heart Association". *Cardio Brief*, 16 jun. 2017. Disponível em: <http://www.cardiobrief.org/2017/06/16/guest-post-vegetable-oils-francis-bacon-bing-crosby-and-the-american-heart-association/>. Acesso em: 18 fev. 2020.

10. T. P. Ng et al., "Curry Consumption and Cognitive Function in the Elderly". *American Journal of Epidemiology*, v. 164, n. 9, pp. 898-906, 1 nov. 2006.

11. K. Tillisch et al., "Consumption of Fermented Milk Product with Probiotic Modulates Brain Activity". *Gastroenterology*, 1 mar. 2013; J. A. Bravo et al., "Ingestion of *Lactobacillus* Strain Regulates Emotional Behavior and Central GABA Receptor Expression in a Mouse via the Vagus Nerve". *Proceedings of the National Academy of Sciences*, v. 108, n. 138, pp. 16050-5, 20 set. 2011; A. C. Bested et al., "Intestinal Microbiota, Probiotics and Mental Health: From Metchnikoff to Modern Advances: Part I — Autointoxication Revisited". *Gut Pathogens*, v. 5, n. 1, p. 5, 18 mar. 2013. Ver também as partes II e III do mesmo relatório.

12. J. F. Cryan et al., "The Microbiome-Gut-Brain Axis: From Bowel to Behavior". *Neurogastroenterology and Motilit*, v. 23, n. 3, pp. 187-92, mar. 2011.

13. Michael Gershon, *The Second Brain: The Scientific Basis of Gut Instinct and a Groundbreaking New Understanding of Nervous Disorders of the Stomach and Intestines*. Nova York: Harper, 1998.

14. Para saber mais sobre a conexão entre o cérebro e o intestino, dê uma olhada na obra do dr. Emeran Mayer, diretor do Centro para Neurobiologia do Estresse da Universidade da Califórnia, em Los Angeles. Em especial: *The Mind Gut Connection: How the Hidden Conversation Within Our Bodies Impacts Our Mood, Our Choices, and Our Overall Health*. Nova York: Harper Wave, 2016.

15. Weinstein et al., "Serum Brain-Derived Neurotrophic Factor and the Risk for Dementia: The Framingham Heart Study" (ver nota 8 do capítulo 5).

16. L. Packer et al., "Neuroprotection by the Metabolic Antioxidant Alpha-Lipoic Acid". *Free Radical Biology & Medicine*, v. 22, n. 1-2, pp. 359-78, 1997.

17. Jun Sun, "Vitamin D and Mucosal Immune Function". *Current Opinion in Gastroenterology*, v. 26, n. 6, pp. 591-5, 2010.

18. Para tudo que você quer saber sobre a vitamina D, inclusive uma discussão aprofundada das pesquisas, consulte o fundamental livro do dr. Michael Holick *The Vitamin D Solution: A 3-Step Strategy to Cure Our Most Common Health Problems*. Nova York: Hudson Street Press, 2010.

19. D. J. Llewellyn et al., "Vitamin D and Risk of Cognitive Decline in Elderly Persons". *Archives of Internal Medicine*, v. 170, n. 13, pp. 1135-41, 12 jul. 2012; Elżbieta Kuźma et al., "Vitamin D and Memory Decline: Two Population-based Prospective Studies". *Journal of Alzheimer's Disease*, v. 50, n. 4, pp. 1099-108, 2016.

20. T. J. Littlejohns et al., "Vitamin D and the Risk of Dementia and Alzheimer Disease". *Neurology*, v. 83, n. 10, pp. 920-8, 2014.

21. C. Annweiler et al., "Higher Vitamin D Dietary Intake Is Associated with Lower Risk of Alzheimer's Disease: A 7-Year Follow-Up". *Journals of Gerontology Series A: Biological Sciences and Medical Sciences*, v. 67, n. 11, pp. 1205-11, nov. 2012.

22. Ruth Ann Marrie et al., "Preventing Multiple Sclerosis: To Take Vitamin D or Not to Take Vitamin D". *Neurology*, v. 89, n. 15, 2017.

23. R. E. Anglin et al., "Vitamin D Deficiency and Depression in Adults: Systematic Review and Meta-analysis". *British Journal of Psychiatry*, v. 202, pp. 100-7, fev. 2013.

24. Willy Gomm et al., "Association of Proton Pump Inhibitors with Risk of Dementia: A Pharmacoepidemiological Claims Data Analysis". *JAMA Neurology*, v. 73, n. 4, pp. 410-6, 2016.

25. G. R. Durso et al., "Over-the-Counter Relief from Pains and Pleasures Alike: Acetaminophen Blunts Evaluation Sensitivity to Both Negative and Positive Stimuli". *Psychological Science*, v. 26, n. 6, pp. 750-8, jun. 2015.

26. Liew et al., "Acetaminophen Use During Pregnancy, Behavioral Problems, and Hyperkinetic Disorders". *JAMA Pediatrics*, v. 168, n. 4, pp. 313-20, abr. 2014.

27. D. Y. Graham et al., "Visible Small-Intestinal Mucosal Injury in Chronic NSAID Users". *Clinical Gastroenterology & Hepatology*, v. 3, n. 1, pp. 55-9, jan. 2005.

28. G. Sigthorsson et al., "Intestinal Permeability and Inflammation in Patients on NSAIDS". *Gut*, v. 43, n. 4, pp. 506-11, out. 1998.

8. MEDICINA GENÉTICA: EXERCITE SEUS GENES PARA CONQUISTAR UM CÉREBRO MELHOR

1. J. Z. Willey et al., "Leisure-Time Physical Activity Associates with Cognitive Decline: The Northern Manhattan Study". *Neurology*, v. 86, n. 20, pp. 1897-903, 2016.

2. C. A. Raji et al., "Longitudinal Relationships between Caloric Expenditure and Gray Matter in the Cardiovascular Health Study". *Journal of Alzheimer's Disease*, v. 52, n. 2, pp. 719-29, 2016.

3. C. W. Cotman et al., "Exercise Builds Brain Health: Key Roles of Growth Factor Cascades and Inflammation". *Trends in Neuroscience*, v. 30, n. 9, pp. 464-72, set. 2007. Ver também: University of Edinburgh, "Exercise the Body to Keep the Brain Healthy, Study Suggests". *Science Daily*, 22 out. 2012. Disponível em: <http://www.sciencedaily.com/releases/2012/10/121022162647.htm>. Acesso em: 18 fev. 2020; L. F. Defina et al., "The Association Between Midlife Cardiorespiratory Fitness Levels and Later-life Dementia: A Cohort Study". *Annals of Internal Medicine*, v. 158, n. 3, pp. 162--8, 5 fev. 2013.

4. Gretchen Reynolds, "How Exercise Could Lead to a Better Brain". *The New York Times Magazine*, 18 abr. 2012. Disponível em: <https://www.nytimes.com/2012/04/22/magazine/how-exercise-could-lead-to-a-better-brain.html>. Acesso em: 18 fev. 2020.

5. A. S. Buchman et al., "Total Daily Physical Activity and the Risk of AD and Cognitive Decline in Older Adults". *Neurology*, v. 78, n. 17, pp. 1323-9, 24 abr. 2012.

6. D. M. Bramble et al., "Endurance Running and the Evolution of *Homo*". *Nature*, v. 432, n. 7015, pp. 345-52, 18 nov. 2004.

7. D. A. Raichlen et al., "Relationship between Exercise Capacity and Brain Size in Mammals". *PLOS One*, v. 6, n. 6, 2011.

8. Gretchen Reynolds, "Exercise and the Ever-Smarter Human Brain". *The New York Times*, 26 dez. 2012. Disponível em: <https://well.blogs.nytimes.com/2012/12/26/exercise-and-the-ever-smarter-human-brain/>. Acesso em: 18 fev. 2020; D. A. Raichlen et al., "Linking Brains and Brawn: Exercise and the Evolution of Human Neurobiology". *Proceedings of the Royal Society B: Biological Sciences*, v. 280, n. 1750, pp. 2012-50, 7 jan. 2013.

9. Reynolds, op. cit. (ver nota 4).

10. P. J. Clark et al., "Genetic Influences on Exercise-Induced Adult Hippocampal Neurogenesis Across 12 Divergent Mouse Strains". *Genes, Brain and Behavior*, v. 10, n. 3, pp. 345-53, abr. 2011. Ver também: R. A. Kohman et al., "Voluntary Wheel Running Reverses Age-Induced Changes in Hippocampal Gene Expression". *PLOS One*, v. 6, n. 8, p. e22654, 2011.

11. K. I. Erickson et al., "Exercise Training Increases Size of Hippocampus and Improves Memory". *Proceedings of the National Academy of Sciences*, v. 108, n. 7, pp. 3017-22, 15 fev. 2011.

12. N. Kee et al., "Preferential Incorporation of Adult-Generated Granule Cells into Spatial Memory Networks in the Dentate Gyrus". *Nature Neuroscience*, v. 10, n. 3, pp. 355-62, mar. 2007. Ver também: C. W. Wu et al., "Treadmill Exercise Counteracts the Suppressive Effects of Peripheral Lipopolysaccharide on Hippocampal Neurogenesis and Learning and Memory". *Journal of Neurochemistry*, v. 103, n. 6, pp. 2471-81, dez. 2007.

13. N. T. Lautenschlager et al., "Effect of Physical Activity on Cognitive Function in Older Adults at Risk for Alzheimer Disease: A Randomized Trial". *JAMA*, v. 300, n. 9, pp. 1027-37, 3 set. 2008.

14. J. Weuve et al., "Physical Activity, Including Walking, and Cognitive Function in Older Women". *JAMA*, v. 292, n. 12, pp. 1454-61, 22 set. 2004.

15. A. Yavari et al., "The Effect of Aerobic Exercise on Glycosylated Hemoglobin Values in Type 2 Diabetes Patients". *Journal of Sports Medicine and Physical Fitness*, v. 50, n. 4, pp. 501-5, dez. 2010.

16. Buchman et al., "Total Daily Physical Activity and the Risk of AD and Cognitive Decline in Older Adults" (ver nota 4 do capítulo 8). Ver também: Rush University Medical Center, "Daily Physical Activity May Reduce Alzheimer's Disease Risk at Any Age". *Science Daily*, 18 abr. 2012. Disponível em: <http://www.sciencedaily.com/releases/2012/04/120418203530.htm>. Acesso em: 18 fev. 2020.

9. BOA NOITE, CÉREBRO: ALAVANQUE SUA LEPTINA PARA CONTROLAR OS HORMÔNIOS

1. Para um apanhado geral da relação entre o sono e a saúde, consulte: National Institute of Neurological Disorders and Stroke, "Brain Basics: Understanding Sleep". Disponível em: <https://www.ninds.nih.gov/Disorders/Patient-Caregiver-Education/Understanding-Sleep>. Acesso em: 18 fev. 2020. Também consulte a obra do dr. Michael Breus, autoridade renomada em medicina do sono, disponível em: <http://www.thesleepdoctor.com/>. Acesso em: 18 fev. 2020.

2. Benedict Carey, "Aging in Brain Found to Hurt Sleep Needed for Memory". *The New York Times*, 27 jan. 2013. Disponível em: <https://www.nytimes.com/2013/01/28/health/brain-aging-linked-to-sleep-related-memory-decline.html>. Acesso em: 18 fev. 2020. Ver também: B. A. Mander et al., "Prefrontal Atrophy, Disrupted NREM Slow Waves and Impaired Hippocampaldependent Memory in Aging". *Nature Neuroscience*, v. 16, n. 3, pp. 357-64, mar. 2013.

3. C. S. Möller-Levet et al., "Effects of Insufficient Sleep on Circadian Rhythmicity and Expression Amplitude of the Human Blood Transcriptome". *Proceedings of the National Academy of Sciences*, v. 110, n. 12, pp. E1132-41, 19 mar. 2013.

4. Andrew J. Westwood et al., "Prolonged Sleep Duration as a Marker of Early Neurodegeneration Predicting Incident Dementia". *Neurology*, v. 88, n. 12, pp. 1172-9, 2017.

5. Para uma montanha de dados sobre o sono e estatísticas sobre o quanto dormimos, consulte a National Sleep Foundation. Disponível em: <https://sleepfoundation.org/>. Acesso em: 18 fev. 2020.

6. Monica P. Mallampalli et al., "Exploring Sex and Gender Differences in Sleep Health: A Society for Women's Health Research Report". *Journal of Women's Health*, Larchmont, v. 23, n. 7, pp. 553-62, 2014.

7. T. Blackwell et al., "Associations Between Sleep Architecture and Sleep-Disordered Breathing and Cognition in Older Community-Dwelling Men: The Osteoporotic Fractures in Men Sleep Study". *Journal of the American Geriatric Society*, v. 59, n. 12, pp. 2217-25, dez. 2011. Ver também: K. Yaffe et al., "Sleep-Disordered Breathing, Hypoxia, and Risk of Mild Cognitive Impairment and Dementia in Older Women". *JAMA*, v. 306, n. 6, pp. 613-9, 10 ago. 2011; A. P. Spira et al., "Sleep-Disordered Breathing and Cognition in Older Women". *Journal of the American Geriatric Society*, v. 56, n. 1, pp. 45-50, jan. 2008.

8. Chunlong Mu et al., "Gut Microbioa: The Brain Peacekeeper". *Frontiers in Microbiology*, v. 7, p. 345, 2016; Leo Galland, "The Gut Microbiome and the Brain". *Journal of Medicinal Food*, v. 17, n. 12, pp. 1261-71, 2014.

9. Y. Zhang et al., "Positional Cloning of the Mouse Obese Gene and Its Human Homologue". *Nature*, v. 372, n. 6505, pp. 425-32, 1 dez. 1994; E. D. Green et al., "The Human Obese (OB) Gene: RNA Expression Pattern and Mapping on the Physical, Cy-

togenetic, and Genetic Maps of Chromosome 7". *Genome Research*, v. 5, n. 1, pp. 5-12, ago. 1995.

10. Nora T. Gedgaudas, *Primal Body, Primal Mind: Beyond the Paleo Diet for Total Health and a Longer Life*. Rochester/Vermont: Healing Arts Press, 2011.

11. K. Spiegel et al., "Brief Communication: Sleep Curtailment in Healthy Young Men Is Associated with Decreased Leptin Levels, Elevated Ghrelin Levels, and Increased Hunger and Appetite". *Annals of Internal Medicine*, v. 141, n. 11, pp. 846-50, 7 dez. 2004.

12. S. Taheri et al., "Short Sleep Duration Is Associated with Reduced Leptin, Elevated Ghrelin, and Increased Body Mass Index". *PLOS Medicine*, v. 1, n. 3, p. e62, dez. 2004.

13. W. A. Banks et al., "Triglycerides Induce Leptin Resistance at the Blood--Brain Barrier". *Diabetes*, v. 53, n. 5, pp. 1253-60, maio 2004.

14. Ron Rosedale et al., *The Rosedale Diet*. Nova York: William Morrow, 2004.

15. Matthew Walker, *Why We Sleep: Unlocking the Power of Sleep and Dreams*. Nova York: Scribner, 2017 [Ed. bras.: *Por que nós dormimos: A nova ciência do sono e do sonho*. Rio de Janeiro: Intrínseca, 2018].

16. National Sleep Foundation. Disponível em: <https://sleepfoundation.org/>. Acesso em: 18 fev. 2020.

PARTE III. DIGA ADEUS AOS GRÃOS

10. UM NOVO MODO DE VIDA: O PLANO DE AÇÃO DE QUATRO SEMANAS

1. Para ter acesso a estudos e artigos sobre o glifosato, acesse DrPerlmutter.com e busque sob a aba "glyphosate".

2. J. Gray et al., "Eggs and Dietary Cholesterol: Dispelling the Myth". *Nutrition Bulletin*, v. 34, n. 1, pp. 66-70, mar. 2009.

3. Para mais informações e acesso a pesquisas sobre o ovo, consulte The Incredible Egg. Disponível em: <http://www.incredibleegg.org>. Acesso em: 18 fev. 2020. Ver também: Janet Raloff, "Reevaluating Eggs' Cholesterol Risks". *Science News*, 2 maio 2006. Disponível em: <https://www.sciencenews.org/blog/food-for-thought/reevaluating-eggs-cholesterol-risks>. Acesso em: 18 fev. 2020.

4. C. N. Blesso et al., "Whole Egg Consumption Improves Lipoprotein Profiles and Insulin Sensitivity to a Greater Extent Than Yolk-free Egg Substitute in Individuals with Metabolic Syndrome". *Metabolism*, v. 62, n. 3, pp. 400-10, mar. 2013.

5. J. K. Virtanen et al., "Associations of Egg and Cholesterol Intakes with Carotid Intima-media Thickness and Risk of Incident Coronary Artery Disease According to

Apolipoprotein E Phenotype in Men: The Kuopio Ischaemic Heart Disease Risk Factor Study". *American Journal of Clinical Nutrition*, v. 103, n. 3, pp. 895-901, 2016.

11. O CAMINHO PARA UM CÉREBRO SAUDÁVEL PELA ALIMENTAÇÃO: PROGRAMAS DE REFEIÇÕES E RECEITAS

1. Anya Topiwala et al., "Moderate Alcohol Consumption as Risk Factor for Adverse Brain Outcomes and Cognitive Decline: Longitudinal Cohort Study". *BMJ*, v. 357, 2017.

2. M. J. Gunter et al., "Coffee Drinking and Mortality in 10 European Countries: A Multinational Cohort Study". *Annals of Internal Medicine*, v. 167, n. 4, pp. 236-47, 2017.

EPÍLOGO: A ESPANTOSA VERDADE

1. Organização Mundial da Saúde, "Measuring Overall Health System Performance for 191 Countries". Disponível em: <http://www.who.int/healthinfo/paper30.pdf>. Acesso em: 18 fev. 2020.

2. Aimee Cunningham, "U.S. Life Expectancy Drops for the Second Year in a Row". *Science News*, 21 dez. 2017. Disponível em: <https://www.sciencenews.org/blog/science-ticker/us-life-expectancy-drops-second-year>. Acesso em: 18 fev. 2020.

Índice remissivo

80/20, princípio, 319
90/10, regra, 319

A1C (hemoglobina glicada), 36, 120-1, 139, 157-9, 242-4, 268, 291-2, 322; e controle do açúcar no sangue, 36, 157; e exercícios, 268; e risco de depressão, 159; e saúde do cérebro, 36, 151, 158-9
abacate, 128, 247, 296-7, 323-4; Guacamole, 368; maionese de, 324; Pargo-vermelho com aipo, azeitonas pretas, pepino, abacate e tomate amarelo, 346-7; Pasta de abacate e tahine, 368-9; Tacos de peixe com *coleslaw* de abacate, 337; Tomate recheado com salada de frango e abacate, 357
abóbora, 297; sementes de, 336, 354-5
abobrinha, 297; Gaspacho de iogurte de abobrinha com peito de frango marinado ao açafrão, 347-8
acesulfame de potássio, 295
ácido alfa-linoleico, 191
ácido alfa-lipoico, 252
ácido docosaexaenoico *ver* DHA

ácido eicosapentaenoico *ver* EPA
ácido fólico, 37
ácido palmítico (C16), 129
acompanhamentos (receitas), 365-7
açúcar, 11, 16, 41, 144-72, 184, 190; álcoois de, 245, 295; consumo médio diário, 147, 183; e glicação, 156; metabolismo dos diferentes tipos de, 146; sacarose (açúcar de mesa), 144, 147; substitutos do, 169-72; tipos de, 145-7; *ver também* carboidratos
açúcar no sangue, 36, 49, 53, 57, 93-4, 117-8, 126, 146, 148, 150-2, 154, 157-61, 164, 183, 187, 264, 268, 279, 282, 303, 305, 312; e "boquinhas" noturnas, 312; e atrofia cerebral (encolhimento do cérebro), 36, 56-7, 161; e carboidratos, 93, 102-3, 117, 147-9, 241; e declínio cognitivo, 36, 51, 102-3, 150-1, 161; e deformação de proteínas, 154; e exercícios, 264, 268; e ferramentas de diagnóstico, 36, 157, 161; e índice glicêmico, 94, 146; e insulina, 93; e neurotransmissores, 117; e oxidação

do LDL, 65, 108; e substitutos do açúcar, 169; *ver também* diabetes

Adams, John, 258

adoçantes: artificiais, 169-208, 295; estévia natural, 297, 318, 323, 374

aeróbicos, exercícios, 138, 180, 258, 262, 266

AGES (produtos finais de glicação avançada), 155-6

água, consumo de, 321

Aielli, Fabrizio, 343

aipo, 297; Pargo-vermelho com aipo, azeitonas pretas, pepino, abacate e tomate amarelo, 346-7

alcachofra: Salada de couve com queijo feta, pimentão assado, azeitonas pretas, alcachofra e molho de leitelho, 364

alcoóis de açúcar, 245, 295

álcool, 57, 92, 129, 138, 179, 224, 230, 311, 322, 341

alergias, 15, 27, 63, 69, 79, 166, 203, 207; alimentares, 24, 54, 76

algas marinhas, 190, 293

alho: Espinafre e alho sauté, 367; Vagem ao molho de alho, 365

alimentos processados, 124, 142, 144, 146-7, 296, 299, 315, 330

almoço, 323, 326-8; receitas, 337-56

alongamento, exercícios de, 265-6, 309-10

Alzheimer, mal de, 11, 13-4, 16-21, 23, 26, 28, 35, 37, 41, 46-52, 56, 59-61, 66, 77, 80, 88-9, 96, 104-5, 118, 120, 126, 128, 134-6, 152-4, 157-8, 161, 169, 179, 182, 184-6, 191-2, 194, 196-9, 218, 239, 251-3, 261, 269, 293, 322, 378; dieta relacionada ao, 47, 104-5, 125; e adoçantes artificiais, 170; e álcool, 322; e DHA, 191; e diabetes, 25, 46-51, 118-9, 133, 150, 152; e dieta cetogênica, 125-6; e Escala de Avaliação para a Doença de Alzheimer, 125-6; e estatinas, 133-5; e exercícios, 17, 260-1, 269; e fatores genéticos, 17, 20, 105, 182, 197-8; e lipopolissacarídeos (LPS), 80; e microbioma, 141; e níveis de BDNF, 178-9; e níveis de homocisteína, 37; e placas amiloides, 50, 103, 119; e restrição calórica, 182-3; e sobrepeso ou obesidade, 51, 164; e vitamina D, 131, 253

amamentação/leite materno, 128, 210, 247

amaranto, 96, 298, 307

amêndoas, 312, 318; leite de, 297, 336; Salada mesclun ao óleo de amêndoas, 362-3

amendoim, 23, 107, 115, 295, 324

Amigos da mente (Perlmutter), 142, 249, 251, 300

amiloides, 103, 120, 184, 186, 189, 255

ancestrais caçadores e coletores, 24, 43-7, 103-6, 239

anemia falciforme, 198

animais, tempo de vida dos, 244

ansiedade, 12, 19, 22, 27, 41, 54, 63, 66, 92-3, 95, 140, 167, 179, 200, 205-6, 213, 217, 219, 230, 249, 261, 281, 286, 289

antibióticos, 113, 203-5, 256-7, 300

anticorpos, 71, 76-7, 79, 212, 220, 225, 271; para leite e trigo, 220

antidepressivos, 206, 213-4, 217-9, 226

antigliadina (anticorpo), 77

anti-histamínicos, 60, 313

anti-inflamatórios, 60, 188, 190, 226, 248, 256, 279, 295

antioxidantes, 30, 63, 135, 155, 186, 188, 193-7, 244, 248-9, 251, 256, 303; colesterol no cérebro como, 130-1; e cúrcuma, 63, 248; e doença celíaca, 89; e processo Nrf2, 195-7, 240; e restrição calórica, 184, 240; e suplementos, 193-4

apetite, 183-4; e exercícios, 267; e grelina, 281; e leptina, 279; e privação do sono, 274

apneia do sono, 275, 277

apolipoproteína E (ApoE), 198-9

apoptose, 184, 240

arroz, 73, 96, 98, 117, 148, 296, 298, 304, 307, 326, 348, 366; basmati, 74

arsênio, 72-3

artrite, 15, 27, 59-60, 79-80, 96, 166, 207

asma, 60, 129, 141, 196, 201

aspargos: Ovos cremosos sobre aspargos, 334

aspartame, 169, 208, 295

aspirina, 60, 89, 226

ataques cardíacos, 25, 55, 60, 72, 109, 114, 116, 138-9

ataxia, 83, 85-6, 95

aterosclerose, 37, 108-9, 119, 153-4

ATP (adenosina trifosfato), 184, 239

atum: Carpaccio de atum-albacora com cebola roxa, salsinha e pimenta rosa, 343

autismo, 60, 66, 77, 80, 88, 91, 95, 141, 185, 200, 207, 210-2, 250

autoimunes, transtornos, 19, 27, 44, 76, 78-9, 94, 96, 128, 163, 301

automedicação, 313

aveia, 96-7, 298, 307; farinha de, 97; "Flocos de aveia" sem aveia, 335-6

azeite de oliva, 107, 126, 168, 248, 296, 298, 317-8, 323, 325

azeitonas, 107, 128, 297, 324; Pargo-vermelho com aipo, azeitonas pretas, pepino, abacate e tomate amarelo, 346-7;

Salada de couve com queijo feta, pimentão assado, azeitonas pretas, alcachofra e molho de leitelho, 364

"baixa gordura", alimentos com, 113

Barriga de trigo (Davis), 67, 91

basmati, arroz, 74

batata, 96-7, 117, 145, 148, 295-6, 308, 317, 359, 366

batata-doce, 296, 308

BDNF (fator neurotrófico derivado do cérebro), 178-81, 183-5, 190-1, 240, 244, 251-2, 258, 263-4, 267, 323; e exercícios, 179-80, 258, 261, 263, 265, 267; e restrições calóricas, 180-4, 239; funções, 178-9; produção, 178-9, 188-9

bebidas, 321-2; "diet", 169, 208

bem-estar, 28, 53, 91, 188, 210, 216, 249-50, 273, 275, 287

berinjela, 297; Hambúrguer no pão de berinjela, 338

beta-hidroxibutirato (beta-HBA), 185-6, 238-9, 242, 244-5

beterraba, 296, 308

bipolar, transtorno, 88, 92, 179, 211, 215, 219

"boquinhas" noturnas, 312

Bramble, Dennis M., 262

Breakthrough Depression Solution, The (Greenblatt), 214

Bredesen, Dale, 20-1

Brillat-Savarin, Anthelme, 68

brócolis: Sopa de brócolis com creme de castanha de caju, 354-5

Buchman, Aron S., 269

C16 (ácido palmítico), 129

cabra, queijo de, 324, 362

café, 97, 197, 298, 307, 312, 321-2; fruto integral do, 251

café da manhã, 326-8, 331-6

cafeína, 230, 252, 280, 303, 311-2, 321-3

Cahill, George F., 239

calmantes, 206

calorias, ingestão média diária, 113, 182-3; *ver também* restrição calórica

camarão, 297; Camarão sem casca, frio, com limão e endro, 325; Salada grega com camarão, 357-8

câncer, 16-7, 19-22, 26, 44, 46, 59-60, 78, 95, 110, 112, 141, 143, 150, 153, 163, 166, 184, 196-7, 240, 242, 377; de cólon, 26; de mama, 196; de pulmão, 22, 196; no cérebro, 166

candidíase, 202

"caprichos" alimentares, 318-9

carboidratos: aumento do açúcar no sangue e da insulina provocado pelos, 93, 102-3, 117, 147-9, 241; aumento do nível de colesterol provocado pelos, 137-9; benefícios à saúde das gorduras *versus*, 99-4¹; carboidratos líquidos, 29, 148, 244-5, 305-7; cheios de glúten, 92; definição, 147-8; diabetes e consumo de, 117; e a dieta ao longo da evolução humana, 103; e declínio cognitivo, 104; e sobrepeso e obesidade, 126; fibras nos, 148; fome intensa e desejos por, 305; meta de ingestão, 305; necessidade alimentar humana, 101; processados (como eliminar da cozinha), 295; redução da ingestão, 11, 241, 244, 304; refinados, 24, 142, 231, 312; *ver também* açúcar

cardápio semanal, exemplo de, 325-8

carne de boi, 115, 297; Costela suculenta, 342-3; Filé glaceado ao balsâmico,

341-2; Hambúrguer no pão de berinjela, 338; Steak de Wagyu com couve-de-bruxelas, 344-5

carnes, 93, 97, 105, 107, 230, 320-1; *ver também* frango; peixes

Carpaccio de atum-albacora com cebola roxa, salsinha e pimenta rosa, 343

Case Against Sugar, The (Taubes), 144

castanha de caju: Pasta cremosa de castanha de caju, 369-70; Sopa de brócolis com creme de castanha de caju, 354-5

castanhas, 63, 97, 126, 168, 264, 306, 312, 318, 320, 324, 334

catarata, 153-4

cebola, 297, 326; Carpaccio de atum-albacora com cebola roxa, salsinha e pimenta rosa, 343

cefaleia *ver* dor de cabeça

células: adiposas, 149, 162, 241, 277-9; células-tronco, 177-8, 185; cerebrais, 41, 50, 64, 102, 109, 157, 174, 176-7, 180, 183-4, 186, 189-90, 225, 239, 241, 251, 258, 265-7, *ver também* neurônios; membranas celulares, 64, 130; morte celular, 157, 184, 244

cenoura, 297, 308

cereais, 35, 43, 72, 92, 97, 100, 115, 148, 294, 296, 336

cereais de café da manhã, 100

"Cereais" rápidos e crocantes, 336

cérebro, 7, 22, 29, 102-3, 127; açúcar no sangue e atrofia cerebral (encolhimento do cérebro), 36, 56-7, 161; câncer no, 166; cérebro intestinal ("segundo cérebro"), 217; cetonas como combustível para o, 238-41; colesterol no, 129-31; correlação entre intestino e, 14; diabetes e danos no, 111, 121-4; e álcool, 322; e jejum, 238-40; e o estímulo intelectual, 192; excesso de gordura corporal, 163-5; gasto de energia, 237; hipocampo, 61, 163, 186, 190, 265, 266, 322; hipotálamo, 277; plasticidade, 178, *ver também* neurogênese; relação com o sistema digestivo, 249; sinapses, 130, 178, 189; suplementos indicados, 246-54; tamanho do, 106, 158, 163-4, 189, 237, 259, 263; tumores cerebrais, 241; *ver também* funções neurológicas; neurogênese; neurônios; transtornos cerebrais

Cérebro que se transforma, O (Doidge), 173, 178

César, Júlio, 200

cesarianas, 210

cetonas, 185-7, 238-42, 244-5, 323; tiras de teste de cetona, 245

cetose, 11, 186-8, 241, 243, 245, 304; dieta cetogênica, 166, 180, 185-6, 242-4; e pular o café da manhã, 304, 325; "gripe cetogênica", 245; interromper mensalmente, 245; monitoramento, 244-5

chá, 97, 298, 321; kombucha, 321; verde, 197

Chardonnay: Peixe assado ao Chardonnay, 341

chirivia, 297, 308

chocolate, 297, 324, 328; Mousse de chocolate e coco, 373-4; Trufas de chocolate, 373

cigarro *ver* fumo

cintura (circunferência abdominal), 162, 227

citocinas, 61, 76-7, 85, 89, 103, 206, 212, 219, 228; *ver também* leptina

coco: "Cereais" rápidos e crocantes, 336; leite de, 323, 356, 373; Mousse de chocolate e coco, 373-4; óleo de coco, 107, 129, 185, 239, 242, 247-8, 294, 296, 323, 325; Omelete no óleo de coco, 332

coenzima Q10, 136

cogumelo, 326

cogumelos, 254, 297; Portobello, 338; Salmão rápido com cogumelos, 350-1

colesterol: como combustível essencial dos neurônios, 64, 108, 130; como proteção contra radicais livres, 131; longevidade e colesterol alto, 110; Parkinson e baixos níveis de, 108; produzido pelo fígado, 134, 138, 302

colesterol alimentar, 23, 29, 41, 53, 55, 101, 137-8; e ovos, 302

colesterol, níveis de, 29, 60; e carboidratos, 137-9; e depressão, 214-5; e funções neurológicas, 55-6, 64-5, 107, 130; e funções sexuais, 139-41; e gorduras alimentares, 109, 302; e risco cardíaco, 65, 101, 109, 115; e risco de mortalidade, 110; ELA (esclerose lateral amiotrófica) e, 111; elevado, risco à saúde, 55-6, 138; hipótese lipídica, 114-6; LDL (lipoproteína de baixa densidade), 65, 108-9, 129-30, 134-6, 157; nível geralmente recomendado, 139; *ver também* estatinas

Colman, Carol, 280

cólon irritável, síndrome do, 28, 96

comer fora de casa, 308, 317

complexo B, vitaminas do, 37, 67, 117, 216, 252, 292-3, 345

comportamento violento, 24

compras no mercado, 314-5; listas de, 314; onde comprar, 321 comprometimento cognitivo leve, 28, 37, 51, 151, 158, 187, 194, 261

condimentos fermentados, 297

confusão mental, 12, 84, 88, 95, 99, 273

convulsões, 34, 54, 86, 92-3, 95

Cordain, Loren, 335

Cordeiro grego ao limão, 352

Costela suculenta, 342-3

cottage, queijo, 298, 312

couve, 297; Salada de couve com queijo feta, pimentão assado, azeitonas pretas, alcachofra e molho de leitelho, 364

couve-de-bruxelas, 297; Steak de Wagyu com couve-de-bruxelas, 344-5

couve-flor, 297; "Cuscuz" de couve-flor, 366; Minestrone líquido, 348-9

cox-2 (enzima), 89, 190

cozinha (arrume e reabasteça), 294-8

C-reativa (CRP), proteína, 38, 59, 121, 124, 167, 188, 268, 291-2, 322

cremes vegetais (gorduras), 295

Crestor (estatina), 64

Creutzfeldt-Jakob, doença de, 152

crianças: autismo em, 207, 210-1, 213; dores de cabeça em, 225-6; e remédios psicotrópicos, 205; TDAH (transtorno de déficit de atenção e hiperatividade) em, 191, 203-10

cromossomos, 38

cúrcuma, 63-4, 188-9, 197, 248-9, 293, 361

curcumina, 180, 188-9, 248-9

curry, 248-9; Salada de grão-de-bico ao curry, 361-2

"Cuscuz" de couve-flor, 366

D'Agostino, Dominic, 186

Davis, William, 67, 91

declínio cognitivo, 21-2, 24, 33, 36, 50-1, 84-5, 102, 124, 126, 150-2, 157, 179-80, 194, 199-200, 253, 261, 275, 378; e carboidratos, 104; e diabetes, 150-1; e distúrbios do sono, 274; e doença celíaca, 84; e envelhecimento, 173, 194; e exercícios, 259; e glicação, 156; e resistência à insulina, 161; e vitamina D, 253

degeneração macular, 128

Degeneration and Regeneration of the Nervous System (Ramón y Cajal), 177

demência, 16-20, 23, 33, 37, 41, 44, 51-3, 55-7, 84-5, 96, 102-3, 105-7, 119-20, 125, 127, 135, 150, 153, 157, 161, 164-5, 169, 179, 188, 192, 200, 227, 240, 252-3, 255, 262, 269, 275, 322-3; açúcar no sangue e risco de, 102, 161; dieta rica em gorduras saudáveis e, 105; distúrbios do sono e, 274; e adoçantes artificiais, 170; e diabetes, 23-4, 51, 119, 136; e o Estudo de Framingham, 55, 191; gordura corporal e risco, 164-5; níveis de colesterol e, 65; vascular, 119

depressão, 12, 15, 19-20, 22, 24, 27-8, 30, 33, 41, 44, 60, 62-3, 66, 69, 80, 88, 99, 136, 140-1, 159, 167, 179, 200, 206, 213-9, 221, 249-52, 254, 272-3, 286-7, 289; antidepressivos, 206, 213-4, 217-9, 226; e carências nutricionais, 216-7; e doença celíaca, 216-7; e níveis baixos de colesterol, 214-5; e sensibilidade ao glúten, 53-4, 62, 70, 77, 95, 206, 216-7; e vitamina D, 254; hemoglobina A1C e risco de, 159; risco de suicídio, 213, 216

derrames, 16, 37, 56, 60, 85, 109, 112, 119, 125-6, 157-8, 163, 168-9, 178, 182, 213, 252, 323, 351, 370, 373; e adoçantes artificiais, 171 desintoxicação, 63-4, 196, 240

DHA (ácido docosaexaenoico), 64, 180, 189-92, 195-7, 204, 207-8, 247, 293

"diabesidade", 58, 121, 143

diabetes, 12, 19, 21, 23, 25-7, 34, 36-7, 41, 44, 46-52, 57-60, 66, 79-80, 94, 96, 99, 102-4, 118-21, 126, 128, 133, 136, 144, 147, 150-6, 158, 160-1, 164-6, 168-9, 185, 196, 221, 227, 240, 242-4, 246, 268, 273, 290, 303, 323, 377; aumento na incidência, 51, 117-8; dieta cetogênica para tratamento de, 242-3; e Alzheimer, 25, 46-51, 118-9, 133, 150, 152; e consumo de carboidratos, 117; e declínio cognitivo, 150-1; e demência, 23-4, 51, 119, 136; e dieta pobre em carboidratos e rica em gorduras, 161; e estatinas, 25, 133; e genética, 49, 103-4; e lipopolissacarídeos (LPS), 80; e microbioma, 141; e proteínas glicadas, 156, 158; e saúde cerebral, 120-4; métodos de diagnóstico, 36; pré-diabetes, 36, 51, 58, 118, 120, 150; risco relacionado à duração, 151; tipo 1, 49-50, 79, 120, 128, 187, 242; tipo 2, 25, 49-52, 94, 103, 120-1, 127, 133, 144, 150, 153-4, 158, 161, 185, 243-4; tratamento substituindo carboidratos por gorduras, 127; *ver também* açúcar no sangue

diagnósticos, 35-7, 291-2

Dicke, Willem Karel, 82

"diet", bebidas, 169, 208

dieta cetogênica, 166, 180, 185-6, 242-4

"dieta da mente" (definição), 31

dieta de baixa glicemia, 167

dieta mediterrânea, 18, 126, 168

dieta neolítica, 24

dieta ocidental, 47

dieta pobre em carboidratos e rica em gorduras, 58, 92, 115, 126, 161, 166-7, 221, 229, 302; benefícios à saúde, 22, 99, 161, 166, 201-2; e longevidade aumentada, 125; e perda de peso, 126; na semana 1 (foco na comida), 305, 308

dieta pobre em gorduras e rica em carboidratos, 47, 53, 139, 167-8

dieta sem glúten, impacto, 62, 69, 71-3, 85, 140, 208, 212, 221, 223, 225-6, 271-2; debate sobre glúten e coração, 73; e dor de cabeça, 69, 87, 222-3, 225; exposição ao arsênio e ao mercúrio, 73; melhora na cognição, 84-5

difenidramina, 313

digestivos, transtornos, 54, 95

Dimitrova, Alexandra, 224

disfunção erétil, 140

dislipidemia (nível alto de gordura no sangue), 27

distonia, 28, 70, 85-6

doença celíaca (espru), 13, 15, 24, 28, 53, 74-6, 78-85, 87-90, 207, 211, 216-7, 224-6, 249; e amamentação, 210; e autismo, 207, 211; e depressão, 216-7; e dores de cabeça, 224-6; e esquizofrenia e transtorno bipolar, 218; e radicais livres, 89; perspectiva histórica, 80-4; *ver também* sensibilidade ao glúten

doença da vaca louca (encefalopatia espongiforme bovina), 152

doença do refluxo gastroesofágico (DRGE), 255

doenças arteriais coronarianas (DAC): e baixa testosterona, 141; e colesterol, 65, 101, 109, 115; e estatinas, 136, 140; e gorduras saturadas, 112-4; e processos inflamatórias, 59, 136 doenças cardíacas, 16, 19, 33, 37, 49, 60, 72-3, 88, 95, 109, 111-2, 114, 116, 137, 141, 143, 150, 158, 168, 213, 218, 227-8, 255, 302, 377; e gorduras alimentares, 109-16, 124; e níveis de colesterol, 65, 101, 109, 114-5

doenças cardiovasculares, 23, 51, 112, 124, 136, 221, 273

doenças mentais, 69, 200, 218-9; remédios para, 205-8

doenças neurodegenerativas, 60, 89, 131, 152-3, 178, 182, 192

doenças neurológicas, 47, 77, 157; *ver também* transtornos cerebrais

doenças vasculares, 135, 156, 164

Dohan, F. Curtis, 221

Doidge, Norman, 173, 178

dopamina, 117, 226, 249, 254

dor de cabeça, 15, 20, 27, 30, 41, 63, 66, 81, 86, 167, 200, 202, 222-30, 289; e dieta sem glúten, 69, 87, 222-3, 225; e gordura abdominal, 227-8; e processos inflamatórios, 88, 224, 227-8; e sensibilidade ao glúten, 53-4, 68, 87, 222, 224-5; fator de estilo de vida, 229; imagens de ressonância magnética do cérebro e sensibilidade ao glúten, 86; infantil, 225-6; redução da, 229-30; remédios, 222, 226-7, 311; *ver também* enxaqueca

doxilamina, 313

DrPerlmutter.com, 12, 30; entrevistas, 120, 243-4; GMO (aba), 300; interações de drogas com vitaminas do complexo B (lista), 252; marcas favoritas de suplemento, 292; probióticos e lista de alimentos probióticos, 325; recomendações de marcas de alimentos, 321; recursos disponíveis, 30, 304, 310

Edison, Thomas A., 43

emagrecimento *ver* perda de peso

Emerson, Ralph Waldo, 271

Empowering Neurologist, The (vlog), 30, 121; entrevistas para o, 127, 186, 300

encefalopatia espongiforme bovina (doença da vaca louca), 152

endócrino, sistema, 129

endro: Camarão sem casca, frio, com limão e endro, 325; Molho de endro, 371; Peixe ao endro e limão siciliano, 353-4

enfisema, 153-4

envelhecimento, 20, 38, 47, 116, 131, 151-3, 155-6, 164, 173, 181, 192, 194, 278; e declínio cognitivo, 173, 194; e distúrbios do sono, 274-5; e proteínas deformadas, 153, 155; e telômeros, 37-8

enxaqueca, 27-8, 34, 54, 68-9, 96, 167, 196, 200, 222-8, 230; *ver também* dor de cabeça

enzimas, 63, 76, 141, 184, 195-6, 241, 253, 311; COX-2, 89, 190; sirtuína 1 (sirt1), 184-5, 244

EPA (ácido eicosapentaenoico), 190-1, 195-6, 247, 293

epigenética, 173-4, 258

epilepsia, 20, 22, 27-8, 53, 60, 81, 86, 88, 95, 179, 185, 227, 240

epinefrina, 117, 254

Eriksson, Peter, 177

eritritol, 295

ervas e temperos, 297; Salada de ervas do jardim ao vinagrete balsâmico, 358-9

ervilha, 296, 308

Escala Abrangente de Conners de Classificação Comportamental, 209

Escala de Avaliação para a Doença de Alzheimer, 125-6

esclerose lateral amiotrófica (ELA), 71-2, 77, 80, 96, 111, 152-3, 157, 185, 196, 242

esclerose múltipla, 19, 60, 77, 79-80, 85, 131, 141, 218, 254

espinafre, 148, 297, 326; Espinafre e alho sauté, 367; Fritada de gruyère e queijo de cabra, 331

espru *ver* doença celíaca

esquizofrenia, 22, 28, 53, 88, 91, 96, 128, 179, 211-2, 218-21

estatinas, 25, 29, 35, 64, 132-8, 141, 214; e Alzheimer, 133-5; e diabetes, 25, 133; e disfunções de memória, 132, 134; e testosterona, 140; e vitamina D, 136; riscos associados às, 25; *ver também* colesterol, níveis de

estévia, 297, 318, 323, 374

estilo de vida, 13, 16, 21-2, 26, 43, 61, 72, 121, 139, 173, 180, 202, 220, 228-30, 252, 268, 286, 309, 316; como fazer mudanças, 285, 289-90; e dor de cabeça, 229

estimulantes, 280, 311-2; remédios, 205

estresse, 27-59, 60, 62, 155, 174, 230, 249, 254, 261, 273, 281, 286, 289; oxidativo, 62, 119, 157, 195

estrogênio, 65, 130, 300

Estudo do Coração de Framingham, 55, 104, 109, 114-5, 190-1

exames diagnósticos, 35-7, 291-2

exercícios, 30, 258-70; aeróbicos, 138, 180, 258, 262, 266; alongamentos, 265-6, 309-10; de força, 309; e A1C (hemoglobina glicada), 268; e Alzheimer, 17, 260-1, 269; e BDNF (fator neurotrófico derivado do cérebro), 179-80, 258, 261, 263, 265, 267; e controle do açúcar no sangue, 264, 268; e dores de cabeça, 229; e genes, 258; e memória, 180, 258-9, 264, 267, 269; e neurogênese, 180, 265-6, 268; e saúde cerebral, 263-8, 308-9; e sensibilidade à insulina, 167, 264, 268; intensidade, 269, 308; semana 2 (foco nos exercícios), 308-9; treinamento cardiovascular, 309

exorfinas, 91, 212

expectativa de vida, 378

Facebook, 31

fadiga crônica, 27, 92, 99, 254

Fasano, Alessio, 14, 78-9, 225

Fat Chance (Lustig), 145

fermentados, condimentos, 297

fibras alimentares, 148, 306-7

fibromialgia, 19

fibrose cística, 154-5, 198

fígado, 111, 117, 126, 129, 134, 138, 142-3, 145-6, 150, 154, 163, 176, 240-1, 247, 257, 297; colesterol produzido pelo, 134, 138, 302; e açúcares, 101, 126, 145, 149, 238; e cetonas, 186-7, 239-41; e gordura visceral, 162

Filé glaceado ao balsâmico, 341-2

"Flocos de aveia" sem aveia, 335-6

fome, 238; e dieta com base em carboidratos, 305

Ford, Rodney, 87

frango, 105, 115, 312, 323-4; Frango ao limão, 339; Frango ao vinagrete de mostarda, 340; Frango assado rápido, 352-3; Gaspacho de iogurte de abobrinha com peito de frango marinado ao açafrão, 347-8; Salada de fajitas de frango, 360-1; Tomate recheado com salada de frango e abacate, 357

fritadas: Fritada de gruyère e queijo de cabra, 331; Fritada de micro-ondas de dois minutos, 332; gorduras indicadas para fritar alimentos, 325

"frugais", genes, 104

frutas, 20, 29, 34, 43, 47, 81, 104, 113, 117, 144-9, 168, 193, 202, 264, 298, 304, 306-7, 318, 323, 325-6, 334, 336; com pouco açúcar, 297; secas, 97, 295, 363; sucos de, 145, 148; Toranja assada com cobertura crocante de granola, 334-5

frutose, 29, 66, 144-7, 149, 156, 183, 190

fumo, 57, 92, 103, 138-9, 150, 154-5, 228

funções neurológicas: e colesterol, 55-6, 64-5, 107, 130; e sensibilidade ao glúten, 53, 77

funções sexuais, 139-41

GABA (ácido gama-aminobutírico), 117

Gao, Ling, 195

gaspacho: Gaspacho com salmão defumado, 355-6; Gaspacho de iogurte de abobrinha com peito de frango marinado ao açafrão, 347-8

Gedgaudas, Nora T., 278-9

Gee, Samuel J., 81

genes, 24-5, 88, 220; cromossomos, 38; e Alzheimer, 17, 20, 105, 182, 197-8; e danos ao DNA, 63; e desintoxicação, 63-4, 195-6; e diabetes, 49, 103-04; e escolhas alimentares, 23; e exercícios, 258; e longevidade, 174, 180, 258; e produção de proteínas, 153; e sono, 273; epigenética, 173-4, 258; "genes frugais", 104; MTHFR (deficiência genética), 292; mudando o destino genético, 30, 41, 173-99; mutações genéticas, 198; telômeros e, 37-8; testes genéticos, 292; ver também neurogênese

glândulas: suprarrenais, 254, 278; tireoide, 201, 271-2, 278

Glasbergen, Randy, 246

glaucoma, 196

gliadina, 14, 75, 77-9

glicação, 117, 155-6; e A1C (hemoglobina glicada), 36, 139, 158, 268, 291; e AGES (produtos finais de glicação avançada), 155-6; e radicais livres, 156

glicemia, 24, 36, 51, 57, 92, 94-5, 102-3, 120-1, 142, 160-1, 163, 166, 188, 230, 243-5, 285, 291-2, 296, 306-7, 324; de jejum, 36, 160, 188, 291; dieta de baixa glicemia, 167; hipoglicemia, 243, 312; índice glicêmico (IG), 94, 131, 146

glicogênio, 126, 187, 238

glicose, 36, 48-9, 65, 94, 108, 117, 126-7, 131, 145-9, 151, 159, 161, 186-7, 238-41, 245, 249, 257, 305, 312

glifosato, 300-1

glioblastoma, 241-2

gluconeogênese, 48, 239

glutamato monossódico, 230

glutationa, 89, 186, 196-7, 256

glúten, 11, 14, 23-4, 73-5, 87, 117, 307; alimentos com e sem (listas), 96-8; como livrar a cozinha de, 294; danos ao intestino, 14, 75, 78; elevação no consumo, 90-1; em produtos de higiene e beleza, 313; em produtos insuspeitos, 53, 74, 92, 97; grãos sem glúten, 298, 306; inflamações causadas pelo, 13, 54; ingredientes que são glúten com outro nome, 97-8; produtos "sem glúten", 72-3, 96-7, 296; reação cruzada com alimentos, 307; ver também dieta sem glúten, impacto; doença celíaca; sensibilidade ao glúten (não celíaca)

"Gluten Syndrome: A Neurological Disease, The" (Ford), 87

Golomb, Beatrice, 135

Good Calories, Bad Calories (Taubes), 144

Goran, Michael, 147

gordura corporal, 162-5; e "genes frugais", 104; e degeneração do cérebro, 163-5; e ingestão de carboidratos, 149, 241; e jejum, 238; gordura visceral (abdominal), 150, 162-3, 227-8; queima de gordura e cetose, 241

gorduras alimentares, 11, 13, 22, 29, 41, 55, 103, 139, 171; azeite de oliva, 107, 126, 168, 248, 296, 298, 317-8, 323, 325; cremes vegetais, 295; dieta rica em gorduras ao longo da evolução humana, 105; e dieta cetogênica, 185, 242; e saúde cardíaca, 109-16, 124; hidrogenadas, 127; hipótese lipídica, 114-6; manteiga, 105, 113, 128, 296, 318, 325; margarina, 74, 113-5, 128, 295, 377; monoinsaturadas, 124, 127-8; óleos de cozinha, 295; óleos vegetais, 22-3, 106, 114-5, 295, 318; ômega-3, 64, 105-7, 127-8, 180, 190-1, 195, 204, 247, 295, 345; ômega-6, 105-7, 295; para frituras, 325; saturadas, 23, 29, 101, 111-3, 115-6, 124-5, 128-9, 302; saudáveis (como encher a cozinha delas), 296-7; trans, 73, 101, 128, 377; valor geralmente recomendado, 128

Gottesman, Rebecca, 103

granola: Toranja assada com cobertura crocante de granola, 334-5

grão-de-bico, 298; Homus, 370; Salada de grão-de-bico ao curry, 361-2

grãos, 20, 22, 41, 113, 117, 126; e "dieta da mente" (definição), 31; integrais, 20, 29, 41, 73, 101, 252, 340, 377; "modernos", 20, 74, 90; que contêm glúten, 22, 96; sem glúten, 298, 306; vício e, 92

Graveline, Duane, 132

gravidez, 29, 206, 210, 220, 254, 256, 303

Greenblatt, James M., 214, 217

grelina, 274, 281

"gripe cetogênica", 245

gruyère: Fritada de gruyère e queijo de cabra, 331

Guacamole, 368

Gurr, Michael, 112

Haas, Sidney V., 82

Hadjivassiliou, Marios, 77-8, 86-7, 225

Hall, Peter, 152

Hallberg, Sarah, 121, 243-4

Hambúrguer no pão de berinjela, 338

HDL (lipoproteína de alta densidade), 109, 129-30, 248

hemoglobina glicada *ver* A1C

hepatite C, 219

hiperinsulinemia, 120

hipertensão, 27, 53, 102-3, 136, 146, 168, 246

hipocampo, 61, 163, 186, 190, 265-6, 322

hipoglicemia, 243, 312

hipotálamo, 277

hipótese lipídica, 114-6

hipotireoidismo, 201

"História Real DM" (testemunhas), 12, 54, 92, 166, 201-2, 286-7

Hollon, Justin, 78

homocisteína, 37, 252, 291-3

homus, 298; Homus de grão-de-bico, 370; Wrap de homus arco-íris, 338

horário das refeições, 311-2

hormônios, sono e, 310

Huevos rancheros, 333

Huntington, doença de, 71, 198

impotência sexual, 140

índice glicêmico (IG), 94, 131, 146

indústria farmacêutica, 26, 66, 112, 132, 205, 214

infecções, 28, 49, 63, 128, 142, 153, 203, 210, 219, 255, 257, 273; mortalidade de, 110

inflamações, 14, 59-60, 62-3, 80, 106, 127, 141, 151, 156, 163, 177, 256, 268, 279, 285, 292; anti-inflamatórios, 60, 131, 188, 190, 226, 248, 256, 279, 295; e demência vascular, 119; e depressão, 62, 218; e dieta cetogênica, 244; e dieta rica em carboidratos/glúten, 13, 41, 54, 117; e doenças arteriais coronarianas, 59, 136; e dores de cabeça, 88, 224, 227-8; e enzima COX-2, 89, 190; e exercícios, 258, 264, 268; e glúten, 13, 54; e gordura visceral, 162; e gorduras alimentares, 127; e leptina, 276; e lipopolissacarídeos (LPS), 80; e óleo de coco, 248; e permeabilidade do intestino, 14, 78-80, 141, 300; e processos de oxidação, 62; e proteína C-reativa, 59, 124, 268, 291; e radicais livres, 63; e regulagem de DHA, 190; e restrição calórica, 184, 240; e sensibilidades alimentares, 76; e transtornos cerebrais, 53-4, 59-61, 76, 85, 88-9, 119, 211; gestão do nível de, 63-4; síndrome do cólon irritável, 28, 96

inhame, 296

inibidores seletivos da recaptação de serotonina (ISRS), 213

insônia, 22, 27, 54, 66, 140, 274-5, 312

Instagram, 31

insulina, 25-6, 36, 48-50, 57-8, 79, 93-4, 102, 119-20, 126-7, 129, 146, 148-9, 152, 159-61, 163, 166-7, 169, 187-8, 241, 243-4, 254, 257, 264, 268, 277, 279, 281, 291-2, 303, 305-7; de jejum, 36, 57, 160-1, 163, 188, 291; e carboidratos na dieta, 93, 126, 148, 241; e proteínas deformadas no pâncreas, 154; em comparação com a leptina, 279; exercícios e sensibilidade à, 167, 264, 268; hiperinsulinemia, 120; perda de peso e sensibilidade à, 166-7; resistência à, 34, 36, 41, 50, 58, 93, 112, 144, 146, 149, 161, 163-4, 261, 279-80; *ver também* diabetes

interferonas, 219

intestino: bactérias intestinais, 250, *ver também* microbioma; cérebro intestinal ("segundo cérebro"), 217; correlação entre cérebro e, 14; danos relacionados ao glúten, 14, 75, 78; medindo a permeabilidade do intestino, 79-80; permeabilidade do, 14, 78-80, 141, 300; síndrome do cólon irritável, 28, 96

iogurte, 250, 295, 298; Gaspacho de iogurte de abobrinha com peito de frango marinado ao açafrão, 347

"Is Sugar Toxic?" (Taubes), 144

isomalte, 295

jantar, 311, 326-8; receitas, 337-56

Japão: pesquisas sobre saúde, 119, 242; taxa de mortalidade por doenças cardíacas, 114

jejum, 36, 188, 197, 237, 238-41; e músculos, 238; glicemia de, 36, 160, 188, 291; gordura corporal e, 238; insulina de, 36, 57, 160-1, 163, 188, 291; protocolo do, 303-4; triglicérides de, 281; *ver também* restrição calórica

Keys, Ancel, 114

kombucha, 321

lactose, intolerância à, 15, 96

lanche, 303, 317, 320, 323-4, 338, 354

laticínios, 222, 298; como eliminar da dieta, 207, 211; sensibilidade, 307

Lautenschlager, Nicola, 267

LDL (lipoproteína de baixa densidade), 65, 108-9, 129-30, 134-6, 157

legumes, 306, 327, 331-2, 339, 341, 348, 350; Legumes da estação assados, 365; Salmão com legumes em papel-manteiga, 351

leite de amêndoas, 297, 336

leite de coco, 323, 356, 373

leite de vaca, 222, 298

leitelho: Molho de leitelho, 364

leptina, 146, 271, 276-81; sinais de resistência, 280; *ver também* citocinas

libido, 53, 140-1

Lieberman, Daniel E., 262

limão, 297; Camarão sem casca, frio, com limão e endro, 325; Cordeiro grego ao limão, 352; Frango ao limão, 339; Peixe ao endro e limão siciliano, 353-4; Rúcula ao limão com parmesão, 363

lipase (lipoproteína), 241

Lipid Biochemistry (Gurr), 112

Lipitor (estatina), 64

Lipitor, Thief of Memory (Graveline), 132

lipossolúveis, vitaminas, 127, 253

longevidade, 55, 66, 130, 139, 174, 180, 193, 258, 278, 308; e níveis de colesterol, 110; e restrição calórica, 183, 240; genética e, 174, 180, 258

LPS (lipopolissacarídeos), 80

Ludwig, David, 59

Lustig, Robert, 144-5

maçã, 145, 149, 171, 325-6

Maillard, Louis-Camille, 155

maltitol, 295

manjericão: Pesto de pecorino, 371

Mann, George, 109-10

manteiga, 105, 113, 128, 296, 318, 325

margarina, 74, 113-5, 128, 295, 377

mariscos, 297

Markesbery, William, 194

Mattson, Mark P., 182, 192

McGuinness, Bernadette, 135

MCTS *ver* triglicérides de cadeia média

medicamentos *ver* remédios

medicina: centrada na doença, 16-7, 45, 66; contemporânea, 12-3, 19, 25

meditação, 193

mediterrânea, dieta, 18, 126, 168

mel, 144-5, 147, 295

membranas celulares, 64, 130

memória, 28, 54, 105, 185, 189, 217; e açúcar elevado no sangue, 58, 118; e DHA, 190; e distúrbios do sono, 273; e estatinas, 132, 134; e exercícios, 180, 258-9, 264, 267, 269; e nível de colesterol, 107-8, 134-5; e obesidade, 163; e restrição calórica, 181, 185

Mendel, Gregor, 90

menopausa, 25, 133, 189, 206

mercúrio, 72-3, 324

Mesmer, Franz Anton, 375-6

metabolismo, 48-9, 58, 63-4, 71, 100, 103, 142, 155-6, 159, 169, 187, 196, 238, 240, 249, 273, 278, 282; dos diferentes tipos de açúcar, 146

microbioma, 141-2, 169, 251, 253, 275, 295, 300-1, 321, 325

micro-ondas, 323; Fritada de micro-ondas de dois minutos, 332

milho, 107, 117, 126, 148, 296, 299, 308; farinha de, 296; xarope de milho rico em frutose, 144, 146-7, 156, 183, 295

Miller, Donald W., 115-6

Minestrone líquido, 348-9

mitocôndrias, 166, 184, 186, 195-6, 239, 249; e radicais livres, 193-4

molhos: Guacamole, 368; Molho de endro, 371; Molho de leitelho, 364; Pasta de abacate e tahine, 368-9; Pesto de pecorino, 371; Refogado, 372; Vagem ao molho de alho, 365; *ver também* vinagretes

Monterey Bay Aquarium's Seafood Watch (site), 324

morfina, 91, 212

morte, risco de, 162, 213, 322

mostarda, 297, 330; Frango ao vinagrete de mostarda, 340; vinagrete de, 340

Mousse de chocolate e coco, 373-4

MTHFR (deficiência genética), 292

Murray, Joseph, 84-5

músculos, 28, 70, 83, 126, 136, 192, 207, 217, 238-9, 263; durante o jejum, 238

Neandertais, 238

Nei Jing, 11

Neolítico, período, 24

neotame, 295

nervos, danos aos, 49, 83-4

neurogênese: curcumina e DHA, 188-91; e dietas cetogênicas, 185; e estímulo intelectual, 192; e exercícios, 180, 265-6, 268; e restrição calórica, 181-4, 240; *ver também* BDNF (fator neurotrófico derivado do cérebro)

neurônios, 7, 13-4, 50, 65, 108, 111, 119, 134, 174, 176-8, 185, 189, 213, 239, 253, 259, 261, 265-7; colesterol como combustível essencial dos, 64, 108, 130; surgimento de novos *ver* neurogênese

neuropatia periférica, 83-4

neurotransmissores, 117, 134-5, 142, 207, 217, 253, 300; *ver também* serotonina

Niçoise, Salada, 359-60

nicotina, 311

nigerianos, Alzheimer em, 182

norepinefrina, 117, 254

nozes, 128, 297; "Cereais" rápidos e crocantes, 336; "Flocos de aveia" sem aveia, 336; Salada mesclun ao óleo de amêndoas, 362-3

Nrf2 (proteína), 195-7, 240, 268

Nutrients (revista), 14

obesidade e sobrepeso, 12-3, 23-4, 28, 34-5, 41, 44, 46, 51-2, 58, 88, 92, 102-4, 112-3, 116, 121-3, 138-9, 141-2, 145-7, 150, 158, 160, 163-5, 167, 179, 183-4, 188, 201, 227-9, 240, 242, 250, 252, 273, 279, 286, 301, 377; carboidratos como causa primordial, 126; e comprometimento das funções cerebrais, 51; e degeneração cerebral, 163-4; e dor de cabeça, 227-8; e memória, 163; e nível elevado de açúcar no sangue, 102; e problemas inflamatórios, 279

OGMS (organismos geneticamente modificados), 298-300

óleo: de amêndoas, 362-3; de coco, 107, 129, 185, 239, 242, 247-8, 294, 296, 323, 325; de peixe, 195, 247, 293; de soja, 23, 106-7, 115, 248, 295; óleos vegetais, 22-3, 106, 114-5, 295, 318 olhos, saúde dos, 127, 154, 303; catarata, 153-4; degeneração macular, 128; glaucoma, 196

ômega-3 (gordura), 64, 105-7, 127-8, 180, 190-1, 195, 204, 247, 295, 345

ômega-6 (gordura), 105-7, 295

Omelete no óleo de coco, 332

opiáceos, 91

opioides, 179

ovos, 113, 297, 302, 377; colesterol e, 302; cozidos, 320; "Flocos de aveia" sem aveia, 335-6; Fritada de gruyère e queijo de cabra, 331; Fritada de micro-ondas de dois minutos, 332; Huevos rancheros, 333; Omelete no óleo de coco, 332; Ovos cremosos sobre aspargos, 334

oxidação, 62-3, 108, 119, 155, 157, 194, 196; estresse oxidativo, 62, 119, 157, 195

padrões alimentares, 230, 316

Paleo Diet Cookbook, The (Cordain e Stephenson), 335

Paleolítico, período, 43-4, 46

pâncreas, 37, 48-9, 57, 93, 126, 142, 148, 154, 160, 162; *ver também* insulina

pães e derivados, 43, 58, 74, 94, 117, 148, 294, 306

Pargo-vermelho com aipo, azeitonas pretas, pepino, abacate e tomate amarelo, 346-7

Parkinson, mal de, 24, 60-1, 77, 80, 96, 108, 128, 136, 141, 152-3, 157, 185, 196, 218, 239, 242; e dieta cetogênica, 185; e nível de colesterol, 108; e restrição calórica, 182-3; e vitamina D, 131, 254

parmesão: Rúcula ao limão com parmesão, 363

pastas e patês: Guacamole, 368; Homus, 370; Pasta cremosa de castanha de caju, 369-70; Pasta de abacate e tahine, 368

peixes, 105, 107, 128, 168, 191, 297, 323; enlatados, 324; Monterey Bay Aquarium's Seafood Watch (site), 324; óleo de, 195, 247, 293; Peixe ao endro e limão siciliano, 353-4; Peixe assado ao Chardonnay, 341; Salada niçoise, 359-60; Tacos de peixe com *coleslaw* de abacate, 337; *ver também tipos específicos*

pepino, 297; Pargo-vermelho com aipo, azeitonas pretas, pepino, abacate e tomate amarelo, 346-7

perda de peso, 21; dieta cetogênica, 243; dieta pobre em carboidratos e rica em gordura, 58, 93, 99, 126, 165-7; e sensibilidade à insulina, 166-7

peru, 297, 324-5; peito de, 312

Pesto de pecorino, 371

pimenta: Carpaccio de atum-albacora com cebola roxa, salsinha e pimenta rosa, 343

pimentão, 297; Salada de couve com queijo feta, pimentão assado, azeitonas pretas, alcachofra e molho de leitelho, 364

placebo, 189-91, 213-4, 227

Platão, 237

polissonografia (exame do sono), 277

Pollan, Michael, 100, 289

Power Up Your Brain (Villoldo), 177

prebióticos, 251

pré-diabetes, 36, 51, 58, 118, 120, 150

pré-natal, planejamento, 221

pressão alta *ver* hipertensão

Primal Body, Primal Mind (Gedgaudas), 278

príons, 154

probióticos, 93, 204, 207, 249-51, 292, 297, 321, 325; no canal de parto, 210

procianidinas, 251

Programa "Diga adeus aos grãos", 30, 289-319; começando a tomar suplementos, 292-4; comendo fora de casa, 317; conscientização sobre OGMS (organismos geneticamente modificados), 298-301; cozinha (arrume e reabasteça), 294-8; desafio DM, 304; determine sua referência inicial, 291-2; e ovos, 302; exemplo de cardápio semanal, 325-8; jejum opcional, 303; motivadores da mudança, 316; um número de equilibrista, 318; preparação, 291-304; semana 1 (foco na comida), 305-8; semana 2 (foco nos exercícios), 308-9; semana 3 (foco no sono), 310-3; semana 4 (juntando tudo), 313-8

proteínas, 241-2, 297; deformadas, 153-4; genes e produção de, 153; proteína C-reativa (CRP), 38, 59, 121, 124, 167, 188, 268, 291-2, 322; tau, 189

Prusiner, Stanley, 154

pular refeições, 304, 325-7

pulmões, 129, 154; câncer pulmonar, 22, 196; e gordura saturada, 129

Q10 (coenzima), 136

queijo, 74, 115, 128, 297, 324; cottage, 298, 312; de cabra, 324, 362; Fritada de gruyère e queijo de cabra, 331; Rúcula ao limão com parmesão, 363; Salada de couve com queijo feta, pimentão assado, azeitonas pretas, alcachofra e molho de leitelho, 364; Salada mesclun ao óleo de amêndoas, 362-3; Sardinhas grelhadas com tomate, rúcula e queijo pecorino, 345-6

quinoa, 96, 307

radicais livres, 62-3, 65, 89, 109, 131, 155-7, 174, 184, 186, 193-5, 252-3; colesterol como proteção contra, 131; e antioxidantes, 89, 193-7; e doença celíaca, 89; e glicação, 156; efeitos nocivos, 108, 157, 194; vitaminas e, 63

Raichlen, David A., 263

Ramón y Cajal, Santiago, 175-6

Reação de Maillard, 155

receitas, 329-74

refluxo gastroesofágico, doença do (DRGE), 255

Refogado (receita), 372

refrigerantes, 35, 43, 145, 147-9, 295; "diet", 208

remédios, 129, 255-6; antidepressivos, 206, 213-4, 217-9, 226; anti-inflamatórios, 60, 131, 226, 248, 256; automedicação, 313; calmantes, 206; e jejum, 303; estimulantes, 205; para dor de cabeça, 222, 226-7, 311; para dormir, 313; para problemas de saúde mental, 205-8; repercussão sobre o sono, 311; *ver também* estatinas

repolho, 297; Sopa de tomate e repolho roxo, 349-50

restrição calórica, 181-8; Alzheimer e, 182-3; e inflamações, 184, 240; e longevidade, 183, 240; e neurogênese, 181-4, 240; e Parkinson, 182-3; processo Nrf2 ativado pela, 197; *ver também* jejum

retinol, 89

Reynolds, Gretchen, 259, 263

Rhodes, Justin S., 264

Rhoton, Albert, 175

risco de morte, 162, 213, 322

ritmo circadiano, 275

Rosedale Diet, The (Rosedale e Colman), 280

Rosedale, Don, 280

Roundup (herbicida), 300

rúcula: Sardinhas grelhadas com tomate, rúcula e queijo pecorino, 345-6; Rúcula ao limão com parmesão, 363

Runyan, Keith, 242

sacarina, 169, 295

sacarose (açúcar de mesa), 144, 147

saladas: Rúcula ao limão com parmesão, 363; Salada caprese, 325; Salada de couve com queijo feta, pimentão assado, azeitonas pretas, alcachofra e molho de leitelho, 364; Salada de ervas do jardim ao vinagrete balsâmico, 358-9; Salada de fajitas de frango, 360-1; Salada de grão-de-bico ao curry, 361-2; Salada grega com camarão, 357-8; Salada mesclun ao óleo de amêndoas, 362-3; Salada niçoise, 359-60; Tomate recheado com salada de frango e abacate, 357

salmão, 128, 297, 323, 325; defumado, 325, 355; Gaspacho com salmão defumado, 355-6; óleo de, 247; Salmão com legumes em papel-manteiga, 351; Salmão rápido com cogumelos, 350-1

sardinha, 297; Sardinhas grelhadas com tomate, rúcula e queijo pecorino, 345-6

Schilling, Melissa, 120

Schnaider-Beeri, Michal, 16

Sea Salt, receitas do (restaurante em Naples, Flórida), 343-50, 364

sedentarismo, 30, 164, 229, 259, 262, 265, 269, 309

"sem glúten", produtos, 72-3, 96-7, 296

"sem gordura", alimentos, 113, 295

semanas 1 a 4 ver Programa "Diga adeus aos grãos"

sementes, 297

Seneff, Stephanie, 134-6, 300-1

sensibilidade ao glúten (não celíaca): como condição comprovada, 79; e antigliadina (anticorpo), 77; e cesarianas, 210; e depressão, 53-4, 62, 70, 77, 95, 206, 216-7; e doenças mentais, 53, 69-70, 211, 219-21; e dores de cabeça, 53-4, 68, 87, 222, 224-5; e transtornos cerebrais, 53, 76, 78, 83; e transtornos motores, 70-1, 85-6; sinais, 15, 95-6; testes para detectar, 291; ver também doença celíaca

serotonina, 117, 207, 213, 216-7, 249, 311; inibidores seletivos da recaptação de serotonina (ISRS), 213

sexo: funções sexuais, 139-41; impotência sexual, 140

Shaw, George Bernard, 99

Shin, Yeon-Kyun, 134

sinapses, 130, 178, 189

"síndrome da pessoa rígida", 222

síndrome do cólon irritável, 28, 96

síndrome metabólica, 51, 163

sirtuína 1 (enzima), 184-5, 244

sistema endócrino, 129

sistema imunológico, 49, 76, 79, 89, 127, 129, 141, 202, 207, 212, 217-9, 271; ver também transtornos autoimunes

sistema nervoso, 33, 35, 41, 76, 78, 83, 87-8, 117, 177, 211, 225, 249, 253, 278, 282, 312

sobras de refeições, 323, 339

sobremesas, 326-8; Mousse de chocolate e coco, 373-4; Toranja assada com cobertura crocante de granola, 334-5; Trufas de chocolate, 373 soja, 92, 96, 107, 248, 295-7, 299, 307; molho de, 296; óleo de, 23, 106-7, 115, 248, 295; proteína de, 98, 296

Sonnen, Joshua, 16

sono: apneia do, 275, 277; e envelhecimento, 274-5; e grelina, 274, 281; e leptina, 277-80; e memória, 273; e ritmo circadiano, 275; estudo do sono (polissonografia), 277; genes e, 273; "higiene do sono", 310-1; inadequado, 272-4; insônia, 22, 27, 54, 66, 140, 274-5, 312; manutenção de hábitos regulares, 310-1; remédios para dormir, 313; semana 3 (foco no sono), 310-3

sopas: Gaspacho com salmão defumado, 355-6; Gaspacho de iogurte de abobrinha com peito de frango marinado ao açafrão, 347-8; Minestrone líquido, 348-9; Sopa de brócolis com creme de castanha de caju, 354-5; Sopa de tomate e repolho roxo, 349-50

sorbitol, 295

sorvete, 43, 53, 92, 97, 295-6, 319

Steak de Wagyu com couve-de-bruxelas, 344-5

Stephenson, Nell, 335

substitutos do açúcar, 169-72

sucos de frutas, 145, 148

sucralose, 169, 295

suicídio, 179, 215-6, 221

suplementos alimentares, 30, 246-54, 292-4

suprarrenais, glândulas, 254, 278

Swerdlow, Russell, 125

tabagismo *ver* fumo

Tacos de peixe com *coleslaw* de abacate, 337

tahine: Pasta de abacate e tahine, 368-9

tapioca, 96, 296, 307

tau, proteínas, 189

Taubes, Gary, 127, 144-5, 149-50, 187, 248

TDAH (transtorno de déficit de atenção e hiperatividade), 12, 19, 22, 28, 30, 34, 53-4, 66, 88, 96, 167, 191, 204-6, 208-10, 216-7, 256, 289, 293; e cesarianas, 210; e diagnóstico, 204; e dieta sem glúten, 203; e medicamentos, 200, 204-5, 208; escala comportamental, 209

telômeros, 37-8

temperatura corporal, 275

temperos e ervas, 297

testemunhas ("História Real DM"), 12, 54, 92, 166, 201-2, 286-7

testes genéticos, 292

testosterona, 65, 140,-1

tiques nervosos, 200, 206-7

tireoide, 201, 271-2, 278

tomate, 297, 324; enlatado, 324; Pargo-vermelho com aipo, azeitonas pretas, pepino, abacate e tomate amarelo, 346-7; Refogado, 372; Salada caprese, 325; Sardinhas grelhadas com tomate, rúcula e queijo pecorino, 345-6; Sopa de tomate e repolho roxo, 349-50; Tomate recheado com salada de frango e abacate, 357

Toranja assada com cobertura crocante de granola, 334-5

Tourette, síndrome de, 28, 54, 66, 200, 207-8

toxinas, 63-4, 70, 73-4, 79, 80, 94-5, 129, 142, 145, 196, 239, 300, 324

trans, gorduras, 73, 101, 128, 377

transtorno bipolar, 88, 92, 179, 211, 215, 219

transtorno obsessivo-compulsivo, 99, 179

transstornos cerebrais: autoavaliação dos fatores de risco, 33-5; e estatinas, 133-5; e excesso de gordura corporal, 163; e grãos modernos, 20; e processos inflamatórios, 54, 60-1, 77, 83, 88-9, 211; e sensibilidade ao glúten, 54-5, 77-8, 84; genes e, 20

transtornos de humor, 12, 28, 207, 293; *ver também* ansiedade; depressão

transtornos digestivos, 54, 95

transtornos motores, 22, 34, 70-1, 85-6

triglicérides, 167, 280; de cadeia média (MCTS), 185, 242, 247-8, 294, 296; de jejum, 281

trigo, 12, 15, 24, 29, 74, 82, 90-1; gérmen de, 96, 295; glifosato usado no, 300-1; integral, 20; no período Neolítico, 24; sarraceno, 96, 307; "vício" em, 91; *ver também* glúten

triptofano, 216, 300, 312

Trufas de chocolate, 373

tumores cerebrais, 241

Twitter, 31

Vagem ao molho de alho, 365

vascular, demência, 119

verduras, 297, 320, 323, 326-7, 331-2, 357, 368; *ver também* saladas

vesícula biliar, 80, 131

vícios, 179

vida, expectativa de, 378

Villoldo, Alberto, 177

vinagre balsâmico: Filé glaceado ao balsâmico, 341-2

vinagrete: de mostarda, 340; Frango ao vinagrete de mostarda, 340; Niçoise, 360; Salada de ervas do jardim ao vinagrete balsâmico, 358-9; *ver também* molhos

vinho, 35, 168, 298, 322; branco, 340-1, 347; tinto, 298, 322, 340, 343, 346, 360, 363-4; Peixe assado ao Chardonnay

vitaminas: ácido fólico, 37; complexo B, 37, 67, 117, 216, 252, 292-3, 345; lipossolúveis, 127, 253; vitamina A, 63, 89, 128; vitamina B12, 37; vitamina B9, 37; vitamina C, 63, 89, 195, 293; vitamina D, 34, 38, 65, 128, 131, 136, 217, 253-4, 291, 294, 300; vitamina E, 63, 89, 195; vitamina K, 127

Vojdani, Aristo, 87

Wagyu: Steak de Wagyu com couve-de-bruxelas, 344-5

Walker, Matthew, 282

Why We Get Fat (Taubes), 149

Why We Sleep (Walker), 282

Wilder, Russell, 242

Wrap de homus arco-íris, 338

xarope de milho rico em frutose, 144-7, 156, 183, 295

xilitol, 295

Yaffe, Kristine, 275

YouTube: David PerlmutterMD (canal), 12, 31, 243-4

Yurko-Mauro, Karin, 190

zinco, 216-7

Zioudrou, Christine, 91

Zocor (estatina), 64

zonulina, 78-9

Zuccoli, Giulio, 241

TIPOGRAFIA Adriane por Marconi Lima
DIAGRAMAÇÃO Osmane Garcia Filho
PAPEL Pólen da Suzano S.A.
IMPRESSÃO Gráfica Bartira, maio de 2025

A marca FSC® é a garantia de que a madeira utilizada na fabricação do papel deste livro provém de florestas que foram gerenciadas de maneira ambientalmente correta, socialmente justa e economicamente viável, além de outras fontes de origem controlada.